標準保健師講座
Standard textbook

対象別公衆衛生看護活動

中谷芳美	福井県立大学教授
山口　忍	茨城県立医療大学大学院教授
加澤佳奈	岡山大学学術研究院准教授
米澤洋美	石川県立看護大学教授
吉岡京子	東京大学大学院准教授
石川志麻	慶應義塾大学専任講師
小川一枝	前 全国重症心身障害児（者）を守る会 西部訪問看護事業部部長
髙畑陽子	岡山大学大学院准教授
鈴木千智	静岡県立大学准教授
堀口逸子	広島大学客員教授
鎌塚優子	静岡大学教授
齊藤理砂子	淑徳大学教授
中谷淳子	産業医科大学教授
尾島俊之	浜松医科大学教授
大木幸子	杏林大学教授
今福恵子	豊橋創造大学教授

医学書院

| 標準保健師講座 3 |
| 対象別公衆衛生看護活動 |

発　　　行	2005年1月6日　　第1版第1刷
	2007年1月6日　　第1版第6刷
	2008年2月15日　　第2版第1刷
	2013年3月1日　　第2版第8刷
	2014年1月6日　　第3版第1刷
	2017年2月1日　　第3版第4刷
	2018年1月6日　　第4版第1刷
	2023年8月1日　　第4版第8刷
	2024年1月6日　　第5版第1刷©
	2025年3月1日　　第5版第2刷

著者代表　中谷芳美
　　　　　なかたによしみ

発 行 者　株式会社　医学書院
　　　　　代表取締役　金原　俊
　　　　　〒113-8719　東京都文京区本郷 1-28-23
　　　　　電話　03-3817-5600（社内案内）
　　　　　　　　03-3817-5650（販売・PR部）

印刷・製本　三報社印刷

本書の複製権・翻訳権・上映権・譲渡権・貸与権・公衆送信権（送信可能化権を含む）は株式会社医学書院が保有します．

ISBN978-4-260-05303-7

本書を無断で複製する行為（複写，スキャン，デジタルデータ化など）は，「私的使用のための複製」など著作権法上の限られた例外を除き禁じられています．大学，病院，診療所，企業などにおいて，業務上使用する目的（診療，研究活動を含む）で上記の行為を行うことは，その使用範囲が内部的であっても，私的使用には該当せず，違法です．また私的使用に該当する場合であっても，代行業者等の第三者に依頼して上記の行為を行うことは違法となります．

JCOPY〈出版者著作権管理機構　委託出版物〉
本書の無断複製は著作権法上での例外を除き禁じられています．複製される場合は，そのつど事前に，出版者著作権管理機構（電話 03-5244-5088，FAX 03-5244-5089，info@jcopy.or.jp）の許諾を得てください．

＊「標準保健師講座」は株式会社医学書院の登録商標です．

標準保健師講座の特色

　少子高齢社会のなか，保健師活動では予防の重要性が強くうたわれ，健康な地域づくりが重要な課題となっています。さらに，在宅看護の需要の拡大から療養支援には生活の視点が重要になっています。公衆衛生看護学は，保健師だけでなく看護師にとっても必要不可欠なものです。多くの看護職が公衆衛生看護の志向をもつことが求められています。

　いま保健師教育の場は，これまでの3年制の看護学に1年制の保健師教育を付加する養成所や短期大学専攻科における養成に加え，看護学に統合された4年制大学および大学院修士課程など多様化しつつあります。なかでも多くの4年制大学では，公衆衛生看護学について限られた時間内で講義や臨地実習をしており，教員が信頼して学生に読ませることのできるテキストが必要とされています。また，大学生には看護師と保健師の2つの国家試験を受験するため，保健師国家試験にむけて短時間で効率よく，自己学習できるテキストが求められています。

　本講座は，教員や学生のニーズにこたえ標準的な保健師教育のための教科書として，保健師に求められる基本的な知識と技術を修得することを目ざし企画されました。

　本講座の特色は，改定された保健師国家試験出題基準の項目をすべて網羅したかたちで，保健師として押さえておくべき内容をコンパクトにまとめたことです。

　本来，保健師の仕事は，応用が必要で創造的なものですが，基本がおろそかでは，応用的な課題に対応できないといえます。「理念や理論を押さえたうえでの基本の理解と，実践能力豊かな専門職の教育」を本講座のねらいとしました。

　本講座は，『公衆衛生看護学概論』『公衆衛生看護技術』『対象別公衆衛生看護活動』と『疫学・保健統計学』『保健医療福祉行政論』の全5巻からなる構成です。

　本講座の執筆者は保健師として現場経験豊富な看護大学教員や，地域保健に詳しい公衆衛生医師らで構成しました。

本書の概要

　本書は,「保健師国家試験出題基準(令和5年版)」における「対象別公衆衛生看護活動論」の各項目(1. 母子保健活動,女性の健康支援　2. 成人保健活動,生活習慣病対策　3. 高齢者保健医療福祉活動　4. 精神保健医療福祉活動　5. 障害者(児)保健医療福祉活動　6. 難病保健医療福祉活動　7. 感染症の保健活動　8. 歯科口腔保健活動),「学校保健・産業保健」および「健康危機管理」に対応しています。

　本書は,対象別保健師活動・機関別保健師活動とよばれている内容にあたり,公衆衛生看護活動を実際に進めていく対人援助の場面とその背景の施策について述べます。施策のもとになる法の内容や統計のデータなどについては,他書を準備しなくても学習の便がはかられるよう関連箇所におさめるようにしてあります。また,学生が公衆衛生看護活動を具体的にイメージして理解できるよう,事例記事「実践場面から学ぶ」を各章に適宜配置してあります。

2023年11月

著者ら

標準保健師講座 3

対象別公衆衛生看護活動

目次

1章 母子保健（親子保健）活動，女性の健康支援

A 母子保健医療福祉の動向　中谷芳美　2

1. 母子保健（親子保健）の理念，歴史的変遷 …… 2
   - a 母子保健および女性の健康に関する理念・概念 …… 2
   - b 母子の健康関連指標の動向と母子保健施策の変遷 …… 4
2. 母子保健施策と保健師活動，健やか親子21 …… 5
   - a 市町村による総合的な母子保健活動 …… 7
   - b 母子保健活動における保健所の市町村支援 …… 9
   - c 健やか親子21と次世代育成支援対策 …… 10

B 母子および親子の健康課題と支援　中谷芳美　14

1. 周産期の親子への支援 …… 14
   - a 周産期ハイリスク母子の早期支援と地域支援体制整備 …… 14
   - b 周産期のメンタルヘルス支援 …… 14
2. 乳幼児健康診査における支援体制整備 …… 15
   - a 健康診査の精度管理と事後支援体制の強化 …… 15
   - b 健康診査における育児支援と子育て支援体制の充実 …… 15
3. 切れ目ない妊産婦・乳幼児への支援の展開，妊娠・出産包括支援事業 …… 16
   - a 妊娠・出産包括支援事業による支援の展開 …… 16
   - b こども家庭センターの設置など …… 16
4. 親育て・子育てにおけるエンパワメント …… 16

C 乳幼児期の成長・発達と健康課題への支援　中谷芳美　18

1. 乳幼児の成長・発達および生活の理解 …… 18
   - a 乳幼児の身体発育の評価 …… 18
   - b 運動・言語・社会性の発達 …… 19
2. 乳幼児期の健康課題と保健師の支援 …… 22
   - a 乳幼児健康診査 …… 22
   - b 経過観察を必要とする親子への支援 …… 26
   - 実践場面から学ぶ：1歳6か月児健康診査で言語発達の遅れがみとめられた母子への支援 …… 28
3. 予防接種 …… 29
4. 子どものメンタルヘルス支援 …… 30
5. 乳幼児期の事故の特徴と事故防止 …… 30
   - a 乳児期 …… 31
   - b 幼児期 …… 31
   - c 乳幼児突然死症候群 …… 32
6. 情報化による子どもの健康課題への支援 …… 32
7. 乳幼児期における保健指導 …… 32
   - a 個別の保健指導が必要な対象 …… 33
   - b 家庭訪問が必要な対象 …… 33
   - c 集団の保健指導が必要な対象 …… 34
   - 実践場面から学ぶ：多胎児への支援 …… 34

D 女性のライフサイクル各期の健康課題と支援　山口　忍　36

1. 思春期の健康課題と保健師活動 …… 36
   - a 思春期の健康課題 …… 36
   - b 思春期に対する保健師の支援 …… 37
2. 成熟期：妊娠・出産に伴う保健師活動 …… 39

  a　妊娠・出産期における保健師の支援……39
  b　産後の生活と保健師の支援……………42
 3．更年期の健康課題と保健師活動……………43
  a　更年期の健康課題………………………43
  b　更年期女性への保健師の支援…………43

E 支援のニーズが高い対象の健康課題と支援　中谷芳美　45

 1．心身障害児などを対象とする支援の制度…45
  a　妊娠高血圧症候群等の療養援護………45
  b　未熟児養育医療…………………………45
  c　自立支援医療（育成医療）………………45
  d　結核児童の療育給付……………………46
  e　小児慢性特定疾病対策…………………46
  f　療育指導事業……………………………46

  g　医療的ケア児支援………………………46
  h　発達障害など成長・発達に支援が
   　必要な児…………………………………47
 2．勤労女性を対象とする支援の制度…………47
  a　労働基準法に基づく措置………………48
  b　男女雇用機会均等法に基づく措置……48
  c　育児・介護休業法に基づく措置………48
 3．子どもの虐待，女性への暴力………………49
  a　子どもの虐待の定義と発生要因………50
  b　子どもの虐待の予防・早期発見と
   　支援………………………………………51
  c　家庭内暴力の現状と支援………………56
 4．ひとり親家庭の現状と支援…………………56
 5．外国人母子などの健康問題と支援…………57
 6．地域のサポートシステム・社会資源………58

2章　成人保健活動，生活習慣病対策

A 成人保健医療福祉の動向　加澤佳奈　62

 1．成人保健とは…………………………………62
  a　成人保健の理念…………………………62
  b　成人期における健康課題の動向と
   　保健活動…………………………………62
 2．成人保健医療福祉の変遷……………………63
  a　国民健康づくり対策……………………63
  b　健康診査・検診の整備…………………64
  c　がん対策…………………………………64
 3．成人保健医療福祉施策と保健活動…………65
  a　健康日本21（第二次）……………………65
  b　データヘルス計画………………………66

B 成人保健における健康課題と支援　加澤佳奈　70

 1．成人期のライフステージに応じた
  健康課題と支援………………………………70
  a　青年期……………………………………70
  b　壮年期……………………………………71
  c　向老期……………………………………72
 2．対象に応じた成人保健活動の進め方………72

  a　ポピュレーションアプローチと
   　ハイリスクアプローチ…………………72
  b　地域全体への支援………………………73
  c　小集団を対象とした支援………………74
  d　個人の健康障害リスクに応じた支援…74
 3．成人期における疾患の予防と支援…………76
  a　特定健康診査・特定保健指導…………76
  実践場面から学ぶ：メタボリック
   　シンドロームの人への支援……………78
  b　生活習慣病の予防………………………79
 4．成人期における発症率が高い疾患の
  予防……………………………………………82
  a　肥満………………………………………82
  b　高血圧……………………………………82
  c　がん対策…………………………………83
  d　循環器疾患………………………………85
  e　糖尿病……………………………………87
  f　慢性腎臓病………………………………87
 5．地域・集団の特性に応じた
  地域ケアシステム……………………………88
  a　サービスの提供体制の構築……………88
  b　保険者・医療提供施設との連携………89
  c　生活困窮者への健康支援………………89

3章 高齢者保健医療福祉活動

A 高齢者保健医療福祉の動向
米澤洋美　92

1. 高齢者保健医療福祉の基本理念 …………… 92
2. 高齢者の保健医療福祉施策の変遷 ………… 93
   - a 老人福祉法と老人保健法による高齢者保健福祉 …………………… 93
   - b ゴールドプランによるサービスの基盤整備 ………………………… 94
   - c 介護保険制度の開始 ………………… 94
   - d 高齢社会への対応から地域共生社会へ … 95
3. 高齢者の保健医療福祉施策と保健師活動 … 95
   - a 生涯にわたる健康づくり ……………… 95
   - b 介護保険制度 ………………………… 96

B 高齢者の健康課題と支援
米澤洋美　100

1. 高齢者の健康と生活特性 ………………… 100
   - a 高齢化の状況――総人口と高齢化率 … 100
   - b 高齢者の健康状態 …………………… 100
2. 高齢者の健康課題と支援 ………………… 102
   - a 保健師の役割 ………………………… 102
   - b 高齢者にみられる健康課題と対応 …… 102
3. 認知症高齢者と家族への支援 …………… 103
   - a 認知症とは …………………………… 103
   - b 認知症に関する施策 ………………… 104
   - c 認知症患者とその家族への支援 …… 105
   - 実践場面から学ぶ：認知症の疑いのある人を支援につなぐ ……………… 107
4. エンドオブライフ期にある高齢者と家族 … 108
   - a エンドオブライフへの支援 ………… 108
   - b エンドオブライフ期の高齢者・家族への支援 ……………………… 109
5. 複数の疾患をかかえる高齢者 …………… 110
6. 独居，高齢者のみ世帯 …………………… 110
   - a 高齢者のいる世帯の動向 …………… 110
   - b 独居高齢者・夫婦のみ世帯への支援 … 111
7. 自立した生活を維持するための生活支援 … 111
   - a 高齢者虐待防止と支援 ……………… 111
   - b 社会的孤立の状態にある高齢者の把握と生活支援 ………………… 115
8. 介護予防・フレイル予防と支援 ………… 115
   - a 介護予防 ……………………………… 115
   - 実践場面から学ぶ：通いの場による介護予防支援 …………………… 116
   - b フレイル予防 ………………………… 118

4章 精神保健医療福祉活動

A 精神保健医療福祉の動向
吉岡京子　122

1. 精神保健の理念と変遷 …………………… 122
   - a 精神保健の理念 ……………………… 122
   - b 日本における精神保健医療福祉の変遷 …………………………… 123
2. 精神保健医療福祉施策 …………………… 124
   - a 精神障害者の統計 …………………… 124
   - b 精神障害者への支援施策 …………… 125

B 精神保健にかかる健康課題と支援
吉岡京子　128

1. 精神保健における保健師の支援 ………… 128
2. 早期発見・早期治療・早期退院による経過の短縮 ……………………………… 128
3. 生活のしづらさや困難さへの支援 ……… 129
   - a 一般的な相談の場合 ………………… 129
   - b 自傷他害のおそれがある相談の場合 … 130
4. 日常生活における自立支援に向けたしくみ …………………………………… 130
   - a 精神通院医療 ………………………… 130

b　障害福祉サービス……………131
　　c　精神障害者保健福祉手帳……131
　　d　成年後見制度と日常生活自立支援
　　　　事業……………………………131
　5．社会復帰・地域生活支援……………132
　　a　精神障害者の社会復帰に関する
　　　　重要な概念……………………132
　　b　資源・サービスを活用した
　　　　社会復帰・地域生活の支援…133
　6．地域ケアシステムの構築……………133
　7．共通の課題をもつ小集団への支援…134
　　a　デイケア……………………………134
　　b　ソーシャルスキルトレーニング…134

C 心の健康課題と支援
吉岡京子　　136

　1．思春期における心の健康課題………136
　　a　不登校……………………………136
　　b　ひきこもり………………………137
　　c　家庭内暴力………………………137
　2．社会生活における健康課題（依存，うつ，
　　　自殺）への支援…………………………138
　　a　依存…………………………………138
　　b　うつ状態……………………………139
　　c　自殺…………………………………140
　　d　トラウマに起因する健康課題（心的
　　　　外傷後ストレス障害〔PTSD〕），
　　　　複雑性PTSDへの対応……………142
　3．地域に暮らす精神疾患をもつ人々への
　　　支援の特徴……………………………143
　　a　症状性を含む器質性精神障害……143
　　b　統合失調症，統合失調型障害，
　　　　妄想性障害……………………143
　　　実践場面から学ぶ：引きこもりの
　　　　統合失調症患者………………144
　　c　地域において支援が必要な精神障害・
　　　　精神疾患…………………………146

5章　障害者（児）保健医療福祉活動

A 障害者（児）の保健医療福祉の動向
石川志麻　　152

　1．障害者（児）保健の理念と変遷………152
　　a　ノーマライゼーション………………152
　　b　リハビリテーションと自立生活運動…153
　　c　国際生活機能分類（ICF）……………153
　　d　インクルージョン……………………154
　　e　共生社会の形成………………………155
　　f　人権擁護・虐待予防…………………156
　2．障害者（児）の保健医療福祉施策……156
　　a　障害者（児）保健医療福祉の経緯…156
　　b　障害者（児）への支援制度…………158
　　c　障害者手帳……………………………162

B 障害者（児）の健康問題と支援
石川志麻　　164

　1．健康状態の評価と支援…………………164
　　a　本人の健康状態を評価する際に役だつ
　　　　指標とその活用………………164
　2．二次障害・合併症予防………………165
　　a　二次障害の予防……………………165
　　　実践場面から学ぶ：中年の知的障害者と
　　　　家族……………………………166
　　b　合併症の予防………………………167
　3．障害者サービスの調整，地域ケア
　　　システムの構築…………………………168
　　a　サービス等利用計画…………………168
　　b　地域ケアシステムの構築と
　　　　包括的支援体制の整備………168
　4．重複障害者と家族への支援…………169
　　a　重症心身障害…………………………169
　　b　重症心身障害児（者）の家族への支援…169
　5．小集団への支援………………………170
　　　実践場面から学ぶ：中途障害の本人と
　　　　家族……………………………170
　6．障害者（児）の住環境・地域環境の整備…172

6章 難病保健活動

A 難病対策の動向　小川一枝　174

1. 難病対策の歴史的変遷 …………… 174
- a 難病法の制定以前の難病対策 ……… 174
- b 難病の患者に対する医療等に関する法律の制定 ……………………… 179

2. 難病保健施策と保健師活動 ……… 180
- a 難病の患者に対する医療等に関する法律 ……………………………… 180
- b 難病保健における保健師活動 ……… 184

B 難病患者への支援・保健活動　小川一枝　187

1. 難病患者と家族の特徴 …………… 187
- a 難病とともに生活していくということ ……………………………… 187
- b 診断の告知と受容に関する問題 …… 188
- c 意思決定について ………………… 188
- d 家族の介護負担 …………………… 189
- e 遺伝に関すること ………………… 189

2. 患者・家族への支援 ……………… 189
- a 保健師が難病患者・家族と出会う場面 ……………………………… 190
- b アセスメントと支援計画の立案 …… 190
- c 療養支援チームの構築 …………… 191
- d ケア会議・カンファレンスなどの開催 ……………………………… 192
- e 家族への支援 ……………………… 192
- f QOLの向上を目ざすこと ………… 193
- 実践場面から学ぶ：ALS患者への支援 … 193

3. 地域ケアシステムの構築 ………… 194
- a 地域アセスメントによる地域の課題の明確化 …………………… 194
- b 保健所の難病対策事業の展開 …… 195
- c 施策化ということ ………………… 195
- 実践場面から学ぶ：小児慢性特定疾病の双子への支援 ………………… 197

7章 感染症保健活動

A 感染症対策の動向　髙畑陽子　200

1. 感染症保健活動の理念，感染症対策の変遷 ……………………………… 200
- a 感染症保健活動の理念 …………… 200
- b 感染症対策の変遷 ………………… 200

2. 感染症対策の体制 ………………… 205
- a WHOおよび各国の感染症対策 …… 205
- b 保健分野と検疫所・防疫所・医療機関との連携 …………………… 205
- c 薬剤耐性対策 ……………………… 205
- 実践場面から学ぶ：結核 ……………… 206

B 感染症保健施策と保健師活動　髙畑陽子　208

1. 感染症予防 ………………………… 208
- a 感染症成立の3大要因 …………… 208
- b 感染症の流行 ……………………… 208
- c 感染予防の3原則 ………………… 209

2. 感染症法に基づく施策と保健師活動 …… 209
- a 感染拡大の予防施策 ……………… 210
- b 感染症発生時における保健師活動 …… 210

3. 予防接種法に基づく施策と保健師活動 …… 212
- a 予防接種の意義 …………………… 212
- b 予防接種法 ………………………… 213
- c 予防接種における保健師の支援 …… 213
- 実践場面から学ぶ：O157による集団感染 ……………………………… 214

C 疾病管理　鈴木千智　216

1. 新興・再興感染症と感染症予防 …… 216
- a 新興・再興感染症とは …………… 216
- b 感染予防の基本 …………………… 218

2. 結核 219
    a　日本における動向 219
    b　日本における結核対策 220
3. HIV感染症・エイズ・性感染症 226
    a　エイズの動向 226
    b　日本におけるエイズ対策 227
4. 腸管出血性大腸菌感染症 228
5. 肝炎 229
    a　日本における動向 229
    b　日本における肝炎対策 230

8章　歯科口腔保健活動

A　歯科口腔保健の動向
堀口逸子　　234

1. 歯科口腔保健の理念と変遷 234
    a　歯科口腔保健における啓発活動 234
    b　歯科口腔保健における法的な整備 .. 234
2. 歯科口腔保健に関する統計 237
    a　歯や歯茎の状態 237
    b　歯科口腔保健行動の状況 238

B　歯科口腔の健康の保持と歯科保健活動
堀口逸子　　239

1. ライフサイクル・健康レベルに応じた歯科保健対策 239
    a　妊産婦・乳幼児 239
    実践場面から学ぶ：母子歯科保健の企画 240
    b　児童・生徒 241
    c　労働者 242
    d　成人・高齢者 242
2. 歯科口腔の健康の保持と歯科保健活動 .. 243
    a　齲蝕の予防 243
    b　歯周疾患予防 244
    c　口腔機能・嚥下機能の低下の予防 .. 244
    d　在宅療養者の口腔疾患の予防 245

9章　学校保健

A　学校保健の基本
鎌塚優子　　248

1. 学校保健とは 248
    a　学校保健の目的 248
    b　学校保健における職員および養護教諭の役割・機能 248
2. 学校保健の動向 249
    a　社会的背景と学校保健の動向 249
    b　学校保健統計の動向 250
    c　養護教諭の動向 251
3. 学校保健の制度としくみ 251
    a　学校保健安全の構成・内容 251
    b　学校保健安全に関する法規 253
    c　学校保健・安全の組織・人材 253
    d　学校保健計画・学校安全計画 253
    e　学校安全・危機管理 255
    実践場面から学ぶ：学校における危機管理 257
    f　学校環境衛生 258
    g　学校給食・食育・衛生管理 258

B　学校保健における健康課題への対策
齊藤理砂子・鎌塚優子　　260

1. 発達段階別にみる対象の特徴と健康課題への対策と支援 … 齊藤理砂子 260
2. 幼児・児童および生徒の健康課題への対策と支援 261
    a　現代的な健康課題 261

b 学校保健統計の動向：定期健康診断の
　　　結果 ………………………………… 263
　　c 不登校 ………………………………… 263
　　d いじめ ………………………………… 265
　　e がん教育 ……………………………… 266
3．特別支援教育と特別な支援を要する
　　子どもへの対策と支援 ……………… 267
　　a 特別支援教育 ………………………… 267
　　b 特別な支援を必要とする子どもへの
　　　対策と支援 …………………………… 268
4．学校保健活動の展開と養護教諭の職務
　　　………………………… 鎌塚優子 … 270
　　a 養護教諭の職務・役割 ……………… 270

　　b 保健室の機能と法的位置づけ ……… 272
　　c 健康診断の意義と事前・事後の措置 … 272
　　d 健康相談と保健指導 ………………… 273
　　e 感染症予防と対策 …………………… 275
　　　実践場面から学ぶ：感染予防のための
　　　措置 …………………………………… 275
　　f 学校管理下の事故の防止と救急処置 … 277
　　g 健康教育 ……………………………… 278
　　h 学校保健組織活動 …………………… 278
　　i ヘルス・プロモーティング・
　　　スクール ……………………………… 278
　　j 地域の関係機関・ボランティアとの
　　　連携・協働 …………………………… 279

10章　産業保健

A　産業保健の基本　中谷淳子　282

1．産業保健の目的と産業保健活動 ……… 282
　　a 産業保健の目的 ……………………… 282
　　b 産業保健活動とは …………………… 282
2．産業保健における保健師の役割・機能 … 283
　　a 産業看護とは ………………………… 283
　　b 産業保健における保健師の役割 …… 284
3．日本における産業保健の歴史 ………… 284
　　a 日本における産業保健の変遷と
　　　社会背景 ……………………………… 284
　　b 産業における看護職の活動の歴史 … 286
4．産業構造の変遷 ………………………… 288
　　a 産業別就業者数の推移 ……………… 288
　　b 女性労働者の増加 …………………… 289
　　c 海外派遣労働者 ……………………… 290
　　d 外国人労働者 ………………………… 290
5．産業保健の制度とシステム …………… 290
　　a 労働安全衛生に関する法体系 ……… 290
　　b 労働安全衛生にかかわる行政の体系 … 296
　　c 産業保健における関係機関・社会
　　　資源 …………………………………… 296
　　d 産業保健を担う職種・組織 ………… 297
　　e 労働安全衛生マネジメントシステム
　　　（OSHMS） …………………………… 298
　　f 労働衛生管理 ………………………… 299

B　産業保健における健康課題への
　　対策と支援　中谷淳子　301

1．労働衛生の現状 ………………………… 301
　　a 労働災害発生状況 …………………… 301
　　b 業務上疾病 …………………………… 303
　　c 脳・心臓疾患および精神障害などに
　　　関する労災補償 ……………………… 304
　　d 健康診断結果 ………………………… 304
2．産業保健における健康課題への対策と
　　支援 …………………………………… 305
　　a 職業性疾病 …………………………… 306
　　b 作業関連疾患 ………………………… 306
　　c 生活習慣病対策 ……………………… 306
　　d 過重労働対策 ………………………… 307
　　e VDT作業による健康影響への対策 … 307
　　f 心身症とメンタルヘルスの不調 …… 307
　　　実践場面から学ぶ：メンタルヘルス ……… 310
3．多様化する労働者および雇用形態への
　　対応 …………………………………… 311
　　a 女性労働者への支援 ………………… 311
　　b 高年齢労働者への支援 ……………… 312
　　c 障害者への支援 ……………………… 312
　　d 多様な雇用形態に対応した健康管理 … 312
　　e 疾病をかかえる労働者への就業
　　　継続支援 ……………………………… 312

4．産業保健活動の展開 313
　a　産業保健・看護を展開するうえでの
　　　基本事項 313
　b　産業保健活動の実際 314
　実践場面から学ぶ：生活習慣病対策 319

11章 健康危機管理

A 健康危機管理　尾島俊之　322

1．健康危機管理の理念と目的 322
　a　健康危機管理の定義・分類 322
　b　健康危機管理の目的 322

2．さまざまな要因による健康上の危機的影響 323
　a　自然災害 323
　b　感染症 324
　c　人為災害・事故（原子力災害，化学物質，テロ，火災など） 324
　d　食中毒など（食品，飲料水など） 324
　e　暴力・虐待 325

3．リスクマネジメントの過程 325
　a　リスクアセスメント，リスク分析 325
　b　リスクへの対応とその評価 325
　c　リスクコミュニケーション 326
　d　事業継続計画 327

4．保健師などの役割 327
　a　平常時の体制準備 327
　b　情報収集，初動調査 328
　c　原因分析 329
　d　健康危機のレベルに応じた対策の検討・決定 329
　e　被害者・家族・住民への対応 330
　f　健康被害の拡大防止および支援 331
　g　対策の評価 332
　h　再発防止 333
　i　広報およびマスコミ対策 334
　j　職員などの健康管理 335

B 感染症集団発生時の保健活動　大木幸子　337

1．感染症調査 337
　a　集団発生の定義 337
　b　初動調査と症例定義 337
　c　集団発生時における調査（積極的疫学調査） 338
　d　調査結果の整理・分析 339

2．集団発生時の保健活動 340
　a　集団感染事例の探知 340
　b　対策会議による組織的対応 341
　c　初動体制の立ち上げおよび調査の実施 342
　実践場面から学ぶ：地域における集団感染 343
　d　患者・関係者への相談支援 345
　e　感染拡大防止対策の検討・実施 346
　f　集団施設や地域の対策の実施 346

3．平常時における感染予防対策 347
　a　地域における感染症流行状況の把握 347
　b　感染症に関する知識の啓発 348
　c　集団施設とのネットワークづくり 348
　実践場面から学ぶ：高齢者施設内の集団感染 349
　d　リスクコミュニケーションとコミュニティエンゲージメントを基盤にした情報提供と対話 351

C 災害保健活動　今福恵子　353

1．災害および災害保健活動における基本 353
　a　災害の基本概念 353
　b　災害保健活動の基本 355

2．災害支援の法・制度およびシステム 356
　a　災害対策に関する法律 356
　b　災害支援の制度とシステム 357
　c　災害支援に関する社会資源 359

3．各災害サイクルにおける災害対策と保健師活動 361

a 平常時(災害静穏期・準備期)の
　保健活動 ……………………………… 361
b 災害応急対策期(超急性期〜亜急性期)
　の保健活動 …………………………… 363
c 災害復旧・復興対策期の保健活動 …… 365
　実践場面から学ぶ：災害フェーズ3に
　おける避難所生活者への支援 ………… 367

INDEX ……………………………………………………………………………………… 369

1章 母子保健（親子保健）活動，女性の健康支援

1章 母子保健（親子保健）活動，女性の健康支援

A 母子保健医療福祉の動向

POINT
- 母子保健（親子保健）は生涯を通じた健康の出発点であり，次世代を健やかに育てる基盤となる。
- 地域の母子保健ニーズに基づき，「健やか親子21」をふまえた次世代育成支援行動計画が策定され，思春期から妊娠・出産期，乳幼児期を通じて一貫した体系のもとに母子保健サービスが提供されている。
- 母子を取り巻く環境が大きく変化し，従来の乳幼児や妊産婦死亡の減少，疾病の予防に加え，乳幼児虐待の防止や子育て支援などの地域ぐるみの母子保健活動が重要な課題である。

1 母子保健（親子保健）の理念，歴史的変遷

母子保健は，生涯を通して健康な生活を送るための出発点であり，次の世代を健やかに生み育てるための基礎である。地域における母子保健活動の理念は，思春期から妊娠・出産，育児の過程を妊産婦と家族が安心してたどれるような地域づくり，すべての子どもが心身ともに健やかに成長することのできる地域社会の形成を目ざすものである。

日本の母子保健水準は世界のトップクラスにあるが，妊産婦死亡や乳幼児の事故死について改善の余地があるなどの残された課題や，思春期における健康問題，出生率の低下，育児不安をかかえる親の増加，児童虐待など新たな課題が存在する。母子保健活動は，時代の変遷や地域住民の多様なニーズに対応して，適切かつ効果的なものとして実施していくことが重要である。国はこれからの母子保健の理念として，疾病志向から健康志向へ，子育て支援の中心的役割，保健・医療・福祉・教育などの連携を掲げている。

a 母子保健および女性の健康に関する理念・概念

1 母子保健活動の理念

■疾病志向型から健康志向型へ

豊かな地域社会を形成していくためには，母子保健の目的を疾病の予防や早期発見としてとらえるだけでなく，体力・社会適応力・生活能力および健全な心を育むことなどを総合的にとらえていく必要がある。今

プラス・ワン

「母子保健（親子保健）活動」の表記について

母子保健活動は，1965（昭和40）年に制定された母子保健法に基づき，思春期から妊産婦，新生児，乳幼児を対象として母性と乳幼児の健康の保持・増進を支援してきた。
しかし，少子化や家族の多様化，地域社会の希薄化などにより，子育て家庭を取り巻く環境が変化するなかで，児童虐待や発達障害，家庭内暴力，いじめ，不登校・引きこもりなどの問題が増加してきた。これらは母子のみを対象にした保健活動では解決できない問題である。
2000（平成12）年に策定された「健やか親子21」においては，すべての親が安心して子どもを生み，ゆとりをもって健やかに子どもを育てる家庭や地域の環境づくりを目ざしている。そこで，本章では，親子保健を思春期から妊娠・出産・育児期，成熟期，更年期といったライフサイクルのなかに位置づけ，親子（家族）を対象とする保健活動という意味で扱う。

A. 母子保健医療福祉の動向

後の母子保健施策においては，住民の生活実態を把握するとともに，生活全体を見直し，その健康づくりの推進をはかる指導を行うなど，疾病を重視した施策から健康を重視した施策への転換をはかり，母性の健康や子どもの健全育成を可能とするための，生活環境の向上までを包含した総合的な施策を推進することが必要である。

■子育て支援の中心的役割

近年，少子化や核家族化の進行，地域における連帯意識の希薄化，情報の氾濫，女性の社会進出など，母子を取り巻く環境が著しく変化し，育児不安や育児補完機能へのニーズが増えている。これらの社会的な問題やニーズに対応するためには，家族への育児支援，相談・指導体制の充実が必要となっている。そのほか，思春期における親になることへの学習支援，子どもの生活環境や心の健康づくりへの支援，育児を行う両親への支援など，従来よりも幅広い母子保健ニーズが生じてきている。

このため，今後の母子保健施策は，単に発育の評価や疾病の診断を行うだけでなく，妊婦や家族に対し，育児に関する適切な情報の提供，育児方法に関する指導など，健全な生活習慣の確立や健やかに子どもを生み育てることができるための支援を行うことが必要である。

■保健・医療・福祉・教育機関および地域組織との連携

高齢化社会の進展に伴い，住民のニーズが保健・医療・福祉などの分野を通じた総合的なものとなってきており，母子保健についても，児童福祉や学校保健は不可分の関係にある。多分野にわたる施策やサービスを効率的・効果的に提供するためには，保健・医療・福祉・教育関係者，地域組織（母子保健推進員✚や愛育班✚など）との連携をはかり，包括的な保健・医療・福祉・教育のシステムを構築し，母子にかかわる総合的な施策を地域ぐるみで推進することが必要である。

2 女性の健康に関する理念・概念

■リプロダクティブ・ヘルス／ライツ

リプロダクティブ・ヘルス／ライツ（性と生殖に関する健康／権利）は，1994年にカイロで開催された国連の国際人口開発会議で提唱された概念である。リプロダクティブ・ヘルスは，生殖年齢の男女だけではなく，思春期から生涯にわたる性と生殖に関する健康を意味するもので，すべての個人に保障されるべき健康概念である。リプロダクティブ・ライツとは，リプロダクティブ・ヘルスを享受する権利である。

■ジェンダーと性（セクシュアリティ）の多様性

ジェンダー（社会的文化的性差）とは，「男らしさ」「女らしさ」のように社会的・文化的に形成された性差のことである。生物学的性別と性別に対する自己認知（ジェンダー・アイデンティティ）が一致しない状態にある性同一性障害者，LGBT（レズビアン，ゲイ，バイセクシュアル，トランスジェンダー）など，人々のセクシュアリティ（性的指向）は多様化し

✚ プラス・ワン

母子保健推進員制度

市町村に母子保健推進員を設置し，地域に密着した母子保健活動の推進をはかることを目的に創設された制度である。**母子保健推進員**（以下，推進員）は地域の保健師・助産師などの有資格者や母子保健に熱意をもつ人々から選ばれ，市町村長の委嘱を受けて活動するボランティアである。推進員は担当地区の母子の家庭訪問や乳幼児健康診査・育児教室などの支援を通して，地域や家庭でおこっている母子保健上のさまざまな問題を身近な立場で把握し，母親の相談役となるとともに，住民と行政をつなぐパイプ役として活動している。保健師にとって推進員は住民側の理解者・協力者であり，推進員の育成にあたってはともに考え，活動しやすい条件や基盤づくりを支援していく必要がある。

愛育班

1934（昭和9）年に恩賜財団母子愛育会により設立された住民組織である。各地域で愛育班をつくり，母子を中心に「健康な子どもを生み育てること」を目標にした活動から始まった。活動を進めていく人を**愛育班員**といい，地区担当の保健師と連携をとり，家庭訪問や声かけ，学習会や講演会の開催など地域に根ざしたボランティア活動を行っている。近年は，地域に住むすべての人々の健康づくりを目ざした活動へと拡大している。

■性と生殖に関する医療と生命倫理

不妊治療や出生前診断など生殖医療技術の進歩は，不妊に悩む人々や胎児の健康状態に不安を感じている人たちにとって大きな福音である。一方，生殖技術の進歩は，非配偶者間の人工授精や体外受精，受精卵の減数手術，精子や卵子の商業化，代理出産，出生前診断の結果による妊娠中絶，胎児の権利など「命を操作する」「命の質を選別する」という生命倫理の課題も内包している。

b 母子の健康関連指標の動向と母子保健施策の変遷

1 母子の健康関連指標の向上と少子化の進展

日本の**乳児死亡率**は，明治・大正期には150～160であったが，1940（昭和15）年には100になり，1952（昭和27）年には50を割った。さらに1975（昭和50）年には10.0となり，以降は毎年改善され一桁台となり，2023（令和5）年には1.8と，世界でも低率国となっている。

周産期死亡率は，1979（昭和54）年には21.6であったが，1989（平成元）年には12.1になり，2012（平成24）年には4.0，2023（令和5）年3.3と急速な低下をとげ，諸外国と比較しても低率となっている。しかし，日本の周産期死亡率は，早期新生児死亡率に比べ死産率が高いことが特徴であり，改善の余地がある。

妊産婦死亡率は，1947（昭和22）年には出産10万対160.1であったが，1965（昭和40）年には80.4と半減し，その後もゆるやかな低下傾向にあった。2023（令和5）年は3.1であった。

出生数の推移をみると，第二次世界大戦後の第1次ベビーブーム時の260万人台をピークに急速に減少し，1970年代前半の第2次ベビーブーム時に200万人前後，2005（平成17）年は過去最低の106万2530人となった。2006（平成18）年に6年ぶりに増加に転じたあとは増減が続き，2015（平成27）年は100万5677人と，前年より2,138人増加した。しかし，2016（平成28）年以降は減少が続き，2023（令和5）年は72万7277人と過去最少となった。

合計特殊出生率は，昭和50年代に2.0を下まわり，1989（平成元）年には，1966（昭和41）年の丙午の1.58を下まわり，「1.57ショック」とよばれた。その後，少子化対策が打ち出されてはいるものの，少子化の進展に歯どめがきかず，2005（平成17）年の合計特殊出生率は過去最低の1.26となった。2006（平成18）年から上昇傾向となり，横ばいまたは上昇で推移し，2015（平成27）年に1.45と上昇したあとは下降し，2023（令和5）年は1.20となり，過去最低となった。

他方，出生数が減少するなかで，高齢出産や不妊治療の増加，妊娠中

> **プラス・ワン**
>
> **乳児死亡率**
> 生後1年未満の死亡を乳児死亡といい，出生1,000対で乳児死亡率が示される。
>
> 乳児死亡率＝$\frac{乳児死亡数}{出生数}\times 1,000$
>
> 乳児死亡率は母体の健康状態や養育条件などの影響を受けるので，地域の衛生状態，経済・教育状態を含む社会状態を反映すると考えられる。
>
> **周産期死亡率**
> 出産（出生数と妊娠満22週以後の死産を合わせた数）1,000に対する妊娠満22週以後の死産と生後1週未満の早期新生児死亡を合わせた数である。
> 母体と胎児の健康状態を反映する重要な母子の健康関連指標である。
>
> **妊産婦死亡率**
> $\frac{妊産婦死亡数}{出生数＋死産数（出産数）}\times 100,000$
> 国際比較では，分母を出生数とする。母体の健康状態や出生時の適切な産科医療を反映するといわれている。
>
> **合計特殊出生率**
> 15歳から49歳までの女性の年齢別出生率を合計した数値で，1人の女性が生涯に産む子どもの数の平均値。日本は先進国のなかでも目だって低い水準となっている。2.08を割ると総人口が減少に向かうとされる。

のストレスの増加などの複合的要因により，低出生体重児数は増加傾向にある。出生時体重 2,500 g 未満の低出生体重児の割合は，1980（昭和55）年 5.2％→1990（平成2）年 6.3％→2000（平成12）年 8.6％→2023（令和5）年 9.6％と増加し，全出生数の約1割を占めている。また，1,500 g 未満の極低出生体重児の割合も 1980（昭和55）年には 0.4％であったが，2023（令和5）年は 0.8％と約2倍に増加している。

2 母子保健施策の変遷（表1-1）

戦後，日本の母子保健施策は，1947（昭和22）年の**児童福祉法**の制定，翌年の**母子衛生対策要綱**の決定により，妊産婦・乳幼児に対する保健と福祉対策が相ついで実施された。しかし，昭和30年代の後半期においても，乳児や妊産婦の死亡率は先進諸国に比べて高く，地域格差が著しいなど母子の健康に関する多くの問題が取り残されていた。

このような状況において，1965（昭和40）年に**母子保健法**が制定された。母子保健法の成立により，それまでの児童と妊産婦を対象とする母子保健から，さらに対象を広め，妊産婦になる前段階の女性の健康管理も含めた一貫した総合的な母子保健対策が推進されることになった。母子保健法施行後，1968（昭和43）年度には母子保健推進員制度の創設，1969（昭和44）年度の医療機関委託による妊婦および乳児健康診査事業の実施など，必要な事業の整備がはかられた。

1977（昭和52）年度には市町村を実施主体とする1歳6か月児健康診査，都道府県・指定都市を実施主体とする先天性代謝異常などのマススクリーニング検査✚を開始した。1984（昭和59）年度には6〜7か月の乳児を対象に神経芽細胞腫を発見する尿検査を公費負担で開始した。1985（昭和60）年にはB型肝炎の母子感染を防止するために，妊婦およびB型肝炎母子感染の可能性の高い乳児（キャリア妊婦が出生した児）に対して，検査・必要な処置を行う**B型肝炎母子感染防止事業**を制度化した。1987（昭和62）年度には市町村事業である1歳6か月児健康診査に精密健康診査，1990（平成2）年度には3歳児健康診査に視聴覚検査を導入した。

2 母子保健施策と保健師活動，健やか親子21

日本の母子保健対策は，思春期から妊娠・分娩期，育児期，新生児期，乳幼児期を通じて一貫したサービスが提供できるよう体系化されている（図1-1）。1994（平成6）年の母子保健法改正，1997（平成9）年4月の地域保健法全面施行に伴い，思春期から妊娠・出産・育児および乳幼児保健の基本的な母子保健事業の実施主体は，住民に身近な市区町村に一元化された。各市区町村では，地域の母子保健ニーズに基づき，「**次世代育成支援行動計画**✚」を策定し，医療・福祉・教育などの連携のもと母子保健サービスを実施している。

✚ プラス・ワン

先天性代謝異常などのマススクリーニング検査

先天性代謝異常検査は，医療機関で早期新生児期に採取した血液を検査用の濾紙にしみ込ませる方法で実施され，保護者に結果が通知される。厚生省（当時）の通知（1977年）によると，4種類の先天性代謝異常症（フェニルケトン尿症，楓糖尿症〔メープルシロップ尿症〕，ホモシスチン尿症，ガラクトース血症）と2種類の内分泌疾患（先天性副腎過形成症，クレチン症〔新生児甲状腺機能低下症〕）の計6疾患が対象になっている。なお，2011（平成23）年3月に「タンデムマス法」を用いた検査の導入を積極的に検討するように厚生労働省から通知があり，対象疾患を増やしている自治体が多い。

次世代育成支援行動計画

2003（平成15）年7月，次世代育成支援対策推進法が成立し，2004（平成16）年度末までにすべての都道府県・市町村に次世代育成支援行動計画の策定が義務づけられた。行動計画策定指針には，「地域における子育ての支援，母性ならびに乳児及び幼児等の健康の確保及び増進」が盛り込まれ，「健やか親子21」の趣旨を十分ふまえて見直された母子保健計画は，行動計画の一部として包括されることとなった。

表1-1　おもな母子保健施策の経緯

年	事項
1947(昭和22)年	児童福祉法公布
1948(昭和23)年	妊産婦・乳幼児の保健指導，母子衛生対策要綱
1954(昭和29)年	育成医療
1958(昭和33)年	未熟児養育医療と保健指導，母子健康センターの設置
1961(昭和36)年	新生児訪問指導，3歳児健康診査
1965(昭和40)年	母子保健法公布
1968(昭和43)年	母子保健推進員制度
1969(昭和44)年	妊産婦健康診査の公費負担制度，乳幼児の精密健康診査制度
1971(昭和46)年	心身障害児の発生予防に関する総合的研究
1974(昭和49)年	小児慢性特定疾患治療研究事業（公費負担制度）
1977(昭和52)年	1歳6か月児健康診査，先天性代謝異常のマススクリーニング検査の実施
1984(昭和59)年	神経芽細胞腫検査事業，健全母性育成事業，周産期医療施設整備事業
1985(昭和60)年	B型肝炎母子感染防止事業
1987(昭和62)年	1歳6か月児精密健康診査
1990(平成2)年	3歳児健康診査に視聴覚検査導入，小児肥満予防教室，思春期教室，地域母子保健特別モデル事業
1991(平成3)年	思春期における保健・福祉体験学習事業，周産期救急システムの整備充実（ドクターカーの整備）
1992(平成4)年	出産前小児保健指導（プレネイタル・ビジット）事業，病児デイケアパイロット事業
1994(平成6)年	病後児デイサービスモデル事業，共働き家庭子育て休日相談等支援事業，海外在留邦人に対する母子保健情報の提供事業，小児慢性特定疾患児手帳交付事業，地域保健法公布 エンゼルプラン（緊急保育対策等5か年事業）
1996(平成8)年	不妊専門相談センター事業，女性健康支援事業，総合周産期母子医療センターの整備，乳幼児発達相談指導事業，都道府県母子保健医療推進事業
1997(平成9)年	子どもの心の健康づくり対策事業（平成15年度より育児等健康支援事業に統合） 地域保健法施行：母子保健サービスの実施主体が市町村となる
1998(平成10)年	乳幼児健康支援一時預り事業を開始
1999(平成11)年	新エンゼルプラン策定，乳幼児健康支援一時預り事業の推進，周産期医療ネットワークの整備，不妊専門相談センターの整備
2000(平成12)年	児童虐待防止市町村ネットワーク事業，休日健診・相談等事業，新生児聴覚検査，「健やか親子21」策定
2001(平成13)年	乳幼児健診における育児支援強化事業
2003(平成15)年	食育等推進事業，次世代育成支援対策推進法制定，神経芽細胞腫検査事業の休止決定（翌年度休止）
2004(平成16)年	特定不妊治療費助成事業開始，子ども・子育て応援プラン策定，少子化社会対策大綱閣議決定
2005(平成17)年	小児慢性特定疾患治療研究事業を児童福祉法に位置づけ，「健やか親子21」中間評価
2008(平成20)年	子どもの心の診療拠点病院機構推進事業（2011〔平成23〕年度に「子どもの心の診療ネットワーク事業」に名称変更）
2009(平成21)年	妊産婦ケアセンター運営事業（2011〔平成23〕年廃止）
2010(平成22)年	子ども・子育てビジョン策定，「健やか親子21」第2回中間報告
2011(平成23)年	タンデムマス法を用いた新生児マススクリーニング検査の導入
2012(平成24)年	便カラーカードの母子健康手帳への導入，児童虐待防止医療ネットワーク事業
2013(平成25)年	未熟児養育医療および未熟児訪問指導の市町村への権限委譲
2014(平成26)年	「健やか親子21」最終報告
2015(平成27)年	小児慢性特定疾病の対象疾病拡大，小児慢性特定疾病児童等の自立支援事業の開始 子育て世代包括支援センター本格実施，「健やか親子21(第2次)」開始
2016(平成28)年	子育て世代包括支援センター法定化（2017〔平成29〕年4月施行）
2017(平成29)年	妊娠・出産包括支援事業の拡充 産婦健康診査事業，新生児聴覚検査の体制整備事業
2019(令和元)年	成育基本法施行，母子保健法改正（産後ケア事業の法定化），「健やか親子21(第2次)」中間評価公表
2021(令和3)年	産後ケア事業施行
2023(令和5)年	こども家庭庁設置（厚生労働省子ども家庭局の所管事務を移管）
2024(令和6)年	こども家庭センター法定化（4月施行）

　都道府県（保健所）では，小児慢性特定疾患児への訪問指導などの専門的なサービスの提供，広域的な視点から市町村相互間の連絡・調整や指導・助言および必要な技術的援助，企画・調査研究機能を担っている。

A. 母子保健医療福祉の動向

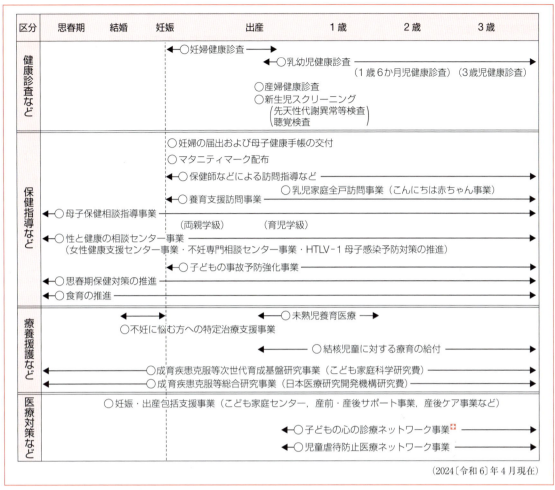

図1-1 おもな母子保健施策

a 市町村による総合的な母子保健活動

1 妊娠の届出と母子健康手帳の交付(母子保健法第15, 16条)

　妊娠した者は市区町村の窓口に妊娠の届出を行い，母子健康手帳の交付を受ける。妊娠の届出は妊娠を行政的に把握し，妊婦から乳幼児へと一貫した母子保健施策を実施する出発点である。母子健康手帳の様式は内閣府令により定められており，母親の妊娠・分娩・産褥期の健康状態や子どもの成長・発達を記録する機能と，育児のポイントや地域の母子保健サービスの情報を提供する機能をもち，育児不安の早期発見や虐待予防などに役だてることができるよう市区町村の特性が盛り込めるようになっている。

　2022(令和4)年，11年ぶりに母子健康手帳の様式が改正された。2023(令和5)年度から交付される手帳に，支援が必要な妊産婦を適切な機関につなぐため，悩みや不安がある妊産婦は市町村の子育て世代包括支援

プラス・ワン
子どもの心の診療ネットワーク事業

2008(平成20)年に創設された「子どもの心の診療拠点病院機構推進事業」は，2011(平成23)年度から名称を「子どもの心の診療ネットワーク事業」として，本格実施された。さまざまな子どもの心の問題，被虐待児の心のケアや発達障害に対応するため，都道府県の拠点病院を中核に位置づけ，地域の医療機関や保健・福祉・教育機関などと連携した支援体制の構築をはかるとともに，災害時の子どもの心の支援体制づくりを実施している。

> **プラス・ワン**
>
> **母子健康手帳の様式改正**
>
> 2023（令和5）年度から実施される改正で，赤ちゃんを迎える「父親や周囲の方の気持ちの記録」「産後ケア事業」を利用した際の記録，生後2週間ごろと2か月ごろの保護者の記録，2か月児健康診査の記録などを記す欄が母子健康手帳に追加された。また家族の多様性をふまえ，「両親」の文言が「保護者」に改められた。

センターや医療機関に気軽に相談するよう促す記載が追加された。

2 妊産婦および乳幼児の保護者への保健指導（母子保健法第10条）

　妊産婦・乳児・幼児の健康の保持・増進，妊娠・出産・育児に関する相談に応じるため，母親学級・両親学級・育児学級などの集団指導や，母子健康手帳交付時・育児相談・家庭訪問などにおける個別指導を通して，必要な指導・助言を行っている。加えて，住民の自主的な活動（セルフヘルプグループ）や子育てグループの育成を支援することなどにより，母子保健に関する知識の地域への普及や地域の育児支援システムの形成に努めている。

3 健康診査

■妊産婦健康診査（母子保健法第13条）

　妊婦健康診査は，正常な妊娠の経過を妨げる合併症，とくに流・早産，妊娠高血圧症候群，胎児発育不全などの早期発見・早期治療と適切な生活指導を目的に実施されている。健診の結果は，医療機関から市町村に報告され，必要なケースには保健師や栄養士が保健指導を行っている。妊娠中の健康診査費用の負担軽減をはかるため，標準的な健診回数14回分を市町村が公費助成している。2017（平成29）年から，産婦健康診査事業が創設され，産後うつの予防や新生児への虐待予防がはかられている。

■乳幼児健康診査（母子保健法第12, 13条）

　乳幼児の健全な成長・発達の促進と育児支援を目的に実施している。

　公的な健康診査としては，乳児健康診査・1歳6か月児健康診査・3歳児健康診査と教育委員会が実施する就学時健康診断が法に定められている。このほかに市町村が独自の事業として実施しているものもある。

　健康診査を市町村が直接実施しないで，医療機関に委託して実施している場合もある。健康診査の項目は通知や指導要領に示されており，健康診査の結果から事後指導・精密検査・治療が必要と判定された場合は，専門の医療機関や児童相談所などで精密検査や治療が受けられるようになっている。保健師は事後措置として家庭訪問や療育相談・指導の場を通して経過観察と継続指導を行っている。

4 訪問指導

■新生児・乳児および幼児の訪問指導（母子保健法第11条）

　育児上必要があると認める場合は新生児の保護者を医師・保健師・助産師またはその他の職員が訪問して，必要な指導を行っている。

　訪問を継続する必要がある場合は，乳児・幼児の家庭訪問を継続することができる。

■妊産婦の訪問指導など（母子保健法第17条）

　妊産婦健康診査の結果に基づき，妊産婦の健康状態に応じ，保健指導

プラス・ワン

低出生体重児の届出，未熟児の訪問指導，養育医療の給付

2011（平成23）年に成立した「地域の自主性及び自立性を高めるための改革の推進を図るための関係法律の整備に関する法律」により，2013（平成25）年4月1日から母子保健法が一部改正された。母子保健法に基づく低体重児の届出（第18条），未熟児の訪問指導（第19条），養育医療の給付（第20条）の「都道府県，保健所を設置する市又は特別区」は「市町村」に改められ，これらの業務は市町村に委譲された。

を必要とする者については，医師・助産師・保健師またはその他の職員が妊産婦を訪問して必要な指導を行っている。

5 低出生体重児・未熟児に対する保健指導

■低出生体重児の届出と未熟児の訪問指導（母子保健法第18，19条）

市町村は低出生体重児（2,500 g 未満）の届出を保護者から受理し，出生児の状況，家庭環境などにより，養育上必要な場合は保健師などが家庭訪問を行っている。

■未熟児養育医療の給付（母子保健法第20条）

養育のため病院または診療所に入院することを必要とする未熟児に対し，その養育に必要な医療の給付を行っている。

b 母子保健活動における保健所の市町村支援

地域保健法第6条では，保健所は母性・乳幼児に関する事項について，企画・調整・指導および必要な事業を行うことが定められている。母子保健法第8条では，都道府県の保健所は市町村に対し技術指導・助言・援助や，保健所による市町村相互間の連絡・調整，市町村職員の研修などをすることが規定されている。

これらのことから，保健所には，医療圏や管轄市町村の母子保健事業の計画・実施・評価と母子保健ニーズに対応する施策づくりを組織的・計画的に継続して行えるように，市町村を広域的・専門的・技術的に支援する役割がある。低出生体重児の届出，未熟児の訪問指導・養育医療の給付は市町村に委譲されたが，保健所は養育医療機関と地域の母子保健福祉関係機関との連絡協議会の運営などを継続して行い，保健・医療福祉機関との連携やシステムづくり，処遇困難な事例などについて技術的支援を行っている。

保健所は，市町村の地域子育て支援事業や虐待予防・支援に関して広域的な立場から，地域の現状や健康課題の情報を提供するとともに，要保護児童対策地域協議会の構成員として，要保護事例や家庭内暴力に対する処遇困難事例に対する支援を児童相談所と連携して実施している。発達障害児の療育支援体制の推進では，市町村が実施する乳幼児発達相談や発達訓練指導事業へ専門スタッフ（小児神経科医・心理判定員・家庭相談員・言語療法士・理学療法士・作業療法士・保健師など）の派遣や母子保健関係職員の研修を行っている。また，都道府県版の健やか親子21，次世代育成支援行動計画などを策定し，広域的な立場から市町村間の連絡・調整や調査・研究を行い，市町村の母子保健事業を支援している。

C 健やか親子21と次世代育成支援対策

1 健やか親子21

　「健やか親子21」は，21世紀の母子保健の主要な取り組みを提示するビジョンであり，関係者や関係機関・団体が一体となって達成に向けて取り組む国民運動計画として「健康日本21」の一翼を担うものである。2014（平成26）年5月，「健やか親子21」の第1次計画（2001〜2014年）の最終評価報告書で示された今後の課題や提言をもとに，2015（平成27）年4月からの10年計画として「健やか親子21（第2次）」が策定された。

■基盤課題・重点課題・指標の設定

　第2次計画では，10年後の目ざす姿を「すべての子どもが健やかに育つ社会」として，実現に向けて3つの基盤課題と2つの重点課題が設定された（図1-2，表1-2）。

　基盤課題Aと基盤課題Bは，従来から取り組んできたが引きつづき改善が必要な課題や，少子化および家族形態の多様化などを背景として新たに出現してきた課題であり，ライフステージを通してその解決をはかるものである。基盤課題Cは，基盤課題Aと基盤課題Bを広く下支えする環境づくりを目ざすものである。

　重点課題は，さまざまな母子保健課題のなかでも，基盤課題の取り組みをより一歩進めたかたちで重点的に取り組む必要があるものとして設定された。

　第1次計画では目標を設けた指標が69指標74項目と多かった。そこで第1次の最終評価における達成状況や現状をふまえた見直しを行い，第2次計画では「健康水準の指標」「健康行動の指標」「環境整備の指標」の3段階に整理し，目標を設けた52の指標（再掲2指標を含む）と目標を設けない28の参考指標を設定した。

■健やか親子21（第2次）の中間評価の結果

　2019（令和元）年に「健やか親子21（第2次）」の中間評価が公表された。目標値を設定している52指標のうち，12指標（23.1%）が「目標を達成した」，22指標（42.3%）が「目標に達していないが改善した」，5指標（9.6%）が「かわらない」，4指標（7.7%）が「わるくなっている」，9指標（17.3%）が「評価できない」であった。多くの指標の改善がみられ，関係者の努力が評価されたが，妊産婦のメンタルヘルスや10代の自殺死亡率，児童虐待による死亡数などの大きな課題も残されており，引きつづき対策が求められるとされた。

　また，最終評価に向けて次の指標が新たに追加された。
①梅毒（10代の性感染症罹患率に関する指標）
②運動やスポーツを習慣的にしている子どもの割合（子どものスポーツ機会の充実・体力向上に関する指標）

A. 母子保健医療福祉の動向

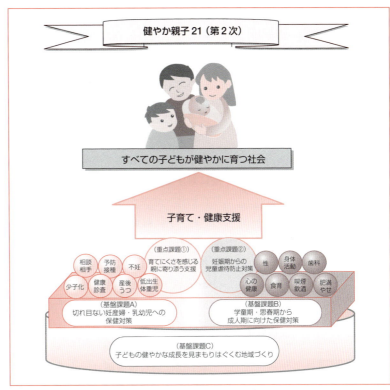

図1-2 「健やか親子21（第2次）」の推進イメージ

表1-2 「健やか親子21（第2次）」の基盤課題と重点課題

課題名	課題の説明
基盤課題A 切れ目ない妊産婦・乳幼児への保健対策	妊娠・出産・育児期における母子保健対策の充実に取り組むとともに，各事業間や関連機関間の有機的な連携体制の強化や，情報の利活用，母子健康事業の評価・分析体制の構築をはかることにより，切れ目ない支援体制の構築を目ざす。
基盤課題B 学童期・思春期から成人期に向けた保健対策	児童・生徒みずからが，心身の健康に関心をもち，よりよい将来を生きるため，健康の維持・向上に取り組めるよう，多分野の協働による健康教育の推進と次世代の健康を支える社会の実現を目ざす。
基盤課題C 子どもの健やかな成長を見まもりはぐくむ地域づくり	社会全体で子どもの健やかな成長を見まもり，子育て世代の親を孤立させないよう支えていく地域づくりを目ざす。具体的には，国や地方公共団体による子育て支援施策の拡充に限らず，地域にあるさまざまな資源（NPOや民間団体，母子愛育会や母子保健推進員など）との連携や役割分担の明確化があげられる。
重点課題① 育てにくさ*を感じる親に寄り添う支援	親子が発信するさまざまな育てにくさのサインを受けとめ，ていねいに向き合い，子育てに寄り添う支援の充実をはかることを重点課題の1つとする。
重点課題② 妊娠期からの児童虐待防止対策	児童虐待を防止するための対策として，①発生予防には，妊娠届出時など妊娠期からかかわることが重要であること，②早期発見・早期対応には，新生児訪問などの母子保健事業と関係機関の連携強化が必要であることから重点課題の1つとする。

＊育てにくさ：子育てにかかわる者が感じる育児上の困難感で，その背景として，子どもの要因，親の要因，親子関係に関する要因，支援状況を含めた環境に関する要因など多面的な要素を含む。育てにくさの概念は広く，一部には発達障害などが原因となっている場合がある。

プラス・ワン

第 4 次大綱の施策と目標の例
第 4 次大綱で設定された目標をいくつか例示する。

「子育て支援」施策
・保育所の待機児童数：2020 年度末までに解消する
・養育支援訪問事業：2025 年までに全市町村で実施する

「結婚・妊娠・出産」施策
・乳児家庭全戸訪問事業：2025 年までに全市町村で実施する
・妊娠・出産について満足している者の割合：2024 年度までに 85% を達成する

「働き方」施策
・男性の育児休業取得率：2025 年までに 30% を達成する

「地域・社会」施策
・マタニティマークの認知度：2024 年度までに 65% を達成する

地域子ども・子育て支援事業等
子ども・子育て支援法(第 59 条)により、次の事業が定められている。
①利用者支援事業
②地域子育て支援拠点事業
③母子保健法に規定する妊婦健康診査
④乳児家庭全戸訪問事業
⑤子どもを守る地域ネットワーク機能強化事業(養育支援訪問事業や要保護児童等に対する支援に資する事業)
⑥子育て短期支援事業
⑦ファミリー・サポート・センター事業(子育て援助活動支援事業)
⑧一時預かり事業
⑨延長保育事業
⑩病児保育事業
⑪放課後児童健全育成事業(放課後児童クラブ)
⑫実費徴収に係る補足給付を行う事業
⑬多様な事業者の参入促進・能力活用事業
⑭妊婦等包括相談支援事業(伴走型相談支援)
⑮産後ケア事業の提供体制の整備

③要保護児童対策地域協議会に配偶者暴力相談支援センターが参画している市区町村の割合(虐待とドメスティックバイオレンスに関する指標)

2 少子化と次世代育成支援対策

■少子化社会対策基本法と次世代育成支援対策推進法

2003(平成 15)年以降、**少子化社会対策基本法**により国や地方自治体による子育て世代に対する雇用環境の整備や保育サービスの拡充、不妊治療に対する施策などが進められた。また**次世代育成支援対策推進法**により自治体・企業が少子化対策として取り組む行動計画の策定が義務づけられ、少子化対策が総合的に推進されてきた。2011(平成 23)年度には、国・地方公共団体、常時雇用する労働者が 101 人以上の一般事業主に労働者の仕事と子育てに関する行動計画の策定・届出が義務づけられた(100 人以下の企業は努力義務)。

2021(令和 3 年)年には行動計画策定指針が改正され、「不妊治療を受ける労働者に配慮した措置の実施」が追加された。

■少子化社会対策大綱

少子化社会対策大綱は、少子化社会対策基本法に基づき、少子化に対処するための総合的な施策の指針と数値目標を示すものである。2004(平成 16)年、2010(平成 22)年、2015(平成 27)年の改正に続き、2020(令和 2)年に策定された**第 4 次少子化社会対策大綱**「新しい令和の時代にふさわしい少子化対策へ」では基本的な考え方として、①結婚・子育て世代が将来にわたる展望を描ける環境をつくる、②多様化する子育て家庭のさまざまなニーズにこたえる、③地域の実情に応じたきめ細かな取り組みを進める、④結婚、妊娠・出産、子ども・子育てにあたたかい社会をつくる、⑤科学技術の成果など新たなリソースを積極的に活用する、の 5 項目をあげている。

■子ども・子育て支援法に基づく給付

2012(平成 24)年、子ども・子育て関連の制度と財源を一元化し、総合的に支援を推進するため、**子ども・子育て支援法**などの関連法が成立し、2015(平成 27)年度から**子ども・子育て支援新制度**が開始された。新制度は、子ども・子育て支援給付を新設した。**子ども・子育て支援給付**は、①子どものための現金給付(児童手当)、②子どものための教育・保育給付(認定こども園、幼稚園、保育所、家庭的保育、小規模保育、居宅訪問型保育、事業所内保育などのサービスに対する給付)、③子育てのための施設等利用給付(子どものための教育・保育給付の対象外である幼稚園、特別支援学校の幼稚部、預かり保育事業、認可外保育施設などに対する給付)からなる。

市町村は地域の実情に応じた子育て支援を行うため、市町村子ども・子育て支援事業計画を作成し、地域子ども・子育て支援事業等を実施する。

●参考文献
- 勝又浜子ほか編：看護法令要覧，令和6年版．日本看護協会出版会，2024．
- 厚生労働省編：厚生労働白書，令和6年版．日経印刷，2024．
- 厚生労働統計協会編：国民衛生の動向，2024/2025年版．厚生の指標増刊，71(9)，2024．
- 子ども家庭福祉六法，令和6年版．中央法規出版，2023．
- 母子衛生研究会編集協力：母子保健の主なる統計［令和6年］．母子保健事業団，2024．
- 母子保健事業団編：わが国の母子保健，令和3年．母子保健事業団，2021．

B 母子および親子の健康課題と支援

POINT
- 周産期ハイリスク母子や特定妊婦への妊娠期から子育て期にわたる切れ目のない支援は，保健・医療・福祉・教育機関との連携・協働により展開されている。
- 乳幼児健康診査は子どもと親の健康課題と子育ての課題を把握して，支援につなげる場である。
- 親の育ちや子育てがエンパワーされるように，親の力を引き出し，地域の子育てサポートやネットワークを整備する支援は重要である。

　少子化や核家族化の進展，女性の社会進出の増加，地域社会との希薄化などにより，家族や地域の子育て機能が低下するなかで，育児不安をかかえる母親などの増加，児童虐待が社会的な問題となり，対策が求められている。とくに，極低出生体重児や多胎児の増加，軽度発達障害児など児童虐待のハイリスク母子・家族への妊娠期から子育て期にわたる切れ目のない対応などは，優先順位が高い課題である。

1 周産期の親子への支援

a 周産期ハイリスク母子の早期支援と地域支援体制整備

　未熟児養育医療給付件数は 55 年前の約 3.4 倍に増加し，2022（令和 4）年の全出生数に対する低出生体重児の割合は約 1 割を占めている。とくに極低出生体重児・障害児などは長期入院を余儀なくされ，NICU を退院したあとも重度の疾病や障害，発達遅延を伴う場合が多い。また，母親は自分をせめる気持ちから子どもを受け入れることが困難になり，重い育児負担や悩みをかかえることも少なくない。保健師には，子どもの入院中から病院を訪問し，退院後に予測される父母の不安を軽減することや，医療・療育・福祉・教育機関などと連携して地域支援体制を整備し，入院から退院後まで継続して支援することが求められている。

b 周産期のメンタルヘルス支援

　周産期のメンタルヘルス支援は，うつ病や精神疾患をかかえる妊産婦への支援だけではなく，安心して妊娠・出産・育児に向き合うことのできる心の状態を支援するものである。周産期はホルモンバランスの乱れ

や，身体・生活環境の変化によりメンタルヘルスの不調をきたしやすく，抑うつや不安などの精神的な問題は妊産婦の10〜15％に，深刻なうつ病は妊産婦の5％程度に出現すると考えられている。

心の不調は妊産婦の自殺や子どもへの虐待など，深刻な事態に結びつく可能性があり，リスクのある特定妊婦を妊娠期から早期に把握して，出産・産後・子育て期にわたる切れ目ない支援を行う必要がある。

2 乳幼児健康診査における支援体制整備

a 健康診査の精度管理と事後支援体制の強化

乳幼児健康診査において発達障害の子どもまたはその疑いのある子どもを早期発見し，できるだけ早期に専門的な医療や療育・発達支援につなぐことは，子どもがもっている発達能力を引き出し，社会的自立を促すうえできわめて重要である。発達障害を早期発見するには，保健師をはじめ健康診査のスタッフのスクリーニング技法の向上，発達障害を判別するためのチェックリストの標準化，臨床心理士などの専門職の配置など，乳幼児健康診査の精度管理が不可欠である。

1歳6か月児健康診査の時点では，子どもの発達の遅れが個人差の範囲か障害があるかを判断することはむずかしい。専門的な医療・療育ルートにつながるまで，保護者に子どもの発達を促すようなかかわり方を指導・助言し，継続的に子どもの発達を経過観察していく事後教室や相談支援体制の強化が必要である。

b 健康診査における育児支援と子育て支援体制の充実

母親の育児不安やストレスを軽減することは，虐待予防のみならず，子どもの心身の安らかな発達を促進するためにも重要である。4か月児健康診査は行政による出産後最初の健康診査として多くの市町村で行われている。また1歳6か月児健康診査・3歳児健康診査は母子保健法に基づく健康診査である。このような要因から，これらの乳幼児健康診査は受診率が高く，乳幼児健康診査のなかで子育て支援・育児相談体制を充実させることが求められている✚。

乳幼児健康診査や経過観察事業の過程で把握された地域の子育てニーズの解決に向けた育児の自主グループや育児サークルの育成と活動の支援，母子保健推進員・児童委員・NPOや住民のボランティア団体も含めた地域組織活動の育成，地域子育て支援センター・保育所などの福祉分野と連携した地域の子育て支援体制の構築なども保健師の重要な役割である。

> **プラス・ワン**
> **乳幼児健康診査における支援**
> 乳幼児健康診査において，次の支援が求められている。
> ①母親が子どもの成長・発達を喜びに感じ育児に自信がもてるような支援
> ②育児の負担感や不安感，悩みなどのある母親に対する個別相談・指導の充実
> ③集団で親子遊びなどをする親子の状態や母子関係を観察できるグループワークの実施
> ④母親自身が育児力をつけるための知識や方法の提供
> ⑤同年齢の親子と交流し仲間づくりができる場の提供

3 切れ目ない妊産婦・乳幼児への支援の展開，妊娠・出産包括支援事業

a 妊娠・出産包括支援事業による支援の展開

　2015(平成27)年の「第3次少子化社会対策大綱」を受け，妊娠期から子育て期までの総合的な相談・支援を提供する**子育て世代包括支援センター**の整備が進められた。2016(平成28)年，児童福祉法と母子保健法が改正され，妊娠や子育ての不安，孤立などに対応し，児童虐待のリスクを早期に発見・逓減するため，市町村は子育て世代包括支援センター(法律上の名称は**母子健康包括支援センター**)を設置することが努力義務とされた。

　2015(平成27)年度から**妊娠・出産包括支援事業**が進められており，子育て世代包括支援センターを立ち上げ，家庭や地域での孤立感の解消をはかるために相談支援を行う**産前・産後サポート事業**や，退院直後から出産後1年以内の親子を対象として心身のケアや育児のサポートなどのきめ細かい支援を行う**産後ケア事業**などが地域の実情に応じて行われている。産後ケア事業は，2019(令和元)年の母子保健法の改正により法定化され，市町村の努力義務として2021(令和3)年から施行されている。

b こども家庭センターの設置など

　2022(令和4)年，児童虐待の相談対応件数の増加などの状況をふまえ，児童福祉法が改正され，市区町村は2024年度より，**こども家庭センター**✚の設置に努めなければならないとされた。こども家庭センターは，子ども家庭総合支援拠点✚(児童福祉法)と子育て世代包括支援センター(母子保健法)の設立意義や機能を維持しながら，組織を見直し，すべての妊産婦・子育て世帯(保護者)・子どもに対して一体的に相談支援を行う機関として位置づけられた(図1-3)。2022(令和4)年の児童福祉法改正により，表1-3に示す事業が新設・拡充され，市町村における子育て家庭への支援の充実がはかられた。

　また，2023(令和5)年4月1日から内閣府の子ども・子育て本部や厚生労働省の子ども家庭局の所掌事務だった少子化対策，妊娠・出産や子育て支援，虐待やいじめ，貧困対策などは，子ども政策の司令塔となる**こども家庭庁**に移管された。

> ✚ **プラス・ワン**
>
> **こども家庭センター**
> こども家庭センターでは，これまで実施していた妊娠届から妊産婦支援，子育てや子どもに関する相談を受けて支援をつなぐためのマネジメント(サポートプランの作成)を担う。民間や地域の関係機関と連携しながら，多様な家庭環境(虐待，貧困，若年妊婦，ヤングケアラーなど)に対する支援体制を構築することで，さらなる支援の充実・強化をはかる。
>
> **子ども家庭総合支援拠点**
> 児童福祉法に基づき，子どもとその家庭(里親・養子縁組を含む)，妊産婦などを対象として，コミュニティを基盤にしたソーシャルワークの機能を担い，妊娠期から子どもの社会的自立にいたるまでの福祉に関する包括的・継続的な支援を行う拠点である。とくに児童相談所などの関係機関との連携・協働体制を推進して，要支援児童，要保護児童およびその家庭，特定妊婦への支援業務の強化をはかる。実施主体は市区町村である。

4 親育て・子育てにおけるエンパワメント

　現在の子育ては親が育てにくい状況や環境下にある。親自身に子育ての経験知が少なく，家族・地域の子育て機能が低下しており，子育てに

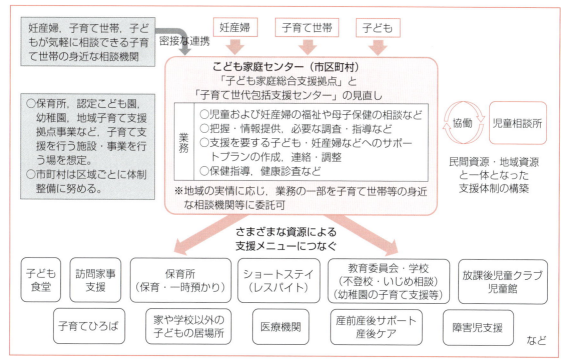

図1-3 こども家庭センターによる包括的な支援体制

表1-3 地域子ども・子育て支援事業の新設と拡充

新設	子育て世帯訪問支援事業	要支援児童，要保護児童と保護者，特定妊婦を訪問して，家事，養育に関する援助を行う。
	児童育成支援拠点事業	虐待リスクが高い児，不登校などの児童を対象に学校や家以外の子どもの居場所となる拠点を開設して，食事の提供，学習支援，精神面の調整などを行う。
	親子関係形成支援事業	要支援児童，要保護児童と保護者，特定妊婦を対象に，親子関係の構築に向けた支援を行う。
拡充	子育て短期支援事業	保護者が子どもとともに入所・利用を可能とする。
	一時預かり事業	子育て負担を軽減する目的（レスパイト利用など）での利用を可能とする。

自信がもてず，不安をかかえて孤立している親が増えている。

エンパワメントとは，人々がみずからの健康問題を解決していくことができるよう，その人のもつパワーを最大限に発揮すること，あるいは他者との相互作用を通してその人自身も意識していなかったパワーを発揮できるようにするプロセスである。親として育つ力と子育ての力が引きだされ，自信をもって元気に子育てに取り組めるように，十分に情報を提供して地域のサポートやネットワークを整備する支援は重要である。

:::note 1章 母子保健（親子保健）活動，女性の健康支援 :::

C 乳幼児期の成長・発達と健康課題への支援

POINT
- 乳幼児期の身体・運動・言語・社会性の成長・発達の評価は，親子のかかわりや日常生活の状況などを把握し，総合的かつ継続的に行う。
- 乳幼児の健やかな成長・発達と母親の育児不安の軽減など，家族の子育てを支援することが母子保健指導の目的である。
- 乳幼児期各期の健康課題や保健指導上の特徴をふまえ，タイムリーかつ効果的な母子保健サービスを継続的かつ系統的に展開する必要がある。

1 乳幼児の成長・発達および生活の理解

a 乳幼児の身体発育の評価

乳幼児期の成長は著しく，個人差も大きい。身体発育の評価は，妊娠週数や出生時体重，健康状態のみならず，育児環境や生活習慣などの影響を強く受けるため，1回の身長・体重測定だけで評価せず，経過観察を通して横断的に行うことが大切である。

1 身長・体重

出生時の身長は約 50 cm，男児が女児よりやや大きい。満 1 歳で出生時身長の約 1.5 倍，4〜5 歳で約 2 倍となる。

出生時の体重は約 3 kg，男児が女児よりやや大きい。新生児は生後 3〜5 日ごろに生理的体重減少があるが，生後 7〜10 日で出生時体重に戻る。乳児の体重✚は生後 3〜4 か月で出生時体重の約 2 倍，満 1 歳で約 3 倍，3 歳で約 4 倍となる。

身体発育の評価は，身長と体重のバランスを考慮する必要がある。

■カウプ指数

乳幼児の発育栄養状態の評価✚に適している。

$$カウプ指数 = (体重 [g] \div 身長 [cm]^2) \times 10$$

評価基準は，22 以上が肥満傾向，22〜19 が優良，19〜15 以上が正常，15〜13 がやせ，13〜10 が栄養失調，10 以下が消耗症である。

■パーセンタイル法

乳幼児の出生時体重・身長，個別性を考慮した評価方法である。厚生

プラス・ワン

乳児の 1 日体重増加量
- 1〜3 か月：30〜25 g
- 3〜6 か月：25〜20 g
- 6〜9 か月：20〜10 g
- 9〜12 か月：10〜7 g

ローレル指数
発育状態の評価に用いられるものの 1 つにローレル指数がある。
ローレル指数は，おもに学童の発育状態の評価に用いられる。
ローレル指数 = (体重 [g] ÷ 身長 [cm]^3) × 10^4
評価基準は 160 以上が肥満，160〜120 が正常，120 以下がやせである。

労働省が 10 年ごとに行う「全国乳幼児身体発育調査」の結果に基づき，男女別に各月齢・年齢ごとの身長・体重の 3，10，25，50，75，90，97 パーセンタイル値が定められている。

2023（令和 5）年度に改正された母子健康手帳には，2010（平成 22）年の調査結果のデータに基づき，3 パーセンタイル値と 97 パーセンタイル値の「乳幼児身体発育曲線」からなる帯が記載されており，この帯の中に 94％の乳幼児が含まれることになる。たとえば，出生時体重が少なく，10 パーセンタイルよりも少ない体重であっても，健康状態に問題がなく，発育曲線にそって体重が増加していれば，成長には問題がないと評価することができる（図 1-4〜1-7）。

■肥満度

肥満度は年齢や身長にかかわらず体格を評価できるので，幼児期のスクリーニング指標として有用である。

肥満度（％）＝（〔実測体重 kg － 標準体重 kg〕÷ 標準体重 kg）× 100

肥満度の評価基準は，①＋30％以上：太りすぎ，②＋20％以上＋30％未満：やや太りすぎ，③15％以上＋20％未満：太り気味，④＋15％未満－15％超：普通，⑤－15％以下－20％超：やせ，⑥－20％以下：やせすぎ，の 6 段階に分けられる。

2 頭囲・胸囲

出生時の平均頭囲は男児が 33.5 cm，女児が 33.0 cm，平均胸囲は男児が 32.2 cm，女児が 32.0 cm であり，出生児は頭囲のほうが胸囲より大きい。頭囲の発育は乳児期に最も著しく，1 歳平均で男児は 46.1 cm，女児は 44.8 cm となる。小泉門は生後まもなく閉じ，大泉門は 1 歳半ごろまでに閉鎖する。頭囲の発育は個人差も少なく，急激に増加することもないが，大泉門の閉鎖時期は水頭症や脳腫瘍などの脳疾患を早期発見するうえで重要である。

b 運動・言語・社会性の発達

1 乳幼児の発達についての評価法

■遠城寺式乳幼児分析的発達検査法

①移動運動，②手の運動，③基本的習慣，④対人関係，⑤発語，⑥言語理解の 6 領域からなり，0〜4 歳を対象としている。

■日本版デンバー式発達スクリーニング検査（Japanese Version Denver Developmental Screening Test：JDDST）

アメリカで開発され，日本語版に標準化された方法である。①粗大運動，②微細運動-適応，③言語，④個人-社会の 4 領域からなる。0〜6 歳を対象としている。

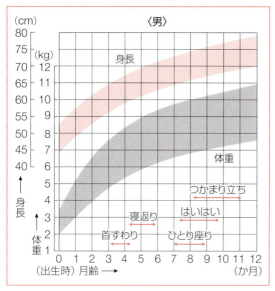

図1-4 乳児身体発育曲線(男子-身長・体重)

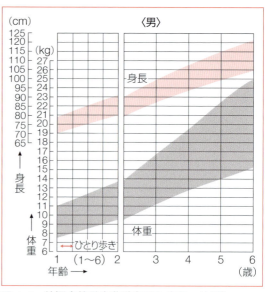

図1-5 幼児身体発育曲線(男子-身長・体重)

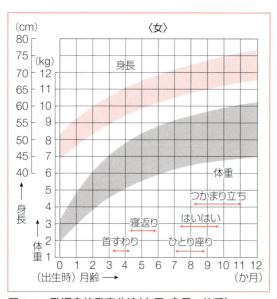

図1-6 乳児身体発育曲線(女子-身長・体重)

首すわり,寝返り,ひとり座り,つかまり立ち,はいはいおよびひとり歩きの矢印は,約半数の子どもができるようになる月・年齢から,約9割の子どもができるようになる月・年齢までの期間をあらわしたものである。

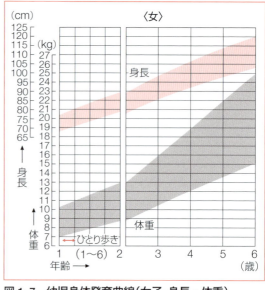

図1-7 幼児身体発育曲線(女子-身長・体重)

帯の中には,各月・年齢の94%の子どもの値が入る。乳幼児の発育は個人差が大きいが,このグラフを一応の目安とする。なお,2歳未満の身長は寝かせて計測し,2歳以上の身長は立たせて計測したものである。

■ **新版K式発達検査法**

①姿勢・運動,②認知・適応,③言語・社会の3領域からなる。対象は0〜14歳である。

■ **津守式乳幼児精神発達検査**

質問紙を用いて,養育者の日常生活の観察に基づく報告により判断す

る。①運動，②探索・捜索，③社会，④食事・排泄・生活習慣，⑤理解・言語の5領域からなる。対象年齢は1～12か月，1～3歳，3～7歳である。

2 乳幼児期における標準的な発達

　乳幼児期の標準的な運動・言語・社会性の発達を月年齢別にまとめると**表1-4**のようになる。乳幼児期の運動・言語・社会性の発達は著しく，個人差も大きい。児の身体発育状態や健康状態，親子のかかわりや日常生活の状況などの養育環境を考慮して総合的に判断するとともに，

表1-4　乳幼児期の運動・言語・社会性の発達

月年齢	運動（微細・粗大）	言語（認知・言語理解・発語）	社会性（対人関係・生活習慣）
1～2か月	・手にふれたものをつかむ。 ・手を口にもっていってしゃぶる。 ・腹ばいで頭を少し上げる。	・大きな音に反応する。 ・いろいろな泣き声を出す。	・顔や大きなおもちゃを目で追う。 ・人の顔をじっとみつめる。 ・泣いているときに抱き上げるとしずまる。
3～4か月	・首がすわる。 ・ガラガラを持たせると少しの間，握る。 ・頬にふれた物を取ろうとして手を動かす。	・喃語（「アー」「ウー」など）を話す。 ・人の声でしずまる。	・動くものを目で追う。 ・人の声がするほうに向く。 ・あやされると声を出して笑う。
5～6か月	・寝返りする。 ・手を出しておもちゃなどをつかむ。 ・膝の上で下肢をぴょんぴょんさせる。	・母の声と他の人の声を聞き分ける。 ・人に向かってキャーキャーなどの声を出す。	・人を見ると笑いかける。 ・おもちゃを見ると動きが活発になる。
7～8か月	・1人で座っている。 ・積み木を持ちかえる。	・「マ」「バ」「パ」などの音声がでる。	・親しみと怒った顔がわかる。 ・コップから飲む。
9～10か月	・つかまり立ちができる。 ・親指を使ってつかむ。	・さかんにおしゃべりをする（喃語）。	・人見知りをする。 ・身ぶりをまねする。
11～12か月	・1人で立っていられる。 ・小さな物を親指と人差し指でつかむ。	・言葉を1～2語，正しくまねる。 ・バイバイなどをする。	・父や母のあと追いをする。 ・スプーンで食べようとする。 ・コップを自分で持って飲む。 ・排便を知らせる。 ・排尿前後に表情がかわるなど特定の行動をみせる。
1歳6か月	・1人で歩ける。 ・つかまって階段を上る。 ・なぐり書きをする。 ・積み木を2つ積む。	・意味のある言葉（単語）を話す。 ・簡単な指示を理解し実行する。 ・絵本を見て1つの物の名前を言う。 ・絵本を読んでもらいたがる。	・簡単な手伝いをする。 ・困難なことに出会うとたすけを求める。 ・パンツをはかせるとき，両足を広げる。 ・便意を予告する。
2歳	・走る。 ・両足でぴょんぴょん跳ぶ。 ・コップからコップへ水を移す。	・2語文（「ワンワンきた」など）を話す。 ・大きい・小さいがわかる。	・親から離れて遊ぶ。 ・排尿を予告する。 ・1人でパンツを脱ぐ。
3歳	・まねて○をかく。 ・三輪車をこげる。 ・足を交互にして階段を上る。 ・はさみを使って紙を切る。 ・ボタンをはずす。	・自分の名前を言う。 ・色（赤・青・黄・緑）がわかる。 ・3語文を話す。	・ままごとで役を演じることができる。 ・こぼさないで1人で食べる。 ・上着を自分で脱ぐ。 ・1人でパンツをはく。 ・排尿が自立する。
4歳	・片足でケンケンができる。 ・はね返ったボールをつかむ。	・両親の姓名・住所を言える。	・1人で着衣ができる。 ・排便が自立する（紙の使用）。

個々の成長・発達を継続的に観察・確認していく必要がある。

2 乳幼児期の健康課題と保健師の支援

a 乳幼児健康診査

　乳幼児健康診査は母子保健法第 12 条，13 条に規定されており，市区町村にその実施が義務づけられている。対象月齢（1 歳 6 か月児と 3 歳児は母子保健法第 12 条に規定），実施方法（集団健康診査，医療機関などへの委託健康診査）や事後指導・支援システムは自治体により異なるが，地域の母子保健ニーズに対応したガイドラインやマニュアルを作成し，より専門性の高い健康診査内容と事後支援システムを確立する必要がある。

　とくに，健康診査の未受診者の全数把握は健康状態の確認のみならず虐待予防の観点からも最重要課題であり，保健師による訪問指導などの対応強化が求められている。

1 乳幼児健康診査の役割・機能

■子どもの成長・発達の確認，疾病・障害の早期発見

　子どもの順調な成長・発達，健康状態の確認と疾病・障害を早期発見し，早期治療や療育✚につなげることが第一の目的である。乳幼児期の成長・発達は個人差が著しく大きいことから，1 回の健康診査の場面では確定診断や判定ができない場合も多く，継続的に経過を観察しながら適切な支援につなげていくことが不可欠である。

■育児不安，育児環境，虐待の危険因子の把握

　子どもの成長・発達は母子関係や家族の子育て環境の影響を受け，母親の育児不安・ストレス・虐待の発生は子どもの発達段階や家族関係・育児環境と強く関連する。2022（令和 4）年度の 3～5 か月児健康診査の受診率は全国平均が 96.1％，1 歳 6 か月児健康診査 96.3％，3 歳児健康診査 95.7％である。集団健康診査方式で実施している地域では，このように 9 割以上の母子の健康状態と家族の子育て実態が把握でき，育児不安や虐待の危険因子を早期に発見し対応するうえで重要な役割を担っている。

■個別指導・集団指導，同年齢の親子との交流を通した子育て支援

　母親が自信をもって楽しく育児をしていくことができるように支援することは保健師の重要な役割であり，「来てよかった」と安心し満足して帰れるような健康診査を実施する責任がある。問診や個別指導は，母親が日ごろの悩みや不安，喜びなどを表出できる貴重な面接の場面である。来所者がリラックスして心配や悩みを相談でき，育児不安を受けとめ軽減できるようなカウンセリング技法と環境づくりが必要である。

　集団指導では，子どもの健康増進や成長・発達を促進するために必要な知識や技術を提供し，今後の健康診査の予定や利用できる母子保健事

プラス・ワン

療育
心身の発達の遅れや障害を早期に発見し，医療・訓練・教育・福祉など現代の科学を総動員し，適切な相談・指導，治療，訓練，教育に結びつけ，その児童がもっている発達能力と回復能力を最大限に引き出し育み，自立に向かって育成することである。

業の告知，地域の子育て支援サービスの紹介などを行う。また，同年齢の親子が出会い交流できる数少ない場でもある。子育てや生活の悩みを話し合い，互いに共感できるような仲間づくりの場，親どうしのピアカウンセリングの場の1つとしても期待されている。

■ **自主グループづくり，地域ぐるみの子育て支援のきっかけ**

乳幼児健康診査や経過観察事業の過程で把握された地域の子育てニーズの解決に向けて自主グループや子育てサークルの育成を支援することは保健師の重要な役割である。市町村には，保健所，保育所・幼稚園，地域のサークルや自主グループ，NPO団体などの活動，教育委員会などと連携しながら，地域ぐるみの子育て支援に向けたネットワークづくりを行う機能が求められている。

2 3～4か月児健康診査

■ **観察のポイント**

①**体重増加**：出生時の2倍以上に体重が増加している。出生時から1日体重増加15g以下は不良である。

②**頸定（首すわり）**：臥位からの引きおこしと引き戻し，腹位での頭部の挙上を行い確認する。

③**先天性股関節脱臼**：股関節の開排制限とクリック音で確認する（疑いがあるケースには整形外科の受診をすすめる）。

④**視覚と聴覚**：追視と音や声のするほうに向くかを確認する。

⑤**社会性**：あやされると声を出して笑うか，「アー」「ウー」などの喃語を言うかを確認する。

⑥**微細運動**：おもちゃをつかめるか，ガラガラなどを振れるかを確認する。

■ **この時期の特徴と支援**

3～4か月児は身体的な発育のみならず精神運動発達も目ざましく，睡眠・覚醒のリズムがほぼ完成し，昼間は起きている時間が長くなり，手足を活発に動かし表情がゆたかになり，母と子どもが母子関係を深める大切な時期である。4か月未満児に虐待死事例が多いので，問診票などで母親の育児不安やうつ状態の有無を把握することも大切である。

指導内容としては，①体重の増え方，②哺乳（哺乳量・飲ませ方など），③突っぱり，そり返り，身体がやわらかいなど筋緊張亢進・低下に関するもの，④湿疹・アレルギー，⑤泣くこと，⑥便の性状，⑦離乳食の準備，⑧予防接種の接種時期，⑨事故防止（乳幼児揺さぶられ症候群や車中放置の危険性も含む）などである。

3 1歳6か月児健康診査

■ **観察のポイント**

①**1人で歩ける**：99％の子どもが1人で歩行できる時期である。実際に子どもを歩かせて，歩行状態を観察する。

プラス・ワン

発語と言語理解の遅れに対する支援

1歳6か月児健康診査は，発語と言語理解の程度を評価する重要な時期であり，問診や個別指導場面での問いかけや指示への反応（表情や行動），母子関係などの観察を通して，総合的に判断する必要がある。有意語が5語以下の場合，2歳までに追いついてくることが多いが，のちに発達障害と診断されている児もいることから，継続的なフォローアップが重要である。

● 支援のポイント
・ゆったりとした楽しい気持ちで子どもと一緒に遊ぶ時間をもつ。
・子どもの気持ちを表現する，動作を代弁するような言葉かけをする。
・ていねいにわかりやすく，短い言葉で子どもの顔を見て話しかける。
・テレビで言葉を聞かせるより，子どもとの言葉のキャッチボールを大切にする。
・不明瞭な発音を注意し，言い直しさせるようなことはしない。

幼児期の食生活習慣に対する支援

幼児期の食生活習慣は成長の基盤となる栄養を摂取することのみならず，基本的な生活習慣と生活リズムを獲得する要として重要である。指導場面では，母親の気持ちや訴えを受けとめ，あせらず，無理じいはしないように伝え，実現可能な具体案を提示する。

● 支援のポイント
・食事は決まった時刻にとり，30分ぐらいで切り上げる。
・食事は量よりも栄養バランスに配慮する。
・空腹で食事にのぞむことができるよう間食や生活リズムにも配慮する。
・食べやすい大きさ，かたさに配慮した調理，盛りつけや食器を工夫する。
・子どもが食べることや，食事時間を楽しめるような環境にも配慮する。

---

②**発語と言語理解**🚑：5語以上の有意語の発語（「ワンワン」「マンマ」「ブーブー」など）を確認する。言語理解は絵本の指さしや簡単な指示（「お口はどこ？」「○○を持ってきて」「これをちょうだい」「おいで」「バイバイ」）の理解と応答の程度を確認する。

③**対人関係**：親と遊びたがり，困ったことがあったり痛かったりすると親にたすけを求めるか，大人のまね（身ぶり・しぐさ・掃除や化粧など）をしようとするか，ほかの子どもに関心を示し，手を差しのべたり，話しかけたり，笑ったりするかなどを確認する。

④**視聴覚**：テレビを見るとき目を細めたり近寄る，極端にまぶしがったり呼んでもふり返らない，視線が合わない，片眼が寄っている，他者に反応しない，声を出したり感情表現が少ないなどがないか確認する。

⑤**生活習慣**：食事🚑は1日3回食が基盤となり，自分でスプーンを持って食べようとする。コップを持って水を飲める。食べ物は咀嚼してから嚥下できる。起床・就寝・食事・おやつの時間，遊びの時間，昼寝・睡眠時間，排便の時間などの生活リズムが確立してくる時期である。

⑥**齲歯**：生活習慣が確立していない子どもに多い傾向がある。母乳，哺乳びんの使用の確認，歯みがきの習慣，間食の与え方などを指導する。健康診査時と2歳，2歳6か月，3歳時にフッ素塗布を行っている自治体もある。

⑦**子育て・家族の状況**：母親の心身の状態，父親の育児参加の程度や育児協力者や相談者の有無，育児不安・悩み，困りごと，子どもへの思い，虐待の把握を行う。地域の母子保健サービス・子育て支援サービスの利用状況などを確認する。

■ **この時期の特徴と支援**

1歳6か月児は，運動発達では粗大運動としての歩行と，積み木を積む，クレヨンでなぐり書きをするなどの微細運動の状況，精神発達では発語・言語理解の程度を評価する重要な年齢（key age）である。個性や養育環境，生活経験によって発達に個人差が出てくる時期であるが，歩かない，話さないという状況は，神経筋疾患や難聴・精神発達遅滞・発達障害などが背景となっている場合も少なくない。健康診査後のカンファレンスにおいて，保健師と健康診査担当のスタッフが観察した状況や情報を共有し，検討のうえ総合的に判断した結果に基づき，支援方針や方法を決定し，継続的に経過を観察していくことが必要である。

健康診査における相談内容には，①言葉の遅れ，②指しゃぶり，③排泄の自立の遅れ，④食が細い，むら食い，肥満，⑤歯みがきをいやがる，⑥かんしゃくをおこす，落ち着きがなく困っている，⑦歩かない，⑧湿疹やアトピー性皮膚炎，⑨弱視・斜視などがある。

4 3歳児健康診査

■観察のポイント

①**運動発達（走ることができる）**：95％以上の子どもができるようになる時期である。粗大運動能力は，飛んだり走ったりできるか，手を使わずに階段をのぼったり，片足で2〜3秒間立ったりできるか，ケンケンや三輪車をこげるかなどを確認する。微細運動は，鉛筆で丸をかく，大きなボタンなら自分でかけることができるかを確認する。

②**言語発達（2語文が言える）**：90％以上の子どもが言えるようになる時期である。自分の名前や年齢が言えるか，日常の会話が可能かを確認する。養育環境によっては言語理解が良好であっても話す能力が著しく低い場合があり，言語理解の程度を評価することが重要である。言語理解に問題がある場合は精神発達遅延と難聴を疑い，精密検査を行う必要がある。

③**社会性・対人関係**：同年齢の子どもとままごとや怪獣ごっこなどをして楽しく遊ぶことができるか確認する。できない場合はコミュニケーションや行動の障害，養育環境が背景にある場合がある。

④**知的発達**：赤・青・黄・緑などの色，高い・低い，数（1〜3）がわかるかを確認する。

⑤**基本的な生活習慣の自立**：食事前のあいさつや手洗いなどの習慣が身についているか，食事・排尿・排便・衣服の着脱の自立の程度，睡眠などの生活リズムの状況を確認する。

⑥**視覚**：視力検査の結果と眼の寄り（斜視）がないか，物を見るとき目を細めたり，極端に近づくことがないかを確認する。

⑦**聴覚**：聴覚検査の結果のほかに，呼んでも返事をしないことや，テレビの音を大きくすることなどがないかを確認する。

⑧**齲歯**：齲歯率は50％になっている。自分1人ではできないので，保護者がみがき直しをすることが必要である。食事や間食の時間も確認する。齲歯の罹患率と生活習慣との関連は強く，子どもの生活習慣は，親の育児態度や育児不安などの影響を大きく受けるため，歯科保健指導にとどまらず，生活環境，生活全般の状況も把握したうえで，より具体的できめ細かい指導を行う必要がある。

⑨**肥満・やせ**：正常範囲内でも個人差が大きく，食習慣や栄養のバランスと関連する。

⑩**尿検査**：腎機能を確認する。

⑪**子育て・家族の状況**：母親の心身の状態，父親の育児参加の程度，育児協力者や相談者の有無，育児不安・ストレス，悩み，困りごと，子どもへの思い，虐待などに加え，地域の母子保健サービス・子育て支援サービスの利用状況などを確認する。

> **プラス・ワン**
>
> **発達障害者支援法**
> 2005（平成17）年4月施行。
> 第2条では　発達障害を「自閉症，アスペルガー症候群その他の広汎性発達障害，学習障害，注意欠陥多動性障害その他これに類する脳機能の障害であって，その症状が通常低年齢において発現するものとして政令で定めるもの」と定義している。
> 第3条では　発達障害児・者への支援を国や地方自治体の責務とし，具体的には，①乳幼児健康診査や就学時健康診断での早期発見，相談や療育を提供する体制の整備，②警察や司法関係者の理解の促進，③障害の特性に応じた就労の確保，④地域での自立生活を希望する者へのグループホームの整備などを盛り込み，ライフステージを通した一貫した支援の流れを明確化した。
> 第5条では　乳幼児健康診査を行う市町村は，発達障害の早期発見に十分留意し，疑いがある場合には適切な支援を行うため継続的な相談を行うよう努めること，発達障害児が早期に医学的・心理的判定を受けることができるよう指導・助言を行うことを規定している。
> 第6条では　早期の発達支援を受けることができるよう支援センターや専門医療機関を紹介し，助言を行うなど，適切な措置を行うこととしている。
> 2022（令和4）年に文部科学省が実施した調査では，通級学級に在籍する小学生・中学生の8.8%（推定値）に，学習面や行動面で著しい困難を示す発達障害の可能性があると報告されている。

■この時期の特徴と支援

3歳児は運動や知的の発達により人間としての自立性が急速にのびる時期である。自我のめばえとともに反抗も見られるようになり，どもり，爪かみ，自分の頭を床にぶつける，自慰などといった神経症や異常行動もあらわれるようになる。正常範囲内の遅れであっても親の養育の問題や育児上のひずみが子どもの今後の精神的・情緒的発達に影響を及ぼすことがある。また，1歳6か月児健康診査では発見できなかった軽度・境界域の精神発達や言語の遅れ，視聴覚異常が発見できる場合もあり，適切な事後指導・支援につなげることが必要である。

また，母子分離ができない，友達と遊べない，言葉が遅い，集団のなかに入れない，ひとり遊びが好き，がまんができない，動きが激しくじっとしていない，こだわりがある，といった子どもが健康診査の受診者の10～25％にみとめられるといわれている。養育環境や生活体験が少ない場合もあるが，コミュニケーションや行動の障害を伴う場合もある。

2005（平成17）年に発達障害者支援法✚が施行され，乳幼児健康診査での早期発見・早期支援のための相談や療育を提供する体制の整備について，よりいっそうの充実が求められている。3歳児健康診査では診断がむずかしい発達障害について，その早期発見・早期支援のニーズにこたえるべく，4～6歳児健康診査を実施している自治体も増加している。

b 経過観察を必要とする親子への支援

乳幼児健康診査の結果，子どもの身体的な疾病に加え，発達障害など心理・社会的な行動障害に対する事後指導の必要な対象は増加傾向にある。子どもに健康問題はないものの，母親の育児不安や精神的な疾患，親の育児能力の未熟さ，家族の養育上の問題などにより支援が必要な対象も増加している。

健康診査の結果，「経過観察」や「要精密検査」「要医療」など，「問題あり」の判定を受けることは，保護者にとってたいへんなショックである。指導場面では，「できないこと」や「やっていないこと」を指摘するのではなく，「できること」「していること」を親が肯定的に受けとめることができるよう，子どもの発達と親の子育てを支援していくことが大切である。とくに，グレーゾーンも含めた発達障害をもつ子どもの親は，「子どもに愛着がもてない」「かわいいと思えない」「手がかからない」「どう接してよいか，わからない」「言うことを聞いてくれず，育てにくい」「落ち着きがなく手がかかる」「コミュニケーションがとれない」などと感じている場合が多い。まずはこのような育児への自信のなさや不安，育てにくさをありのまま受けとめ，共感的な態度で接することから支援が始まる。時間がかかっても相手が納得するまで話を聴くことが大切であり，親と保健師の信頼関係を基盤に，その後の適切な支援や療育につなげて

表1-5 1歳6か月児健康診査の事後教室の例

目的	・1歳6か月児健康診査の結果,言葉の遅れなどがあり経過観察が必要な子どもと保護者に対して,発達の確認・指導を行うことにより,発達を促すようなかかわり方を助言し,幼児の健やかな成長を促す。 ・経過観察により早期療育につなげる必要がある場合は療育教室や医療・療育施設を紹介する。
対象	1歳6か月児健康診査受診後～おおむね2歳まで(2歳以降も経過観察が必要な場合は療育教室につなぐ)。 ①心理・社会的な発達に遅れがみられ,個人差か障害があるかを判断するために経過観察が必要な子ども。 ②現在,発達状況に適した集団に参加しておらず,集団の刺激が不足していると思われる子ども。
スタッフ	保健師(教室の企画立案,対象の把握,教室の運営,連絡・調整,個別相談・指導・助言),心理相談員(個別の発達検査・相談・指導),保育士(遊びなどの指導),必要時に小児科医師,言語聴覚士など。
内容	月に1回,午前中に開催。 ①事前打ち合わせ(スタッフの役割の確認,参加者の状況と課題について共通理解をする) ②受付→自由遊び→始まりのあいさつ ③親子体操,親子遊び(サーキット,リトミックなど) ④課題遊び(身体や音楽を使った遊び,新聞紙遊び,段ボール遊び,クレヨン遊び,粘土遊び,七夕飾り,おひなさまづくり,クリスマスツリーの飾りなどの季節の行事,参加者どうしの話し合いなど) ⑤保健師・心理相談員による個別面談・個別相談(課題遊びの時間を利用して実施) ⑥おやつ ⑦紙芝居・絵本の読み聞かせ,親子遊びなど ⑧終わりのあいさつ ⑨カンファレンス(連絡・調整・意見交換,事例検討,事後措置の検討,次回の検討など)
保健師の役割	・子どもの発達の確認:子どもの発達について個別相談および集団のなかで経過観察する。 ・子どもの発達の促進:集団指導のなかで子どもの発達を促すようにはたらきかける。 ・母親の育ちへの支援:親子遊びや課題遊びの場面で,スタッフがかかわると子どもの反応や表情がかわる様子を母親に実際に見てもらうとともに,母親が子どもと一緒に活動して,子どもとどのようにかかわればよいかを体験を通して学んでもらう。具体的には,子どもの動きの意味を説明する。子どもの小さな変化をとらえてその成長を評価する。子どものかわいい点・よい点を見つけてほめる。子どもが母親のはたらきかけを受け入れた場面を見つけて母親に説明する。 ・母親の参加意欲や継続への支援:休まずに参加したことをねぎらい歓迎する。母親のかかわりの上手な点や変化をほかの参加者にさりげなく紹介してほめる。楽しい時間を共有することでスタッフや母親どうしの交流や関係性を深める。 ・個別支援:母親のつらさ・悩み・不安を受容的に傾聴し,子どもの行動や障害をどう理解したらいいかを一緒に考え,助言する。父親や家族の協力の状態やきょうだいのことなど家族の問題について話し合う。障害が疑われる場合は早期に療育ルートにつなげていけるよう保護者へ助言指導をしていく。
教室が母親にもたらす効果	・母親自身が後悔やつらさを十分に聞いてもらい,ほめられる経験をすることや子どものよい点を見いだすことができること,同じ悩みをもつ母親と知り合うことを通して,①相談することで問題が解決する,②自己効力感が高まる,③自分だけではないと思える,④がんばってみようと思える,⑤教室への帰属感をもち,次回を楽しみに待つことができる,⑥子どもとのかかわりが改善する,⑦子どもの発達の見通しがもてる。

いくことが可能になる。

対象の状況に応じて,家庭訪問や個別相談・心理相談などの個別的な対応と,幼児教室・親子教室・療育教室など集団的な対応とを組み合わせて,継続的に観察・支援していくことが必要である(表1-5)。集団的な対応は,親子遊びなどを通して母が子どもへのかかわり方や接し方を学び,同じ悩みをもつ当事者としての母親どうしの交流のなかで「親の育ち」を支援し,子どもの成長を促進することを目的としている。

診断・療育的アプローチが必要な場合には,保健師が1人でかかえ込まないでチームで相談・検討し,医療機関や発達障害者支援センター,保育所や幼稚園,学校などと連携し,支援ネットワーク体制を構築することが必要である。

実践場面から学ぶ：1歳6か月児健康診査で言語発達の遅れがみとめられた母子への支援

■ 事例紹介

　A市は人口6万人，新興住宅地の開発により県内で唯一人口が増加しており，出生数は年間700人である。B君は母親とともに1歳6か月児健康診査を受診した。半年前に新興住宅地に転入し，父親と母親の3人暮らし。身体発育は良好，ひとり歩きは13か月。有意語は「ママ」のみ。問診場面でB君は，ピンチ把握（小さな物をつまむ動き）で積み木を2個積み上げ，保健師が「積み木をちょうだい」と言うと返してくれたが，絵本の指さしはできなかった。家ではテレビをつけていることが多く，絵本の読み聞かせはほとんどしていない。母親は「言葉の遅れが心配。近くに相談できる人もなく，自分の子育てに自信がもてない」と話す。保健師は母親の気持ちを受けとめ，B君とのかかわりを指導したのち，1歳6か月児健康診査の事後教室を紹介した。教室に参加したB君は徐々に言葉が増えはじめ，絵本を見て「ワンワン，ニャンニャン，ブーブー」と言いながら指さしができるようになり，「ワンワン，きた」などの簡単な2語文も話すようになったことから，2歳で教室は終了した。

　保健師は，健康診査のときに発達の遅れがみとめられる子どもが増加している背景には，育児環境や養育上の問題がある家庭や子育てに不安をもつ母親が増加していることを地域の健康課題としてとらえた。そこで，子育て支援センター，保育所・幼稚園などの関係機関や母子保健推進員・民生委員・児童委員たちと地域の子育ての現状や課題を共有し，子育て支援ネットワーク委員会を立ち上げ，市内10地区で子育て教室や子育て情報の発信，声かけなどの活動をしていくことにした。

● ポイント①：子どもの発達状態と養育環境を把握しアセスメントする

　1歳6か月ごろは，5つ以上の有意語が話せるのが一般的な発達であり，B君の1語のみは少ない。また，「ちょうだい」の簡単な言語指示には対応できたが，絵本の指さしはできなかったことから言語理解の遅れが考えられる。保健師は家でのB君の様子や母親のかかわり方をたずね，テレビをつけていることが多く，絵本の読み聞かせをほとんどしていないことを把握し，B君の発語と言語理解の遅れは，養育環境や体験不足が要因の1つとアセスメントした。

● ポイント②：支援の必要性を見きわめ，事後教室につなぎ支援を継続する

　B君の家族は核家族で半年前にA市に転入してきており，近くに相談できる人もなく，母親は言葉の遅れを心配し，子育てに自信がもてないと話した。子どもの発達状態と母親の状態から支援の必要性があると判断した保健師は，集団の場で遊びを通して子どもの発達を促すとともに，母親が自信をもって育児をしていけるように1歳6か月児健康診査の事後教室につなげて支援を継続した。

C. 乳幼児期の成長・発達と健康課題への支援

> ●ポイント③：関係機関や住民と協働し地域ぐるみの子育てを支援する
> 　保健師は子どもの健やかな成長・発達を促し，親や家族の子育て力を高めるためには，地域の子育て支援力を向上させる必要があると考えて，市内10地区で子育て支援ネットワーク委員会をたち上げた。関係機関や住民と協働して，地区の特性やニーズに応じた子育て支援活動を展開していくことも保健師の役割である。

3 予防接種

　予防接種には，予防接種法に基づき市区町村が実施する**定期接種**と保護者の判断に基づいて受ける**任意接種**がある（表1-6）。定期接種にはA類疾病とB類疾病がある。A類疾病は集団発生と蔓延予防を目的に接種を行うものであり，かかった場合に病状が重篤化するおそれが高い疾病で，乳幼児～思春期を対象とするものが規定されている。A類疾病については努力義務（保護者は予防接種を受けるよう努力する）が課せられており，予防接種法により市区町村長が行う疾病の種類，接種の時期などが規定されている。

　予防接種法の改正により，2013（平成25）年4月からBCGの接種推奨時期が「生後5か月～8か月未満」となり，また任意接種だったインフルエンザ菌b型（Hib），小児用肺炎球菌（7価結合型），ヒトパピローマウイルス（HPV）がA類疾病に変更されて定期接種の対象疾病となった。

　市区町村長は，予防接種制度の概要，予防接種の有効性・安全性および副反応，接種に関する注意事項などについて，十分な周知をはかることとされており，保健師には，保護者が予防接種の接種スケジュールをたてることができるように，乳幼児各期に罹患しやすい疾病や罹患すると重症化しやすい疾病に対する知識およびその接種推奨時期について，新生児訪問や乳児家庭全戸訪問の場を利用して指導していく役割がある。

　予防接種により，ときに発熱，発赤・腫脹，発疹などの副反応を生じることがある。ごくまれに死亡，重度の神経障害などの重篤な副反応が生じることもある。予防接種による副反応の発生をできるだけ少なくするために，予診・問診に関する規定が法令に盛り込まれている。

　集団接種の場で保健師は，接種前の体温測定の徹底や健康状態の観察を行い，保護者が不安なことがある場合は医師に相談できるように支援する。接種後の重篤な副反応は，予防接種後30分以内に生じることが多いため，副反応の観察などを行うことも保健師の重要な役割である。

プラス・ワン

B型肝炎ワクチンの定期接種化

2016（平成28）年6月，予防接種法施行令の改正により，B型肝炎はA類疾病に指定され，2016（平成28）年10月からB型肝炎ワクチンの定期接種が始まった。B型肝炎の定期接種では，出生後から生後1歳にいたるまでに3回の接種を完了することが求められており，その接種推奨時期は生後2か月，3か月，7～8か月である。

ヒトパピローマウイルスワクチンの定期接種の対応

2013（平成25）年4月にHPVワクチンが定期接種化されたが，同年6月，厚生労働省は「ワクチン接種後にワクチンとの因果関係を否定できない持続的な疼痛がみられたことから，当面定期接種を積極的に勧奨すべきではない」と地方自治体の長あてに通知した。
2021（令和3）年11月，HPVワクチンの安全性について特段の懸念が認められず，接種による有効性が副反応のリスクを明らかに上まわると認められたため，2013年通知を廃止した。こうして2022（令和4）年から積極的な勧奨が再開された。

予防接種が受けられない場合

①37.5℃以上の発熱がある，または急性の病気にかかっている。
②過去に同じ予防接種を受けて異常を生じたことがある。
③特定の薬物や食品にアレルギーがある。

表1-6 予防接種の接種スケジュール

	接種推奨時期 対象疾病（ワクチン）	生直後	6週	2か月	3か月	4か月	5か月	6〜8か月	9〜12か月	12〜15か月	16〜23か月	2歳	3歳	4歳	5〜6歳	学童期	回数
定期接種	小児肺炎球菌（15価結合型）			①	②	③			④								4回
	5種混合（DPT-IPV-Hib）（ジフテリア・破傷風・百日せき・ポリオ・ヒブ）				①	②	③		④								4回
	2種混合（DP）（ジフテリア・破傷風）															11〜12歳（第2期）	1回
	結核（BCG）						①										1回
	麻疹・風疹（MR）									①					②		2回
	日本脳炎							（生後6か月から接種可能）			①② ③					9〜12歳（第2期）	4回
	ヒトパピローマウイルス（HPV）															12〜16歳の女子	3回
	水痘（水ぼうそう）									① ②							2回
	B型肝炎（HBV）			①	②			③									3回
	B型肝炎（母子感染予防）	①	②				③										3回
	ロタウイルス（1価）			①	②												2回
	ロタウイルス（5価）			①	②	③											3回
任意接種	おたふくかぜ									①					②		2回
	インフルエンザ								毎年10月〜11月に3〜4週間あけて2回							13歳より1回	

丸囲み数字（①，②など）は，ワクチンの種類ごとに接種の回数を示す。

4 子どものメンタルヘルス支援

　子どものメンタルヘルス不調の要因は，心理・社会的要因と生物学的・医学的要因に大別される。心理・社会的要因は虐待やドメスティックバイオレンス（配偶者間暴力：DV）の目撃など耐えがたい体験や子ども自身の病気，家族の健康問題，経済的困窮や家族関係など養育環境によるストレスや不安，情緒障害などである。生物学的・医学的要因は発達障害や精神障害などである。強い恐怖を伴う体験が心の傷（トラウマ）となり，時間がたっても強いストレスや恐怖を感じる心的外傷後ストレス障害（PTSD）や精神障害につながる場合もある。

　心理・社会的要因の発生予防や問題解決をするためには，子どもの親・家族を丸ごと支援する必要がある。発達障害や精神障害をもつ子どもの支援も子どもと親の双方に寄り添うことが重要である。

5 乳幼児期の事故の特徴と事故防止

　乳幼児期の不慮の事故について，2023（令和5）年における年齢階級別

表 1-7　月齢・年齢別乳幼児期の事故の特徴

月・年齢	おきやすい事故(事故のおもな原因)
1～6か月	・窒息(寝具や吐物が気道をふさぐ) ・転落(周囲の不注意、誤って上から物を落とす、上の子が抱き上げてけがをさせる、ベッドから落ちる) ・やけど(ストーブにさわる) ・誤飲・中毒(タバコ・医薬品・化粧品・洗剤・硬貨・豆などの誤飲) ・揺さぶり死(新生児や6か月以下の乳児を強く揺さぶる)、車中放置
7～12か月	・転落・転倒(ドア、階段、ベッド) ・やけど(アイロン、魔法びん・ポット・鍋のお湯) ・溺水(浴槽・洗濯機に落ちる〔残し湯をしないことで防止〕) ・熱中症、車中のけが(車中に乳児を放置、座席からの転落〔チャイルドシートで防止〕) ・誤飲・中毒(引き出しの中や床・テーブルに置いてあるタバコ・医薬品・化粧品・硬貨・豆など)
1～4歳	・誤飲・中毒(原因の範囲が広がり、あらゆる物が事故の原因になる) ・転落・転倒(階段、ベランダ〔踏み台になるものを置かない〕) ・熱傷(熱い鍋に触る、テーブルクロスを引いてテーブル上の湯をこぼす) ・溺水(浴槽・洗濯機・河川・池・海に落ちる) ・交通事故(飛び出し事故〔手をつないで歩くことで防止〕)

の死因順位をみると、0歳児で第3位、1～4歳児では第3位であり、死因の種類は子どもの成長・発達に伴い、年齢ごとに特徴がある。死亡にはいたらなかったものの後遺症が残ったり、長期の入院や通院を必要とした事故から家庭で手当てした事故までを含めると多くの事故が発生しており、乳幼児の事故防止は重要な課題である。

乳幼児の事故は、児の月齢・年齢によって特徴がある(表1-7)。屋内・屋外の環境の整備や事故に対する親の意識・行動の変容、万一の際の応急処置などで死亡事故や健康に重大な被害を与える事故の9割は予防できるといわれている。子どもの事故予防は発達段階や行動特性に合わせて、事故のリスクアセスメントをして、リスクを除去・低減することが重要である。リスクを低減するためには、保護者を対象とした事故予防教育、子ども自身の危険認識力や問題解決能力を育てる教育・指導、マスメディアやインターネットを活用したポピュレーションアプローチとともに、危険な環境や製品の改善が必要である。

プラス・ワン

乳幼児の不慮の事故のおもな死因(2023年)
- 0歳:窒息89.0%、交通事故5.5%
- 1～4歳:窒息33.3%、交通事故31.1%、溺死・溺水20.0%。

事故防止の指標
「健やか親子21(第2次)」の基盤課題C(子どもの健やかな成長を見守り育む地域づくり)の参考指標として、「不慮の事故による死亡率」「事故防止対策を実施している市区町村の割合」「乳幼児のいる家庭で風呂場のドアを乳幼児が自分で開けることができないよう工夫した家庭の割合」が設定されている。

事故のリスクアセスメント
家庭や生活環境における事故のリスク要因を特定し、事故が発生する可能性の度合いと事故による健康障害の重症度を組み合わせてアセスメントし、リスクの重要性や優先度を評価すること。事故の潜在的なリスクを見つけ出し、リスクを除去・軽減するための手法である。

a 乳児期

乳児期早期では寝具や吐物が気道をふさぐことによる窒息、ベッドや階段からの転落、誤飲・誤嚥などに注意する必要がある。身のまわりに危険がないか、乳児の目の高さに視点をおいて育児環境を点検し、事故を予防することを指導する。

b 幼児期

幼児期は、運動能力が発達し行動範囲が広がるとともに、好奇心も旺盛になる時期である。溺水・溺死は、河川・池・用水・海など屋外のほ

プラス・ワン
チャイルド-デス-レビューによる生活環境の改善

チャイルド-デス-レビュー(CDR)とは，予防可能な子どもの死亡を減らす目的で，多職種の専門家が連携して系統的に死因調査を実施して登録・検証し，効果的な予防策を講じて介入を行おうとする取り組みである。2020(令和2)年度からCDRの取り組みが始まっている。

保健師にはCDRの提言をふまえて，子育て家庭のリスクをアセスメントして，子どもが家庭・地域社会で安全に生活できる環境をつくるための施策を推進する役割がある。

か，家庭内の浴室・洗濯機などでも多くおきている。浴室に幼児をひとりにしない，使用しないときは浴室に幼児が入れないようにしておく，使用後は風呂の栓を抜いて排水しておくなどの注意が必要である。

必ずしも死亡につながる危険性は少ないが，1歳前後より床やテーブル，引き出しの中にあるタバコ・硬貨・化粧品・薬などの誤嚥・誤飲による事故が増加する。幼児は身近な手の届くところにある物を口に入れる習性があることを認識し，家庭環境の整備に日ごろから努めるよう指導することが大切である。

c 乳幼児突然死症候群

乳幼児突然死症候群(sudden infant death syndrome：SIDS)とは，なんの予兆や既往歴もないまま乳幼児に死をもたらす疾患である。2023(令和5)年における乳児の死亡数は46人であり，乳児期の死亡原因としては第5位である。

SIDS発症の危険性を低くするための留意点は，①乳児を寝かせるときは仰向け寝にする(うつぶせ寝にさせない)，②乳児の近くで喫煙しない，妊娠中に喫煙しない，③できるだけ母乳で育てる，④乳児に過度に服を着せたり，あたためすぎたりしないなどである。

1999(平成11)年度より11月を乳幼児突然死症候群対策強化月間と定め，乳幼児突然死症候群に対する社会的関心の喚起をはかるとともに，重点的な普及啓発活動を実施している。

6 情報化による子どもの健康課題への支援

「スマホ育児」という言葉もあるように，子どもは乳幼児期から遊びや教育のツールとしてスマートフォンに接しており，長時間利用による言語や心理，対人関係や社会性の発達への影響，睡眠など生活リズムの乱れや視力への影響などが懸念されている。「健やか親子21(第2次)」の中間評価では，2019(令和元)年に「ゲーム行動症」がICD-11の疾患対象に含まれたこと，子育てにスマートフォンを利用することに懸念を感じている親が多いことなどの現状から，スマートフォンなどのICT(情報通信技術)端末が子どもの発育や子育てに与える影響などについて，今後知見を集積する必要があるとされた。ICTの利用は子育てに不可欠ではあるものの，適切な付き合い方を伝えていく必要がある。

7 乳幼児期における保健指導

乳幼児期の成長・発達は著しく，発達段階によって子どもの健康課題と保護者への保健指導の内容が変化する。そのため，母子のニーズに対

C. 乳幼児期の成長・発達と健康課題への支援

応じて継続した支援が必要である。保健師は乳幼児の発達段階に応じて、家庭訪問・健康診査・健康教育・健康相談など適切な活動方法を用いて保健指導を実施する。保健指導のなかで、子どもの成長・発達の確認するとともに成長・発達を促すような支援、母親の育児不安の軽減や子育てに必要な知識や方法の提供などを行い、親や家族の子育てをする力を高める✚。

乳幼児期の支援は地域で生活しているすべての乳幼児が健やかに育ち、すべての親子が安心・安全に子育てができる地域づくりが目標となる。そのため、健康診査の未受診者、健康教育に参加しない親子、あるいは育児不安、心配や困りごとがあるにもかかわらずみずから相談の場に来られない親子を早期に把握し、支援につなげるための「地域の子育て支援力」を高めるような地域づくりの活動も重要である(表1-8)。

a 個別の保健指導が必要な対象

個別指導✚の活動方法には、家庭訪問、健康診査における問診・指導、健康相談などがある。育児に関する相談ごとや課題は、子どもの健康や不健康、障害の有無にかかわらず、育児を取り巻く母親と環境との相互作用を強く受けて発生する。しかもその問題の内容は、子どもや家族ごとに個別性に富んでいる。保健師は母親と問題を共有するとともに問題の発生のしくみを解明し、母親自身が実践できるように、個々の家族に合った対策を考えることが大切である。

b 家庭訪問が必要な対象

いかなる年月齢、発育・発達、健康状態、養育状況の乳幼児であっても訪問指導の対象✚になりうる。とくに、家庭訪問は、対象者が支援を求めているいないにかかわらず、支援の必要性があると判断した場合は、対象者の生活の場に出向いて家族全体に保健指導を行う保健師固有の支援方法である。

母子を対象とする家庭訪問による保健指導には、①子どもの成長・発達、健康状態を母親とともに観察し確認する、②母親や家族の育児態度や能力を把握し、育児上の不安や悩み、困りごとに対する解決策を一緒に考えて、母親が自信をもって育児ができるように支援する、③母親自身が子どもに対するケアと解決方法を決定し、実践できるように支援する、④地域の社会資源やサービスの活用方法を紹介する、④母親の健康状態を把握し、母親と家族の健康を高める、⑤近隣や地域の母親と接点がもてるようにその糸口となる組織やキーパーソンを紹介し、地域社会への母親の関心を広げるなどがある。

✚ プラス・ワン

育てにくさを感じる親に寄り添う支援

家庭訪問・健康診査・健康教育・健康相談など保健師の支援活動において、親の育てにくさに「気づく」ための問診項目や問いかけは重要である。親の子育ての悩みや困難さを「よくあること」と片づけず、親が発信するさまざまな育てにくさのサインをていねいに受けとめる必要がある。「気づき」を支援につなげるためには、育てにくさの背景にある要因が①子どもの個性、②親の個性、③親子の関係、④親子を取り巻く環境のいずれなのか見きわめる必要がある。子どもの個性が要因の場合は、発達障害などの障害や疾病の早期発見と早期支援につなげる。相談できる家族や友人がいないため、家庭や地域で孤立しているなど親子を取り巻く環境が要因の場合は、子育て支援センターなどを紹介し、地域の子育て支援者と連携・協働しながら支援する。育てにくさが虐待につながる可能性もあるので、「離乳食を食べない」「夜泣きする」「言葉が遅い」「指さしをしない」などの悩みや課題を共有し、親に寄り添い支援する。

個別指導が必要な対象

個別指導が必要な対象として、次のようなものがあげられる。
①乳幼児や親に疾患や障害がある
②家族や育児環境に問題がある
③母親や家族の育児態度に問題がある
④母親の訴えが強く、問題意識がないなど、指導を拒否する
⑤秘密を要する

訪問指導の対象

訪問指導の効果が顕著に発揮される対象には次の例があげられる。
①未熟児・多胎児などのハイリスク母子と家族
②健康診査後も継続した支援が必要と判断された母子
③虐待のおそれのある家庭
④家族関係、養育に欠ける環境
⑤母親の育児能力の不足
⑥乳幼児健康診査の未受診者

表1-8 乳幼児期の保健指導の時期と方法（A市）

方法＼時期	すべての子どもが健やかに育ち，すべての親子が安心・安全に子育てができる地域づくり				
	家庭訪問	健康診査	健康教育	健康相談（電話相談）	地域組織活動（母子保健推進員）
出生	●新生児訪問指導（低出生体重児の届出） ●未熟児の訪問指導（養育医療の給付）	○1か月児健康診査（医療機関）		○母乳相談	○こんにちは赤ちゃん訪問
乳児期	●乳児の訪問指導	○4か月児健康診査（集団）	○離乳食教室（5か月） ○離乳食教室（7か月）	○育児相談（随時）	○地区子育て教室 ○赤ちゃん抱っこ体験（小学生との交流事業）
幼児期	●幼児の訪問指導 ※保育園・幼稚園への園訪問	○10か月児健康診査（医療機関） ○1歳6か月児健康診査（集団） ○2歳児歯科健康診査 ○2歳6か月児歯科健康診査 ○3歳児健康診査（集団） ○5歳児健康診査（集団）	○幼児食教室（食育講座） ●1歳6か月児健康診査事後教室 ●言葉の教室 ●3歳児健康診査事後教室	○1歳児健康相談（歯科相談） ●発達相談会	

黒字：ポピュレーションアプローチ，茶色字：ハイリスクアプローチ

プラス・ワン

集団指導が適した対象

集団指導が適した対象には，次のものがあげられる。
①子どもの発達段階や健康状態が同じような対象
②親の育児上のニーズに共通性がある
③同じような生活環境・育児環境にある
④グループ活動に参加することを希望する

c 集団の保健指導が必要な対象

集団指導➕の活動方法には，健康教室や健康診査の集団指導場面，地域組織活動がある。子育てに関する不安や悩みは個別性が強い反面，すべての親や家族に共通する体験と課題であることが多い。したがって，育児態度や健康生活の改善に向け，行動変容や環境を積極的にかえていくためには，共通の問題を有する人の相互作用で，楽しみながら励まし合い，自分たちの力で改善するためのグループ活動は効果的である。

実践場面から学ぶ：多胎児への支援

■**事例紹介**

A市は人口10万人，出生数は年間1,200人である。乳児の一時預かり事業や養育支援訪問事業は実施していない。市保健センターの保健師は，出生時体重が2,500gと2,600gの双子の新生児訪問を行った。母親は初産婦であり，夫の仕事の関係で出産直前に転入し，近くに親戚もいない。保健師は子どもの健康状態や発育状態を観察・把握し，体重増

加量をアセスメントして，双子の体重増加が順調であることを伝えたが，母親は「赤ちゃんが泣くたびに別々に授乳を行っていて，ほとんど睡眠時間がとれません」と語った。保健師は母親の主訴を受けとめ，母親の睡眠時間を確保するために2人の授乳時間を合わせる方法を一緒に考えるとともに，家庭訪問を継続した。

　A市では毎年6〜8例の多胎児の出産があり増加傾向にあった。育児について「育児書には多胎の育児については書かれていないから役にたたない。どうしたらいいのか困ることばかり」とそのたいへんさを語る人が多かった。そこで多胎児親子の交流会の開催を企画することにした。また，保健師は市の子育て支援事業を担当する児童福祉担当部署と多胎児を育児している家族の現状についての情報を共有し，必要なサービスを検討していくことにした。

●ポイント①：個人・家族のニーズに対応する

　保健師は母親が初産で身近に育児協力者がいないにもかかわらず，子どもの健康状態や成長・発達状態が順調であったことから，育児能力に問題はないと判断した。「睡眠時間がとれない」という母親の主訴を受けとめて，母親と一緒に解決方法を考えることは，母親の育児疲労や負担の軽減につながることが期待できる。

●ポイント②：個別事例のニーズを集め，集団への支援に発展させる

　保健師はA市の多胎児の推移や個別のニーズを積み重ねて，多胎児をもつ家族への対策が必要と判断し，多胎児親子の交流会を企画した。交流会は，共感し合える仲間と出会い，困りごとやたいへんさを共有したり，情報交換したりできる場となり，家族の育児不安や育児負担を軽減し，主体的な問題解決につながることから優先順位の高い支援内容である。個別事例のニーズを地域アセスメントにより，共通するニーズをもつ集団への支援に発展させることは，保健師の重要な役割である。

●ポイント③：地域の潜在ニーズを予測し新たなサービスを施策化する

　A市では，乳児の一時預かり事業や養育支援訪問事業は実施されていないため，多胎児を育児中の家族は育児負担や疲労を増大させていた。保健師は，家族のみでは育児を継続することが困難になった場合を考え，家族支援をさらに充実させる必要があると判断した。関係機関と情報を共有し，新たなサービスを施策化することは保健師の重要な役割である。

●参考文献
- 今村栄一・巻野悟郎：新・小児保健，第13版．診断と治療社，2010．
- 遠城寺宗徳：遠城寺式・乳幼児分析的発達検査法，九州大学小児科改訂新装版．慶應義塾大学出版会，2009．
- 中川信子：健診とことばの相談――1歳6か月児健診と3歳児健診を中心に．ぶどう社，1998．
- 奈良間美保ほか：小児看護学概論/小児臨床看護総論（系統看護学講座），第14版．医学書院，2020．
- 福岡地区小児科医会乳幼児保健委員会：乳幼児健診マニュアル，第6版．医学書院，2019．

1章 母子保健（親子保健）活動，女性の健康支援

D 女性のライフサイクル各期の健康課題と支援

POINT
- 健康な母性の発達にそって健康課題がある。健康課題に予防的にはたらきかけることが母子の健全育成だけでなく次世代の健康にもつながる。
- 女性のライフサイクルにおいては，母性が大きく発達する時期と老年期に向けて減少する時期がある。いずれの時期も保健師活動による支援が必要とされる。
- 母子の健康をまもるためには，地域全体で母子を支援するしくみが大切で，学校や地域の住民組織との連携が不可欠である。
- 母子が地域で健康に生活できるように，生涯を通した切れ目のない支援の機会と場をつくることが保健師には求められる。

　一般的に母性とは，女性が自然にもっている，自分の子どもをまもり育てようとする母親としての本能のことである。しかし，すべての女性が同じように母性を有しているわけではない。また，妊娠と同時に母性や母性意識が育つものでもない。健全な母性をもつことは健康な子育てにつながる。そのために保健師は，妊娠期女性へのかかわりにおいて，妊婦の母性意識とともにみずからの妊娠をどのように受容しているかなどを把握し，出産後の支援につなげていく。また思春期についても，次の命を育てるはじまりとして，そのかかわりを大切に支援を行う。

1 思春期の健康課題と保健師活動

a 思春期の健康課題

　思春期とは，小児期から性成熟期への移行期のことをいい，**第2次性徴**があらわれる時期✚から17〜18歳ごろが該当する。思春期の最も大きな特徴は，第2次性徴を示す身体的変化と心理的変化である。思春期は，大人への一歩として親からの自立を目ざすいわゆる「反抗期」の時期であり，精神的にも社会的にも不安定な状態の子どもは放置しておくと取り返しがつかない事態をおこすこともあり，思春期の子どもに対して，はれものに触るように接する家庭もある。親などの養育者は，思春期の心情や特性に配慮した対応が必要である✚。

　一方で第2次性徴は，次世代をはぐくむ心身を備えたことを意味している。そのはじまりである思春期において，安易な妊娠・出産とならないよう，男女ともに相手を思いやる気持ちと，命の大切さを伝えること

プラス・ワン
早発思春期
第二次性徴が標準の年齢よりも早い時期にあらわれた状態をいう。早発思春期の場合，病変が潜在する可能性や早期の骨端線の閉鎖により低身長となる可能性，早期の性早熟による本人の心理・社会的な問題がある。

D. 女性のライフサイクル各期の健康課題と支援

は重要である。身体面では、初潮を迎える大事な時期である。18歳以上になっても初経が発来しないときや月経異常✚があるときは、不妊や不育にもつながることもあるため受診や治療の見きわめが重要となる。

思春期において子どもから大人に向かう過程で生じる心身の不安定は、生活面や行動面に影響を及ぼす。とくに思春期の時期は不安定な心理状態や性的関心の高まりから、薬物・飲酒・喫煙など依存性が高い物への依存や、妊娠・人工中絶、いじめ・不登校・引きこもり、摂食障害などさまざまな問題を引きおこす。

「健やか親子21（第2次）」において、思春期に関する事項は、3つの基盤課題のうちの1つ「基盤課題B　学童期・思春期から成人期に向けた保健対策」に位置づけられた。これは前述した思春期の問題が深刻化し、社会問題となっていることが背景にある。思春期保健にかかわる保健師には、生涯にわたる健康づくりという長期的な視点をもって、思春期の時期に健康な心身をつくることの大切さを十分に伝えていく必要がある。

b 思春期に対する保健師の支援

1 保健所・市町村保健センターと学校の協働・連携

■地域づくりの視点からの学校へのはたらきかけ

各地の保健所や市町村保健センター（以下、保健センター）の保健師・職員は、管内の小学校・中学校・高校の養護教諭と連携をとって児童・生徒を対象とした健康教育を企画・実施している。健康教育のテーマは、思春期の重要な健康課題である「薬物濫用防止」「喫煙教育」「歯科保健」「食育」などである。「未成年者の妊娠」や「性感染症の予防」をテーマにするときは、母親と乳児を学校にまねき、児童・生徒と接する体験型の健康教育である「赤ちゃんふれあい体験事業」により、「命をはぐくむ」視点を児童・生徒がもつことを目標に、多くの地域で実施されている。

学校における児童・生徒への健康教育を実施する場合でも、地域における健康づくりの視点から企画・実施することが望ましい✚。すなわち、児童・生徒への単発の健康教育の企画ではなく、自治体の上位計画と連動した健康づくりの一環となるように、思春期の健康課題に正対した教育を設定する。その結果、保健分野と教育分野だけでなく、地域のさまざまな関係機関と連携した活動として地域に根づいていく。このような活動は、地域・学校・行政（保健）が一体感をもつことを促進し、児童・生徒の社会性を育てるうえでも有効である。活動にかかわる保健師などは組織間の連携・調整の能力を身につけておく必要がある。

■保健所・保健センターの機能をいかした支援

1990年代以降、いじめ・家庭内暴力を背景に不登校児童が増加するなど、学校においても対処困難な問題が発生している。こうした問題は、

✚ プラス・ワン

思春期における親離れ
第2次性徴での親離れについて、アンナ＝フロイト（Freud, A.）は、幼児期に出現するエディプスコンプレックスの再現と述べている。同性である親を競争者と無意識に感じて親を殺そうとする欲望をいだき、異性の親には性的欲望をいだくという現象であり、その時期をこえて、超自我を形成していく大切なプロセスである。

月経異常
月経周期日数や・月経持続日数の異常、経血量などの過小や過多、月経困難症・月経前症候群を伴うもの、初経や閉経に伴う異常などをいう。

学校でのがん教育
がんは生活習慣病の1つであり、早期からの予防教育が必要で、学校でのがん予防についての健康教育も有効である。がん対策基本法（平成18年法律第98号）に基づく「がん対策推進基本計画第4期」（2023〔令和5〕年）では、がん対策推進の基盤整備の1つとして「がん教育及びがんに関する知識の普及啓発」を掲げ、そのなかで子どものがん教育についてもふれている。具体的には、国は学習指導要領に基づき、児童・生徒の発達段階に応じたがん教育を推進することや、学校医や外部講師を活用してがん教育が実施されるような支援を行うことが示されている。

専門的・技術的な支援を広域的に行う保健所が核となり，教育委員会と連携して対応することが望まれる。保健所によっては養護教諭を対象にして，いじめ・自殺の防止対策，食物アレルギーに関する栄養指導などをテーマにした研修に取り組んでいる。

エイズなどの性病予防に関する**ピアエデュケーション（ピアカウンセリング）**も，各地で保健所と協働して行われている。これは，大学において教育やサークル活動の一環としてトレーニングを受けた大学生（**ピアエデュケーター**）が高校・中学校に出向き，性や性病予防について教育したり，高校生・中学生の疑問に答えたりするものである。中学生・高校生は，保護者や教員に話せないような疑問や関心事について，年齢が近い大学生には聞くことができ，教育効果がみとめられている。

近年の高度医療の発展に伴い，医療を受けながら在宅で生活することが可能になった療養児へ対応することも，母子保健・思春期保健における喫緊の課題となっている。さらに，発達障害には医療面からの知識や対応が必要である。こうした健康課題に関して学校保健を保健所が支援していく必要性は高い。

通常，小学校・中学校における健康課題は，学校の教諭や養護教諭から市町村の保健センターに直接相談されることが多い。学校と市町村行政の組織間連携がなされていないときは，まず保健センター保健師と養護教諭という児童・生徒に一番近い担当者どうしが連絡を取り合い，しだいに連携という太いパイプにしていく必要がある。

2 縦割り行政の弊害と連携・協働の必要性

教育分野は教育行政に位置づけられ，権限はおもに教育委員会にある。このため教育分野と，一般行政に位置づけられる保健分野との連携がとりづらいという弊害がある。具体的には，思春期の児童・生徒は教育行政の管轄にいるため養護教諭のかかわりが主であり，一般行政の保健師とのかかわりが少ない。出生〜就学前の期間に保健センターなどで実施している健康診査と，就学時健康診断以降の小学校・中学校での健康診断は，異なる行政区分が実施するため，一般行政と学校とが情報を共有していないことが多い。そのため，行政の保健師が把握している乳幼児期の健康状態の情報が小学校の養護教諭に伝わっておらず，健康面への適切な支援が就学後にスムーズに行われないという問題がおきる。

従来，小学校・中学校と保健所・保健センターは，日常の行き来が少なく関係性が希薄であったため，小学校・中学校で健康面の問題がおこっても情報が保健師に届かず，一般行政からの支援や情報提供ができないということもおこる。自治体によっては，保健行政と教育委員会とが連携し必要な情報を共有しているところもあるが，それは保健師個人の力量によるところが大きい。とくに，発達障害がある場合は両者の連携があるとスムーズな対応が可能となり，連携の強化が望まれる。

学校でおこる児童・生徒の健康課題は，家庭や地域からも大きな影響を受けている。思春期の健全育成には，保健・医療分野だけの支援では不十分で，子どもたちの生活の場となる教育分野とも連携して実施することが不可欠である。養護教諭は学校で児童・生徒と接しているが，家庭へのアプローチはむずかしい。保健分野の保健師はその逆であり，互いに補完し合い児童・生徒の健康課題へかかわることが大切である。

2 成熟期：妊娠・出産に伴う保健師活動

思春期から更年期までの間の成熟期は，生殖可能な年齢にあり，女性にとっては妊娠・出産・子育てに向かい，人生のなかで最も母性が発揮される時期である。本項では，成熟期における大きなライフイベントである妊娠・出産にかかわる保健師の活動を述べる。

a 妊娠・出産期における保健師の支援

妊娠が確定した者は，市町村長（居住している自治体）に妊娠の届出をする（母子保健法第15条）。妊娠の届出の受理は市町村の子育て包括支援センターなどの保健師・助産師が行っている。これは妊娠を育児の大切な出発点ととらえ，早期に保健師との信頼関係を築き一緒に子育てをしていこうという考えが基盤にある。

約40週に及ぶ妊娠期間は，妊婦は自分の中にもう1人の人間（＝胎児）がいるという不思議な存在となる。おなかの中にいる児の姿は見えないだけに，精神的に不安定な状況になるにもかかわらず，よりいっそう胎児に配慮した生活を送ることが求められる。保健師としてはこのような妊娠中の時期を，嗜好品の摂取や問題のある生活習慣を見直すチャンスとしてとらえ，適切な保健指導を実施したい。また，妊娠を機に妊娠高血圧症候群や妊娠糖尿病などの合併症（妊娠合併症）をおこしやすく，保健師による継続したかかわりが必要である。

妊娠はするが，流産・死産を繰り返して生児を得られない不育症を有する母への精神的支援や生活習慣の見直しの支援は重要である。一方，不妊に悩む夫婦に対し，2022（令和4）年度から不妊治療が保険適用となった。

1 妊娠の届出に伴う保健師との面接

母親が妊娠の届出をすると同時に，市区町村は**母子健康手帳**を母親に交付する（母子保健法第16条）。妊娠の届出と母子健康手帳の交付は，初産婦の場合，はじめて保健師に会う機会であり，貴重な面接の場となる。

母子健康手帳を手にして母親としての意識が高まったこの機会に，保健師は情報収集を行う。母親の健康状態，家族の状況，育児意識などの

プラス・ワン

妊娠・出産包括支援事業

フィンランドには，「ネウボラ」という妊娠期から出産を経て就学前までの子どもとその家族を支援する地域拠点が各自治体に設けられている（「ネウボラ」はフィンランド語で「アドバイスの場」を意味する）。

近年，日本においてもこのネウボラの視点を取り入れ，妊娠・出産期から子育て期までの切れ目ない妊娠・出産育児支援を実施するモデル事業が展開されている。具体的には，助産師・保健師など母子保健コーディネーターの配置，産前・産後サポート事業，産後ケア事業の実施，子育て世代包括支援センターの設置などである。多くの妊娠・出産包括支援事業のモデル事業では保健師・助産師・関係機関および住民が協力して実施するものとなっている。

プラス・ワン

特定妊婦

出産後の子どもの養育について出産前から支援する必要性がとくにみとめられる妊婦のことである。児童福祉法では，特定妊婦を上記のように定義し，特定妊婦には必要な養育が適切に行えるような支援が必要としている。

妊婦の体型と胎児の健康

妊娠前の母親のやせや低栄養，妊娠中の体重抑制など妊婦の体型などの要因が多胎妊娠・喫煙などとともに低出生体重児を引きおこすものとして報告されている。また，胎児や新生児の環境がよくないと，遺伝子のはたらきを調節するメカニズムであるエピジェネティクスが変化し，成人したあとでの疾患リスクが高まるという説もある。子どもの将来の健康を考えるうえでも，妊娠期の栄養管理は重要である。

母性・父性をはぐくむ

母性に対応する言葉として父性がある。一方で，社会の変化により専業主夫が出現するなど，父親の意識も従来のものから変化している。現代では父性や母性といった規範に縛られることなく，子育てに必要な要素として両親が協働しながらそれぞれの役割を決め対応できるような支援が必要である。

情報を把握し，順調に妊娠・出産・育児ができるのかアセスメントをするためである。産後うつや児童虐待のリスクを把握し，**特定妊婦**✚に対しては家庭訪問など予防にむけた支援につなぐ。とくに，妊娠がわかったときの妊婦の気持ちや，子どもが好きかどうか，妊婦の幼少時からの親子関係などにより，児童虐待リスクを予測することができ，これらを把握することは重要である。

保健師は妊婦から情報を収集するだけではなく，妊婦が安心して妊娠期を過ごせるように，妊娠・出産に関する地域情報を伝え，自治体で実施している母親学級・両親学級などを紹介し，妊娠・出産・育児に関連のある，地域の機関・組織・グループにつなぐ。初回面接は妊娠中の困りごとや相談ごとがあったときに，母親が保健師に相談してくるような信頼関係を築く大切な場である。

❷ 妊婦健康診査の受診勧奨

妊婦は，妊娠合併症の早期発見・治療および妊娠・出産の正しい知識の獲得のために，自治体が定めた方法で健康診査を受けることができる。本章Aで述べたように妊婦健康診査の公費負担が拡充されている。

しかし，妊婦健康診査を受診しない妊婦もおり，周産期医療に関する大きな問題となっている。初回面接時には，妊婦健康診査の意義や検査項目(表1-9)を説明し，妊婦と胎児の健康を保つ✚ことは親としての責務であることを伝え，妊婦の意識化をはかる。

❸ 各自治体の特徴をいかした母親学級・両親学級の実施

母親学級・両親学級は，親になることを体系的に学習できる貴重な場である。つまり，健全な子どもを産み育てるための母性・父性をはぐくむ✚機会として重要である。産科病院においても同様な教室が行われており，自治体の教室の参加者は減少する傾向にある。しかし，病院経営の影響を受けることもあり，病院の教室は一貫した質を保証できない場合や，妊婦が広域から通院しているため，きめ細かい地域情報を提供できないことがある。病院と自治体の教室を重層的に受講できるようにするとともに，両者ともに住民の生活に即した情報を提供する必要がある。

妊婦のなかには，出産がゴールとなり，産後の生活を具体的に考えていない人も多い。そのため「子育ては楽しいとばかりと聞いていたが，出産後は実際は眠れない日が続いている」「こんなに眠れなくて疲れることを出産前に教えてほしかった」という声を聞く。このような育児のリアリティショックが産後の負担感を増やす傾向があり，負担感を軽減できるような母親教室の企画が望まれる。産後の1日の生活スケジュールを妊娠期の母親が具体的に想像して書き，産後のたいへんさを実感する企画を取り入れている自治体もある。

母親学級・両親学級では，同じ地区に住む親どうしの交流の機会をつ

表 1-9 標準的な妊婦健康診査の例

期間	妊婦初期〜23週	妊婦24週〜35週	妊婦36〜出産まで
健診回数 （1回目が8週の場合）	1・2・3・4	5・6・7・8・9・10	11・12・13・14
受診間隔	4週間に1回	2週間に1回	1週間に1回
毎回の健康診査に共通する基本的な項目	●健康状態の把握…妊婦週数に応じた問診・診察などを行う。 ●検査計測…妊婦の健康状態と児の発育状態を確認するための基本検査を行う。 　基本検査例：子宮底長，腹囲，血圧，浮腫，尿検査〔糖・タンパク〕，体重〔1回目は身長も測定〕 ●保健指導…妊娠期間を健やかに過ごすための食事や生活に関するアドバイスとともに，妊婦の精神的な健康に留意し，妊娠・出産・育児に対する不安や悩みの相談に応じる。 　家庭的・経済的問題などをかかえており，個別の支援を必要とする妊婦には，適切な保健や福祉のサービスが提供されるように，市区町村の保健師などと協力して対応する。		
必要に応じて行う医学的検査	●血液検査：初期に1回 　血液型（ABO血液型，Rh血液型・不規則抗体），血算，血糖，B型肝炎抗原，C型肝炎抗体，HIV抗体，梅毒血清反応，風疹ウイルス抗体 ●子宮頸がん検診（細胞診）：初期に1回 ●超音波検査：期間内に2回 ●血液検査：妊婦30週までに1回 　HTLV-1抗体検査 ●性器クラミジア：妊婦30週までに1回	●血液検査：期間内に1回 　血算，血糖 ●B型溶血性レンサ球菌：期間内に1回 ●超音波検査：期間内に1回	●血液検査：期間内に1回 　血算 ●超音波検査：期間内に1回

（厚生労働省：リーフレット「すこやかな妊婦と出産のために"妊婦健診"を受けましょう」による，一部改変）

くるなど，地域での育児につながるような企画や運営を考える必要がある。インターネットや携帯電話・メールが普及する反面，直接のコミュニケーション力の低下が懸念されている。このような状況で地域における新しい仲間づくりを進めるには，教室運営の工夫が必要である。

4 ハイリスク妊婦，不安が強い妊婦への訪問指導

妊婦の家庭を訪問し指導することは，対象者の生活の場で信頼関係を築くよい機会となる。訪問の際は家族1人ひとりの健康状態を把握し，育児が安心してできる環境であるのかについて十分にアセスメントする。家庭の経済状況は育児に影響を及ぼすため，若年妊婦やひとり親家庭には，とくに配慮が必要である。産後の育児不安や児童虐待の早期予防のためにも，外国人妊婦・ステップファミリーなど複雑な背景をもつ場合や必要なケースに対しては産後も継続して家庭訪問などで支援する。必要に応じて，乳幼児健康診査や育児相談につなぐ，母親が必要とする社会資源を紹介するなど，切れ目のない支援につなげていくことが大切である。

b 産後の生活と保健師の支援

1 産後の生活

　正常分娩であれば出産後5日間で自宅に戻る。一方で，産後は心身ともに変化が大きく，3日目前後からマタニティブルーズが始まり，涙もろくなったり，抑うつ的になったりする場合がある。授乳✚などにより夜間ぐっすりと眠れないことからくる慢性疲労や，食事が不規則になることによる疲れなど，産褥期特有の生活形態がマタニティブルーズの原因であり一過性であることが多い。しかし，なかにはうつ的な症状が長期化し，産後うつになったり，育児不安から子どもを虐待することもある。

2 新生児訪問の実施

　家庭訪問による出産後の母子への支援には，保健師・助産師による新生児の訪問指導（母子保健法第11条），未熟児訪問指導（同第19条），保健師・助産師・看護師・保育士・育児経験者などによる乳児家庭全戸訪問事業（児童福祉法第6条の3）がある。これらの訪問サービスは，早期に育児について情報提供し，母親の孤立を防ぎ，地域で子育てできる環境を整えることが目的である。通常は産後の1か月健康診査までの間，産婦が外出することは少ない。とくに初産婦は育児に迷うことが多く，この時期の家庭訪問は，心強いものである。

　新生児訪問の際に，家の中の様子や暮らし方を母親に実際に会って把握することにより育児への姿勢や疲労の度合いを知ることができる。そこから乳幼児健康診査や育児相談につなぎ，継続して母親の育児を見まもっていくことで，育児不安やネグレクトを含む児童虐待を防ぐことができる。とくに，妊娠中から家庭訪問を継続していた母子の場合，新生児訪問に行くことでより一層関係性が深まることもあるため，訪問による支援は欠かせない。

　里帰り出産✚の場合は，産後すぐに家庭訪問ができないため，妊娠中のかかわりのなかで里帰りの時期を把握し，現住所に戻ってきたら早い時期に訪問をするなど，きめ細やかな対応が必要である。また，里帰り先の保健センターの保健師と連絡をとり，里帰り先の保健師が家庭訪問をする方法もある。

3 母子保健推進員や愛育班員による活動への支援

　子育てを支える住民組織の活動として，育児経験がある母親の立場で訪問活動などを展開している母子保健推進員・愛育班員や，ホームスタート✚による家庭訪問支援がある。母親という同じ立場であるため，母子保健推進員・愛育班員は専門家よりも相談しやすいことが利点である。こうした住民組織による細やかな訪問活動と保健師が連携すること

✚ プラス・ワン

母乳育児のための支援
母乳育児に向けた支援には，次のようなものがある。
・乳頭の変形などにより授乳が困難な場合は，授乳時の抱き方や吸いつかせ方を母親と一緒に考え，乳首カバーを使用するなどの方法を取り入れる。
・母乳不足のサインを見逃さない知識も伝える。

里帰り出産の準備
里帰り出産の準備としては，妊娠33〜36週には里帰り先へ移動をすませ，分娩予定施設の診察を受けておく。
移動に飛行機を使う場合は，妊婦の搭乗の条件などについて各航空会社に事前に問い合わせておく。
産後は里帰り先で1か月健康診査を受けたあとに現住所に戻る妊婦が多い。戻ってきたら保健センターに問い合わせ，必要な支援を受けられるよう整える。

ホームスタートによる家庭訪問支援
ホームスタートは，特定非営利活動法人ホームスタート・ジャパン（HSJ）が「家庭訪問型子育て支援ボランティア」として未就学児のいる家庭を対象に行う支援活動である。具体的な活動内容は，約2〜3か月間定期的に（週に一度），家庭を2時間程度訪問し，母親の気持ちを受けとめながら話を聴いたり，育児家事や外出を一緒にするなどの支援を行う。

により，育児に支障がある人を早期に把握することができる。これらの組織のメンバーが育児支援について学習する機会として，研修会を企画・運営することも保健師の役割である。住民組織の活動は，行政主導になる場合も多く，主体的な活動ができるよう支援することが望まれる。

また母親学級終了後の母親が自主的にグループをつくって子育てサークルを行ったり，子育てグループどうしの活動をつなぐ子育てネットワーク活動を実践したりしている。活動を発展させて，当事者目線で母親が必要とする内容を取り入れているグループもある。その代表的なものに和光市の「おやこ広場　もくれんハウス」✚がある。

3 更年期の健康課題と保健師活動

> **プラス・ワン**
> **和光市の「おやこ広場　もくれんハウス」**
> 「おやこ広場　もくれんハウス」は，NPO法人わこう子育てネットワークが運営している。
> もくれんハウスは，古民家を借りて，親子が使いやすいように部屋をリフォームし，誰もが利用できるスペースとして2004(平成16)年から運営している。仲間づくりのサポート，情報提供および相談なども行っており，子育てをする母親の貴重な社会資源となっている。

a 更年期の健康課題

更年期は，女性の生殖期から老年期へ移行する時期であり，閉経前後の数年間をいう。閉経年齢は50歳前後が一般的といわれている。更年期は，エストロゲン産生低下に起因し，性周期がとまり，あらゆる内分泌環境が変動する時期といえる。そのため，卵巣機能低下による異常や自律神経失調症を中心としたさまざまな症状をおこしやすく，これらの症状を更年期障害という。

加齢に伴い，咳やくしゃみにより腹圧が急に加わることで尿もれをおこすなどの排尿障害をおこしたり，萎縮性腟炎を発症することがある。萎縮性腟炎は出血を伴うこともあり，がんとの鑑別が必要である。女性特有のがんとして乳がん・子宮体がん・子宮頸がんなどがある。近年は治療法の進歩により，がんサバイバーが増えており，治療による生活やボディイメージの変化，経済問題や再発への不安に，病院と連携して対処することが望まれる。エストロゲンの減少による骨粗鬆症も更年期以降の女性の大きな健康課題である。

この時期は，子どもの進学や結婚，親の介護，夫の退職，社会的な責任など，精神的ストレスが加わることが多い。体力の衰えもあり，向老期にむけた準備段階として人生の大きな節目でもある。

b 更年期女性への保健師の支援

更年期障害がある女性を対象とした事業で法的に定められたものはないため，地域の実情に応じて支援活動を実施することとなる。原則として更年期障害への適切な対応は，規則正しい生活を送ることと，本人が正しく更年期障害を理解し，不安をかかえ込まないように支援することである。更年期障害の症状が一律ではなく，個人差が大きいため，集団を対象とする健康教育には不向きであると考えられる面もあるが，正し

表 1-10　更年期障害の自己チェック法(簡易更年期指数〔SMI〕採点表)

症状	強	中	弱	無	点数	合計点数による自己採点の評価法	
①顔がほてる	10	6	3	0		0〜25	異常なし
②汗をかきやすい	10	6	3	0		26〜50	食事・運動に注意を
③腰や手足が冷えやすい	14	9	5	0		51〜65	更年期・閉経外来を受診すべし
④息切れ,動悸がする	12	8	4	0		66〜80	長期にわたる計画的な治療が必要
⑤寝つきがわるい,眠りが浅い	14	9	5	0		81〜100	各科の精密検査に基づいた長期の計画的な治療が必要
⑥怒りやすく,イライラする	12	8	4	0			
⑦くよくよしたり,憂うつになる	7	5	3	0			
⑧頭痛,めまい,吐きけがよくある	7	5	3	0			
⑨疲れやすい	7	4	2	0			
⑩肩こり,腰痛,手足の痛みがある	7	5	3	0			
					合計点		

プラス・ワン

更年期の女性に伝えたい健康情報(例)

- 喫煙女性は,非喫煙女性と比較して閉経が早い,喫煙がカルシウムの吸収を阻害し骨密度の減少をまねく,乳がん・子宮頸がんのリスクが上昇する,などの報告がある。
- 更年期障害の症状をまぎらわせるための飲酒により,アルコール依存症・認知症・生活習慣病の罹患リスクが高まる。
- 適切な運動は更年期障害の症状を緩和するうえ,生活習慣病にかかわるコレステロールや中性脂肪などの検査値の改善,骨密度の上昇などにつながる。
- 加齢に伴い,骨盤底筋が衰え,咳をしたり重い物を持ち上げたりするときに尿もれをおこすことがある。それを予防するための骨盤底筋体操は向老期のQOLの維持につながる。

簡易更年期指数の症状

簡易更年期指数(simplified menopausal index:SMI)では次の各症状について,強・中・弱・なしで点数を合計する。「顔がほてる」「汗をかきやすい」「腰や手足が冷えやすい」「息切れ,動悸がする」「寝つきがわるい,または眠りが浅い」「怒りやすく,すぐイライラする」「くよくよしたり,憂うつになることがある」「頭痛,めまい,吐きけがよくある」「疲れやすい」「肩こり,腰痛,手足の痛みがある」があげられている。

い知識の啓発は大切である。中高年女性を対象とした健康づくり教室で,更年期障害に限らず,更年期以降の女性の健康にかかわる情報を提供する場面をつくったり,婦人会などの住民組織活動の講話のなかに取り入れることも有効であろう。また,特定保健指導の個別相談の際に,生活習慣病に関することだけではなく,中高年女性には更年期障害に関する話題を提供することも必要である。

個別相談では,簡易更年期指数(表 1-10)や抑うつ尺度を使って症状をアセスメントするほか,喫煙・飲酒・運動・生活リズムに着目した生活状況の把握,近所付き合い,友人付き合いなどの社会環境面からのアセスメントと,体重・健診結果および骨粗鬆症予防に向けた骨量測定などの身体面からのアセスメントが予防的なかかわりとなる。

●文献
- 綾部琢哉・板倉敦夫編:標準産科婦人科学,第5版.医学書院,2021.
- 一瀬篤:「妊娠・出産包括支援事業」とは.保健師ジャーナル,72(1):8-13,2016.
- 植田誠治:がん教育——教育の立場から.公衆衛生,80(2):91-96,2016.
- 大西和子・飯野京子編:がん看護学——臨床に活かすがん看護の基礎と実践,第2版.ヌーヴェルヒロカワ,2018.
- 土谷修:ホームスタートによる家庭訪問支援.月刊福祉,96(9):42-45,2013.
- 中野有也・板橋家頭夫:出生時の体型と将来の疾病リスク.保健の科学,57(8):525-528,2015.
- 中山摂子・安達知子:やせ体型妊婦と胎児発育.保健の科学,57(8):534-539,2015.
- 馬場健一編:青年期の深層.有斐閣,1993.

E 支援のニーズが高い対象の健康課題と支援

POINT
- 心身障害児や勤労女性，外国人母子など，支援のニーズが高い対象に対し，より専門的かつ継続的な支援やサービスを提供する必要がある。
- 近年，育児不安や育児ストレスをかかえる母親の増加，児童虐待，家庭内暴力が社会的な問題となっている。
- 家庭や地域の子育て機能の強化，虐待の早期発見・早期対応のシステムづくりを推進することは，母子保健活動の最重要課題である。

1 心身障害児などを対象とする支援の制度

a 妊娠高血圧症候群等の療養援護（母子保健法第17条）

妊娠高血圧症候群や妊産婦の糖尿病，貧血，産科出血，疾患などの合併症は，妊産婦死亡や周産期死亡の原因となるほか，未熟児や心身障害の発生原因となる場合がある。このため，訪問指導のほか，入院して治療が必要な妊産婦（低所得者）を対象に入院治療に要した費用の一部を助成する制度である。実施主体は都道府県・政令指定都市・中核市であり，申請先は保健所である。

b 未熟児養育医療（母子保健法第20条）

出生時の体重が2,000 g以下の子どもや生活力がとくに薄弱で入院治療が必要な未熟児を対象に，指定養育医療機関における入院医療費の一部を公費により負担する制度である。実施主体・申請先はともに市町村である。

c 自立支援医療（育成医療）（障害者総合支援法第58条）

従来，児童福祉法に基づき実施されてきた育成医療は，2005（平成17）年に成立した障害者自立支援法（2013〔平成25〕年度からは障害者総合支援法）に根拠を移し，2006（平成18）年4月からは，更正医療・精神通院医療とともに「自立支援医療」の1つに位置づける制度改正が行われた。

プラス・ワン

自立支援医療（育成医療）の公費負担
医療費自己負担額は原則として1割である。ただし，所得に応じて月額負担上限額が設けられている。2007（平成19）年7月申請分からは市町村民税が23万5000円以上の世帯は，原則として公費負担の対象外となった。ただし，「重度かつ継続」の障害に該当する場合は公費負担の対象である。なお，乳幼児医療対象の自己負担分については，乳幼児医療費助成制度との併用が可能である。

育成医療の申請先
障害者総合支援法の関係法令が改正され，都道府県・政令指定都市・中核市が行っていた自立支援医療費（育成医療）の支給認定と支給は，2013（平成25）年4月1日から市町村へ権限委譲された。

プラス・ワン

小児慢性特定疾病医療費の法定給付化と自立支援事業

児童福祉法の一部改正により，小児慢性特定疾病医療費はこれまでの裁量的経費から都道府県1/2，国1/2が負担する義務的経費になった。また同法では，日常生活上の援助や生活指導，就業の支援を行う小児慢性特定疾病児童等自立支援事業（療育相談指導，巡回相談指導，ピアカウンセリング，自立に向けた育成相談，学校・企業などの地域関係者からの相談への対応，情報提供の実施）が都道府県に義務づけられた。施行日は，難病の患者に対する医療等に関する法律と同じ2015（平成27）年1月1日である。

小児慢性特定疾病医療費助成の対象疾患の拡大

難病の患者に対する医療等に関する法律施行に伴い，小児慢性特定疾病医療費助成の対象は2024（令和6）年4月1日現在845疾病である。自己負担の割合は2割であるが，特定医療を受ける者の世帯の所得と重症度によって自己負担の上限額が設定されている。

医療的ケア児

医療的ケア児支援法により，**医療的ケア**とは人工呼吸器による呼吸管理，喀痰吸引などの医療行為をさすとされる。また，**医療的ケア児**とは，日常生活・社会生活を営むために恒常的に医療的ケアを受けることが不可欠である児童のことをいう。

身体に障害のある18歳未満の児童を対象として，指定医療機関の医師が手術などにより治療効果が期待できると認めた場合，生活の能力を得るのに必要な医療費などの助成を行う制度である。

対象疾患は，肢体不自由，視覚障害，聴覚・平衡機能障害，音声・言語・咀嚼機能障害，心臓機能障害，腎臓機能障害，小腸機能障害，先天性内臓障害，免疫機能障害などである。実施主体・申請先ともに市町村である。

d 結核児童の療育給付（児童福祉法第20条）

結核で長期入院療養を必要とする18歳未満の児童を対象に，指定された医療機関における入院医療費の一部を公費で負担し，療養生活に必要な生活用品と学校教育を受けるのに必要な学習用品を支給する制度である。実施主体は都道府県・政令指定都市・中核市であり，申請先は保健所である。

e 小児慢性特定疾病対策（児童福祉法第6条の2，第19条の2）

持続可能な社会保障制度の確立を図るための改革の推進に関する法律（平成25年法律第112号）に基づく措置として，小児慢性特定疾病にかかる新たな公平かつ安定的な医療費助成の制度の確立などの措置を講ずることを趣旨として，2014（平成26）年に児童福祉法が一部改正され，2015（平成27）年1月から施行された。

小児慢性疾患のうち，悪性新生物，慢性腎疾患，慢性呼吸器疾患，慢性心疾患，内分泌疾患，膠原病，糖尿病，先天性代謝異常，血友病等血液疾患，免疫疾患，神経・筋疾患，慢性消化器疾患，染色体または遺伝子に変化を伴う症候群，皮膚疾患群，骨系統疾患，脈管系疾患の16疾患群を対象に，治療にかかった費用の一部を公費により助成する制度である。実施主体は都道府県・政令指定都市・中核市であり，申請先は保健所である。

f 療育指導事業（児童福祉法第19条）

保健所では，身体の機能に障害のある児童もしくはそのおそれのある児童を早期に発見して適切な治療上の指導を行い，障害の治癒もしくは軽減することを目的とした相談・指導を実施している。また，在宅身体障害児には，専門医などによる巡回相談や訪問指導も行っている。

g 医療的ケア児支援（医療的ケア児支援法）

医療技術の進歩に伴い，新生児特定集中治療室（NICU）などを退院したあと，恒常的に医療的ケアを受けることが不可欠な**医療的ケア児**が

増加しており，全国の在宅医療的ケア児は約2万人（2018〔平成30〕年）と推計されている。医療的ケア児が適切な支援を受けられることや，児の健やかな成長と家族の離職防止の支援をはかるため，2021（令和3）年，**医療的ケア児及びその家族に対する支援に関する法律**（医療的ケア児支援法）が成立した。

この法律では，基本理念として医療的ケア児の日常生活・社会生活を社会全体で支援すること，医療，保健，福祉，教育，労働に関する関係機関と民間団体が緊密に連携し支援を切れ目なく行うことを定め，国・地方公共団体，保育所・学校の設置者などの責務を明確化した。また，医療的ケア児とその家族の相談に応じ，情報提供や助言などの支援を行う医療的ケア児支援センターを都道府県に配置することが明記された。

h 発達障害など成長・発達に支援が必要な児

身体的な成長・発達の遅れや医療的なケアが必要な児とともに，知的障害児や発達障害児，発達の遅れが気になる子どもは，成長・発達に支援が必要となる。言語発達の遅れのみならず，児とのコミュニケーションのとりにくさや独特のこだわり行動は，育てにくさを感じることになり，育児不安，育児ストレス，育児困難につながることもある。保健師には親の気持ちに寄り添いながら，療育（発達支援）につなげるなど，医療・福祉・保育・教育などの関係機関・関係職種と連携し，障害特性や発達状況をふまえた児の育ちと親の育ちを支援していく役割がある。

2 勤労女性を対象とする支援の制度

事業主に雇用されている働く女性➕の産前・産後の健康管理や労働・

➕ プラス・ワン

女性と労働への支援

2023（令和5）年の日本における女性の労働力人口は3124万人であり，労働力人口総数に占める女性の割合は45.1％，女性の労働力率（15歳以上の人口に占める労働力人口の割合）は54.8％である。このように，いまや女性を抜きにしては日本の労働はなりたたない。女性がやりがいや充実感をもちながら働き，仕事上の責任を果たすとともに，結婚，妊娠・出産，家事・育児，親の介護といった各発達段階に応じて多様な生き方を選択し実現できるように，ワークライフバランス（仕事と生活の調和）を支援する必要がある（307ページを参照）。

---

column ヤングケアラー

ヤングケアラーとは，「家族にケアを要する人がいる場合に，大人が担うようなケア責任を引き受け，家事や家族の世話，介護，感情面のサポートなどを行っている18歳未満の子どもをいう」[1]。2020・2021（令和2・3）年度に文部科学省と厚生労働省が合同で行った「ヤングケアラーの実態に関する調査」において「世話をしている家族がいる」と回答した小学6年生は6.5％，中学2年生は5.7％，高校2年生は4.1％，大学3年生は6.2％であった。誰にも相談せず孤立しがちな実態や健康や学業，友人関係への悪影響も明らかになったが，家庭内のデリケートな問題であることや，本人や家族に自覚がないことなどの理由から，支援が必要であっても表面化しにくい構造となっている。保健・医療・福祉・介護・教育などの多機関・多職種が連携し，早期に発見して適切な支援につなげる取り組みが求められている。

休業，育児を支援する制度は，**労働基準法，雇用の分野における男女の均等な機会及び待遇の確保に関する法律（男女雇用機会均等法），育児休業，介護休業等育児又は家族介護を行う労働者の福祉に関する法律（育児・介護休業法）**に規定されている。

保健師には母子健康手帳交付の際や母親学級・新生児訪問などの母子保健事業を通して，これらの制度の周知をはかる役割がある。

a 労働基準法に基づく措置

労働基準法では，①妊産婦等にかかる危険有害業務の就業制限，②産前産後の休業➕，③妊婦の軽易業務転換，④妊産婦に対する変形労働時間制の適用制限と時間外労働・休日労働・深夜業の禁止，⑤育児時間➕，⑥生理日の就業が著しく困難な女性の休暇などの母性保護措置が定められている。

b 男女雇用機会均等法に基づく措置

男女雇用機会均等法では，雇用における男女の均等な機会の確保と，妊娠・出産と仕事の両立支援，健康確保に関する措置を定め推進している。具体的には，**表 1-11** に示した事業主などに対する措置である。

母子健康手帳交付時に，医師の指導事項を事業主に的確に伝達するために**母性健康管理指導事項連絡カード**➕などを利用することを指導する。

c 育児・介護休業法に基づく措置

育児・介護休業法では，育児休業，介護休業，子の看護休暇や介護休暇の取得促進，時間外労働や深夜業の制限，短時間勤務の措置など，事業主が講じるべき措置を定め，労働者の仕事と育児や介護の両立を推進している。

プラス・ワン

産前産後の休業
使用者は，産前は妊婦の休業請求により6週間（双子以上は14週間），産後は休業請求がなくても8週間は女性労働者を就業させてはならない。ただし，産後6週間を経過した女性が就業を請求した場合，医師が支障がないと認めた業務にはつかせることができる。

育児時間
生後満1年未満の児を育児している女性は，本来の休憩時間のほかに，1日2回，少なくともそれぞれ30分，授乳などの育児時間を請求することができる。

母性健康管理指導事項連絡カード
母子健康手帳にとじ込まれているカードの使い方の手順は次のとおり。
①妊娠中および出産後の健康診査などの結果，通勤緩和や休憩，休業，勤務時間の短縮，作業の制限に関する措置などが必要であると主治医などに指導を受けたとき，母性健康管理指導事項連絡カードに必要な事項を記入して発行してもらう。
②女性労働者は，事業主に母健連絡カードを提出して措置を申し出る。
③事業主は母性健康管理指導事項連絡カードの記入事項にしたがって時差通勤や休憩時間の延長などの措置を講じる。問い合わせは各都道府県労働局雇用環境・均等部（室）。

表 1-11　男女雇用機会均等法が規定する男女の均等な機会の確保と，女性労働者の支援に関する措置

①雇用管理全般における性別を理由とする差別の禁止（第5条，第6条），
②性別以外の事由（体型，体力，転勤の経験など）を要件とする差別の禁止（第7条）
③婚姻，妊娠・出産などを理由にした女性への不利益取り扱い（解雇，降格など）の禁止（第9条）
④セクシャルハラスメント対策，妊娠・出産などに関するマタニティハラスメント対策の措置（第11条，第11条の2）
⑤妊娠中・出産後の女性労働者が保健指導・健康診査を受けるために必要な時間の確保や配慮（第12条）
⑥医師などによる指導事項をまもることができるため，勤務時間の変更，勤務の軽減など必要な措置（第13条）

表 1-12　2021（令和3）年の改正育児・介護休業法のおもな内容

・育児休業を取得しやすい雇用環境整備，妊娠・出産の申出をした労働者に対する個別の制度周知・取得意向確認の措置の義務づけ（2022〔令和4〕年4月施行）
・有期雇用労働者の育児・介護休業取得要件の緩和（2022〔令和4〕年4月施行）
・男性の育児休業取得促進のため，子どもの出生後8週間以内に男性が最大4週間の休みを取得できる「産後パパ育休（出生時育児休業）」の創設，育児休業の分割取得，育児休業給付金に関する所要の規定の整備（2022〔令和4〕年10月施行）
・従業員数が1,000人超の事業主に対して男性の育児休業取得率の公表を義務づけ（2023〔令和5〕年4月施行）

2021(令和3)年6月に成立した本法の改正法では、出産・育児による労働者の離職を防ぎ、男女とも仕事と育児を両立できるようにするため、**表1-12**に示した規定が定められた。政府は、2025年までに男性の育児休業取得率を50％にするという目標を掲げている。2023(令和5)年度の育児休業取得率は女性84.1％、男性30.1％であり、男性は女性に比べて依然として低い現状にある。2021(令和3)年の法改正は男性の育児休業取得や子育て参加が促進され、少子化対策として期待されている。

❸ 子どもの虐待，女性への暴力

全国の児童相談所における虐待相談対応件数は、年々増加の一途をたどっており、2022(令和4)年度は21万4843件(速報値)となり、過去最多を更新した(図1-8)。相談経路は、警察など(52.3％)が最多で、ついで近隣・知人(10.3％)、家族・親戚(8.3％)、学校(6.9％)である。警察などの通告が増えていることが相談対応件数の増加の背景にある。

また、2022(令和4)年度の「こども虐待による死亡事例等の検証結果(第20次報告)」によると、心中を除く虐待による死亡事例は54例(56人)であり、児の年齢では0歳が最多で25人(44.6％)、と約半数を占めた✚。

虐待は、子どもへの否定的な感情や育児不安の段階→軽度虐待→重度虐待→死亡へと進行する(図1-9)。虐待の発生を防止するためには、ハイリスク家庭や虐待予備軍を早期に発見し支援することが不可欠であ

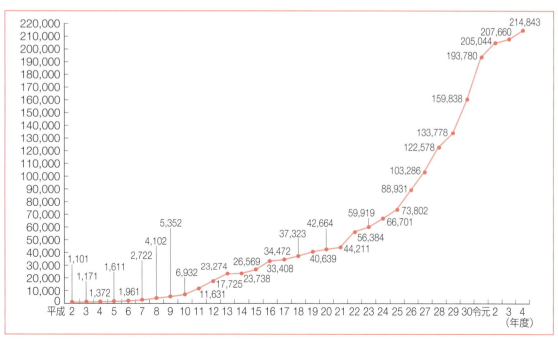

図1-8 児童相談所における虐待相談対応件数の推移

プラス・ワン

こども虐待による死亡事例等の検証結果（第20次報告）

2022（令和4）年度の心中以外の虐待死亡事例（54例56人）について記す。
- こどもの年齢：0歳が44.6％と最多で，うち月齢0か月児が60.0％を占める。3歳未満69.6％
- 虐待の類型：ネグレクト42.9％，身体的虐待30.4％。
- 主たる加害者：実母41.1％，実父10.7％
- 加害の動機：養育方法がわからない5.4％，養育する余裕ない5.4％，子どもの存在拒否5.4％
- 妊娠期・周産期における問題：医療機関から連絡35.7％，妊婦健康診査未受診28.6％，予期しない妊娠/計画していない妊娠25.0％
- 乳幼児健康診査の受診状況：3〜4か月児健康診査未受診者18.9％，1歳6か月児健康診査未受診者16.7％，3歳児健康診査未受診31.3％
- 養育者（実母）の心理的・精神的問題：養育能力の低さ27.3％，育児不安20.0％，精神障害の診断あり18.2％
- 関係機関の関与：児童相談所と市区町村（虐待対応担当部署）の両方関与あり21.4％，その他の関係機関の関与あり73.2％，児童相談所のみの関与あり17.9％，市区町村（虐待対応担当部署）のみの関与あり8.9％，0か月児事例のうち関係機関の関与なし46.7％
- 要保護児童対策地域協議会：検討対象とされていた事例28.8％

おもな虐待者

2022（令和4）年度福祉行政報告例によると，児童相談所が対応した児童虐待相談のおもな虐待者は，「実母」が48.0％と最も多く，ついで「実父」が42.6％，「実父以外の父親」5.1％の順である。「実父」の割合は年々増加している。

身体的虐待

子どもに傷あとが残ったり，生命があやうくなるようなけがをさせたり，身体に苦痛を与えること。
例）首を絞める，なぐる，蹴る，投げ落とす，熱湯をかける，逆さづりにする，異物を飲ませる，一室に拘束するなど

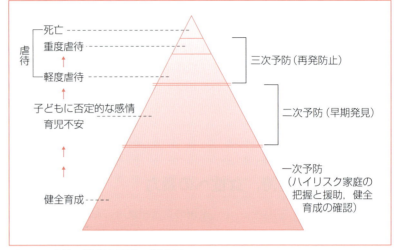

図1-9　虐待の進行と予防の概念図

る。保健師は妊娠・出産・育児に関する身近な相談者として，直接，母子に出会う機会を多くもつ。子育てなどの相談や，長期的な子どもと家族の見まもり，支援体制の構築，地域ぐるみの子育て支援ネットワークづくりなどを推進することは，母子保健の最重要課題である。

a 子どもの虐待の定義と発生要因

1 虐待（abuse）の定義

子どもへの虐待とは，親や親にかわる養育者❖により，慢性的・恒常的に子どもの心身の成長・発達に著しく有害な影響を及ぼす行為が行われている状態である。虐待の種別は，①身体的虐待❖，②性的虐待❖，③ネグレクト❖，④心理的虐待❖の4つがある。2022（令和4）年度の児童相談所における相談の内訳では，心理的虐待が59.6％と最も多く，身体的虐待が23.0％，ネグレクト16.2％，性的虐待1.1％であった。実際の虐待のケースでは，単独の種別の虐待が行われることは少なく，いくつかの行為が重複していることが多い。

2 虐待の発生要因

核家族などで，日中の話し相手がいない，身近に交流できる相手や子育ての悩みを相談する相手がいないなど，自分の家の中での生活が中心で，地域から孤立することは，育児不安や養育上の混乱を誘発しやすく，虐待につながる可能性が高い。また，家庭が地域から孤立していると，虐待の発見が遅れたり，虐待を深刻化させてしまうことにもなる。

■養育者・家族側の要因

　夫婦関係が不安定で，一方が支配しその配偶者が服従するという関係のなかでは，配偶者が虐待を黙認することがしばしばおきる。また，若くして結婚し，心理的に親になりきれない場合やアルコール依存症，精神的・経済的な問題をかかえている場合などは，生活上の不満や子育てからくるストレスで虐待がおこりやすくなる。子どもを虐待する親のなかには，親自身が虐待を受けて育った者が多いといわれている。

■子どもの要因

　未熟児・障害児，疾病をもつ子ども，発達の遅れ，多胎児，育てにくい子ども，親と気質の合わない子ども，望まない妊娠，望まない性別の子どもなどの複雑な要因がからみ合って生じる場合が多い。

■親と子どもとの関係

　子どもへの虐待では，子ども全員に虐待をするのではなく，しばしばきょうだいのなかの特定の子どもだけが対象となる場合がある。たとえば，未熟児のため出生直後から長期入院していて，その間，母子分離の状態にあると，その子どもに愛情を感じられなくなっていたり，きょうだいを比較してしまい，どうしても受け入れられなかったりすることが原因で，虐待に結びつくことがある。

　虐待の発生要因は，虐待の発生の可能性を高める要因（リスク要因）であって，これらの要因が必ずしも虐待を引きおこすということではない。

b 子どもの虐待の予防・早期発見と支援

1 虐待に関する法

　子どもの虐待の発生予防・早期発見と支援は，母子保健法，児童虐待防止法，児童福祉法に基づいて，妊娠期から子育て期にわたって切れ目のないように行われている。

■児童虐待の防止等に関する法律（児童虐待防止法）

　2000年（平成12）年に成立したこの法は，児童虐待の禁止，児童虐待の予防・早期発見，虐待の防止に関する国・地方公共団体の責務，児童虐待を受けた児童の保護と自立支援のための措置を定めるものであり，児童虐待の防止施策を促進し，児童の権利利益の擁護に資することを目的とする（第1条）。

　児童虐待防止法の施行後も児童虐待事件があとを絶たないため，児童虐待防止対策の強化をはかり，2019（令和元）年に**児童虐待防止法**と**児童福祉法**が改正された。改正法では，①**児童の権利擁護**（親権者，児童福祉施設の長らが「しつけ」として体罰を行うことを禁止），②**児童相談所の体制強化と設置促進**（一時保護など介入を行う職員と保護者支援を行う職員を分けて介入機能を強化，医師と**保健師の必置**，弁護士による助

✚ プラス・ワン

性的虐待
性的ないたずらや性行為をする。
例）子どもへの性交，性的暴行，性的行為の強要・教唆，性器や性交を見せるなど

ネグレクト
適切な衣食住の世話をしないなど，子どもをほったらかしにしておくことをいう。次のようなものが該当する。
・子どもの健康・安全への配慮を怠っている（家に閉じ込める，子どもの意思に反して学校などに登校させない，重大な病気になっても病院に連れて行かない，乳幼児を家に残したままたびたび外出する，乳幼児を車の中に放置するなど）。
・子どもにとって必要な情緒的欲求にこたえていない（愛情遮断など）。
・食事・衣服・住居などが極端に不適切で，健康状態をそこなうほどの無関心・怠慢など（適切な食事を与えない，下着など長期間ひどく不潔なままにする，極端に不潔な環境の中で生活をさせるなど）。
・子どもを遺棄する。

心理的虐待
まったく子どもの存在を無視したり，おびえさせたり，罵声をあびせたりして子どもを情緒不安定にさせ，心を傷つけること。
例）言葉によるおびやかし・脅迫，子どもを無視したり，拒否的な態度を示す，子どもの心を傷つけることを繰り返し言う，子どもの自尊心を傷つけるような言動，ほかのきょうだいとは著しく差別的な扱いをするなど

プラス・ワン

要保護児童
保護者のない児童または保護者に監護させることが不適当であると認められる児童（児童福祉法第6条の3第8項）。

児童相談所の業務
児童福祉法の規定により児童相談所は、①児童・家庭のさまざまな問題の相談、②児童とその家族についての必要な調査・判定・処遇方針の決定、助言指導、③緊急に保護を要する場合などの児童の一時保護、乳児院・児童養護施設への入所、里親などへの委託の措置、④市町村・保健所など関係機関への支援などを実施する。
児童相談所の所長をはじめ職員についても、児童福祉法で規定されている。児童の健康および心身の発達に関する専門的な知識・技術を要する所員として、医師・保健師がそれぞれ1人以上含まれなければならないことが規定されている。

要支援児童
要支援児童は乳児家庭全戸訪問事業などにより把握した保護者の養育を支援することがとくに必要と認められる児童（要保護児童を除く）をいう（児童福祉法第6条の3第5項）。

育児支援のチェックリスト
次のチェックリストが活用できる。
・妊娠届出時：育児支援チェックリスト
・新生児訪問時：エジンバラ産後うつ病自己評価票
・子育て期：赤ちゃんへの気持ち質問票

言・指導を常時受けられる体制、相談件数などに応じた児童福祉司数の配置）、③関係機関間の連携強化による子どもの安全確保（学校・児童福祉施設の職員らに守秘義務を課す、配偶者暴力相談支援センターなどのドメスティックバイオレンス〔DV〕対応機関との連携強化、虐待をした保護者への再発防止プログラム実施を児童相談所などに努力義務化、転居しても切れ目ない支援をするため児童相談所や関係機関間のすみやかな情報共有の徹底）、などの措置が講じられた。

■児童福祉法

児童福祉法において、要保護児童➕や虐待を受けたと思われる児童を発見したものはすみやかに児童相談所・福祉事務所などに通告する義務や、虐待の通告を受けた児童相談所➕などの対応を規定している。

児童虐待の増加の背景にある子育てに困難をかかえる世帯の顕在化に対し、2022（令和4）年に本法は、子育て世帯に対する包括的な支援体制の強化を行う改正が行われ、2024年度から施行される。改正内容は、市町村におけるこども家庭センターの設置を努力義務化したほか、子育て世帯訪問支援事業、子どもの居場所支援、親子関係の形成の支援事業が新設され、子育て短期支援事業や一時預かり事業の拡充が行われた。また、予期せぬ妊娠など困難をかかえる妊産婦などへ安心な居場所や食事提供、健康維持支援やメンタルケアなどの実施、児童発達支援センターの役割・機能の強化、放課後等デイサービスの対象児童の拡大、一時保護者・児童相談所への処遇改善や支援強化、一時保護開始の判断時に司法審査の導入、社会的養育経験者や障害児施設の入所児童への自立支援の強化なども改正内容である。

■母子保健法

母子保健法第5条第2項には、乳幼児の虐待の予防・早期発見は国・地方公共団体の責務であると明記されている。保健師には母子保健施策を通じて虐待の予防・早期発見をする役割がある。

2 市町村と都道府県（保健所・児童相談所）のおもな取り組み

■一次予防（発生予防・孤立化防止・ハイリスク家庭の把握）（表1-13）

市町村の保健師は、妊娠期から子育て期まで切れ目のない支援を行い、虐待の発生予防の役割を担う。ポピュレーションアプローチとして、妊娠届出の受理、母子健康手帳の交付、妊婦健診、両親学級、産婦健診、乳児家庭全戸訪問、乳幼児健康診査時の保健指導、健康教育などを通して、虐待のリスク要因をもつ特定妊婦や要支援児童➕、家族を把握し、各種チェックリスト➕を用いて総合的に判断する。

支援が必要と判断した対象にはハイリスクアプローチとして、産前・産後サポート事業、産後ケア事業などの妊娠・出産包括支援事業、養育支援訪問事業、一時預かり事業、新生児訪問や未熟児の訪問指導の継続などを行う（表1-14）。

表1-13 市町村と都道府県（保健所・児童相談所）のおもな取り組み

市町村	都道府県（保健所・児童相談所）
●一次予防：発生予防・孤立化防止・ハイリスク家庭の把握 ・妊娠・出産包括支援事業の推進 ・地域子育て支援拠点事業の機能強化 ・乳児家庭全戸訪問事業（こんにちは赤ちゃん事業）の推進 ・養育支援訪問事業の推進 ・一時預り事業の拡充 ・乳児健康診査の未受診者への対応の充実 ・周産期医療施設との連携強化 ・中学生・高校生の乳幼児ふれあい体験 ・児童虐待防止推進月間（11月）の推進 ●二次予防：早期発見・早期対応 ・新生児訪問の徹底（虐待ケース「きょうだい」事例など） ・ハイリスク家庭への支援 ・要保護児童の通告の受理 ・要保護児童家庭・退所児の見まもり，フォローアップへの協力	●二次予防：早期発見・早期対応，保護・支援 ・児童相談所の体制・機能強化 （24時間365日体制強化事業，児童福祉司の配置基準の見直し，弁護士・精神科医などとの連携，家庭裁判所の関与の強化） ・一時保護，養護施設などの機能強化・システムの充実 （一時保護所・児童養護施設の増築・施設整備・警備設備，環境改善の整備，職員の質的・量的充実，里親委託の推進） ・児童相談所職員の資格，研究の充実など ●三次予防：再発防止，自立への支援 ・施設退所後の支援の充実 （退所児童に対する相談援助・就業支援の強化，身元保証人確保対策事業の推進，生活福祉資金貸与，大学進学など自立生活支援費の改善，雇用促進住宅入所緩和） ・保護者・子どもへの指導・支援の充実・強化 （家族再統合に向けた家族療法などの親への指導や，児へのケア）
●二次予防：早期発見・早期対応，関係機関の連携強化・ネットワークづくり 要保護児童対策地域協議会の機能強化	

> **プラス・ワン**
> **乳児家庭全戸訪問事業と新生児・乳児訪問指導との関係**
> 新生児・乳児訪問指導は，児童福祉法に基づく乳児家庭全戸訪問指導事業として取り扱って差しつかえないとされている。支援の必要性が高いと見込まれる家庭には可能な限り保健師など専門職が訪問し，母子保健法に基づく指導を優先的に実施すべきとされている。

育児不安が高くなる産後1か月における新生児訪問指導の充実や，乳児家庭全戸訪問事業➕による生後4か月までの子どもへの訪問の徹底，乳幼児健康診査未受診者の確実な把握なども保健師の重要な役割である。虐待死亡が多い0か月児については，虐待予防策として特定妊婦に対する妊娠期からのサポートを強化する一方，望まない妊娠を予防するための知識の啓発活動や，望まない妊娠をした場合の支援・相談窓口を身近な場所に整備し，若年層も相談しやすいようにSNSなどのインターネットを活用した情報発信などを積極的に行う。

母子保健担当の保健師は，こども家庭センターや医療機関，教育機関，子育て中の親子が相談・交流できる地域子育て支援拠点事業，地域の住民組織と連携して，地域ぐるみの支援ネットワークづくりを推進し，妊娠・出産・子育ての不安の軽減や子育て世帯の孤立化の防止をはかる。

■二次予防（早期発見と通告，早期対応，保護・支援）

●児童虐待発見者の通告義務

児童虐待を受けたと思われる児童を発見した者は，すみやかに，市町村，都道府県の設置する福祉事務所もしくは児童相談所に，または児童委員を介して，市町村，都道府県の設置する福祉事務所もしくは児童相談所に，通告しなければならない（児童虐待防止法第6条）。

●要保護児童発見者の通告義務

要保護児童を発見した者は，市町村，都道府県の設置する福祉事務所もしくは児童相談所に，または児童委員を介して市町村，都道府県の設置する福祉事務所もしくは児童相談所に，通告しなければならない（児

表 1-14　児童虐待防止の取り組みの概要

地域子育て支援拠点事業	●実施主体：市区町村（児童福祉法，子ども子育て支援法） ●目的：子育ての不安感などを緩和し，子どもの健やかな育ちを支援する。 ●事業内容： (1)基本事業として，①子育て親子の交流の場の提供と交流の促進，②子育てに関する相談，援助の実施，③地域の子育て関連情報の提供，④子育て支援に関する講習などを実施する。 (2)事業を機能別に，「一般型」と「連携型」に分類する。 ・「一般型」は常設の地域子育て支援拠点（子育て支援センターなど）として開設する。従事者は子育ての知識と経験を有する専任職員を 2 名以上配置する。実施内容は上記の①〜④の基本事業と地域の子育て支援機能の充実をはかる取り組みを実施する。 ・「連携型」は児童館・児童センターなどの既設の児童福祉施設（連携施設）に開設する。従事者としては，連携施設の職員と子育て経験者 1 名以上が協力して支援を行う。実施内容としては，上記の①〜④の基本事業と，ボランティアの受け入れや養成など地域の子育て力を高める取り組みを実施する。
乳児家庭全戸訪問事業 （こんにちは赤ちゃん事業）	●実施主体：市区町村（児童福祉法，子ども子育て支援法） ●目的：地域における全出生にアプローチし，乳児のいる家庭と地域社会をつなぐ最初の機会とすることにより，乳児家庭の孤立化を防ぎ，乳児の健全な育成環境の確保をはかる。 ●対象者：生後 4 か月を経過しない乳児のいるすべての家庭 ●訪問者：保健師，助産師，看護師，愛育班員，母子保健推進員，児童委員，母親クラブ，子育て経験者など。 ●事業内容： ①育児などに関するさまざまな不安や悩みを聞き，相談に応じる。 ②子育て支援に関する情報提供などを行う。 ③母子の心身の状況や養育環境などの把握および助言を行う。 ④訪問による支援が必要な家庭に対しては，ケース対応会議においてリスクアセスメントを実施し，養育支援訪問事業など適切なサービス提供につなげる。
養育支援訪問事業	●実施主体：市区町村（児童福祉法，子ども・子育て支援法） ●目的：養育支援が必要と判断した要支援児童等（特定妊婦，要支援児童，保護者に監護させることが不適当であるとみとめられる児童およびその保護者）の家庭を保健師・助産師・保育士などが訪問し，養育に関する相談・指導・助言など必要な支援を行うことにより，適切な養育の実施を確保する。 ●対象者： ①特定妊婦や子育てに不安をもち，妊娠期から継続的な支援をとくに必要とする家庭。 ②出産後に養育者が育児ストレス，産後うつ状態，育児ノイローゼなどの問題によって，子育てに対して強い不安や孤立感などをかかえる家庭。 ③不適切な養育状態にある家庭，虐待のリスクがある家庭。 ④公的な支援につながっていない児童のいる支援を必要とする家庭。 ⑤児童養護施設などの退所または里親委託の終了により児童が復帰したあとの家庭。 ●事業内容： ①安定した妊娠出産・育児を迎えるための相談・支援。 ②出産後の養育者の育児不安の解消や養育技術の提供などのための相談・支援。 ③不適切な養育状態にある家庭への養育環境の維持・改善や児童の発達保障などのための相談・支援。 ④アフターケアを必要とする家庭への家庭復帰が適切に行われるための相談・支援。
一時預かり事業	●実施主体：市区町村（児童福祉法，子ども・子育て支援法） ●事業内容：日常生活上の突発的な事情や社会参加などにより，一時的に家庭での保育が困難となった乳幼児を，主として昼間において，保育所・幼稚園・認定こども園などで，一時的に預かり必要な保護を行う。 　事業の普及をはかるため事業類型などを見直し，一般型，幼稚園型Ⅰ・Ⅱ，余裕活用型，居宅訪問型，地域密着Ⅱ型，新型コロナウイルス感染症特例型の 7 形態がある。なお，2024 年度から，子育て負担を軽減する目的（レスパイト利用など）での利用が可能になった。

表 1-15 要保護児童対策地域協議会の概要

設置主体	地方公共団体。2020(令和2)年度時点で99.8%の市町村が設置。
趣旨	設置目的：支援対象児童等(要保護児童・要支援児童とその保護者，特定妊婦，非行児童など)の適切な保護・支援をはかるためには，関係機関がその子どもなどに関する情報や考え方，課題を共有し，適切な連携のもとで対応していくことが重要である。要保護児童対策地域協議会を設置し，多数の関係機関の円滑な協議・連携・協働を確保し，虐待を受けている子どもをはじめとする支援対象児童等の早期発見・保護・支援・体制づくりを推進する。
業務内容	**代表者会議**：各関係機関の責任者 ①支援対象児童等の支援に関するシステム全体の検討 ②実務者会議の活動状況の報告と評価 **実務者会議**：各関係機関の実務者 ①定期的な情報交換や個別ケースの検討会議で課題となった点のさらなる検討 ②支援対象児童等の実態把握や支援を行っている事例の総合的な把握 ③支援対象児童等の対策を推進するための啓発活動 ④地域協議会の年間活動方針の策定，代表者会議への報告，マニュアルなどの作成)。 **個別ケース検討会議(随時)**：支援担当者 ①支援対象児童等の状況の把握や問題点の確認 ②支援の経過報告とその評価，新たな情報の共有 ③援助方針の確立と役割分担の決定およびその認識の共有 ④事例の主担当機関とキーパーソン(主たる援助者)の決定 ⑤実際の援助，支援方法，支援スケジュール(支援計画)の検討 ⑥次回会議(評価および検討)の確認
構成	市町村の児童福祉・母子保健・障害福祉部局，児童相談所，福祉事務所，保健所，民生委員・児童委員，医療機関，教育委員会(学校)，警察，幼稚園・保育所，子育て支援センター，司法・人権擁護，DV支援関係など。

童福祉法第25条)。

● **通告受理後の子どもの安全確認(48時間ルール)と調査，保護**

　通告を受けた児童相談所・福祉事務所は関係者の協力を得つつ，面会などによって子どもの安全の確認の措置を講じ，必要に応じて一時保護，施設入所の保護措置，出頭要求を行う(児童虐待防止法第8条)。児童相談所運営指針により，児童相談所は虐待通告受理後，原則48時間以内に児童相談所や関係機関において，直接子どもの様子を確認して安全を確認するというのが運営のルールになっている。

　立ち入り調査，臨検(法律の手続きにのっとり強制的に行われる立ち入り調査)，捜索(児童虐待防止法第9条)，警察署長に対する援助要請(同法第10条)も規定されており，親権者などに調査をこばまれる場合でも，家庭裁判所の許可状を得て強制的立ち入り調査を行い，必要であれば警察の援助を求めることができる。調査などを経て，児童相談所は児童の保護，支援の内容を決定し，その際，関係機関の連携強化をはかるため，要保護児童対策地域協議会(**表1-15**)において関係機関で情報を共有し，支援の必要性や支援方針の協議を行う(児童福祉法第25条の2)。

● **支援**

　児童相談所が中心となって子どもや虐待した保護者へのケアやカウンセリング，助言指導，生活の安定に向けた援助などを実施する。市町村は要保護児童の通告先であり，**要保護児童対策地域協議会の設置が努力**

義務とされている(児童福祉法第25条の2)。要保護児童対策地域協議会を活用し、市町村・保健所・児童相談所・福祉事務所、医療機関、教育委員会、警察、幼稚園、子育て支援センター、司法・人権擁護委員会、配偶者暴力相談支援センターなどの関係機関が連携・協力して、支援対象児童等の早期発見・保護・支援・体制づくりを推進する。

■三次予防(再発防止,自立への支援)

児童虐待防止法には、児童虐待を行った保護者に対する指導(第11条)、子どもへの面会や通信の制限、罰則つきの接近禁止命令(第12条)、施設入所などの措置の解除と安全確認、児童に対する支援(第13条)が規定されている。都道府県(保健所・児童相談所)には、再発防止、子どもの心身のケア・治療、親子関係の修復、家族の再統合など自立への支援に向けた長期のフォローアップなどに対応できるシステムづくりを推進していく必要がある。また、市町村における要保護児童対策地域協議会の運営の支援など、市町村とともに関係機関のネットワーク化を推進する役割を担う。

プラス・ワン

配偶者からの暴力の防止及び被害者の保護等に関する法律

2001(平成13)年4月成立。略称:配偶者暴力防止法:DV防止法。2008(平成20)年1月施行の配偶者暴力防止法一部改正法では、身体的な暴力だけではなく言葉による脅迫行為も、将来、生命や身体に重大な危害を受けるおそれが大きいと認められる場合、保護命令の対象として拡充され、うち接近禁止命令で電話やメールなどでの接触が禁止された。
被害者が保護命令の申立てをするのは地方裁判所であり、申立て前に配偶者暴力相談支援センターまたは警察へ相談し、援助・保護を求める必要がある。

c 家庭内暴力の現状と支援

2004(平成16)年に施行された改正児童虐待防止法では、ドメスティックバイオレンス(配偶者間暴力 domestic violence:DV)をまのあたりにすることは、子どもにとっては耐えがたい体験であるとして、DVの目撃を「心理的虐待」と定義している。

配偶者間や親と子の間で行われる暴力は、加害者側にも被害者側にも犯罪の自覚がないことが多く、被害者側においては生活の維持や養育などのために加害者から離れることができないこと、家族内のプライバシーにかかわることなどから、第三者による早期発見や適切な介入が遅れる場合が多い。

保健所や市町村の保健師は、家庭内暴力の被害を受けている母親や子どもの早期発見者となりうる可能性が高いので、被害者の意思を尊重しながら、配偶者暴力相談支援センター・警察・福祉事務所などと相互に連携をはかり、被害者の保護と自立を支援することが期待されている。

4 ひとり親家庭の現状と支援

2021(令和3)年度全国ひとり親世帯等調査によると、母子世帯数は約119.5万世帯(ひとり親世帯の89%)、父子世帯数は14.9万世帯(ひとり親世帯の11%)と推計されている。2022(令和4)年国民生活基礎調査によると、18歳未満の児童のいる世帯のうち、ひとり親家庭の割合は約6.3%である。

ひとり親になった理由は、母子世帯は離婚が79.5%、死別5.3%、父子

世帯は離婚が69.7％，死別21.3％であり，死別より離婚によるひとり親家庭が多い。母子世帯では母親の71.3％が就労しており，そのうち正規労働者は27.4％，パート・アルバイト・派遣社員などの非正規労働者は65.1％であり，非正規労働者の割合が高い。母子世帯の平均年間就労収入は236万円，父子世帯は496万円である。

2022（令和4）年の国民生活基礎調査によると，2021（令和3）年の子どもの貧困率✚は11.5％であるものの，ひとり親世帯の子どもの貧困率は44.5％（OECDの所得定義の新基準による）と半数前後を占める。また，生活が「たいへん苦しい」「やや苦しい」とあわせて「苦しい」と回答した母子世帯は75.2％（全世帯は51.3％）である。

さらに，2018（平成30）年児童養護施設入所児童等調査結果によると，児童養護施設の入所児の約6割，里親委託児の約7割がひとり親家庭の子どもであり，貧困や虐待が背景となり，血縁関係のない親子の多くを，ひとり親家庭の子どもが占める現状にある。貧困✚による経済格差は健康や教育，就職の格差を生むため，支援のニーズが高い対象である。

ひとり親家庭の就業による自立を促進するため，2002（平成14）年，**母子及び寡婦福祉法**✚（当時），児童扶養手当法などが改正され，ひとり親家庭の就業・自立に向けた総合的な支援が強化された。この改正により国は，母子家庭および寡婦の生活の安定と向上のための措置に関する基本的な方針を策定し，地方公共団体では国の基本方針をふまえて**母子及び寡婦自立促進計画**✚が策定された。

さらに，2013（平成25）年3月，**母子家庭の母及び父子家庭の父の就業の支援に関する特別措置法**が施行された。この法律により，子育てと就業の両立が困難なひとり親家庭の状況に対処するため，①情報通信技術に関する職業能力の開発，②在宅就業など多様な機会の確保の支援策の充実，③民間企業者に対する協力の要請などの支援策が規定された。

ひとり親家庭は，精神的・経済的・社会的に不安定な状態におかれがちである。妊娠期から育児期の親子に深くかかわる保健師は，福祉職など関係機関・職種と連携して，乳幼児の健やかな心身の成長・発達と親子の心身ともに健康な生活を支援していく必要がある。

> **✚ プラス・ワン**
>
> **子どもの貧困率**
> 平均的な所得の半分を下まわる世帯で暮らす18歳未満の子どもの割合。
>
> **貧困への対策**
> 2013（平成25）年，子どもの将来がその生まれ育った環境によって左右されることのない社会を実現することを目的として，子どもなどに対する教育・生活・就労・経済的支援などの総合的な施策を推進する**子どもの貧困対策の推進に関する法律**が成立した。
>
> **母子及び父子並びに寡婦福祉法**
> 母子福祉法（1964〔昭和39〕年成立）が1981（昭和56）年に母子及び寡婦福祉法に改称された。2014（平成26）年には，母子家庭，母子家庭の母であった寡婦に父子家庭も対象に加えられ，母子及び父子並びに寡婦福祉法に改称され，現在にいたっている。
>
> **母子及び寡婦自立促進計画の4本柱**
> ● 子育て・生活支援：保育所の優先入所の法定化，ヘルパー派遣などによる子育て・生活支援など
> ● 就業支援：母子家庭等就業・自立支援センター事業の推進，ハローワークなどとの連携による母子自立支援プログラムの策定など
> ● 養育費確保支援：養育費相談支援センター事業の推進，養育費支払い努力義務の法定化など
> ● 経済的支援：児童扶養手当の支給，母子寡婦福祉資金の貸付など

⑤ 外国人母子などの健康問題と支援

日本における外国人登録者数の増加，国際結婚の増加を背景に外国人からの出生児が増加している。在住外国人は，言葉や文化・習慣の違いのみならず，経済的な問題をかかえている者が多く，母子保健の指標統計の周産期死亡率，妊産婦死亡率，乳児死亡率などは，日本人に比較して2～3倍高く，地域の母子保健活動におけるハイリスク・グループである。

基本的には外国人登録を行っていれば，母子保健に関する諸制度は日本人と同様に適用されるのが原則である。母子健康手帳は言語の点では

さまざまな工夫がなされており、日本語併記の各国語版(英語、中国語、タガログ語、スペイン語、ポルトガル語、ハングル、タイ語、インドネシア語)が作成されている。また、乳幼児健康診査で使用する問診票の英語版や通訳ボランティアを配置している保健所や市区町村も多い。

また、多くの地域で、外国人と日本人との交流を目ざす取り組みが行われている。このような子育てグループの存在は、日本と文化や習慣の異なる外国人が子育てするときの大きな支えとなっている。

また、在外日本人✚・帰国日本人✚も支援のニーズが高い対象である。

⑥ 地域のサポートシステム・社会資源

地域では児童虐待に象徴される育児の孤立化、育児不安への対応など、すべての子育て世帯を対象とする。子育て支援のさまざまな保健福祉サービスが提供されている。子育て支援を展開するにあたっては、市町村の保健福祉事業者、民間事業者、NPO、育児サークルやボランティア、住民などの参画した重層的な支援が期待されている。とくに市町村保健師には、保健センターのみならず、保育所・幼稚園・児童館・公民館などの公的資源を活用し、民生委員・児童委員、保健委員、母子保健推進員✚、NPOやボランティア、自助グループなどと連携して、地域における子育て支援ネットワークを形成する役割が期待される。

1 母子健康センター・市町村保健センター

市町村の母子保健活動の拠点として、1958(昭和33)年度から母子健康センターの設置が始められた。市町村保健センター✚は地域のニーズに合わせて、母子から高齢者まで利用できる福祉施設と併設し、名称も保健福祉センターとするなど、それぞれの市町村の特徴をもった活動拠点の場となっている。

2 子育て世代包括支援センターとこども家庭センター

子育て世代包括支援センターは2017(平成29)年度から、こども家庭センターは2024年度から市区町村に設置することが努力義務とされた(16ページ参照)。

3 保健所

地域保健の広域的・専門的・技術的な拠点として、対人サービスと食品衛生、環境衛生、医事・薬事に関する業務を行っている。母子保健では、小児慢性特定疾病の対象疾患の子どもに対する訪問指導や保健指導を実施している。近年はとくに子育て支援や虐待事例に対する援助について児童相談所と連携し、市町村の母子保健活動を広域的・専門的に支援している。

✚ プラス・ワン

在外日本人
在外日本人とは、日本国籍をもつ者で、長期間海外に在住しているものをいう。日本人の留学生や国外出張者などが含まれる。外務省では、3か月以上海外に在留している日本人を「在留邦人」と定義し、①永住者(生活の本拠を海外に移している)と②長期滞在者(一時的に海外で生活しているが、いずれは帰国する予定)に分けて集計している。
外国での妊娠・出産、子育ては、言語や異文化への適応のみならず、妊婦健康診査や出産費用、産後のケア、予防接種も含めた保健・医療システムや子育て支援制度が日本と異なるため、事前に十分な情報やサポート体制を把握できるように支援する必要がある。

帰国日本人
帰国日本人とは、国外での長期滞在生活を経て帰国した日本人である。とくに保護者とともに海外に長期滞在したのち帰国した子ども(帰国子女・帰国生)の場合、外国と日本の言語・文化・慣習および生活環境の変化に加えて、教育の内容や方法の違いによる学習の遅れや友人関係などが原因となって学校生活に適応できず、心身の不調をきたすこともある。学校と地域が連携して帰国子女・帰国生への支援体制を整えることが大切である。

４ 学校・幼稚園・保育所

学校・幼稚園・保育所は子ども虐待の発生予防，早期発見，対応のいずれの段階においてもきわめて重要な役割を担っている。

５ 民生委員・児童委員

民生委員・児童委員✚は，担当区域を基盤として，つねに住民の立場にたち，地域のボランティアとして自発的・主体的な活動を行っている。地域にいて近隣からの通報を受けたり，虐待の早期発見，可能な範囲での情報収集・見まもり，親と関係機関のパイプ役など重要な役割を果たしている。保健師の訪問活動のなかで，地域に住む民生委員・児童委員と個別の虐待事例に関する共通認識のもと必要に応じて連携をとることも徐々に増えつつあり，ネットワークの一員としてその役割が期待されている。

６ 里親

里親制度は，家庭に恵まれない児童を自己の家庭に預かり家庭的な雰囲気のなかで養育する制度である。都道府県知事が児童を委託する者として適当であると認めた場合，登録里親となる。里親に委託する措置は児童相談所が決定する。

７ 育児サークル

地域には，乳幼児の母親どうしの大小さまざまな育児サークルがある。知り合いどうしが声をかけあってつくったものや，保健機関のフォローアップ教室✚の参加者や保育所の園庭開放参加者，さまざまな機関の育児講座の受講者から発展してきたものなどがある。また社会福祉協議会や民生委員などがコーディネートしているものもある。

８ 児童家庭支援センター

1997（平成9）年の児童福祉法の大幅改正に伴い，新たに創設された機関である。児童相談所や地域の関係機関と連携し，児童相談所からの指導委託事例も受けながら，地域に密着したよりきめ細かな子どもの福祉に関する相談支援を行い，問題の早期発見・早期対応をはかる機関として位置づけられている。

９ つどいの広場事業✚

おもに乳幼児をもつ子育て中の親子が気軽に集い，打ちとけた雰囲気のなかで語り合うことによって，精神的な安心感をもたらし，問題解決の糸口となる機会を提供するため，拠点となる常設の場（週3日以上開設）を設け，子育て親子の交流や集いの場の提供，子育てなどに関する相

✚ プラス・ワン

母子保健推進員

1968（昭和43）年には，市町村の母子保健事業を効果的に実施するために，市町村母子保健事業推進要綱が策定され，市町村長により委嘱された母子保健推進員制度（3ページ参照）が始まった。

母子健康センター・市町村保健センターの設置

母子保健法（第22条）では「市町村は，必要に応じ，母子健康センターを設置するよう努めなければならない」と規定されている。
さらに，1994（平成6）年に成立した地域保健法の「地域保健対策の推進に関する基本的な指針」では，住民に身近なサービスを総合的に行う拠点として市町村保健センターの設置を法定化した。

民生委員・児童委員・主任児童委員

民生委員は民生委員法によって設置が定められ，厚生労働大臣の委嘱を受けて活動している。児童委員は児童福祉法によって民生委員が児童委員を兼ねることとなっている。民生委員・児童委員のなかに，児童福祉問題を専門に担当する**主任児童委員**が設置されている。

保健機関のフォローアップ教室

市町村の乳幼児健康診査や育児相談などにおいて，運動発達や言語の遅れなど身体・心理・社会的な成長に遅延があり，要観察や要指導と判定された対象者や，育児不安など母子関係に問題があり継続した見まもりや指導が必要な母子が参加する療育教室や育児教室が実施されている。

地域子育て支援拠点事業

2009（平成21）年度から，地域子育て支援拠点事業（つどいの広場事業，地域子育て支援センター）は，乳児家庭全戸訪問事業（こんにちは赤ちゃん事業），養育支援訪問事業，一時預かり事業の子育て支援事業とともに，児童福祉法に基づく事業となり，市区町村はこれらの事業が着実に実施されるよう必要な措置の実施に努めるように規定された。

談，情報提供，講習会などを実施する事業である。

10 地域子育て支援センター

地域全体で子育てを支援する基盤の形成をはかるため，保育所などにおいて保育士などの職員を配置して，育児不安についての相談指導，子育てサークルなどへの支援など，子育て家庭に対する育児支援を行うことを目的とする事業である。

11 ファミリーサポートセンター

乳幼児や児童を子育て中の労働者や主婦などを会員として，保育施設までの送迎や児童の放課後の預かりなどの援助を受けることを希望する者と援助を行うことを希望する者との相互援助活動に関する連絡・調整を行う施設である。市区町村が支援している。

2009(平成21)年度からは，病児・病後児の預かり，早朝・夜間などの緊急時の預かりなど(病児・緊急対応強化事業)も行っている。

● 引用文献
1) 日本ケアラー連盟：ヤングケアラープロジェクト．(https://youngcarerpj.jimdofree.com/)(参照 2023-10-06)

● 参考文献
・厚生労働統計協会編：国民衛生の動向，2024/2025 年版．厚生の指標増刊，71(9)，2024．
・厚生労働統計協会編：国民の福祉と介護の動向，2024/2025 年版．厚生の指標増刊，71(10)，2024．
・子ども家庭福祉六法，令和 6 年版．中央法規出版，2023．
・日本子ども家庭総合研究所編：子ども虐待対応の手引き，平成 25 年 8 月改定版．有斐閣，2014．

2章 成人保健活動，生活習慣病対策

2章 成人保健活動，生活習慣病対策

A 成人保健医療福祉の動向

POINT
- 成人期では，不適切な生活習慣やメンタルヘルスの不調などに起因する疾患を発症するリスクが高まる。
- 成人期にある人を対象とした保健活動では，健康増進・疾病予防支援や，疾病による障害・早世の回避を目ざす。

1 成人保健とは

a 成人保健の理念

日本において，成人期は第二次性徴の出現がみられる思春期を含めない，おおよそ15〜65歳の50年間の時期をさす。本書では，国民の生涯を通じた健康づくり対策である「健康日本21」とハヴィガーストの発達段階➕を参考に，成人期を次の3段階とする。すなわち青年期（おおよそ15〜24歳の年齢階級であり，子どもから大人へと心身が成熟する時期），壮年期（おおよそ25〜60歳の年齢階級であり，社会や家庭を担う活動的な時期），向老期（おおよそ60〜65歳の年齢階級であり，加齢に伴う生理的機能の低下に対応しながら，精神活動を充実させていく時期）である。

b 成人期における健康課題の動向と保健活動

日本では医学の進歩，公衆衛生の普及，生活習慣の欧米化などに伴い，がんや生活習慣病をかかえながら生きる患者の数が増えてきた。2023（令和5）年の人口動態統計によると，成人期における死因のなかで多くを占めるのは，39歳までが自殺，悪性新生物（がん），不慮の事故，心疾患，40〜64歳で，悪性新生物（がん），自殺，心疾患，脳血管疾患である。このうち，悪性新生物（がん），心疾患，脳血管疾患など慢性的に経過する疾患は，治療や療養が長期に及び，ときに障害や心身に合併症をきたす場合もある。これらの影響は，就労など日常生活へも及ぶ。また，家庭や社会において自立し，責任を担う段階である成人期においては，身体的・精神的に充実する一方で，疲弊やストレスなどから健康を害するリスクも高くなる。成人保健の活動は，このような疾病や障害と，こ

プラス・ワン

ハヴィガーストの発達段階[1)]
アメリカの教育学者であるハヴィガースト（Havighurst, R. J.）は，生涯発達の視点で一生の発達段階を幼児期，児童期，青年期，壮年期，中年期，老年期という6段階に分類し，成人期にあたる各発達段階の課題を次のように示している。

●青年期
両性の友人との交流と新しい成熟した人間関係をもつ対人関係スキルの習得，男性・女性としての社会的役割の達成，自分の身体的変化を受け入れ・身体を適切に有効に使うこと，両親やほかの大人からの情緒的独立の達成，経済的独立の目安をたてること，職業選択とその準備，結婚と家庭生活への準備，市民として必要な知的技能と概念の発達，社会人としての自覚と責任・それに基づいた適切な行動，行動を導く価値観や倫理体系の形成。

●壮年期
配偶者の選択，配偶者との生活の学習，第一子を家族に加えること，育児の遂行，家庭の心理的・経済的・社会的な管理，職業につくこと，市民責任を負うこと，適した社会集団の選択。

プラス・ワン
ハヴィガーストの発達段階
（続き）
●中年期
市民的・社会的責任の達成，経済力の確保と維持，10代の子どもの精神的な成長の援助，余暇を充実させること，配偶者と人間として信頼関係で結びつくこと，中年の生理的変化の受け入れと対応，年老いた両親の世話と適応．

れらによる早世を防ぎ，生きがいをもって自己実現を果たし，よりよく生きている状態で成人期を過ごすこと，さらにはそのような状態が高齢期へと続き，結果として**健康寿命**✚を延伸させることが目標となる．

　これらの目標達成のためには，健康増進・疾病予防がカギとなる．日常生活における喫煙や，過剰なアルコール摂取，食生活の乱れ，運動不足といった不適切な生活習慣は，生活習慣病の危険因子である．生活習慣病は，さらなる合併症を引きおこす危険性があり，その結果，脳卒中後遺症や骨折などの障害，早世につながりうる．危険因子から生活習慣病の重症化という負の連鎖を断つには，根本的な原因となる生活習慣の改善が必要であり，成人保健においては健康増進・疾病予防を支援する活動が重要となる．

2 成人保健医療福祉の変遷

プラス・ワン
健康寿命
厚生労働省は，健康寿命を「ある健康状態で生活することが期待される平均期間を表す指標」としている．健康日本21（第二次）では，「日常生活に制限があること」を不健康とし，健康寿命を算出している．さらに近年では，健康寿命の延伸に加え，「不健康な期間」である「平均寿命と健康寿命の差」の短縮も目標とされている．

a 国民健康づくり対策

1 国民健康づくり対策の経緯

　保健医療福祉の施策は，その時代に生きる人の健康ニーズや社会情勢に応じて立案・施行される．第二次世界大戦後の1950年代以降，日本では経済成長，食の欧米化，公衆衛生の普及や医療の進歩などを背景に，感染症の罹患者・死亡者が減り，がん・心疾患・脳血管疾患などの生活習慣病の患者数が増加した．これらの状況に対し，国は生涯を通じた健康づくりの推進を目ざして1978（昭和53）年に「**第一次国民健康づくり対策**」を打ち出した．この対策では，健康づくりの3要素（栄養，運動，休養）の健康事業が推進され，その基盤として全国の各市町村に健康増進センター・市町村保健センターなどが整備された．

　以降，おおよそ10年ごとに新たな対策が展開され，1988（昭和63）年度には「**第二次国民健康づくり対策（アクティブ80ヘルスプラン）**」が，2000（平成12）年には「**第三次国民健康づくり対策（21世紀における国民健康づくり対策〔健康日本21〕）**」が開始された．2013（平成25）年から2023（令和5）年度まで，「健康日本21」のあとを受けた「健康日本21（第二次）」が実施された．

2 健康日本21

　「健康日本21」の基本的な考え方は次の3つである．①生涯を通じた健康づくりの推進（一次予防の重視と健康寿命の延伸，生活の質の向上），②国民の保健医療水準の指標となる具体的目標の設定・評価に基づく健康増進事業の推進，③個人の健康づくりを支援する社会環境づくり．

　おもな施策には，メタボリックシンドロームに関する普及・啓発など

> **プラス・ワン**
>
> **健康診査**
> 健康診査は全身の健康状態を検査し，疾患の早期発見につなげるとともに，健康診査を受けた者が自分の健康状態を把握することである。将来の疾患発症を予防することを目的として行われる。
>
> **検診**
> 特定の疾患や状態を早期発見する目的として行われるものである。

による健康づくりの国民運動化，効果的な健診・保健指導の実施，などがある。

b 健康診査・検診の整備

国民健康づくり対策において一次予防が重視・推進される一方で，二次予防として疾患の早期発見・早期対策を目ざした健康診査・検診の体制も整備，展開されてきた。

1 健康診査（健診）

成人期を対象にした健康診査として，2008（平成20）年度に**特定健康診査**が開始された。特定健康診査は，**高齢者の医療の確保に関する法律**（高齢者医療確保法）に基づき，公的医療保険の保険者に対し，40～74歳の保険加入者の特定健康診査を実施することが義務づけられたものである。また，医療保険者は，特定健康診査の結果，生活習慣病発症のリスクがある者に対し，生活習慣改善のための特定保健指導を実施することも義務づけられた。

労働者の健康診査としては，労働安全衛生法により，事業者に対し，労働者の定期健康診断を実施することが義務づけられている。

2 検診

歯周疾患検診，肝炎ウイルス検診，骨粗鬆症検診などがある。これらの検診は2002（平成14）年に「健康増進法」に基づく市町村事業として実施されるようになった。

2008（平成20）年度からは，がん検診も健康増進事業に位置づけられ実施されるようになった。「がん予防重点健康教育及びがん検診実施のための指針」（最終改正，2021〔令和3〕年）により，胃がん，肺がん，大腸がん，乳がん，子宮頸がんの検診が推進されている。

c がん対策

がんは1981（昭和56）年以降，日本における死亡原因の第1位であり，がん対策は，1984（昭和59）年の「**対がん10か年総合戦略**」と，それに続く1994（平成6）年の「**がん克服新10か年戦略**」で始まった。2004（平成16）年からは「**第3次対がん10か年戦略**」が実施され，対策が総合的・重点的に取り組まれた。3次にわたる「対がん10か年総合戦略」の取り組みにもかかわらず，がんは依然として重大な健康問題であることから，**がん対策基本法**が制定され2007（平成19）年に施行された。この法律により，がん対策の基本理念や，がん対策の推進に関する計画，がん対策の基本的施策が定められた。同法により，2007（平成19）年には，「**がん対策推**

進基本計画」が策定され，2012（平成 24）年に第 2 期基本計画，2018（平成 30）年に第 3 期基本計画，2023（令和 5）年に第 4 期基本計画が策定された。「第 4 期がん対策推進基本計画」では，誰 1 人取り残さないがん対策を推進し，すべての国民とがんの克服を目ざすことを全体目標に掲げ，分野別施策の 4 本柱として，①科学的根拠に基づくがん予防・がん検診の充実，②患者本位で持続可能ながん医療の提供，③がんとともに尊厳をもって安心して暮らせる社会の構築，④これらを支える基盤の整備，を推進している。

3 成人保健医療福祉施策と保健活動

プラス・ワン
国民の健康の増進の総合的な推進を図るための基本的な方針

この方針は健康増進法に基づき，厚生労働大臣が定めるものである。2012（平成 24）年に「健康日本 21（第二次）」の策定に合わせ改正された方針では，「健康日本 21（第二次）」において，生活習慣・社会環境の改善を通じ，すべての国民が支え合いながら希望や生きがいをもち，健康で心ゆたかに生活できる社会を目ざすことや，国民の健康増進の結果として，医療・介護費の適正化などを通し，日本の社会保障制度が持続可能なものになるよう推進することが示されている（2012〔平成 24〕年厚生労働省告示第 430 号）。

a 健康日本 21（第二次）

1 健康日本 21（第二次）

前述したように，「健康日本 21」を引き継ぐものとして，2012（平成 24）年「21 世紀における第二次国民健康づくり運動（健康日本 21〔第二次〕）」が策定された。「健康日本 21（第二次）」は，5 つの分野（①健康寿命の延伸と健康格差の縮小，②生活習慣病の発症予防・重症化予防，③社会生活機能の維持・向上，④健康のための資源へのアクセスの改善と公平性の確保，⑤栄養・食生活，身体活動・運動，休養，飲酒，喫煙および歯・口腔の健康に関する生活習慣・社会環境の改善）について 53 項目の目標値が設定された．健康日本 21（第二次）は，2013（平成 25）年度から 2023（令和 5）年度まで実施された。

2 「健康日本 21（第二次）」の最終評価

2022（令和 4）年度には「健康日本 21（第二次）」の最終評価が行われた（**表 2-1**）。目標値が設定されていた 53 項目中，「目標値に達した」が 8 項目（15.1％），「現時点で目標値に達していないが，改善傾向にある」が 20 項目（37.7％），「かわらない」が 14 項目（26.4％），「悪化している」が 4 項目（7.5％），「評価困難」が 7 項目（13.2％）であった[2]。「目標値に達した」おもな項目は，健康寿命の延伸，75 歳未満のがんの年齢調整死亡率の減少，脳血管疾患・虚血性心疾患の年齢調整死亡率の減少である。

また，2000（平成 12）年の「健康日本 21」策定からおおよそ 20 年間の活動については，健康増進事業，介護保険制度，医療保険制度，生活保護制度など各分野における健康づくりの取り組みが健康寿命の延伸に貢献したと評価されている。

一方，「悪化している」おもな項目は，「メタボリックシンドロームの該当者及び予備軍の減少」「睡眠による休養を十分にとれていない者の割合の減少」「生活習慣病のリスクを高める量を飲酒している者の割合の減

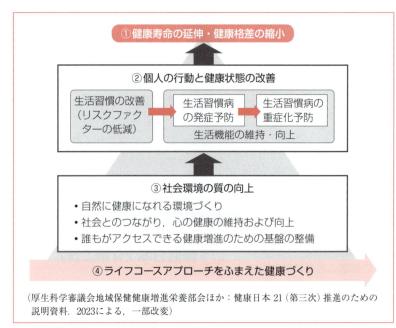

(厚生科学審議会地域保健健康増進栄養部会ほか：健康日本21（第三次）推進のための説明資料．2023による，一部改変）

図2-1　健康日本21（第三次）の概念図

少」である。2020（令和2）年以降の新型コロナウイルス感染症の感染拡大を契機として，健康格差が拡大されたとの指摘もある。

「第二次」の最終評価を参考に，2023（令和5）年に「健康日本21（第三次）」が策定され，2024年（令和6）年度から施行される。

3 健康日本21（第三次）

「健康日本21（第三次）」では，すべての国民が健やかで心ゆたかに生活できる持続可能な社会の実現に向け，図2-1に示したように，次の4つの基本的な方向を推進している。①健康寿命の延伸と健康格差の縮小，②個人の行動と健康状態の改善（生活習慣の改善，生活習慣病の発症予防・重症化予防，生活機能の維持・向上），③社会環境の質の向上（社会とのつながり，心の健康の維持・向上，自然に健康になれる環境づくり，誰もがアクセスできる健康増進のための基盤の整備），④ライフコースアプローチをふまえた健康づくり。

b データヘルス計画

1 データヘルス計画とは

少子高齢化や労働者の定年延長の影響により，労働力人口に占める60

A. 成人保健医療福祉の動向

表2-1 健康日本21（第二次）の最終評価：成人保健分野にかかわるおもな項目

分野	項目	目標値	最終評価	最終評価値（2019年；令和元年時点）*1
①健康寿命の延伸と健康格差の減少	健康寿命の延伸（日常生活に制限のない期間の平均の延伸）	平均寿命の増加分を上まわる健康寿命の増加	目標達成	【平均寿命（2010年：平成22年からの増加分）】男性：81.41歳（1.86年）、女性：87.45歳（1.15年）【健康寿命（平成22年からの増加分）】男性：72.68歳（2.26年）、女性：75.38歳（1.76年）
②生活習慣病の発症予防と重症化予防の徹底	75歳未満のがんの年齢調整死亡率の減少（10万人あたり）	73.9（10万人あたり）	目標達成	70.0（10万人あたり）
	脳血管疾患・虚血性心疾患の年齢調整死亡率の減少（10万人あたり）	【脳血管疾患】男性：41.6への減少、女性：24.7への減少【虚血性心疾患】男性：31.8への減少、女性：13.7への減少	目標達成	【脳血管疾患の年齢調整死亡率の減少】男性：2010年49.5⇒2019年33.2への減少、女性：2010年26.9⇒2019年18.0への減少【虚血性心疾患の年齢調整死亡率の減少】男性：2010年37.0⇒2019年27.8への減少、女性：2010年15.3⇒2019年9.8への減少
	血糖コントロール指標におけるコントロール不良の割合の減少（HbA1cがJDS値8.0%（NGSP値8.4%）以上の者の割合の減少）	1.0%	目標達成	2010年1.2%⇒2019年0.94%への減少
	メタボリックシンドロームの該当者および予備群の減少	2010年と比較して25%減少	悪化	2010年 約1,400万人⇒2019年 約1516万人へと増加
③社会生活を営むために必要な機能の維持・向上	気分障害・不安障害に相当する心理的苦痛を感じている者の割合の減少*2	【気分障害・不安障害に相当する心理的苦痛を感じている者の割合】9.4%	変化なし	2010年10.4%⇒2019年10.3%とほぼ横ばい
④健康を支え、まもるための社会環境の整備	健康づくりを目的とした活動にかかわっている国民の割合の増加	【健康づくりを目的とした活動に主体的にかかわっている国民の割合】25%	最終評価できず	本指標は国民健康・栄養調査の大規模調査年に調査を実施し、中間評価時点の2016年（平成28）27.8%であった。以降、新型コロナウイルス感染症の影響で大規模調査が行われておらず、中間評価以降データが更新されていない。
⑤栄養・食生活、身体活動・運動、休養、飲酒、喫煙および歯・口腔の健康に関する生活習慣および社会環境の改善	睡眠による休養を十分にとれていない者の割合の減少（20歳以上）	【睡眠による休養を十分にとれていない者の割合】15%	悪化	2009年：平成21年策定時18.4%⇒2018年21.7% 年代別に分析すると、とくに50歳代において増加の度合いが大きかった。
	生活習慣病のリスクを高める量を飲酒している者（1日あたりの純アルコール摂取量が男性40g以上、女性20g以上の者）の割合の減少	【生活習慣病のリスクを高める量を飲酒している者の割合】男性：14.0%、女性：6.3%	悪化	男性：2010年15.3%⇒2019年15.2%とほぼ横ばい、女性：2010年7.5%⇒2019年9.6%へと増加

*1 目標設定後、おおよそ5年後に中間評価、10年後に最終評価が行われる。
*2 国民生活基礎調査では、うつ・不安症状を評価する「K6」という自己記入式質問票が含まれている。「K6」は6項目、各項目0～4点で配点されており、合計得点は0～24点の範囲となる。合計得点が10点以上の者を「気分障害・不安障害に相当する心理的苦痛を感じている者」として、その割合を指標にしている。

> **プラス・ワン**
>
> **定年延長**
>
> 1970年代以降，定年延長の流れが続き，2015年までの40年間で就業者の平均年齢は約7歳上昇した。高年齢者等の雇用の安定等に関する法律（高年齢者雇用安定法）により65歳までの雇用確保措置が事業主に義務づけられたこともあり，労働力人口に占める60歳以上の割合は今後さらに増加すると見込まれる。なお2021（令和3）年度施行の高年齢者雇用安定法の改正により，65歳から70歳の就業機会の確保措置が努力義務化されている。
>
> **PDCAサイクル**
>
> plan（計画），do（実施），check（点検・評価），action（調整・改善）の頭文字をとって名づけられた，業務を効率的・効果的に実施し，発展させていくためのマネジメント手法。現状分析，立案した具体的な計画を実行，評価，改善というプロセスを順に行っていくことで，継続的に業務やサービスの質の改善をはかる。

歳以上の割合は年々増加を続けており今後さらに増加が進むと見込まれ、労働者の生活習慣病などの健康リスクが高まることが予想されるため、地域と職域における健康増進の支援が重要視されている。また長期的な治療や療養を必要とする疾患をかかえて生活している患者数の増加とともに医療費は増加の一途をたどっている。

一方，医療保険者においては，診療報酬明細書（レセプト）データや健康診査データの電子化が進められ，同じ様式に整えられたデータ項目が蓄積されるようになった。その結果，医療保険者は，①管轄する地域・職域の被保険者を別の被保険者集団と比較し，管轄する被保険者集団の特徴を把握すること，②被保険者の健康状態を経年的にモニタリングし，優先的に介入することが望ましい健康リスクが高い被保険者を特定し介入すること，③診療ガイドラインなどの科学的根拠に基づくデータを分析することにより，支援対象の健康状態に応じた保健事業の内容や資源（人材，物，資金）の有効な配分を検討し，費用対効果が高く，効率的な保健事業を講じることが可能となった。

以上のような背景から，2013（平成25）年の「日本再興戦略」において，すべての医療保険者に対して，被保険者の健康保持・増進を目ざし，レセプト・健康診査結果のデータを分析した結果に基づいてデータヘルス計画を策定・実施することが求められた。なお，**データヘルス計画**とはレセプトや健康診査のデータを活用して，PDCAサイクルを基盤に効果的・効率的な保健事業を実施するための事業計画のことをいう[3]。

2 NDBやKDBなどの健康関連情報の活用

効率的・効果的な保健事業を実施するためには，科学的根拠に基づく支援対象集団の健康障害リスクの評価（集団の健康関連情報の分析）が必要となる。分析結果は，支援対象集団全体の健康課題の把握，ハイリスク者のしぼり込み，保健事業実施による成果の評価など，PDCAサイクル全体を効果的・効率的にまわすうえで，とても重要である。

健康関連情報を分析しその結果を保健事業に活用するためのデータベースとして，**レセプト情報・特定健診等情報データベース（NDB）**と**国保データベース（KDB）**システムがある（表2-2）。これらデータベースシステムは，医療・介護保険者による医療費適正化計画の作成・実施・評価を支援するために整備されたものである。NDBは，政府のデータベースであり，診療報酬明細書および特定健康診査のデータが集積されている。KDBは，国民健康保険連合会（都道府県，市町村，国保組合の連合団体。各都道府県に1団体ある）が保有する健康診査，診療報酬明細書，介護給付金明細書のデータを被保険者1人ずつ連結させたデータベースとしてこれらの情報が集積されている。

このような全国規模のデータベースは，自分たちの支援対象集団と別の集団の健康状態を比較することにより，対象集団の健康課題の特徴を

表 2-2 NDB, KDB の比較

項目	レセプト情報・特定健診等情報データベース(NDB)	国保データベース(KDB)
保有主体	国(厚生労働大臣)	保険者(国保連合会)
機能	国・都道府県が、主体的に医療費適正化計画に資する分析をしながら、施策立案にいかす。	利用する市町村・後期高齢者医療広域連合は、個人の保健・医療・介護に関する情報を閲覧できるようになり、保健指導などに活用する。市町村などが、保健事業を効果的に実施できるように支援する。
保有情報	・医療保険レセプトデータ ・特定健診・特典保険指導データ ※匿名化処理	・医療保険レセプトデータ ・特定健診・特定保健指導データ ・介護保険レセプトデータ ・要介護認定データ ※国保と後期高齢者のみ
利用者	○国・都道府県，医療保険者など，研究者など	○市町村・後期高齢者医療広域連合個別の保健指導や保健事業の適正な運営に活用する。 ○国保連合会 統計情報の作成，保険者への提供

把握したり，個人・集団の経年的変化をモニタリングしたりすることにも役だつ。

●参考文献
1) R.J. ハヴィガースト著，児玉憲典・飯塚裕子訳：ハヴィガーストの発達課題と教育——生涯発達と人間形成．川島書店，1997.
2) 厚生労働省：「健康日本21(第二次)」最終評価報告について．(https://www.mhlw.go.jp/stf/seisakunitsuite/bunya/kenkou_iryou/kenkou/kenkounippon21.htm)1(参照 2023-07-18)
3) 厚生労働省：データヘルス計画作成の手引き．(https://www.mhlw.go.jp/stf/seisakunitsuite/bunya/0000061273.html)(参照 2023-07-18)

B 成人保健における健康課題と支援

POINT
- 青年期〜向老期と幅広い年齢層が含まれる成人期の保健活動では、生涯を通じた健康づくりへの支援や、地域住民・保険者・医療提供施設と連携した、必要なときに必要なサービスが受けられるような体制の構築に取り組む必要がある。
- 費用対効果が高い保健事業のためには、支援対象となる集団・個人がもつ健康障害リスクに応じた、ポピュレーションアプローチ、ハイリスクアプローチの選択・介入が重要となる。
- 個人を対象とした支援では、その人自身が自分の健康状態に関心をもち、行動をかえたいという意欲を引きだし向上させるようなアプローチと健康障害リスク改善のための情報提供を行う。

1 成人期のライフステージに応じた健康課題と支援

　成人期（おおよそ15〜65歳ごろ）は、人が発達していく過程において子どもから大人へ移行する青年期から、壮年期、老年期の準備段階である向老期までが含まれる。成人期はライフサイクルのなかで最も長く、身体面・精神面・社会面における成長、自立・自律、その後の加齢に伴う生理的機能の低下への対応といった一連の人間発達において非常に重要な時期である。

a 青年期

　青年期は、身体的に生殖機能が完成し、進学・就職や、家庭を築くなど心理・社会的に自立していく時期である。障害や疾病の罹患は比較的少ないが、ひとりの大人として自覚し自立する過程のなかで、悩み・ストレス・経済的不安や、これらが引きおこす健康問題をかかえる人も少なくない。

　表2-3に示したように、この時期の死因で最も多いのが自殺であり、その動機として健康問題や経済的な生活問題が多くを占めている。そのため、良好なメンタルヘルスを保つことは青年期における課題である。メンタルヘルスの不調は、睡眠障害や、食欲不振、物事に集中できない、学業・仕事の不振などとしてあらわれ、生活や身体面への支障が出たときにはじめて本人が気づくことがある。保健師は、支援が必要な対象者について、メンタルヘルスに関連する要因をアセスメントし、個人の状

表 2-3 年齢別にみた，死亡率が高い原因の上位 5 位

項目	第1位	第2位	第3位	第4位	第5位
15〜19歳	自殺	不慮の事故	悪性新生物（腫瘍）	心疾患	先天奇形，変形および染色体異常
20〜24歳	自殺	不慮の事故	悪性新生物（腫瘍）	心疾患	先天奇形，変形および染色体異常
25〜29歳	自殺	悪性新生物（腫瘍）	不慮の事故	心疾患	脳血管疾患
30〜34歳	自殺	悪性新生物（腫瘍）	心疾患	不慮の事故	脳血管疾患
35〜39歳	自殺	悪性新生物（腫瘍）	心疾患	不慮の事故	脳血管疾患
40〜44歳	悪性新生物（腫瘍）	自殺	心疾患	脳血管疾患	肝疾患
45〜49歳	悪性新生物（腫瘍）	自殺	心疾患	脳血管疾患	肝疾患
50〜54歳	悪性新生物（腫瘍）	心疾患	自殺	脳血管疾患	肝疾患
55〜59歳	悪性新生物（腫瘍）	心疾患	脳血管疾患	自殺	肝疾患
60〜64歳	悪性新生物（腫瘍）	心疾患	脳血管疾患	肝疾患	自殺

（厚生労働省：2023〔令和5〕年人口動態統計調査〔確定数〕，2024 による）

態に応じてカウンセリングを行ったり，問題解決のための医療や福祉のサービスを利用できるように支援したりする。

また大学生や，単身生活を送るこの年代の者は，生活リズムや，食・運動・睡眠習慣を乱しがちである。そこで青年期への健康支援として，健康情報を効果的に利用し，自分の健康管理にいかす能力であるヘルスリテラシー✚の向上をはかることや，適切な生活習慣を身につけることを促すことで，将来の生活習慣予防や，健康寿命の延伸につなぐ。青年期の人たちは，インターネットやテレビなどのメディアから得られる大量の情報のなかで生活しており，彼らが大量の情報のなかから正しい情報を選択し，健康管理に適切に活用できるような能力を身につけるよう支援したり，正しい情報源を伝えることはヘルスリテラシー向上に資する，保健師の大きな役割である。

b 壮年期

壮年期の人たちは働く，家庭を営むなど，活動的な一方で，仕事，子育て，親の介護など社会的責任が大きくなり，自分の健康管理をあとまわしにしがちである。壮年期は心身機能の衰退や，社会的役割の大きさ，社会との関係性といった環境要因により，精神や身体の疾患・障害が増

プラス・ワン

ヘルスリテラシー
「生涯を通じて生活の質を維持・向上させることを目ざし，医療，疾病予防，健康増進に関する日常での判断や意思決定を行うために，健康関連情報にアクセスし，その情報を理解，評価，活用できる知識・意欲・能力」[1]をさす。ヘルスリテラシーの向上は，疾病予防や健康寿命の延伸につながる。

プラス・ワン

ワークライフバランスのとれた社会実現

誰もがやりがいや充実感を感じながら働き，仕事上の責任を果たしながら，家庭，地域，自己啓発などのための個人の時間をもち，健康でゆたかな生活ができる，「仕事と生活の調和」（ワークライフバランス）がとれた社会の実現を目ざすとして，「仕事と生活の調和（ワーク・ライフ・バランス）憲章」「仕事と生活の調和推進のための行動指針」が2007（平成19）年に策定された。その流れを受けて，働き方改革を推進するための関係法律の整備に関する法律（平成30年法律第71号）が施行され，ワークライフバランスの実現を目ざす働き方改革として，長時間労働の是正や多様で柔軟な働き方が推進されている[2]。

加しはじめる時期でもある。40代ごろからは，がんが死因の第1位となる。壮年期の人が，健康だからこそ自分が人生において大切にしている役割や責任（働けること，家庭をまもれることなど）を果たせていると考え，自身の健康をふり返ったり，見直したりするような支援が，保健師には求められる。

そこで保健師は，壮年期の支援対象者が人生において大切にしていることを本人と共有したうえで，一緒に健康課題についても確認し，その人が解決できるように支援することが肝要である。加えて，対象者の働く場においてワークライフバランスに対する理解が深められ，雇用者と被用者とのコミュニケーションをとりながら，働き方や職場環境が改善されるよう，職場や社会に対しはたらきかけていく✛。

c 向老期

身体機能の衰退，退職などの社会的役割の喪失を経験しながら，ありのままの自分を受け入れつつ，老年期において自立した生活を送るための準備を行う時期である。がん，心疾患，脳血管疾患といった生活習慣病を複数あわせもつ者も増え，健康状態の個人差が大きくなる。向老期は，ゆたかな老年期を迎えるための前段階としてとても重要である。

2 対象に応じた成人保健活動の進め方

a ポピュレーションアプローチとハイリスクアプローチ

集団を対象とする保健師活動を進めていくにあたり有用な方法論が，ポピュレーションアプローチとハイリスクアプローチである。

1 ポピュレーションアプローチ

健康障害リスクが低い集団へ介入するアプローチ法である。集団に含まれる個人の健康障害リスクとは関係なく，集団全体を対象とした介入をさすが，健康障害リスクが低い集団に焦点をあてて介入を行うこともある。

おもに一次予防を目的としており，その利点は，集団全体に効果が及ぶことである。一方，欠点は，個人の健康障害リスクに合わせた介入ではないため，個人への介入効果が低いことや，不十分な介入の場合，健康格差縮小の効果が低くなることがあげられる。

2 ハイリスクアプローチ

健康障害リスクが高い者や集団を対象とした介入法をさす。おもに二次予防を目的として実施される。

利点は対象人数をしぼれること，個人の健康障害リスクの特徴に応じた介入により，個人介入効果が大きいことである。欠点は，一部の者を対象とするため，健康障害リスクが低い者を含めた集団全体への波及効果が小さいこと，健康障害リスクに応じた介入対象者のしぼり込みに時間や費用がかかることである。

③ 2つのアプローチの組み合わせとPDCAサイクル

対象集団や健康課題に応じて，ポピュレーションアプローチとハイリスクアプローチのうち適切なものを選択し，場合によっては両者を組み合わせて，介入することで，集団・個人の健康障害リスクの特性をふまえた費用対効果の高い保健事業となる。

公衆衛生・地域保健活動において，おもな予防活動のレベルは一次予防と二次予防となる。一次予防の場合は通常ポピュレーションアプローチを行うことになるが，漠然とした介入にならないよう，地域アセスメントに基づいて戦略的に取り組むことが重要となる。たとえば集団を年齢・生活圏域・健診データなどでさらに小規模のグループに区分し，それぞれの小規模グループの健康特性に応じてポピュレーションアプローチの内容・方法をかえたり，リスクの高い小グループには一次予防でもハイリスクアプローチを用いたりすることを検討する。

さらに保健事業をより効果的に展開するためにPDCAサイクルを活用する。PDCAサイクルは，保健事業のタスクを細分化し，管理していくことにより，各担当者が保健事業の展開プロセスに対する共通認識を高めたり，役割分担を明確にしたりすることができる。また保健事業で想定していた成果を得られなかったときには，PDCAサイクルのどのプロセスに問題があったのかをふり返ることが容易で，スムーズな問題解決をはかることができる。

b 地域全体への支援

2005年に「健康の社会的決定要因」という概念がWHOから示された。健康の社会的決定要因とは，人々が生まれ，成長し，働き，生活し，年齢を重ねていく環境におけるさまざまな条件が健康に影響を及ぼすことをいい，人々が日常生活を営むうえでの社会とのかかわりや社会から受ける影響も健康の社会的決定要因とされる。この概念によると，当事者本人を対象とする健康教育だけでは介入の効果に限界があり，地域と協働し，地域のニーズに応じた介入を検討していくことが必要となる。そこで当事者が日常生活を営む地域社会におけるその人と地域のかかわりを支援することや，当事者が無意識に健康的な行動をとれるように促す環境づくりが重要となる。たとえば，住民どうしが声をかけ合うことにより，住民が地域活動へ継続的に参加するようになり，また地域全体

プラス・ワン

年齢を重ねても参加できる地域の健康づくり

保健師には，住民の年齢が上がるとともにライフステージと健康課題が変化しても，その人が継続して事業や地域活動に参加できるような地域の健康づくりが求めれられる。

たとえば，老年期の準備段階である向老期の人が，地域とつながり生き生きと社会参加し，ゆたかな老年期へと移行していけるように，保健師は，地域における事業や活動をデザインすることが求められる。

の飲食店が減塩メニューを積極的に掲げることにより，客が減塩メニューを選ぶという行動につながり，家の近くに緑地や公園があればそこでウォーキングをしようとする住民が増える。

地域全体に介入する際には，地域の健康づくりを促進する要因（強み）や阻害する要因をよく知っている住民と一緒に話し合い，取り組みを進めていくことが効果的である。保健事業を実施するときに自治会などの地区組織の協力を得ることにより，保健事業に関する情報が地域にいきわたり，多くの住民が事業を認識し，事業への新たな参加者が増えることにつながることが期待される。

c 小集団を対象とした支援

対象集団を健康課題に応じて小集団に分け，この小集団を対象とした介入を展開するときは，グループワークを活用した健康教育が効果的である。たとえば，肥満を解消したいと考え生活習慣を改善するための取り組みを当事者が1人だけで長続きさせることは容易ではない。同じ健康課題をかかえる仲間と一緒に生活習慣の改善に取り組めば，互いに共感し，励まし合い，ときに減量のコツやリバウンドした失敗例を共有できる。このようにグループメンバーどうしのかかわり合いを通してグループ内で生まれる考え方や行動は，**グループダイナミクス**とよばれ，単独では得られにくい教育効果が期待できる。保健師は当事者の小集団による話し合いや学習を支援するとき，必要に応じて話し合いの方向性を修正し，専門的助言をするが，基本的には当事者どうしの学び合いを支援し，個々の当事者の主体性を向上させていく役割を担う。

d 個人の健康障害リスクに応じた支援

成人期で健康課題をかかえる人のなかには，「自分の健康状態や健康管理の方法を知らない」という人もいるが，「自分の健康状態はわかっているが受け入れられない。行動変容できない」という人も多い。前者に対しては，個別に正しい知識を提供すれば理解し，行動変容するかもしれない。一方，後者への支援はそれだけでは不十分である。自分の健康状態を知りながら，それを受け入れたり，正しい行動へと変容したりすることができない状態の対象者に対し，保健師がその人の健康課題について議論したり，無理やり直面させようとすると，対象者はさらに抵抗や葛藤を強めるかもしれない。

個人を対象とした支援では，対象者と療養上のパートナーシップを築きながら，その人が主体的に自分の健康状態を知ろうとするように動機づける。その結果，対象者が健康課題を認識し，目標を定めて行動変容していくプロセスを保健師が促進していくことが肝要である。

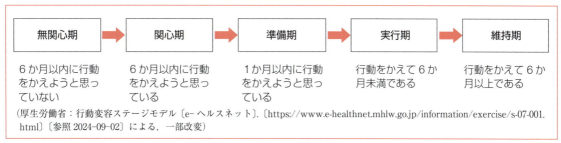

図 2-2　行動変容ステージモデル

表 2-4　各ステージにおけるはたらきかけ

ステージ	はたらきかけ	はたらきかけの内容，具体的な例
無関心期	意識の高揚	・いろいろな情報を提供して，生活習慣を改善することのメリットを知ることである。 ・メリットの例は，疾患による心身苦痛が避けられる，仕事を続けられる，自分が好む服が着られるなど。
	感情的経験	・対象者の感情面にはたらきかけ，このままでは「まずい」と思ってもらうことである。 ・「まずい」ととらえる例は，生活習慣を改善しないことで，疾患や合併症が発生し心身的苦痛や通院費など経済的負担が生じる可能性や，仕事などの日常生活に支障が出る可能性など。
	環境の再評価	・自分の行動変容がまわりへ及ぼす影響を考えてもらうことである。 ・まわりへの影響の例は，疾患の発症を予防することで，子どもと一緒に思いきり遊べるなど。
関心期	自己の再評価	・生活習慣の改善に取り組んでいない自分をネガティブに，改善に取り組んでいる自分をポジティブにイメージすることである。
準備期	自己の解放	・生活習慣を改善できる自信をもち，生活習慣の改善に取り組みはじめることをまわりの人に宣言することである。 ・自信をもってもらうための支援例は，対象者にとって無理がある行動目標を設定せず，まずは実現可能な行動目標を設定することで，「これなら自分はできる」という自信をもってもらう。目標達成することで自信は上昇し，行動変容が強化される。目標達成ごとに少しずつ目標のハードルを上げていくことがポイントである。
実行期と維持期	行動置換	・不健康な行動を健康的な行動におきかえることである。 ・おきかえる例は，ストレス解消のためにお酒ではなく，運動を行う。
	援助関係	・適切な生活習慣を続けるうえで，まわりからの支援を活用することである。 ・支援の活用例は，家族に食事をつくってもらう，職場仲間といままで飲み会でコミュニケーションをはかっていた機会をスポーツなど健康的なものにかえてもらう，配食サービスを利用するなど。

1　行動変容ステージモデルを活用した支援

　生活習慣の改善を目ざす支援では，健康行動理論・モデルなどを用いた行動科学的アプローチが有用とされている。健康行動理論・モデルは，人が健康によい行動を行う可能性を高める要因としてどのようなものがあるかを示すものである。「行動変容ステージモデル」（**図 2-2**）は健康行動理論・モデルの 1 つであり[3]，人が行動をかえようと思い，行動変容を開始し，そして維持する過程を 5 つのステージに分けて示したものである。各ステージから 1 つ先のステージに進むためのはたらきかけについて，**表 2-4** にまとめた。

2 対象者の動機づけのための面接技術

支援対象者が自身の健康課題の解決のために行動を変容するには動機づけが必要となる。そのための面接技術のプロセスを次に示す。

■動機づけを目ざす面接のプロセス

(1) 対象者の心理的準備状態の確認

まず,「行動変容ステージモデル」などを活用し,対象者が行動変容に関心があるのか,いつ行動変容しようと考えているのかを確認する。

(2) 動機を引き出し強める面接(モチベーションインタビュー)を行う[4]。

モチベーションインタビューにおいて,対象者と支援者のパートナーシップを構築するために支援者は次の4つの姿勢を大切にする。

・協働:対象者と保健師は上下関係ではなく対等なパートナーであり,対象者は自身を理解している専門家,保健師は健康領域の専門家である。双方が協力して問題に対処する。
・受容:対象者を尊重し,共感する。対象者の自己選択・自己決定を支援する。
・思いやり:積極的に対象者のニーズに応じ,対象者にとって利益となる支援を行う。
・引き出す:対象者の考え,価値観,解決策を引き出す。

面接を進めるプロセスとコミュニケーションの技術は次のとおりである。以下の①~④のプロセスも含め,戦略的に対象者の思いを引き出し,整理するコミュニケーション技術がOARS✚としてまとめられている。

①対象者のかわりたくてもかわれない気持ちやジレンマを理解するようかかわり,対象者と関係を構築する。
②対象者が考える変化のゴール(目標行動)にフォーカスする。たとえば,禁煙,運動などに焦点をあてる。
③対象者が変化に向かおうとする発言(チェンジトーク:変化したいという願望・変化する理由や必要性)を引き出し,その人の変化への行動を強化させる。たとえば,医療者から肺の検査結果と状態がひどくなると酸素を鼻から吸わないといけなくなると聞いて,タバコとの付き合い方はこのままではいけないのかなと不安になってきた,など。
④具体的で実現可能な計画を立案する。たとえば,喫煙本数を減らす,やめる方法について計画をたてる。

プラス・ワン

OARS

OARSは,次の4つの頭文字をとったもので,対象者の思いを引き出して整理するための面接者の話し方のポイントである。

- open ended questions:開かれた質問(ひとことで答えられず,いろいろな回答ができる質問)
- affirming:是認(対象者を自己選択でき,変化し成長する能力をもつ価値のある人として尊重し,対象者のいい部分を認め,確認する)
- reflective listening:聞き返し(相手の言葉を聞き返すことで,相手の真意を増強したり,裏の意味をさぐったりする)
- summarizing:要約(相手の話で使える部分を見きわめる)

3 成人期における疾患の予防と支援

a 特定健康診査・特定保健指導

特定健康診査・特定保健指導は,生活習慣病の発症率が高い40~74歳を対象に,生活習慣病を予防する目的で行われている。

表 2-5　特定健康診査の内容

基本的な項目	①質問票(服薬歴, 喫煙歴など) ②身体計測(身長, 体重, BMI, 腹囲) ③血圧測定　④理学的検査(身体診察) ⑤検尿(尿糖, 尿タンパク質) ⑥血液検査 ・脂質検査(中性脂肪, HDL コレステロール, LDL コレステロール) ・血糖検査(空腹時血糖または HbA1c) ・肝機能検査(AST, ALT, γ-GPT)
詳細な健診の項目*	①心電図検査 ②眼底検査 ③貧血検査(赤血球数, 血色素量, ヘマトクリット値) ④血清クレアチニン検査

*一定の基準のもと, 医師が必要と認めた場合に実施

表 2-6　特定保健指導の基準

腹囲	追加リスク[1] ①血糖　②脂質　③血圧	④喫煙歴	対象[2] 40〜64歳	65〜74歳
≧85 cm(男性) ≧90 cm(女性)	2つ以上該当		積極的支援	動機づけ支援
	1つ該当	あり	積極的支援	動機づけ支援
		なし		
上記以外で BMI≧25	3つ該当		積極的支援	動機づけ支援
	2つ該当	あり	積極的支援	動機づけ支援
		なし		
	1つ該当			

1) 追加リスクについては, 次の基準で判定する。
　①血圧:収縮期 130 mmHg 以上または拡張期 85 mmHg 以上
　②血糖:空腹時 100 mg/dL 以上(やむを得ない場合は随時血糖)または HbA1c 5.6% 以上
　③脂質:空腹時中性脂肪 150 mg/dL 以上(やむを得ない場合は随時中性脂肪 175 mg/dL 以上)かつ/または HDL 40 mg/dL 未満
2) 服薬中の者は, 特定保健指導の対象としない。

1 特定健康診査

　生活習慣病の危険因子であるメタボリックシンドロームに着目した健康診査である。表 2-5 に示したように, 基本的な項目に加えて, 受診者の性別・年齢などをふまえ, 医師の判断により受診しなければならない詳細な項目として, 貧血検査・心電図検査・眼底検査・血清クレアチニン検査の 4 項目がある[5]。

2 特定保健指導

　特定健康診査の結果から生活習慣病発症のリスクの高さに応じて, 特定保健指導が実施される(表2-6)。すなわち腹囲が基準値以上の者(男性で≧85 cm, 女性で≧90 cm), または腹囲が基準値未満であっても, BMI が≧25 の者について, 追加リスク(血糖, 脂質, 血圧)と喫煙歴の有無により, メタボリックシンドロームの人とその予備軍とに分ける[5]。前者は積極的支援の, 後者は動機づけ支援の対象として, それぞれの健康障

プラス・ワン

積極的支援・動機づけ支援

「積極的支援」では，医師，保健師，管理栄養士が面接を行い，まず受診者の健康状態を一緒に確認し，食事や運動などの生活習慣が自身の健康状態に影響していることを理解してもらう。そのうえで生活習慣改善の目標と計画を立案し，3〜6か月間の支援を行う。

「動機づけ支援」においても，積極的支援と同様に目標と計画を立案し，生活習慣改善に向けた動機づけを原則1回実施する。

害リスクに応じて特定保健指導を実施する✚。また，特定健康診査の受診者全員を対象に情報提供（健診結果の通知と同時に実施）をする。なお，積極的支援・動機づけ支援の対象でない者にも，健康を維持・増進するための集団教育やパンフレットなどの教材配布などを通して情報提供をすることが望ましい。

３ 特定健康診査・特定保健指導を活用した行動変容

　特定健康診査・特定保健指導は，生活習慣病のリスクを早期に見つけ，生活習慣を改善することで，生活習慣病の発症を予防する大きなチャンスである。実際に疾患を発症し，その症状の苦痛や通院のたいへんさ，治療費の負担などを経験した人であれば，その苦痛や負担を軽減しようと行動変容する可能性は高まるであろう。

　その一方で，疾患を発症していないがそのリスクを有している段階の人に対しては，生活習慣改善のための行動変容を促すはたらきかけがとくに必要である。その基本は，対象者の動機づけである。まず支援対象者が健康を通じて具体的になにを達成したいか，健康でいることでいまの生活のなにを継続したいかという動機を確認し，本人の希望を実現することを目ざし支援する。そして対象者の状況やかかえる健康課題について，本人とともに健康診査の結果から確認し，現在の自分の状況についての考えをその人との対話のなかで把握する。そのうえで，健康教育を実施して，健康課題についての正しい情報を伝え，グループでの話し合いなどによる学習や行動変容への実践を支援する。

実践場面から学ぶ：メタボリックシンドロームの人への支援

■事例紹介

　Aさん（58歳，男性）は，職業は自営業（技術職，座り仕事が多い）で，ひとり暮らしである。特定健康診査を受診したところ，BMI 28，HbA1c ≧6.0%，血圧 132/84 mmHg，血清中性脂肪（空腹時）170 mg/dL のため，特定保健指導（積極的支援）の対象となった。

　Aさんの特定保健指導を担当する保健師が把握したAさんからの生活習慣は次のとおり。食事は休日明けには朝食をとらず，昼・夜はコンビニ弁当やスーパーマーケットで買った総菜を自宅で食べるか，野菜炒めのような簡単な調理をして食べる。購入時には，揚げ物を控え，食品の表示を見て，できるだけエネルギー量が低いものを購入しているが，どの程度のエネルギー量が自分に適切なのかがわからない。満足感や食べやすさから，おにぎりと麺類の組み合わせを選択することが多い。さらに夜はごほうびとして酒を飲むことが多い。休日はWebサイトを閲覧しながら飲酒して就寝が遅くなるため，翌朝は食欲がなく，朝食を食べない。

> ●ポイント①：Aさんの健康障害リスクや強みを理解する
> 　保健師は，Aさんの生活習慣のなかで，朝食欠食のために昼に食べすぎてしまうこと，健診結果より摂取エネルギー・糖質・塩分が多めの可能性があることを確認した。そのうえで，Aさんに仕事がある平日パターン，休日パターンについて，それぞれの食事・飲酒内容・量を書き出してもらった。
> 　Aさんの強みは，食事内容やエネルギーに気をつけていることであるため，保健師はまずAさんにとって必要なエネルギーとバランスのよい食事のとり方（弁当や総菜の選び方）について情報提供した。また夜の飲酒は最初の1杯ののどごしを楽しみにしているため，1杯目を低アルコールかノンアルコールのビールにかえてみることで楽しみを残しつつ，飲酒量を減らすことを提案した。対象者の強みをいかしつつ，健康障害リスクとなっている問題解決につなげることは，対象者の行動変容に対する負担感を軽減し，成功事例につながりやすい。
> ●ポイント②：Aさんのニーズに対応し，仕事以外の社会参加を促すことで療養を長続きさせる意欲の継続につなげる
> 　保健師は，休日のAさんの過ごし方，簡単な調理をしていることをふまえ，Aさんに男性対象の調理教室を紹介した。そこでAさんは昔趣味であった釣り仲間を見つけたことで，休日は調理教室で健康的な食事づくりを学びつつ，参加者との会話を楽しむようになった。また趣味仲間とときおり出かけることも，より健康でいたいという動機づけにつながっていた。対象者が療養を健康でいるためや生きがいをもつためのものとして意味づけることにより，療養への意欲は長続きし，挫折しにくくなる。このような療養環境づくりへの促しも保健師の重要な役割である。

b 生活習慣病の予防

1 禁煙

■喫煙の健康への影響についての対策と受動喫煙防止

「健康日本21」において，「喫煙が及ぼす健康影響についての十分な知識の普及」が喫煙に関する目標の1つに設定され，喫煙による喫煙者本人・周囲の者の健康への影響に関する知識の普及が推進されてきた。「健康日本21（第二次）」では，喫煙に関する目標として，①成人の喫煙率の減少，②未成年者の喫煙防止，③妊娠中の喫煙防止，④受動喫煙防止，が示された。

とくに受動喫煙対策については，2003（平成15）年に施行された健康増進法により，多くの公共機関において禁煙化が進められた。さらに2018（平成30）年に改正された健康増進法により，「望まない受動喫煙」をなく

> **プラス・ワン**
>
> **禁煙治療用アプリおよびCOチェッカー**
>
> 禁煙治療用アプリは喫煙者が自分のスマートフォンにインストールして使用する治療用アプリケーションである。COチェッカーは，被験者が吐く息の中の一酸化炭素濃度をはかって喫煙状況をモニタリングできる器械である。このアプリとCOチェッカーを組み合わせた処方が保険診療で適用されるようになった。
>
> **アルコール健康障害対策基本法と基本計画**
>
> 2013（平成25）年に制定されたアルコール健康障害対策基本法に基づき，アルコール健康障害対策の基本事項や基本計画が規定され，施策が推進されている。アルコール健康障害対策基本計画は第1期が2016（平成28）～2020（令和2）年度に実施され，2021～2025年度は第2期計画が実施・推進されている。

すことが掲げられ，原則として屋内は禁煙とされ，20歳未満は喫煙可能な場所への立ち入りが禁止されるなどの受動喫煙防止対策が推進された。

■ 禁煙治療

2006（平成18）年から，施設基準を満たした医療機関において内服薬や外用薬による禁煙治療に健康保険が適用されるようになり，2020（令和2）年には，喫煙治療用アプリおよびCOチェッカーも健康保険適用となった。

2 アルコール

「健康日本21（第二次）」において飲酒に関する指標は，3件設定されている。そのうち「未成年者の飲酒をなくす」と「妊娠中の飲酒をなくす」の2つは，最終評価で改善傾向が確認されたが，「生活習慣病のリスクを高める量を飲酒している者（1日あたりの純アルコール摂取量が男性40g以上，女性20g以上の者）の割合の減少」については男性では有意な変化がないものの，女性は割合が上昇（悪化）しており，アルコール健康障害対策のより一層の推進が求められている。

20歳未満の者の飲酒関連対策としては，飲酒による健康影響に関する知識の普及，サークル・部活動やアルバイト先の上下関係に基づいて心理的圧力をかけて飲酒や一気飲みを強要すること（アルコールハラスメント）の禁止，飲酒を強要する人がいればとめるなどの啓発がある。施策として酒類提供業者に対する20歳未満の者への酒類提供禁止の周知徹底など，飲酒させない環境づくりも重要である。

壮年期以降においても，適正飲酒に関する知識の普及・啓発をはかるとともに，仕事やその他日常生活上のストレスを解消したり，夜間や休日の孤独感をまぎらわしたりするために多量飲酒をしないように，ストレスマネジメントに関する情報を提供し，仕事以外で人や地域社会とつながる場への参加を支援することも有用である。

3 食事

栄養のバランスが整い，食塩のとりすぎや野菜の摂取不足のない食事をとることが生活習慣病に罹患するリスクを低くする。ひとり暮らし世帯や青年期の男性は外食や中食（惣菜などでき合いのおかずを買って，自宅で食べること）をする傾向があるが，外食や中食の場合でも，その食品にどのくらいエネルギーや塩分などが含まれているかを確認し，栄養のバランスがとれた食品を選択できるよう，栄養成分表示の見方などに関する情報提供を行う。

若い世代では，朝食を欠食する者が多いため，時間がなくても簡単に準備できる朝食メニューの紹介や栄養がかたよらない外食の仕方についても説明する。その一方で，社員食堂・飲食店やスーパーマーケットなどの小売店に対して，健康的な朝食の提供やメニューへの栄養成分表示

プラス・ワン

健康づくりのための運動
身体運動により，生活習慣病の発症予防や，病気による死亡リスクおよび身体機能レベルの低下の予防をはかり，ひいては健康寿命をのばすことが期待できる。

健康づくりのための身体活動基準 2013
2013(平成25)年に厚生労働省健康局が，「健康日本21(第二次)」の身体活動・運動分野の目標を達成するためのツールとして作成したもの。

メッツ/METs
運動強度の単位で，安静時(1単位とする)と比較して何倍のエネルギーを消費するかで活動の強度を示す。3メッツの運動には，歩く，軽い筋力トレーニングをする，掃除機をかける，洗車する，子どもと遊ぶなどがあり，無理なく継続できるよう日常生活に組み入れやすい運動を選んでいくとよい。

の掲示をするように，はたらきかけていくことも望ましい。

4 運動

　運動は，メタボリックシンドロームや生活習慣病の予防，疾患のコントロールにつながるとともに，ストレスの解消や夜間睡眠の質改善など，メンタルヘルスを改善させることにも役だつ。一方，大きすぎる負荷の運動は，関節痛などの障害リスクが高まるため，対象者が適度な強度の運動を長く継続して行うことを目標に支援する。とくに持病をもつ者には，運動開始前にメディカルチェックを受けることをすすめる。

　成人期以降の対象者の健康づくりのための運動では，有酸素運動と筋力トレーニング，ストレッチングを組み合わせて実施することが望ましい。「**健康づくりのための身体活動基準 2013**」では，健診結果が基準範囲の人(18〜64歳)の場合，生活習慣病の予防のための身体活動の基準として3メッツ以上の強度の身体活動(生活活動・運動)を毎日60分行うこと(23メッツ・時/週)が提案され，運動の基準として3メッツ以上の強度の運動を毎週60分行うこと(＝4メッツ・時/週)が提案されている。

5 休養とメンタルヘルス

　十分な睡眠や余暇は心身の健康を維持するうえで重要である。しかし，健康日本21(第二次)において休養の目標である「睡眠による休養を十分とれていない者の割合の減少」はベースライン値から悪化している。また厚生労働省によると一般成人のうち，30〜40％がなんらかの不眠症状を有しているとされる。

　睡眠障害はメンタルヘルスの不調や，生活習慣病，仕事上や生活上の事故の原因となるため，早期に気づき，原因を解決していくことが望ましい。睡眠障害の原因としては，ストレス，身体疾患，精神疾患，カフェインやニコチンなどの刺激物の摂取，不規則勤務などの生活リズムの乱れ，騒音や光などの環境的要因などがある。原因に応じたストレスマネジメント，疾患の治療，生活習慣の改善，環境調整などに関する情報提供を行う。

　メンタルヘルスの不調のうち，うつ病やうつ状態は，心の症状(意欲の低下，抑うつ気分など)や身体の症状(食欲低下，不眠・過眠，倦怠感，頭痛，動悸，めまい，耳鳴りなど)がみられる。一般に自分の身体の症状には気づきやすいものの，心の症状の場合は「疲れのせい」などとみなし，対処が遅れる場合がある。身体の不調が長びく際には，医療機関を受診したり，職場の産業医などに相談したりするよう提案する。

4 成人期における発症率が高い疾患の予防

a 肥満

肥満を簡便に判定する指標として，BMIが世界的に広く普及しており，日本では日本肥満学会が定義した，BMI 25以上を肥満とする基準が用いられている。日本人を対象とした調査からBMI 25をこえると耐糖能障害，脂質異常症，高血圧，高尿酸血症，冠動脈疾患，脳梗塞，睡眠時無呼吸症候群などの関連疾患の発症頻度が高まるとされ，この基準が設けられた。肥満の予防や改善には，次の保健指導が有用である。

1 食事

肥満の改善は食事療法が基本となる。1日の摂取エネルギー量は，25 kcal×（目標体重〔kg。65歳未満ではBMI 22を目安に目標体重を算出する〕）以下を目安とする。朝食を欠食している人は，夜間遅くに食事したために朝に食欲がない場合が多く，適正な1日のエネルギー摂取量のもとで朝食を摂取することをすすめる。

2 運動

運動による体脂肪の減少や筋肉量の増加は，基礎代謝量を上げる。とくに有酸素運動は，食事療法と並行して行うことで腹腔内脂肪の減少効果が高まる。

b 高血圧

日本高血圧学会の高血圧診断基準（表2-7）では，診察室での収縮期血圧が140 mmHg以上，または拡張期血圧が90 mmHg以上の場合を高血

表2-7 成人における血圧値の分類

分類	診察室血圧（mmHg）			家庭血圧（mmHg）		
	収縮期血圧		拡張期血圧	収縮期血圧		拡張期血圧
正常血圧	<120	かつ	<80	<115	かつ	<75
正常高値血圧	120-129	かつ	<80	115-124	かつ	<75
高値血圧	130-139	かつ/または	80-89	125-134	かつ/または	75-84
Ⅰ度高血圧	140-159	かつ/または	90-99	135-144	かつ/または	85-89
Ⅱ度高血圧	160-179	かつ/または	100-109	145-159	かつ/または	90-99
Ⅲ度高血圧	≧180	かつ/または	≧110	≧160	かつ/または	≧100
（孤立性）収縮期高血圧	≧140	かつ	<90	≧135	かつ	<85

（日本高血圧学会高血圧治療ガイドライン作成委員会編：高血圧治療ガイドライン2019．p.18，日本高血圧学会）

圧と診断する[6]。高血圧は自覚症状がほとんどないため，自分で気づくことがむずかしい。そのため，毎年健康診査を受けたり，ときおり家庭において血圧をはかったりすることで，自身の血圧の状況を知ることは有用である。

高血圧の予防や改善において減塩は重要である。「日本人の食事摂取基準（2020年版）」の1日の食塩摂取の目標量は，成人男性で7.5g未満，成人女性で6.5g未満であり，日本高血圧学会は，高血圧患者の減塩目標を1日6g未満としている。

高血圧の原因となる生活習慣には，運動不足，睡眠不足，過剰飲酒，ストレスなどがある。これらの習慣改善に向けた情報提供を行う。

C がん対策

1 がん検診

日本人のがん罹患数は，1980年代半ば以降，増加と横ばいを繰り返し，2010（平成22）年以降は横ばいである。この背景には，がん予防を目ざした国や学術団体などによる啓発や，特定健康診査の受診勧奨，国民のがん発症リスクとなる不適切な生活習慣の是正などによる好影響が考えられる。しかし，2019（令和元）年の国立がん研究センターのデータでは，日本人が一生のうちにがんと診断される確率は，男性65.5％，女性51.2％であり，その後も高い罹患率が続いている➕。またがん診断後の5年生存率は，全がんで男性62.0％，女性66.9％であり[7]，がん診断・治療技術の進歩により生存率は改善しているが，さらなる早期の発見と治療開始が望まれる。そこでがん検診が重要となる。

日本におけるがん検診は，「がん予防重点健康教育及びがん検診実施のための指針」（最終改正2016年）により，科学的根拠に基づき，市町村による次の5つのがん検診（胃がん，肺がん，大腸がん，乳がん，子宮頸がん）が推進されている（表2-8）。2023（令和5）年に策定された「第4期

> **➕ プラス・ワン**
>
> **がんの罹患数**
> 日本人を対象としたがん種別にみた，罹患数の多さでは，大腸が最も多く，ついで肺，胃，乳，前立腺の順に多い。
> 性別では，男性で前立腺，胃，大腸，肺，肝臓の順に多い。女性では乳房，大腸，肺，胃，子宮の順に多い。

表2-8 「がん予防重点健康教育及びがん検診実施のための指針」で推進されるがん検診の内容

種類	検査項目	対象者	受診間隔
胃がん検診	問診，胃部エックス線検査または胃内視鏡検査のいずれか	50歳以上 ※胃部エックス線検査は40歳以上に対し実施	2年に1回 ※胃部エックス線検査は年1回実施
子宮頸がん検診	問診，視診，子宮頸部の細胞診および内診	20歳以上	2年に1回
肺がん検診	質問（問診），胸部エックス線検査および喀痰細胞診	40歳以上	年1回
乳がん検診	問診，乳房エックス線検査（マンモグラフィ）	40歳以上	2年に1回
大腸がん検診	問診，便潜血検査	40歳以上	年1回

（厚生労働省：がん検診．〔https://www.mhlw.go.jp/stf/seisakunitsuite/bunya/0000059490.html〕〔参照2024-09-02〕による，一部改変）

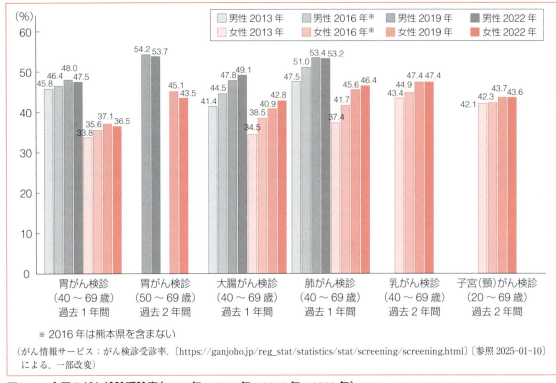

図 2-3　全国のがん検診受診率(2013 年，2016 年，2019 年，2022 年)

プラス・ワン

がん対策推進基本計画

がん対策基本法に基づき，がん対策の総合的計画的な推進のため，同法が示すがん対策の基本的方向とともに，都道府県がん対策推進計画の基本となるものとして，がんの予防，がん医療の充実，がんとの共生を目ざし，策定されるものである。第 4 期計画は 2023〜2028 年度に実施される。

がん対策推進基本計画」に掲げられている個別目標では，指針に基づくすべてのがん検診において 60％以上の受診率を達成することが目標とされている。がん検診の受診率はゆるやかに上昇傾向にあるが，いまだ 50％前後である（図 2-3）。がん検診の重要性，がん検診の場所や無料クーポンなどの助成に関する情報を提供し，受診を促していくことが重要である。

18 歳以上の日本人を対象とした調査において，「いままでがん検診を受けたことがない」または「2 年以上前に（がん検診を）受診した」人ががん検診を受診しない理由では，「受ける時間がないから」「健康状態に自信があり，必要性を感じないから」「心配なときはいつでも医療機関を受診できるから」「費用がかかり経済的にも負担になるから」が多くを占めていた[8]。

がん検診を定期的に受診することは，がんの早期の発見と治療開始につながり，それが予後を改善し，自分や家族の日常生活への悪影響を最小限にするものになりうる。このことを保健師は対象者に情報提供することで，検診受診につなげていく。また，医療保険者ががん検診受診の助成をしている場合もある。個人への検診の通知とともに，行政，医療機関，職場などさまざまな場所で検診についての情報を閲覧できるようなはたらきかけが必要である。

2 がんの予防

■がんの発症予防

国立がんセンターをはじめとする研究グループは，日本人を対象とした調査結果から，科学的根拠に基づいたがん予防における重要な6つの要因として「禁煙」「節酒」「食生活」「身体活動」「適正体重の維持」「感染」をあげ，日常生活での実施を推奨している（表2-9）[9]。「感染」以外の5つの生活習慣について心がけて生活している人は，5つのうち0または1つを実施する人と比較してがんを発症するリスクが男性で43％，女性で37％低くなると推計されている[9]。これらの適切な生活習慣は，がんの発症を予防するとともに，高血圧や心血管疾患などの生活習慣病の発症予防にもつながる。また特定健康診査はメタボリックシンドロームに焦点をあてたものだが，この健診でスクリーニングされている項目について心がけることで生活習慣病だけではなく，がんの予防にもつながるという情報提供も重要である。

■がんの療養支援

がんは，がん検診の普及による早期発見やがん診断後の治療の進歩に伴い，生存率も改善しているが，長期にわたるがん治療は，通院や治療の副作用などによる身体的精神的負担，治療や通院の費用に加え，病状のために仕事を休まざるをえない場合などの経済的負担を伴う。がんをかかえながら就労する人も増えており，がん治療と就労の両立支援が求められている。

厚生労働省は，がんをはじめとした疾病を有する人に対し，適切な就業上の措置や治療に対する配慮を行い，治療と職業生活が両立できるようにするため，2016（平成28）年「事業場における治療と職業生活の両立支援のためのガイドライン」を公表した[10]。保健師は，業務によって疾病が悪化することがないよう，産業医や産業スタッフなどと連携し，必要時には就業場所・時間・内容の変更や治療継続するための定期的な休暇の取得などによる，治療と就労の両立支援を行っていく。

d 循環器疾患

循環器疾患に含まれる心疾患（心筋梗塞などの虚血性心疾患，心不全など）や脳卒中は，日本人成人の死因の上位5位に入る疾患である。急性期治療における医療技術の進歩により，救命率は改善しているものの，発症後の後遺症によるADL低下や合併症などに伴うQOL低下がみられる場合がある。

1 循環器疾患の一次予防

虚血性心疾患，脳卒中に共通する危険因子は，高血圧，脂質代謝異常，

表 2-9 日本人を対象とした，がん予防で重要な6要因

重要な要因	要因とがんとの関連	要因に対する取り組み内容
禁煙する	・喫煙は，肺がん，食道がん，膵臓がん，胃がん，大腸がん，膀胱がん，乳がんなど多くのがん発生に関連する。 ・喫煙する人はしない人と比較して，がん発症率は約1.5倍である。	・禁煙に取り組む。禁煙外来で専門家とともに取り組むことも中断を回避し，成功する近道となる。医療保険で受診できる場合もある。 ・受動喫煙もリスクとなるため，タバコの煙を避ける。
節酒する	・多量飲酒はがん発症率を高め，食道がん，大腸がんと強い関連がある。 ・1日アルコール摂取量(純アルコール量換算)で23g未満の人と比較して，46g以上の人で40%程度，69g以上で60%程度がん発症率が上昇する。 ※純アルコール量換算で23g程度の飲酒量の目安：日本酒1合，ビール大瓶(633 mL)1本	・飲酒量は純アルコール量で23g程度までとする。 ・飲めない人，飲まない人は無理に飲酒しない。
食生活を見直す	・がんの発症リスクに関連する食生活は，食塩の過剰摂取，熱すぎる飲食物の摂取である。 ・野菜や果物の摂取量不足も食道がん，胃がん，肺がんのリスクを高めると考えられている。 【食生活と部位種別がんの関連】 ・食塩の過剰摂取：胃がん ・熱すぎる飲食物の摂取：食道がん	・減塩に取り組む。 ・熱すぎる飲食物は，少し冷まして摂取する。 ・野菜や果物を摂取する。「健康日本21」では，1日あたり野菜を350gとることが目標とされている。 ※糖尿病を有する場合には果物に含まれる果糖の，腎機能低下がある場合には，野菜に含まれるカリウムのとりすぎは好ましくない。医療保健職に摂取量を相談することが望ましい。
身体を動かす	・身体活動量が高い人ほど，なんらかのがんを発症するリスクは低くなる。	・「健康づくりのための身体活動基準2013」では，18～64歳の人において，歩行またはそれと同等以上の強度の身体活動を毎日60分行うことに加え，息がはずみ，汗をかく程度の運動を毎週60分程度行うことを推奨している。 ※心疾患，糖尿病のコントロール不良，腎機能低下などを有する場合には，活動のしすぎは身体に悪影響であるため，適度な活動量の調整が必要である。
適正体重を維持する	・男性はBMI21.0～26.9でがんの発症リスクが低く，女性はBMI21.0～24.9でがんを含むすべての死亡リスクが低くなる。 ・BMIが低すぎることもがんを含むすべての死亡リスクを上げる。	・BMIが適正値範囲内となるように体重を管理する。
感染予防や感染症を早期発見し，治療につなげる	・日本人のがんの原因として，女性で一番多く，男性でも二番目に多いのが感染である。 【ウイルス・細菌感染と部位種別がんの関連】 いずれの場合も感染すると必ずがんを発症するわけではない。 ・B型・C型肝炎ウイルス：肝がん ・ヘリコバクター-ピロリ：胃がん ・ヒトパピローマウイルス(HPV)：子宮頸がん ・ヒトT細胞白血病ウイルスⅠ型(HTLV-1)：成人T細胞白血病・リンパ腫	・ウイルスの早期発見としては，肝炎ウイルス検診，胃がん検診の際のヘリコバクター-ピロリ検査があげられる。 ・感染症予防としては，HPVワクチン接種がある。

(国立研究開発法人国立がん研究センター：科学的根拠に基づくがん予防 がんになるリスクを減らすために．[https://ganjoho.jp/public/pre_scr/cause_prevention/evidence_based.html][参照 2024-09-02]をもとに作成)

耐糖能異常，肥満，過剰飲酒，睡眠時無呼吸症候群，慢性腎臓病である[11,12]。これらに加えて，脳卒中の危険因子には心房細動もある[12]。これらの危険因子への介入や生活習慣の改善を実施する。特定健康診査・

特定保健指導は循環器疾患の予防のために実施される。

2 循環器疾患の療養支援

循環器疾患の患者は，生命の危険性が高い急性期の直後の時期には，疾病管理を意識して行っていても，その後時間がたつにつれ自己流の管理を行うようになり，実施内容がおろそかになる場合がある。対象者に医療機関への定期受診を促し，生活習慣の改善を継続して支援していくことが必要である。

e 糖尿病

国民健康・栄養調査結果では，20歳以上において「これまでに医療機関や健診で糖尿病といわれたことがある人」の割合は，男性22.0％，女性13.4％であり（2019〔令和元〕年）[13]，「糖尿病が強く疑われる人」の割合は男性18.1％，女性9.1％であった（2022〔令和4〕年）[14]。

1 糖尿病の発症予防

日本人の糖尿病患者の多くは，2型糖尿病である。その発症要因は遺伝的要因に加えて，食べすぎ，運動不足，肥満，喫煙（受動喫煙を含める），睡眠の変調（短時間・長時間睡眠，睡眠の質の低下），うつやストレスなどである[15]。

2 糖尿病の療養支援

健診で糖尿病が指摘された対象者に，糖尿病を悪化させる生活習慣を改善するための情報提供を行ったり，薬物療法の確実な遵守ができるような取り組みについて話し合ったりすることで支援していく。健康行動理論・モデルを用いたアプローチは，患者の疾病に対する自己コントロール感や療養に対する自信を高め，療養を長く続けることにつながる。

f 慢性腎臓病

日本における慢性腎臓病の患者数は約2000万人（成人の約5人に1人）と推計されている[16]。また腎機能が著しく低下してその機能を補うため，人工透析療法を受ける患者数は2022（令和4）年末時点で約35万人に上り，年々増加しつづけている[17]。

1 慢性腎臓病の発症予防

慢性腎臓病の発症や進行には，肥満，食塩の過剰摂取，過剰飲酒，喫煙などの不適切な生活習慣や高血圧，糖尿病，脂質異常症などの生活習慣病が関係する[16]。慢性腎臓病の発症予防では生活習慣の改善を目ざし

2 慢性腎臓病の療養支援

慢性腎臓病の診断基準は，次の①，②のいずれか，または両方が3か月以上持続する場合である[16]。①尿検査，画像診断，血液検査，病理などで腎障害の存在が明らかであり，とくに0.15 g/gCr以上のタンパク尿（30 mg/gCr以上のアルブミン尿）がある，もしくは，②糸球体濾過量（GFR）＜60 mL/分/1.73 m^2。

日本では学校や職域での健診の尿検査により腎機能低下を早期発見し，糸球体腎炎やネフローゼ症候群のような腎臓の疾患の治療を早期に開始することが可能となっており，治療技術の進歩によって予後も改善し，これらの疾患による透析療法導入患者は減少した。近年において，透析導入の原因疾患で最も多いのは糖尿病性腎症であり[17]，糖尿病管理は慢性腎臓病の重症化予防に大きく影響する。

慢性腎臓病は，初期においては自覚症状があらわれにくい。腎機能が健康時の約3割以下にまで低下したときに，夜間頻尿，倦怠感，浮腫や高血圧などの症状が出ることで患者は病気に気づき，「これまでと違う」と危機感をもつことが多い。そのため，定期的な受診や腎機能低下を防ぐための生活習慣改善などの自己管理についてモチベーションを維持するのがむずかしい。保健師は尿・血液検査の結果や，血圧・体重の測定値などを用いてGFRや危険因子のコントロールについてていねいに説明し，自分の状態を適切に理解してもらったり，生活習慣改善への取り組みを始めた対象者には腎機能が維持・改善していることを一緒に確認したりするような教育的支援を行う。

5 地域・集団の特性に応じた地域ケアシステム

a サービスの提供体制の構築

地域包括ケアシステムは介護保険の要介護者・要支援者の増加に対応し，地域の実情に合わせて対象者が必要とするサービスの提供体制を構築するため，介護保険の分野で2006（平成18）年より推進されるようになった。その後，子育て支援や障害者支援においても地域における包括的なケアシステムの構築がはかられている。

一方，成人保健の対象者のなかでも，たとえば在宅で療養する末期がん患者のように医療ニーズが高いケースについては，多くの職種や機関による支援が必要となる。保健師には担当地域において，支援の必要な人のニーズにサービスが対応できているかを把握し，対応できていない場合には多職種・多機関を調整してサービスの提供体制を整えることが求められる。また，先述した小集団によるグループワークなどで支援し

た人たちに対して，その健康教育が終了したあとも自主的に健康課題に取り組む集団として活動するようはたらきかけ，自主グループの育成を支援する。こうして地域で活動するようになったグループには，地域におけるケアシステムの組織としてのはたらきが期待される。

b 保険者・医療提供施設との連携

　成人期を対象にした保健活動は，精力的に仕事をしている人から，仕事を引退して地域で過ごす人まで幅広い年齢層を対象とする。対象者が地域か職域かに関係なく，生涯を通じて健康づくりへの支援や保健サービスを受けられるためには，地域保健・学校保健・産業保健の連携が重要である。「地域保健対策の推進に関する基本的な指針」では，保健所や市町村などが，産業保健や学校保健との連携を推進していくことが規定されている。具体的には医療機関など，健康保険組合，労働基準監督署，地域産業保健センター，事業者団体，商工会などの関係団体で構成される連携推進協議会を設置し，地域保健と産業保健の組織間の連携を推し進めることが示されている。

c 生活困窮者への健康支援

　近年，成人保健の対象年齢層の問題として，8050問題のケースが増加していることがいわれている。8050問題は，高齢化した親が中高年の子どもの生活を支える家庭において，生活困窮と介護の問題が同時に生じるものである。8050問題のケースに限らず，生活困窮と健康は表裏一体であり，健康でなければ就労や自立した生活の営みがむずかしくなり，その結果，当事者は，地域社会とのつながりが希薄化し，社会的な孤立に陥りやすい。

　2015（平成27）年度に，生活困窮者自立支援制度が開始され，市町村ごとに相談窓口として自立支援機関が設置されている[18]。自立支援制度の事業を活用する一方で，対象者が地域とつながりを保ちながら，安心して暮らしていける地域となるような環境整備が重要である。

　保健師には生活困窮者に対して健康課題への支援を入り口にした，対象者の自立や生活のための支援が求められる。安心して暮らせる環境整備を目ざし，ソーシャルキャピタルを活用した地域づくりは重要である。

プラス・ワン

生活困窮者自立支援制度
生活困窮者自立支援法のもと，地域の自立相談支援機関が中心となり，生活困窮者の自立，生活全般の困りごとへの支援として，次のような支援を行う。自立相談支援事業，就労準備支援事業，就労訓練事業，一時生活支援事業，住居確保給付金の支給，家計改善支援事業，生活困窮世帯の子どもの学習・生活支援事業。

●引用・参考文献

1) Sorensen K. et al.：Health literacy and public health：a systematic review and integration of definitions and models. *BMC Public Health*. 25：12：80, 2012.（doi：10.1186/1471-2458-12-80）
2) 内閣府：仕事と生活の調和（ワーク・ライフ・バランス）憲章．（https://wwwa.cao.go.jp/wlb/government/20barrier_html/20html/charter.html）（参照 2023-08-02）
3) 厚生労働省：行動変容ステージモデル（e-ヘルスネット）．（https://www.e-healthnet.mhlw.go.jp/information/exercise/s-07-001.html）（参照 2023-08-02）
4) 北田雅子・磯村毅：医療スタッフのための動機づけ面接法——逆引き MI 学習帳．医歯薬出版，2016.
5) 厚生労働省：特定健康診査・特定保健指導の円滑な実施に向けた手引き，第3.2版．2021.（https://www.mhlw.go.jp/stf/seisakunitsuite/bunya/0000172888.html）（参照 2023-08-02）
6) 日本高血圧学会高血圧治療ガイドライン作成委員会（編）：高血圧治療ガイドライン 2019. p.18, 日本高血圧学会，2019.
7) 国立研究開発法人国立がん研究センター：がん統計．（https://ganjoho.jp/public/index.html）（参照 2023-08-02）
8) 内閣府：がん対策に関する世論調査．2016.（https://survey.gov-online.go.jp/h28/h28-gantaisaku/index.html）（参照 2023-08-02）
9) 国立研究開発法人国立がん研究センター：科学的根拠に基づくがん予防　がんになるリスクを減らすために．（https://ganjoho.jp/public/pre_scr/cause_prevention/evidence_based.html）（参照 2023-08-02）
10) 厚生労働省：事業場における治療と職業生活の両立支援のためのガイドライン．2016.（https://www.mhlw.go.jp/file/04-Houdouhappyou-11201250-Roudoukijunkyoku-Roudoujoukenseisakuka/0000113625_1.pdf）（参照 2023-08-02）
11) 日本循環器学会：2023 年改訂版　冠動脈心疾患の一次予防ガイドライン．2023.（https://www.j-circ.or.jp/cms/wp-content/uploads/2023/03/JCS2023_fujiyoshi.pdf）（参照 2023-08-04）
12) 日本神経治療学会：脳卒中治療ガイドライン 2009. 2009.（https://www.jsnt.gr.jp/guideline/nou.html）（参照 2023-08-04）
13) 厚生労働省：令和元年国民健康・栄養調査報告．2020.（https://www.mhlw.go.jp/stf/seisakunitsuite/bunya/kenkou_iryou/kenkou/eiyou/r1-houkoku_00002.html）（参照 2024-09-02）
14) 厚生労働省：令和4年国民健康・栄養調査の概要．2022.（https://www.mhlw.go.jp/content/10900000/001296359.pdf）（参照 2024-09-02）
15) 日本糖尿病学会：糖尿病診療ガイドライン 2024. 南江堂，2024.
16) 日本腎臓学会：CKD 診療ガイド 2024. 東京医学社，2024.
17) 日本透析医学会：わが国の慢性透析療法の現況（2022 年 12 月 31 日現在）．（https://docs.jsdt.or.jp/overview/index.html）（参照 2024-09-02）
18) 厚生労働省．生活困窮者自立支援制度．2019.（https://www.mhlw.go.jp/stf/seisakunitsuite/bunya/0000059425.html）（参照 2023-08-04）

3章

高齢者保健医療福祉活動

3章 高齢者保健医療福祉活動

高齢者保健医療福祉の動向

POINT
- 高齢者保健・福祉施策の基本理念は「高齢者の尊厳の保持」と、そのための「自立生活への支援」である。
- 高齢者保健医療福祉施策が画一的な福祉施策から、健康寿命の延伸や利用者主体、地域共生を目ざす施策へと変遷した経緯を学ぶ。
- 健康づくりや介護保険制度などの高齢者保健福祉の中心的な施策を学び、保健師が果たす役割を理解する。

1 高齢者保健医療福祉の基本理念

　高齢者保健とは、65歳以上の高齢期の人々を対象にその健康支援を行う活動である。高齢期におけるおもな発達課題は、加齢に伴う体力・健康の衰退や退職後の生活などに適応して、生活を満足して送ることとされている。高齢期の発達課題をふまえ、高齢者が個々の健康状況や疾病・障害のレベルにかかわらず、生きがいをもち、自身が望む生活を送れるように支援することが高齢者保健には求められる。

　高齢者の健康や生活上の課題への支援として保健領域と福祉領域の施策が実施されている。介護保険の創設から地域包括ケアシステムの構築がはかられる過程でその理念が整理されている。順を追ってみていこう。

　介護保険制度の創設に向けた高齢者介護・自立支援システム研究会の報告書(1994〔平成6〕年)では、これからの高齢者介護の基本理念は、「高齢者が自らの意思に基づき、自立した質の高い生活を送ることができるように支援すること」すなわち高齢者の**自立支援**であると示された。介護保険開始後の高齢者介護研究会の報告書「2015年の高齢者介護」(2003〔平成15〕年)では、尊厳が保持される社会を「自分の人生を自分で決め、また周囲からも個人として尊重される社会」と定義し、介護保険が目ざす自立支援の根底にあるのは高齢者の「**尊厳の保持**」であると提言した。

　その後、2011(平成23)年の介護保険法改正により、地域の包括的な支援・サービス提供体制(地域包括ケアシステム)の構築が推進されるようになり、地域包括ケアシステムは2025年をめどに高齢者の尊厳の保持と自立生活の支援を目的とするとされた。以上の経緯から、高齢者保健医療福祉施策の基本理念は、「高齢者の尊厳の保持」と、そのための「自立生活への支援」ととらえてよいだろう。

プラス・ワン

2025年から2040年へ向けて

2025年問題
日本社会の高齢化が進展するなか、団塊の世代が後期高齢者(75歳以上)になる2025年には、人口推計から75歳以上人口が全人口の18%を占めることが見込まれ、医療・介護ニーズの高まりや死亡数の増加などの問題が予測される。これらの問題を2025年問題といい、社会保障制度や保健医療福祉の対策が求められている。

2040年問題
2025年以降も社会の高齢化は継続して進行し、2040年には高齢者人口(65歳以上)が全人口の35%になるとともに生産年齢人口(15〜64歳)が54%程度にまで減少することが推計されている。このように超高齢化社会となり現役世代が急減したため生じる問題が2040年問題である。社会保障制度については、支え手が不足するなかでの持続可能性の問題や、超高齢化のため2040年にピークに達すること予測される死亡者数への対応が課題とされ、地域包括ケアシステムの構築がはかられている。

この理念はさらに推し進められ，2016（平成28）年の「地域包括ケア研究会報告書」においては，2040年に向け推進される地域包括ケアシステムの最終的な目的は「**本人の意思に基づく生活への支援**」であると示されている。ここでいう本人の意思とは，みずからの意思を明確にあらわせない認知症患者などの潜在的な意思も含まれ，対象者への尊厳の保持をさらに推し進めたものととらえてよいだろう。また，「支援」には，心身機能や生活機能を重視した「介護予防」だけでなく，地域社会に参加し生きがいを得て，住民どうしがつながるという「社会的孤立の予防」に向けた支援も含まれる。高齢者保健医療福祉施策の基本理念である「高齢者の尊厳の保持」と「自立生活の支援」の実現に向けて，自治体にはこれからますます中心的な役割を果たすことが求められている。

2 高齢者の保健医療福祉施策の変遷

高齢者の保健医療福祉施策の経緯をみると，1960年代の措置的で画一的な施策から，利用者主体や医療費の適正化がはかられ，さらに地域共生社会の実現に向けた施策が推進されてきた変遷がわかる（**表3-1**）。

a 老人福祉法と老人保健法による高齢者保健福祉

1960年代以降の高齢者保健医療福祉施策をみると，医療面では1961（昭和36）年に**国民皆保険**が達成された。一方，福祉面では，1963（昭和38）年の**老人福祉法**が制定された。老人福祉法により，老人健康診査が開始され，老人福祉施設（養護老人ホーム・特別養護老人ホーム・軽費老人

表3-1 高齢者保健医療福祉の制度の経緯

年	法制度・計画など
1961（昭和36）年	国民皆保険制度開始
1963（昭和38）年	老人福祉法制定（老人健康診査事業化）
1973（昭和48）年	老人福祉法改正（老人医療費無料化）
1982（昭和57）年	老人保健法制定（総合的な老人保健医療対策）
1989（平成元）年	高齢者保健福祉推進10か年戦略（ゴールドプラン）策定
1994（平成6）年	新・高齢者保健福祉推進10か年戦略（新ゴールドプラン）策定
1996（平成8）年	高齢社会対策大綱策定
2000（平成12）年	介護保険法施行，ゴールドプラン21開始
2005（平成17）年	介護保険法改正（地域支援事業創設），医療制度改革大綱策定
2006（平成18）年	高齢者虐待防止法施行
2008（平成20）年	高齢者の医療の確保に関する法律制定（老人保健法廃止）
2012（平成24）年	介護保険法改正，オレンジプラン策定
2014（平成26）年	医療介護総合確保推進法制定
2015（平成27）年	認知症施策総合戦略（新オレンジプラン）策定
2017（平成29）年	全市町村で介護予防・日常生活支援総合事業実施
2019（令和元）年	認知症施策推進大綱策定
2020（令和2）年	社会福祉法改正（重層的支援体制整備事業）
2023（令和5）年	共生社会の実現を推進するための認知症基本法制定

> **プラス・ワン**
> **老人保健法の事業**
> 40歳以上を対象にして，①健康手帳の交付，②健康教育，③健康相談，④健康診査，⑤機能訓練，⑥訪問指導の各事業が市町村により実施された。

ホーム・老人福祉センター）が制度化されるなど，老人福祉の向上のため総合的・体系的な施策が推進された。

1973（昭和48）年に老人福祉法が改正され，70歳以上の高齢者の医療費の自己負担の無料化が行われた。この施策は高齢者の受療機会を保障した反面，高齢者の医療費が急増し，財源の持続可能性に対する懸念が広がった。そのため，1982（昭和57）年に**老人保健法**が制定され，高齢者の医療費の自己負担（定額）が導入された。また老人福祉法から老人保健に関する制度が老人保健法へと移行・強化され，壮年期からの疾病予防，治療，機能訓練などの保健事業が総合的に行われることとなった。

b ゴールドプランによるサービスの基盤整備

寝たきり高齢者数の増加など高齢者介護が社会的な問題となり，1970年代から社会福祉施設が整備された。1980年代には在宅福祉サービスの充実が進められ，1989（平成元）年に**高齢者保健福祉推進十か年戦略（ゴールドプラン）**が策定された。ゴールドプランにより，市町村におけるホームヘルプ・ショートステイ・デイサービスなどの具体的なサービス整備と人材養成の目標が示され，在宅福祉の環境整備が進められた。

在宅福祉サービスの整備はその後，**新高齢者保健福祉推進10か年戦略（新ゴールドプラン）（1995～1999年），今後5年間の高齢者保健福祉施策の方向（ゴールドプラン21）（2000～2004年）**へと引き継がれた。

c 介護保険制度の開始

1990年代に入り，介護を必要とする高齢者が増加する一方で，核家族化など家族の形態と機能が変化して家族が高齢者介護を担いきれなくなった。また高齢者介護は，行政が措置として行うため自由度が低いという老人福祉の欠点と，福祉施設に入れない高齢者の社会的入院の増加という保健医療の問題に直面していた。これらの問題の解決のために高齢者の保健医療と福祉を再編し，社会保険方式で高齢者を支えるしくみとして1997（平成9）年に**介護保険法**が制定され，措置から利用者の選択・契約による利用者本位のサービス提供への変換がはかられた。

介護保険の開始後，要介護状態になる前からの予防策（介護予防）の重要性が認識されるようになり，2005（平成17年）の介護保険法改正により，**介護予防サービス**や**地域支援事業**が設けられた。地域支援事業は要支援や要介護状態へ移行したり重度化したりすることを予防することを目ざすものであり，地域支援事業を実施する機関として**地域包括支援センター**が規定された。この改正により，老人保健法の保健事業における65歳以上の健康教育，健康相談，機能訓練事業，訪問指導が地域支援事業に移行された。

プラス・ワン

地域共生社会

2016(平成28)年の閣議決定「ニッポン一億総活躍プラン」において厚生労働省が掲げた改革のコンセプト。住民や地域におけるさまざまな機関などが参画し、制度や分野の枠組みや支援サービスなどの支え手・受け手という関係をこえて、世代や分野をこえたつながりをもち、1人ひとりの暮らしと生きがい、地域をともにつくっていく社会のことをいう。

重層的支援体制整備事業

市町村において、地域住民のすべてを対象に包括的支援体制の整備を行う事業である。生活のなかで直面する困難や生きづらさは個々人で異なるが、そのすべてを支援の対象に、相談支援、参加支援事業、地域づくり事業を一体的に実施する。ダブルケアやトリプルケアなどの重複する課題をもつ相談者に対して、包括的に相談を受けとめ、複雑化・複合化している事例については他機関と連携をはかって支援するなど柔軟な対応が可能である。

d 高齢社会への対応から地域共生社会へ

総合的な高齢社会対策は1995(平成7)年に制定された**高齢社会対策基本法**および、同法に基づいて策定された**高齢社会対策大綱**により推進されている。一方で超高齢化社会へ対応して持続可能な医療提供体制の構築や医療費の適正化をはかるため、2005(平成17)年には**医療制度改革大綱**が策定された。この大綱を受け、2006(平成18)年に老人保健法は**高齢者の医療の確保に関する法律**(高齢者医療確保法)に改正された。この改正により、**後期高齢者医療制度**が創設され、2008年(平成20)年には、特定健康診査と特定保健指導が開始された。

2017(平成29)年には**地域包括ケアシステムの強化のための介護保険法等の一部を改正する法律**(地域包括ケア強化法)が制定された。この法により、「地域包括ケアシステムの深化・推進」と「介護保険制度の持続可能性の確保」を柱として介護福祉と障害福祉のサービスを同一施設で受けやすくする「共生型サービス」を創設するなど**地域共生社会**に向けた施策が推進された。その後2020(令和2)年には社会福祉法等の一部を改正する法律が公布され、**重層的支援体制整備事業**が、2021(令和3)年度から開始された。同事業は市区町村において既存の相談支援などの取り組みをいかしつつ、地域住民の複雑化・複合化した支援ニーズに対応する目的で、「属性を問わない相談支援」「参加支援」「地域づくりに向けた支援」を一体的に実施するものである。

2019(令和元)年の高齢者医療確保法や介護保険法の改正により、2020(令和2)年度より後期高齢者医療広域連合と市町村の連携内容を明示し、後期高齢者の保健事業について、市町村が介護保険の地域支援事業や国民健康保険の事業を一体的に実施することとなった。これにより高齢者の心身の多様な課題に対応する、きめ細かな支援の実現が目ざされている。

3 高齢者の保健医療福祉施策と保健師活動

プラス・ワン

高齢者の保健事業と介護予防の一体的実施

2020(令和2)年、「高齢者の保健事業と介護予防の一体的実施」が開始された。これにより75歳以上の高齢者に対する保健事業を市町村が介護保険の地域支援事業などと一体的に実施する。そのため、国、広域連合、市町村の役割などが定められ、市町村などは高齢者の医療・健診・介護情報などを一括して把握できるようになった。

a 生涯にわたる健康づくり

1 健康づくり施策

生涯にわたり健やかに過ごせるような健康づくりの施策として「健康日本21」などが推進されている。2013(平成25)年度に開始された**「健康日本21(第二次)」**においては、健康寿命の延伸と健康格差の縮小など5つの基本目標と53項目の指標が設けられ、施策が推進された。高齢者の健康については6指標が設けられた。このうち2022(令和4)年に実施された「健康日本21(第二次)」の最終評価において、目標に達したのは2項

目，目標に達していないが改善傾向にあるのは2項目，策定時のベースライン値とかわらないのは1項目，評価困難は1項目であった。最終評価を受け2024（令和6）年度以降の次期国民健康づくり運動プランに向けた議論が進められている。

2 健康づくりと生きがいづくりの推進

希望寿命（「どのくらい長く生きたいか」についての回答）に着目した研究で，長生きを望まない人はそうでない人と比較して，自殺やがん，全死因などにおいて死亡リスクが高く，短命となる可能性が高いことが示された[1]。今後は高齢者保健においても，平均寿命と健康寿命だけでなく，希望寿命に着目した支援や，長生きを尊び望むような認識が人々の間に醸成されるようなはたらきかけが求められよう。

実際に各地において高齢者の活躍の場を地域に増やす支援として，高齢者の就労支援や，老人クラブ，住民主体の通いの場の担い手など社会参加の促進をはかる取り組みが実施されている。また，生きがいづくりの推進という観点から，高齢者大学校などの生涯学習の機会を提供したり，安心してインターネットを利用できるようICTの利活用を促進したりする取り組みなどが実施されている。

3 地域づくり

地域包括ケアシステムの実現に向けて，保健師は，地域における高齢者のニーズを把握し，高齢者施策の全体像から見通す必要がある。ひいては，高齢者保健計画や介護保険事業の見直しやニーズの施策化・事業化を促進する役割や，高齢者をエンパワメントできる地域づくりとそのためのコーディネーターなどの役割が期待されている。

b 介護保険制度

1 制度の概要

介護保険は，介護保険法に基づき介護などが必要な被保険者に対して施設サービスや居宅サービスを提供するものである。

■保険者・被保険者

介護保険の保険者は市町村（特別区）であり，市町村は広域連合を組織し保険者とすることができる。

被保険者は市町村に住所をもつ40歳以上のもので，①第一号被保険者（65歳以上）と②第二号被保険者（40歳以上65歳未満の医療保険加入者）に分かれる。

■サービス体系

介護保険のサービスは，①保険給付，②地域支援事業，③保健福祉事

プラス・ワン

高齢者の就労支援

長寿化の進展により年齢にかかわりなく意欲と能力に応じて働くことができる生涯現役社会の実現に向けた高年齢者の就労促進がはかられている。高年齢者等の雇用の安定等に関する法律（高年齢者雇用安定法）により定年制の廃止や定年の引き上げなどにより希望者全員の65歳までの雇用の確保がはかられている。

高齢者が地域で働ける場としてシルバー人材センター事業の推進がある。具体的な仕事内容は，地域の日常生活に密着した仕事（清掃，剪定，除草など）である。

老人クラブ

老人福祉法第13条により老人福祉の増進のための事業を行う者として位置づけられた組織で，地方公共団体は適切に援助することに努めるよう規定されている。おおむね60歳以上の人が会員となり，自主的に集まった会員が，教養の向上や健康の増進，社会奉仕活動などによる地域社会の交流を実施している。2021（令和3）年の老人クラブ数は約9万人であった。加入率は年々低下しており，クラブ活動の活性化，会員の維持・増加対策などが課題となっている。

プラス・ワン

特定疾病

介護保険の特定疾病として次の疾病・疾患群が定められている。
①がんの末期，②関節リウマチ，③筋萎縮性側索硬化症，④後縦靱帯骨化症，⑤骨折を伴う骨粗鬆症，⑥初老期における認知症，⑦進行性核上性麻痺，大脳皮質基底核変性症およびパーキンソン病，⑧脊髄小脳変性症，⑨脊柱管狭窄症，⑩早老症，⑪多系統萎縮症，⑫糖尿病性神経障害・糖尿病性腎症・糖尿病性網膜症，⑬脳血管疾患，⑭閉塞性動脈硬化症，⑮慢性閉塞性肺疾患，⑯両側の膝関節・股関節に著しい変形を伴う変形。

介護が必要になった原因

2019(令和元)年の国民生活基礎調査によると，介護が必要となったおもな原因は，要支援者では「関節疾患」(18.9%)が最多で，ついで「高齢による衰弱」(16.1%)が続く。要介護者では「認知症」(24.3%)が最多で，ついで「脳血管疾患(脳卒中)」(19.2%)が多かった

業に分けられる。保険給付は，①要介護者への介護給付と②要支援者への予防給付，③市町村独自に要支援者などへ実施する市町村特別給付がある。地域支援事業は，①介護予防・日常生活支援事業，②包括的支援事業，③任意事業に分けられる。

■サービスの利用の流れ

介護保険を利用する場合の流れは，図 3-1 に示したとおりである。市町村窓口に相談し，要介護認定申請を提出し審査を経て要介護認定を受けたのち，本人に必要なサービスを組み入れた介護サービス計画に基づいたサービスの給付を受けることになる。第二号被保険者の場合，要介護状態にあり，特定疾病✚によりその要介護状態となっている者が要介護者として認定され，介護保険サービスを受ける。

2 要支援・要介護高齢者と家族への支援

■要支援・要介護者の状況

2020(令和2)年度末の要支援・要介護認定者は 682 万人であった✚。要支援・要介護認定者は，この時点での第 1 号被保険者全体の 18.7% に相当する。

要支援・要介護認定者数はこの 20 年間で約 2.7 倍に増加した。このうち，軽度(要支援 1・2 および要介護 1・2)の者の増加が大きく，近年は増加のペースも上昇傾向にある。年齢階級別にみた介護保険認定者数は，年齢階級が 5 歳高くなるにつれて増加しており，「65 歳以上 70 歳未満」から「70 歳以上 75 歳未満」では 2.1 倍と増加ののびが著しい。

■介護者の状況

2019(令和元)年国民生活基礎調査によると，同居しているおもな介護者(以下，「おもな介護者」と表記)と要介護者との続柄は「配偶者」が最多の 23.8% であり，「子」の 20.7% が続く。「おもな介護者」の性別は女性(65.0%)が多い。「おもな介護者」の年齢は男女とも 60 歳以上が約 70% を占め，要介護者と「おもな介護者」の組み合わせで 60 歳以上どうしが 74% で，75 歳以上も 33% であり，いわゆる「老々介護」の実態が数字にあらわれている。介護時間について「ほとんど終日介護」という回答が総数では 19.3% であるが，要介護 5 では 56.7% と半数以上を占め，「おもな介護者」の負担がうかがわれる。

介護や看護のために離職・転職をする人について「就業構造基本調査」(総務省，2017 年)によると，1 年間のうちに家族の介護や看護のために離職・転職した者は約 9 万 9 千人であり，そのうち女性が全体の 8 割(約 7 万 5 千人)を占めている。

■要介護高齢者と家族への支援

要介護者とくに要介護 3 以上の中程度以上の要介護高齢者が地域で生活していくには複数のサービスを組み合わせた支援が必要である。さまざまな支援者によるサービスが適切に機能することで，ケアプランで目

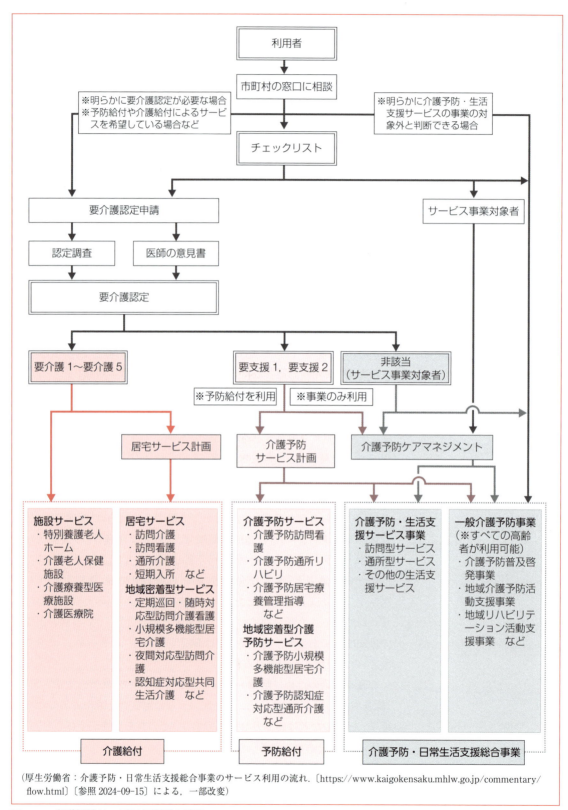

図 3-1 介護保険サービスの利用の流れ

ざす支援を提供できる。個々のケアプランを作成するケアマネジャーとは異なり、要介護者への支援が実施されるよう地域全体をマネジメントする視点でかかわることが保健師には求められる。とくに地域包括支援センターの保健師には、地域の高齢者の実態把握、虐待の防止活動・早期発見の実施などセンターに求められる機能を発揮するとともに、その地域の状況に適合するケアシステムを構築するよう支援関係者の連携をはかり、場合によっては必要な社会資源を育成するようなはたらきかけが求められる。

また、家族介護者への支援も重要である。先述した統計結果のように、重い介護負担に直面している家族介護者が介護離職をするケースが少なくないことを理解し、家族介護者が制度や社会資源を有効に活用できるよう、必要な情報を提供するとともに、家族介護者のレスパイト支援も実施する。老々介護の問題についても管轄する地域の実態を把握し、高齢の家族介護者が制度などを有効に活用して介護を行えるよう情報提供などの支援を行うとともに、介護保険サービスと保険外の生活支援や配食などのサービスを組み合わせて利用できるよう、システムとして整備することが地域を担当する保健師には求められる。

3 保険者・介護保険事業者など関係機関の連携

介護保険法の保険者として市町村(特別区)には、介護保険サービスの給付に関する業務のほかに、各介護保険事業者によるサービスが適正に実施されているかについての管理監督者機能を果たす役割がある。また介護保険事業者など関係機関との連絡会や情報交換会、介護支援専門員の研修会などを実施し、関係機関との連携をはかり、全体の資質の向上につなげることも大切な役割である。

可能な限り住み慣れた地域で自分らしい暮らしを人生の最期まで続けることを目ざして、地域の包括的な支援・サービス提供体制(地域ケアシステム)を構築することが自治体ごとに推進されている。介護保険などにおける関係機関の連携体制はその基盤となるものである。

●引用文献
1) Yokokawa, Y., et al.：How long would you like to live? A 25-year prospective observation of the association between desired longevity and mortality. *Journal of Epidemiology*. 2022 May 7. doi：10.2188/jea.JE20210493.

●参考文献
・厚生労働省：介護予防・日常生活支援総合事業のサービス利用の流れ．(https://www.kaigokensaku.mhlw.go.jp/commentary/flow.html)(参照 2023-06-22)

B 高齢者の健康課題と支援

3章 高齢者保健医療福祉活動

POINT
- 高齢者の健康状態の指標や統計について理解し，活動にいかすことが大切である。
- 高齢者は慢性疾患や障害をかかえながら生活する人が少なくなく，疾病予防とともに重症化予防も重要である。
- 高齢者は健康課題が生じ，症状があらわれたときには重症化していることがしばしばあるため，生活全般にわたるアセスメントを行い，予防のための支援が大切である。

1 高齢者の健康と生活特性

 プラス・ワン

高齢化社会，高齢社会
高齢化率が7%をこえた社会を**高齢化社会**といい，14%をこえた社会を**高齢社会**という。
高齢化率が7%から14%に到達するまでの所要期間を**倍化年数**といい，高齢化の進展のスピードを示す指標として国際比較などで使われている。日本の倍化年数24年に対し，フランス126年，スウェーデン85年，アメリカ72年，イギリス46年，ドイツ40年，韓国18年である。

総人口の推計
今後の総人口の推計によると2029年に人口1億2000万人を下まわり，2053年には9924万人，2065（令和47）年には8808万人にまで減少すると推計されている。

a 高齢化の状況──総人口と高齢化率

日本の総人口は，2023（令和5）年10月1日現在，1億2435万2000人であり，その推移をみると，13年連続で減少している。また65歳以上人口は，2023（令和5）年10月1日現在3622万7000人であり，総人口に占める65歳以上人口割合（高齢化率）は29.1%である。

65歳以上人口の推計をみると，2025年には3677万人になり，その後も増加傾向は続き，2042年に3935万人でピークを迎えたあとは減少に転じるとされている。高齢化率も2036年に33.3%になり，2042年以降は65歳以上人口が減少に転じても高齢化率は上昇を続け，2065年には38.4%となると推計されている。

b 高齢者の健康状態

1 平均寿命と健康寿命

2023（令和5）年の平均寿命（0歳における平均余命）をみると，男性81.09歳，女性87.14歳である。約100年前の日本人の平均寿命は男性42.06歳，女性43.20歳であったので，公衆衛生の改善や医療技術の発展なども寄与し2倍近いのびである。もう1つの指標は**健康寿命**である。健康寿命とは「健康上の問題で日常生活が制限されることなく生活できる期間」のことをいう。2019（令和元）年の健康寿命は，男性は72.68年，女性は75.38年であり，平均寿命と健康寿命の間には男性8.73年，女性12.06年の差がある。生涯にわたり健康で暮らせるためには，健康寿命の

延伸が重要であるが，2010(平成 22)年と 2019(令和元)年の健康寿命を比較すると男性で 2.26 年，女性で 1.76 年のびている。また同じ期間の平均寿命ののび(男性 1.86 年，女性 1.15 年)を上まわっている。

2 有訴者率と受療率

2022(令和 4)年の国民生活基礎調査による 65 歳以上の者の有訴者率✚(人口千対)は 418.2 で，高齢者の 4 割余りは，なんらかの自覚症状を訴えていることになる。65 歳以上の者で有訴者率の高い症状は，男性では「腰痛」「肩こり」「頻尿」の順で，女性では「腰痛」「肩こり」「手足の関節が痛む」の順である。同調査の通院者率✚(人口千対)をみると，65 歳以上は 696.4 で，7 割が通院していること，全体世代の通院者率 417.3 から高齢者の通院者率はほかの年代より高いことがわかる。有訴者率よりも通院者率が高いことは，高齢者のなかには自覚症状がない者で，通院している者がいると考えられる。

一方，2020(令和 2)年患者調査による 65 歳以上の者の受療率✚(人口 10 万人対)は，入院では 2,512，外来では 1 万 44 となっており，ほかの年齢階級に比べて高い水準にある。

3 自立度

高齢者の身体的な機能の指標として，**日常生活動作(ADL)** や**手段的日常生活動作(IADL)** がある。ADL(activities of daily living)は日常生活に必要な行為を遂行する能力のことであり，着がえ・食事・歩行，移動・トイレ，排泄・入浴，整容などがある。

IADL(instrumental activities of daily living)は ADL よりもさらに複雑な動作をする能力のことをさし，買い物，清掃，金銭管理，料理，交通手段の利用などがある。

秋山は，日本の高齢者約 6,000 人を 1987 年から約 30 年以上にわたって追跡して，加齢に伴う生活の自立度(ADL と IADL)の変化を明らかにした[1]。この研究によると，男性では 3 つのパターンに分かれる。すなわち約 2 割(19.0％)の男性は 70 歳になる前に健康をそこねて，死亡するか，重度の介助が必要となるが，その原因の多くは生活習慣病である。男性のあと 2 つのパターンは，80〜90 歳まで元気で自立度を維持できる約 1 割(10.9％)と，75 歳ごろから徐々に自立度が低下する約 7 割(70.1％)である。一方で，女性は，2 つのパターンに分かれ，早期に自立度を下げる約 1 割(12.1％)と，70 代半ばからゆるやかに自立度が低下する約 9 割(87.9％)である。

また，高齢者の日常生活自立度の程度をあらわすものとして，**障害高齢者の日常生活自立度(寝たきり度)判定基準**✚があり，介護保険制度の要介護認定などで用いられている。

➕ プラス・ワン

有訴者率
有訴者とは，世帯員(入院者を除く)のうち病気やけがなどで自覚症状のある者のことをいう。人口千人に対する有訴者数の割合を「有訴者率」という。

通院者率
傷病で通院している者(通院者)の人口千人に対する割合を「通院者率」という。

受療率
調査日当日に，病院，一般診療所，歯科診療所で受療した患者の推計数と，人口 10 万人との比率を「受療率」という。

障害高齢者の日常生活自立度(寝たきり度)判定基準
ランク J を「生活自立」，ランク A を「準寝たきり」，ランク B・C を「寝たきり」と判定する。
- ランク J：なんらかの障害を有すが，日常生活はほぼ自立しており独力で外出できる。
- J-1：交通機関などを利用して外出する。
- J-2：隣近所へなら外出する。
- ランク A：屋内での生活はおおむね自立しているが，介助なしには外出できない。
- A-1：介助により外出し，日中はほとんどベッドから離れて生活する。
- A-2：外出の頻度が少なく，日中も寝たり起きたりの生活をしている。
- ランク B：屋内での生活はなんらかの介助を要し，日中もベッド上での生活が主体であるが座位を保つ。
- B-1：車椅子に移乗し，食事，排泄はベッドから離れて行う。
- B-2：介助により車椅子に移乗する。
- ランク C：一日中ベッド上で過ごし，排泄，食事，着がえにおいて介助を有する。
- C-1：自力で寝返りをうつ
- C-2：自力では寝返りもうたない

2 高齢者の健康課題と支援

a 保健師の役割

　2023（令和5）年度末の第一号被保険者に占める要介護・要支援認定者の割合は19.0％であることから、日本における高齢者の約2割が介護の必要な高齢者で、約8割の高齢者は健康で、自立していると考えられる。

　一般的に、高齢者は加齢による機能低下が緩慢なため、その変化に本人自身が気づきにくく、症状が出現したときにはすでに重篤な状態であることも多い。保健師は、元気な高齢者が集団で集まる老人クラブや趣味の会などの機会を活用して、多くの高齢者に注意してほしい健康課題について積極的に健康教育を行う。また健康課題に直面したときのための地域の支援者の情報を伝えるようにはたらきかける。元気であってもひとり暮らしや日中独居の場合は、突然の病気などのリスクをかかえており、日ごろから声をかけておくことも重要である。

　一方、グレーゾーンの高齢者には、その人の身体的・精神的機能から、住環境や周囲の地域特性、社会参加や地域とのつながりなどの生活者としての状況まで、こまやかなアセスメントを行い、それに基づいた支援を実施することが求められる。

b 高齢者にみられる健康課題と対応

1 脱水症

　脱水症は、重症化すると意識喪失や生命にかかわり、元気な高齢者にとっても注意が必要である。毎年夏の時期には熱中症や脱水予防の広報活動や見まもりに力を入れている自治体も多い。

　高齢者は、体重に占める体液の割合が成人期から約10％少なくなることや、腎機能の低下、口渇中枢の機能低下によりのどの渇きを感じにくいことなどの加齢に伴う機能的な変化に加え、夜中にトイレに行く回数を心配して飲水を控えたり、冷房を嫌い使わなかったりするなどの行動上の理由から脱水症をきたしやすい。加齢に伴う機能的変化のため、高温の環境における熱中症などの急性脱水だけでなく、寒冷期においても慢性脱水をおこしている高齢者も少なくない。また、口渇感を自覚しても物理的に水分摂取を自分ではできない高齢者もいる。

2 低栄養

　低栄養とは、健康的に生きるために必要な量の栄養素が不足した状態とされる。低栄養により、身体機能の低下や感染症発症のリスクが高まると高齢者の生命にかかわる。高齢者の場合、基礎疾患の影響や、う

つ・認知症などの心理的要因，咀嚼能力の低下などが食事量を低下させ，低栄養を引きおこす。とくに，タンパク質とエネルギーが十分にとれていない状態を**タンパク質・エネルギー低栄養状態**(protein energy malnutrition：**PEM**)という。要介護度が高くなると活動の低下とともに骨格筋量と脂肪量が低下し，PEMを発症しやすい。

2019(令和元)年国民生活基礎調査によれば，「高齢による衰弱」が要支援・要介護の原因の12.8％を占め第3位であった。要介護の前段階といわれるフレイルには低栄養が強く関連していることが指摘されている。「日本人の食事摂取基準(2020年版)」において，65〜74歳および75歳以上における「目標とするBMIの範囲」は，21.5〜24.9 kg/m^{2}である。加えて，高齢者のフレイル予防の観点から，総エネルギー量に占めるべきタンパク質由来エネルギー量の割合(％エネルギー)について，65歳以上の目標量の下限を13％エネルギーから15％エネルギーに引き上げ，この年齢階級の目標量は15〜20％エネルギーとされた。

３ 転倒

地域で暮らす高齢者の年間の転倒発生率は10〜25％とされている[2]。人口動態統計によると，80歳以上の不慮の事故による死亡の3割近くを転倒が占めている。2022(令和4)年国民生活基礎調査によれば，要支援・要介護の原因として，「骨折・転倒」は上位を占めており，転倒予防対策が必要である。

転倒は，身体的要因が主となる内的要因(個人の要因)と，環境要因が主となる外的要因に大別されるが，両者が複合的に関連して発生する場合も多い。外的要因への対策としては段差の解消や，じゅうたんやコード類などつまずきやすい場所の見直し，手すりの設置や夜間照明の見直し，スリッパをかかとのある室内ばきにかえるなど，居住環境の整備による転倒予防を指導することが重要である。また，内的要因への対策として，転倒骨折の予防や高齢者の筋力向上を目的とした地域の介護予防事業への参加を促すこともあげられる。

③ 認知症高齢者と家族への支援

a 認知症とは

■認知症の分類

認知症とは，いったん正常に発達した認知機能が後天的原因により持続的に低下し，日常生活・社会生活に支障がでる状態をいう。認知症はアルツハイマー型認知症，脳血管性認知症，レビー小体型認知症，前頭側頭葉型認知症，などに分類される。65歳未満で発症した場合，**若年性認知症**とよばれる。

表 3-2 認知症の症状

認知機能障害	記憶障害，見当識障害，失語，失行，失認，遂行機能障害など
行動・心理症状	抑うつ状態，妄想，不安，焦燥，依存，睡眠障害，徘徊，攻撃的行動，異食など

また，記憶などの能力の低下がみられ，正常と認知症との中間の状態にあるものを**軽度認知障害**(mild cognitive impairment：**MCI**)という。MCI は，日常の生活に支障をきたす認知症のレベルではないものの，その約半数は 5 年以内に認知症に移行するといわれている。MCI と診断された段階から運動などの予防的活動を開始することで，認知症の進行を遅らせることが期待されている。

■ **おもな症状**

認知症の症状は，**認知機能障害（中核症状）**と**行動・心理症状**(behavioral and psychological symptoms of dementia：**BPSD**)に大別される（**表3-2**）。認知機能障害は脳の認知機能の低下によっておこる症状で，すべての認知症の患者にみられる。BPSD は中核症状を背景にあらわれる行動症状や心理症状で，環境要因の影響を受けるため個人差がある。

認知症の程度をふまえて日常生活の自立度を客観的に把握する基準として「認知症高齢者の日常生活自立度判定基準」がある。

■ **認知症患者の統計**

2022（令和 4）年時点の認知症有病率調査によれば，認知症高齢者数は約 443 万人で高齢者の 12.3％ が認知症と推計され，MCI は約 559 万人（高齢者の 15.5％）と推計された。将来的には，2050 年に認知症高齢者数は約 587 万人（同 15.1％）となり，MCI は約 631 万人（同 16.2％）になると推計され，認知症と MCI の有病率の合計は高齢者の約 30.7％ を占め，高齢者の 3 人に 1 人が認知症とその予備軍になると予測されている。

b 認知症に関する施策

認知症は 1980 年代から社会問題化し，介護保険をはじめさまざまな施策が展開されてきた。2012（平成 24）年に「**認知症施策推進 5 か年計画（オレンジプラン）**」が策定され，これを引き継いで 2015（平成 27）年には「**認知症施策総合戦略～認知症高齢者等にやさしい地域づくりに向けて**」(**新オレンジプラン**)に改正された。

さらに 2018（平成 30）年には，新オレンジプランの後継として**認知症施策推進大綱**が策定された。この大綱で目ざすのは，「認知症の発症を遅らせ，認知症になっても希望を持って日常生活を過ごせる社会」である。大綱に基づいて推進されている支援体制整備は**表3-3**に示したものなどである。2024（令和 6）年に共生社会の実現を推進するための**認知症基本法**（認知症基本法）が施行された。この法律では，認知症の人が尊厳を保持しつつ希望を持って暮らすことができるよう，認知症施策の基本理念

プラス・ワン

認知症高齢者の日常生活自立度判定基準
- ランクⅠ：なんらかの認知症を有するが，日常生活は家庭内および社会的にはほぼ自立している。
- ランクⅡ：日常生活に支障をきたすような症状・行動や意思疎通の困難さが多少みられても，誰かが注意していれば自立できる。
  ・Ⅱa：家庭外でⅡの状態
  ・Ⅱb：家庭内でもⅡの状態
- ランクⅢ：日常生活に支障をきたすような症状・行動や意思疎通の困難さがときどきみられ，介護を必要とする。
  ・Ⅲa：日中を中心としてⅢの状態
  ・Ⅲb：夜間を中心としてⅢの状態
- ランクⅣ：日常生活に支障をきたすような症状・行動や意思疎通の困難さが頻繁にみられ，つねに介護を必要とする。
- ランク M：著しい精神症状や問題行動あるいは重篤な身体疾患がみられ，専門医療を必要とする。

認知症基本法の基本的施策

この法律は，認知症施策における国・地方公共団体などの責務を規定し，次に示す認知症施策の基本的事項を定めている。
①認知症の人に関する国民の理解の増進
②認知症の人の生活におけるバリアフリー化の推進
③認知症の人の社会参加の機会の確保
④認知症の人の意思決定の支援，権利・利益の保護
⑤保健医療サービス・福祉サービスの提供体制の整備
⑥相談体制の整備
⑦研究などの推進
⑧認知症の予防

プラス・ワン

認知症サポーター
認知症についての正しい知識をもち，地域・職域で認知症高齢者・家族をサポートする。

キャラバンメイト
都道府県・市町村などの自治体や全国的な職域組織・企業などの団体が実施主体となり，認知症サポーターを養成する講師のことである。

認知症カフェ
認知症カフェは，認知症高齢者・家族が，住民や専門家と情報を共有し，互いを理解し合う場である。オランダのアルツハイマーカフェを源流に世界各国へ広まり，日本では7,737カフェが運営されている（2020年末時点）。
認知症カフェの目的は，①情緒的サポートの提供により，地域社会からの孤立防止，認知症患者・介護者の心理的負担の軽減をはかることや，②手段的（道具的）サポートにより，適切なサービスや専門職と早期につながることによる介護負担軽減，適切な支援を受けることによる，地域や在宅での生活の安定をはかることである。

地域への啓発
認知症の予防などが必要以上に強調されると，「認知症の人＝予防できなかった人」と誤解されるおそれがある。
認知症の予防とは，認知症にならないということではなく，認知症になるのを遅らせることであり，認知症になっても進行をゆるやかにすることであると，家族に伝え，さらには地域全体へも啓発していく必要がある。

表3-3　認知症施策推進大綱に基づく支援体制の整備

項目	体制整備の具体的な内容
認知症ケアパス	地域において，認知症の容態や段階に応じた適切な医療・介護サービスの流れを示し，状況ごとに最適な医療機関・支援機関をまとめたもの。全市町村での作成を目ざす。
認知症疾患医療センター	地域の医療提供体制の中核として，認知症の鑑別診断，治療，相談の実施に加え，保健医療および介護関係者への研修を実施する。全国で500か所の設置を目ざす（2021年時点488か所）。
認知症高齢者の見まもり体制の整備，支援者の養成	・認知症サポーター＋：1200万人の養成を目ざす（2021年度末時点の養成数1380万人）。 ・チームオレンジ：認知症サポーターなどによる支援チームが，認知症高齢者・家族のニーズに合った支援につなげるしくみ。全市町村での整備を目ざす（2020年時点で39都道府県138市町村で415チーム整備）。 ・キャラバンメイト＋：認知症サポーター講座の講師。2021年度末で17.1万人養成済み。 ・認知症カフェ＋：全市町村での普及を目ざす。
認知症初期集中支援推進事業	認知症初期集中支援チーム（認知症が疑われる人や認知症患者・家族に早期に訪問し，支援を行うチームのこと）を設置し，早期に支援体制の構築を目ざす。
研修事業	・医療従事者の認知症対応力向上研修は，かかりつけ医，認知症サポートなど各医療従事者について受講者数の目標が示されている。 ・介護従事者も研修受講者数の目標が示されている。

を定め総合的かつ計画的に推進するものである。

c 認知症患者とその家族への支援

1 認知症の特性に合わせた患者と家族への支援

認知症になってもすべての記憶を失うわけではなく，本人の意思や感情はゆたかに備わり，尊厳を保ちその人らしく生きることは可能である。しかし認知症患者は周囲から偏見を受けやすく，生きにくさを感じている人は多い。支援の基本として，認知症患者は病気やいまの状況への不安や違和感を覚えていることを周囲の人に伝え，本人の意思が反映された生活を継続できるように支える。その人がなにを望み，なにをいやがってきたのかなどの情報を支援者が共有し，成育歴やライフイベントに配慮することは，自分の意思を表明することがむずかしい認知症患者を支援するうえで重要で，本人の生きづらさを低減させる。

認知症患者・家族から相談があった場合，まずは本人と家族の思いを聴く。その後，日常生活で生じている違和感や困っている点，不安などをていねいに確認し，認知症の診断の有無や生活上の希望についても聞きとる。とくに認知症の初期の場合，介護保険の申請とケアプラン作成など，サービスの導入手続きに専念しがちになるが，いまの生活を支え

るという視点は欠かせない。これまで大切にしてきた暮らしを続けるために必要なことと，認知症が進行したときに本人と家族などの介護者の生活を支えることを並行して考える必要がある。

　家族の会や当事者の会，認知症カフェ，家族介護教室などに関する情報を家族に提供し，家族が多様な相談窓口をもつことで，地域で孤立したり，介護をかかえ込んだりしないように支援する。また多職種が連携して支援をすることが重要で，支援にかかわる多くの機関・職種の間で情報を共有し支援をしていく。

2 家族介護者のアセスメント

　患者本人が家族以外から介護されることをいやがるため，家族介護者が多くの時間の介護を行わざるをえない事例も少なくない。そのため，認知症患者へよいケアを提供するには，家族や友人などの身近な立場でケアを担う人の心身の健康は重要な要素である。家族介護者が担っている介護の役割を継続するための視点から家族介護者の生活や介護内容をアセスメントするだけでなく，家族介護者は，どの程度介護にかかわりたいか，またはかかわることができるかという視点から家族介護者についてアセスメントをする。すなわち図 3-2 に示したように，家族介護者の生活上の基本的な事項とともに，家族介護者の精神的な要素として，認知症患者の介護で最もたいへんなことや家族介護者自身の時間の確保の有無についてもアセスメントすることが重要である。

　認知症患者の状態や家族介護者をとりまく生活環境は時間的な経過のなかで変化する。こうした変化に応じて，そのつど患者と家族についてのアセスメントを実施し，支援の調整を行うことも重要である。

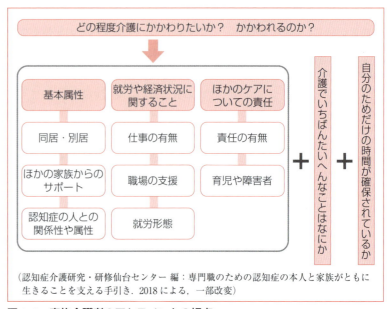

（認知症介護研究・研修仙台センター 編：専門職のための認知症の本人と家族がともに生きることを支える手引き．2018 による，一部改変）

図 3-2　家族介護者のアセスメントの視点

実践場面から学ぶ：認知症の疑いのある人を支援につなぐ

■事例紹介

　Aさん（75歳）は，夫（81歳）と2人暮らし。近所に息子とその妻（Bさん），孫が住んでいる。Bさんから地域包括支援センターにAさんの物忘れについて相談があった。

　Bさんによると，Aさんは自治会や婦人会の役員を10年以上務め，趣味のコーラス活動にも積極的に参加し地域で顔が広い。しかし，ここ数か月でAさんが婦人会の会合やコーラスの練習の日時を間違えることが何回かあった。婦人会やコーラスでは最初，誰にでもある加齢に伴う物忘れだろうとすませていた。しかし，Aさんが会計を担当していた婦人会の会費が数人分足りないため，ほかの会員がAさんにたずねると「集めた会費は絶対出したわ！」と猛烈に怒り帰ってしまった事件があり，いつもと違う怒り方を心配した婦人会の役員たちからBさんに相談があった。

　近隣との間でも同じようなことがあり，家庭内でもAさんの言動に違和感をもつため認知症を心配しているが，家族たちは「75歳くらいになれば，そんなものだ」といって取り合ってくれない。Aさん自身に受診をすすめても聞いてもらえず，嫁の立場で気が引けるが相談したとのことだった。

　後日，地域包括支援センターの保健師がBさんの了解を得て，Bさんの夫に電話で連絡をとるが，「今，仕事が忙しいので，またこちらから連絡する」と電話を切られ，そのあとは連絡がない。

　認知症が疑われるにもかかわらず，医療や介護サービスにつながっていないAさんとその家族に対する直接的な支援（ポイント①②）と，地域全体の課題としての認知症へのかかわり（ポイント③④）をみていこう。

●ポイント①：地域包括支援センターによる支援の開始

　事例のAさんは，これまで地域の活動に積極的に参加するなど地域貢献の意識やプライドが高いことがうかがわれる。一方でキーパーソンになってもらいたいAさんの夫や息子は，Aさんの問題について消極的である。このようなAさんとその家族に対し，保健師は地域包括支援センターの認知症初期集中支援チーム✚によるAさんの自宅への訪問支援を計画した。

　認知症の疑いがあるにもかかわらず医療や介護につながらない事例でも支援が途切れないことが重要である。認知症初期集中支援チームや，かかりつけ医，民生委員などの協力を得て認知症患者が医療や介護サービスにつながる糸口を模索することは地域包括支援センターの役割である。

●ポイント②：認知症初期集中支援チームによる訪問支援

　Bさんの了解を得て，Aさん宅へ認知症初期集中支援チームの保健師と社会福祉士の2名で訪問した。Aさんにはときどき地域の高齢者宅を訪問している旨を話し，まずは関係の構築をはかったうえで，Aさんについてのアセスメントを行った。

　認知症初期集中支援チームは，医療や介護サービスを受けていない

✚ プラス・ワン

認知症初期集中支援チーム

介護保険法（第115条の45第2項第6号）に規定する認知症総合支援事業に基づくものである。認知症が疑われる人や認知症患者とその家族を専門職のチームで訪問し，アセスメント・家族支援などの支援を包括的・集中的に行い，自立生活をサポートする。チームは専門医や保健師・看護師・作業療法士などの職種から構成される。

人，または中断している人や，医療・介護サービスを受けていても認知機能障害や行動・心理症状が顕著で対応に苦慮している人などを対象に早期に訪問支援を行う。認知症が疑われる段階で支援チームのサポートを受けることにより，受診や判断の遅れ，不十分なケアなどによる症状の進行を最小限に食いとめることが期待される。

● ポイント③：自治体の認知症高齢者への支援体制の構築

Aさん宅を訪問した保健師と社会福祉士は，Aさんのアセスメントと今後の支援方針を認知症初期集中支援チーム検討委員会に報告した。認知症初期集中支援チーム検討委員会では，Aさんのような認知症高齢者が地域に潜在している課題について検討することとした。

認知症初期集中支援チーム検討委員会とは，支援チームの活動や認知症支援の調整などについて検討する機関として市町村に設置されるもので，保健・医療・福祉関係者等から構成される。支援チームが機能するには，チームと医療関係者との連携が重要で，認知症疾患医療センターや地元医師会との事前協議のしくみづくりや，主治医への連絡票など情報の共有化に向けたツールの作成などを進め，地域の連携システムを構築することが求められる。

● ポイント④：認知症についての地域の理解を促す

Aさんの家族のように，認知症の症状を加齢に伴う自然なものととらえたり，本人がみずからの症状をみとめず早期の受診につながらなかったりするケースは少なくない。住民の認知症に対する理解を促す講演会やキャンペーンの実施，認知症サポーター・キャラバンメイトの養成，行方不明者捜索の模擬訓練，見まもりネットワークの構築など，認知症患者・家族支援に関する住民への意識啓発は重要である。

4 エンドオブライフ（end-of-life）期にある高齢者と家族

a エンドオブラライフへの支援

1 人生の最期をめぐる状況

高齢化が進み年間死亡数が増加していく現在の日本社会において，高齢者が人生の最終段階を迎える際の支援は，保健医療福祉の重要な課題である。日本における「死亡場所」を人口動態統計でみると，2010年代では自宅で死亡する者が12％前後であるのに対し，医療機関で死亡する者は70％台後半〜80％である。

一方，2020（令和2）年に67〜81歳を対象に実施された調査結果をみると，人生の最期を迎える望ましい場所について，「自宅」（58.8％）とする回答が最多で，ついで「医療施設」（33.9％）であった（日本財団「人生の最

> **プラス・ワン**
>
> **「死亡場所」の推移**
>
> わが国における「死亡場所」の推移を人口動態統計でみると，1950年代は自宅で死亡する者が80%以上を占め，医療機関で死亡する者は10%台であった。1970年代に両者が40%台となり，2010年代になると自宅で死亡する者は12%前後にまで減少したのに対し，医療機関で死亡する者は70%後半〜80%にまで増加した。2020年代に入ると，2020年，2021年において医療機関で死亡する者は65%前後となり，自宅で死亡する者は17%前後になったが，新型コロナウイルス感染症の影響も考えられ，今後の動向が注目される。

期の迎え方に関する全国調査」結果，2021）。「自宅」を「望ましい場所」に選んだ理由は，「自分らしくいられるから」という回答が多く，医療施設では「家族に迷惑をかけたくない」の回答が多かった。また，「今後の暮らし方」について「自分らしく生きていきたい」と約7割の者が回答し，人生の最期は積極的な延命治療を受けずに，身体をらくにさせることを優先したいと約9割の者が回答している。

　以上から，半数以上の高齢者が自宅で最期を迎えることを希望しているが，自宅で死亡するのは1〜2割で，8割の高齢者が医療施設で死亡していることがわかる。そのような現状にもかかわらず，自分らしく生きて最期を迎えることを希望する者が多数を占めるようになったのも，これまで死をタブー視する傾向があった日本社会において，死に対する見方が変化したきざしと考えられる。

② 終末期からエンドオブライフへ

　人生の最期の段階については，2012年に日本老年医学会が「病状が不可逆的かつ進行性で，その時代に可能な限りの治療によっても病状の好転や進行の阻止が期待できなくなり，近い将来の死が不可避となった状態」を「終末期」として定義づけた。この定義のように従来の医療や介護の現場においては，「死」を生物としての生命の終わりととらえ，医療行為や支援が行われてきた。1990年代半ばごろより「終末期」や「ターミナル」などにかえて，「エンドオブライフ」（人生の最終段階）という用語が用いられるようになってきた。2015（平成27）年には，「終末期医療に関する意識調査等検討会」において，「終末期医療」から「人生の最終段階における医療」へ名称変更が行われた。先述した調査結果のように，多くの人が自分らしい人生を生きて最期を迎えたいと考えるような状況への医療・介護現場の反映と考えられる。

　高齢者保健活動においても1人ひとりの人生を尊重し，その人が望むようなエンドオブライフを支援するという視点は重要である。

ⓑ エンドオブライフ期の高齢者・家族への支援

　厚生労働省は，2015（平成27）年に「人生の最終段階における医療の決定プロセスに関するガイドライン」を発行し，人生の最終段階における医療・ケアのあり方や方針の決定手続を示した。このガイドラインの最も重要な原則は，人生の最終段階にある当事者に対し，医療従事者から適切な情報提供と説明が行われ，それに基づいて当事者本人と，医療・ケアチームの他職種との間で十分に話し合いを行い，その結果として本人の意思決定をもとに医療・ケアを進めることである。また本人の意思が変化した際に，そのつど本人が意思を医療・ケアチームに伝えることができるような支援と話し合いが行われることや，本人が意思を伝えら

> **プラス・ワン**
>
> **アドバンスケアプランニング**
> 本人が家族などや医療・ケアチームと事前に繰り返し話し合うプロセス。人生の最終段階における医療・ケアについては，医師などの医療従事者から本人・家族などへ適切な情報の提供と説明がなされたうえで，介護従事者を含む多職種からなる医療・ケアチームと十分な話し合いを行い，本人の意思決定を基本として進めることが重要である。
>
> **人生会議**
> いままで「ACP：アドバンスケアプランニング」の名称で普及・啓発が進められてきたが，厚生労働省は「人生会議」という愛称でさらに広く国民への普及・啓発を進めることとしている。

れない状態になる可能性をふまえ，本人と家族との話し合いが繰り返し実施されることの重要性も示されている。

　エンドオブライフ期の高齢者・家族に対する保健師の支援においても，高齢者本人が望む医療や支援を受けられるように，本人・家族が支援関係者にみずからの意思や希望を適切に伝え，それを反映した支援が行われるよう，支援チームの調整などを担うことが期待される。近年は人生の最終段階で受ける医療やケアについての希望について，本人・家族とで話し合い，文書などにまとめ，共有する**アドバンスケアプランニング**（advance care planning：**ACP**）が推進されている。保健師には，ACPの啓発活動として，住民が自分の人生や生き方を考える機会を設けたり，ACPの話し合いに加わる地域の支援者に対する資質向上の研修を企画したりすることが求められる。

　このような支援を実践する基盤として，管轄地域における地域包括ケアシステムを構築し，継続的に維持・発展させるためには，地域の支援関係者との関係づくりや，地域ボランティアや地域組織の育成などの日ごろの活動が重要となる。

⑤ 複数の疾患をかかえる高齢者

> **プラス・ワン**
>
> **アドヒアランス**
> 治療や服薬の方針について患者が医師と十分に話し合うなど積極的にかかわり，患者自身が治療内容や服薬について理解・納得したうえで，治療を受けることをいう。一般的に，服薬遵守のことをあらわす。

　高齢者は予備力・防衛力・適応力・回復力のそれぞれが低下した結果として，複数の疾患をかかえていることが多い。日本では65歳以上の高齢者の62.8％が多疾患併存の状態であるとされている。

　複数の疾患をかかえる高齢者の場合，服用している薬剤数が多く，飲み間違いや飲み忘れなどの問題があるほか，自己判断で服用を中断するなどアドヒアランスの低下の場合もある。適切な薬物治療を行うためにアドヒアランスの考え方を重視し，高齢者自身が治療に主体的に取り組めるよう支援する。

⑥ 独居，高齢者のみ世帯

a 高齢者のいる世帯の動向

　国民生活基礎調査によると，2023（令和5）年における65歳以上の者（高齢者）がいる世帯数は2695万1000世帯で，全世帯の49.5％を占めており，2013（平成25）年の調査より5.9％増えている。同調査によると高齢者のいる世帯の世帯構造別の構成割合は，「夫婦のみの世帯」が863万1000世帯（高齢者のいる世帯の32.0％）で最も多く，ついで「単独世帯」が855万3000世帯（同31.7％）となった。今後も，ひとり暮らしの高齢者は増えていくものとみられる。

b 独居高齢者・夫婦のみ世帯への支援

2023(令和5)年国民生活基礎調査結果で，65歳以上の単独世帯をみると男性35.6％，女性64.4％で女性の割合が多く，性別・年齢構成をみると男性は「70～74歳」(27.7％)が，女性は「85歳以上」(24.9％)が最も多い。今後は，生涯未婚男性の高齢化，高齢夫婦の増加，配偶者の死別による単身化などが進み，男性の独居高齢者が増加することが予想される。

「一人暮らし高齢者に関する意識調査」(内閣府，2013)によれば，「日常生活の不安」を感じることとして，「健康や病気」(58.9％)，「寝たきりや身体が不自由になり介護が必要となる状態になること」(42.6％)，「自然災害」(29.1％)，「生活のための収入」(18.2％)，「頼れる人がいなくなること」(13.6％)が上位にあがっている。この結果で示されたように独居の高齢者にとって，「介護」「社会的孤立」「貧困」は大きなリスクである。独居高齢者がこれらのリスク要因を軽減し安全・安心に生活していくためには，地域づくり活動などによる高齢者の支援体制を整備するとともに，住民どうしの支え合いなどの体制づくりも求められる。

7 自立した生活を維持するための生活支援

a 高齢者虐待防止と支援

1 高齢者虐待防止法

2006(平成18)年度に**高齢者の虐待防止，高齢者の養護者に対する支援等に関する法律**(高齢者虐待防止法)が施行された。同法により，虐待を受けた高齢者の保護や，養護者による虐待防止の措置が定められ，高齢者虐待の防止施策が促進されている。高齢者虐待防止法では高齢者虐待を養護者(高齢者の世話をしている家族や親族，同居人)によるものと養介護施設従事者等によるものに分類し，虐待の種類を**表3-4**のように区分されている。

表3-4 高齢者虐待の分類

身体的虐待	高齢者の身体に外傷が生じ，または生じるおそれのある暴力を加えること
介護・世話の放棄・放任	高齢者を衰弱させるような著しい減食，長時間の放置，養護者以外の同居人による虐待行為の放置など，養護を著しく怠ること
心理的虐待	高齢者に対する著しい暴言または著しく拒絶的な対応，その他の高齢者に著しい心理的外傷を与える言動を行うこと
性的虐待	高齢者にわいせつな行為をすること，または高齢者をしてわいせつな行為をさせること
経済的虐待	養護者または高齢者の親族が当該高齢者の財産を不当に処分すること，その他当該高齢者から不当に財産上の利益を得ること

> **プラス・ワン**
> **高齢者虐待の増加**
> 2021(令和3)年度における高齢者虐待の調査結果によると,養介護施設従事者等による虐待は相談・通報件数2,390件,虐待判断件数739件で,ともに過去最多であった。養護者による虐待は,相談・通報件数3万6378件,虐待判断件数1万6426件で,相談・通報件数が過去最多の一方,虐待判断件数は減少(4.9%減)であった。

2 高齢者虐待の実態

　高齢者虐待防止法に基づく対応状況等に関する調査結果によると,2021(令和3)年度における高齢者虐待の相談・通報件数の合計は3万8768件であった。このうち養護者による高齢者虐待の相談・通報件数は3万6378件で過去最高を記録している。わが国においては,養護者による虐待の相談・通報件数は,養介護施設従事者によるものに比べて15倍以上と圧倒的に多い。2021(令和3)年度の養護者による虐待のデータをみてみよう。

■**養護者による虐待の実態**

①**相談・通報者**:3万8850人の全相談・通報者のうち,警察が1万2695人(32.7%)で最も多く,ついで介護支援専門員が9,681人(24.9%),家族・親族が3,095人(8.0%)であった。

②**虐待の発生要因**:被虐待者の「認知症の症状」が9,038件(55.0%),虐待者の「介護疲れ・介護ストレス」が8,615件(52.4%),虐待者の「精神状態が安定していない」が7,993件(48.7%),「被虐待者との虐待発生までの人間関係」が7,776件(47.3%)であった。

③**虐待の種類**:身体的虐待が1万1310件(67.3%)と最多で,ついで心理的虐待が6,638人(39.5%)と多かった(複数回答)。

④**被虐待高齢者の状況**:性・年齢別にみると,女性が75.6%,男性が24.4%であり,女性が8割近くを占めていた。年齢階級別では,80〜84歳が4,143人(24.6%)と最も多かった。

⑤**被虐待高齢者と虐待者との同居・別居の状況**:虐待者のみと同居している被虐待高齢者が52.6%,虐待者および他家族と同居している被虐待高齢者が34.9%で,87.5%の被虐待高齢者が虐待者と同居していた。

⑥**要介護認定の状況**:被虐待高齢者1万6809人のうち,「要介護認定ずみ」が1万1426人(68.0%)であった。

⑦**虐待を行った養護者(虐待者)の状況**:被虐待者からみた虐待者の続柄は,息子が38.9%と最多で,ついで夫(22.8%),娘(19.0%)の順であった。介護者は7:3の割合で女性が多いとされるが,虐待者は男性が多い。男性介護者への支援もより一層求められよう。

3 高齢者虐待への対応

　高齢者虐待防止法では,虐待の防止や,被虐待高齢者の迅速・適切な保護,養護者に対する措置など,国・地方公共団体,国民,保健・医療・福祉関係者などの責務が規定され,なかでも市町村(「特別区」を含む)が第一義的に責任をもつ役割を担うことが規定されている。市町村には,**表3-5**に示した高齢者虐待防止法で規定されるもののほかに,介護保険法の包括的支援事業として高齢者虐待の防止・対応が義務づけられている。なお,各市町村は通報窓口を設置することになっており,多くの市

表3-5　高齢者虐待防止法で規定されている市町村の役割

体制整備に関する項目[*1]	①関係省庁相互間や，関係機関・民間団体との連携強化，民間団体の支援などの体制整備（第3条第1項） ②専門的な人材の確保・資質向上のための関係機関職員への研修などの措置（第3条第2項） ③高齢者虐待の通報義務や，人権侵犯事件の救済制度などの広報・啓発活動（第3条第3項） ④成年後見制度の周知の措置，成年後見制度の利用にかかる経済的負担軽減の措置（第28条）
養護者による高齢者虐待について	①高齢者や養護者に対する相談・指導・助言（第6条） ②通報を受けた場合，すみやかな高齢者の安全確認，通報などにかかる事実確認，高齢者虐待対応協力者と対応について協議（第9条第1項） ③老人福祉法に規定する措置とそのための居室の確保，成年後見制度利用開始に関する審判の請求（第9条第2項，第10条） ④立入調査の実施（第11条） ⑤立入調査の際の警察署長に対する援助要請（第12条） ⑥老人福祉法に規定する措置がとられた高齢者に対する養護者の面会の制限（第13条） ⑦養護者に対する負担軽減のための相談，指導および助言その他必要な措置（第14条） ⑧専門的に従事する職員の確保（第15条） ⑨関係機関，民間団体などとの連携協力体制の整備（第16条） ⑩対応窓口，高齢者虐待対応協力者の名称の周知（第18条）
養介護施設従事者等による高齢者虐待について	①対応窓口の周知（第21条第5項，第18条） ②通報を受けた場合の事実確認など（第9条第1項） ③養介護施設従事者等による高齢者虐待にかかる事項の都道府県への報告（第22条） ④高齢者虐待の防止，被害高齢者の保護をはかるための老人福祉法・介護保険法に規定する権限の適切な行使（第24条）
財産上の不当取引による被害防止（第27条）	①養護者，親族または養介護施設従事者等以外の第三者による財産上の不当取引の被害に関する相談の受付，関係部局・機関の紹介 ②財産上の不当取引の被害を受け，または受けるおそれのある高齢者にかかる審判の請求

[*1] 国および都道府県についての役割としても規定されている。
（厚生労働省老健局：市町村・都道府県における高齢者虐待への対応と養護者支援について．p.27，2023をもとに作表）

町村が地域包括支援センターに通報窓口を設けている。高齢虐待を受けたと思われる高齢者を発見した者はすみやかにこれを市町村に通報するよう努めなければならない（努力義務）とされており，国民や養介護施設従事者なども通報義務が課せられている。

高齢者虐待の通報を受けた場合，次の対応が基本的な流れとなる。

■初動期

虐待が疑われる通報や相談を受けたときは，市町村や地域包括支援センターにおいて虐待の疑いと緊急性について判断し，高齢者の生命・身体の安全確保を第一に，対応方針を定め，支援を実施する。対応を実施したあとは，高齢者の安全が確保されたかを判断し，虐待が解消したかを確認する。

■対応段階期

虐待発生要因や課題を整理して，虐待の背景にある課題にはたらきかけ高齢者が安心して生活を送れるような環境を整える支援を行う。虐待が解消し，安心して生活を送る環境が整ったかを確認する。

■終結段階

虐待が解消したことで，安心して生活を送ることにつながったことが確認できれば支援を終結とする。

4 高齢者虐待防止ネットワークの構築と活用

「高齢者虐待防止ネットワーク」とは,高齢者虐待の防止から個別支援にいたるまで関係機関・団体が連携・協力し,虐待のおそれのある高齢者や養護者・家族を多面的に支援する体制のことである。市町村が設置する地域包括支援センターにおいては,地域の実情に応じて次の3つのネットワークを構築することが求められる。

① 早期発見・見まもりネットワーク:虐待の防止,早期発見,見まもり機能を担う住民などによるネットワークである。民生委員や町内会などのほかに,高齢者の日常生活上かかわる民間業者(新聞,郵便,宅配など)がネットワーク協定を結んでかかわる例も多い。

② 保健医療福祉サービス介入ネットワーク:介護保険事業者などのネットワークで,チームとして虐待事例への対応方法などを検討し具体的な支援を行う。

③ 関係専門機関介入支援ネットワーク:保健医療福祉の相談の範囲をこえる専門的対応が必要な場合に協力を得るネットワークである。警察・消防,法律関係者などの専門機関・専門職や,精神保健分野の専門機関などがネットワークの対象となる。

5 セルフネグレクト

介護・医療サービスの利用をみずから拒否するなど,社会から孤立し,生活行為や心身の健康の維持ができない状態のことをセルフネグレクト✚とよぶ。セルフネグレクト状態の高齢者は,認知症のほか,精神疾患・障害,アルコール依存症などの問題をかかえていることも多く,これらの疾病・障害や生活上の問題を理由に,市町村や地域包括支援センターなどの支援を拒否するケースは多い。そのため介入には困難が伴うが,セルフネグレクトのケースには生命・身体についての問題の発生や重篤化などのリスクがあり,支援につなぐ必要性は高い。そこで民生委員や,医療機関,生活保護担当部署,介護サービス事業所などと連携し,本人と信頼関係を築いて治療や支援につなげていくことが求められる。先述したような虐待防止の早期発見・見まもりネットワークなどを活用して,地域における見まもり活動の実施や健康問題の早期発見をはかり,地域ケア会議などで検討し支援体制の構築に取り組む。

不衛生な家屋に住むセルフネグレクトの場合は,本人と近隣住民とが関係を修復し再構築することで,地域からの孤立を防ぐようなはたらきかけも必要となる。住民どうしが声かけや見まもりに加わるように,地域の関係づくりを行うことは,地域を担当する保健師の役割である。

> ✚ **プラス・ワン**
> **セルフネグレクト**
> ゴミが家屋内外に山積しているいわゆる「ゴミ屋敷」や,多数の動物の放し飼いなどにより,家屋内や本人自身が極端に不衛生な状態にあるもの,医療や支援の提供を拒否するものなどが代表的である。

b 社会的孤立の状態にある高齢者の把握と生活支援

1 社会的孤立

　近年，近隣との付き合いが乏しいだけでなく，家族とも交流が少ない状態で，社会的に孤立した人の問題が注目されている。高齢化が進み独居や高齢者夫婦のみの世帯が増加するに伴い，高齢者世代においても社会的に孤立している人が増えている。人と交流しない生活を送る高齢者は，健康課題の発見が遅れるリスクのほかに，生きがいを感じにくい生活において精神的な問題の発生のリスクなども高まる。このような社会的な孤立による弊害を減らし，とくに高齢者においては介護予防や健康課題のリスクの低減化をはかることが，高齢者保健福祉活動には求められる。

2 社会的孤立の改善に向けた活動や支援

■見まもり活動

　高齢者の社会的孤立へ対応する取り組みとしては「見まもり」などの生活支援がある。従来，見まもり活動は福祉分野の取り組みとして行われてきたが，現在は地域包括ケアシステムにおける生活支援・介護予防サービスとして位置づけられており，それを担うボランティアなどの人材育成支援などに保健師がかかわっている。

■居場所づくり活動

　従来は外出して，他者と触れ合うことができる居場所が地域にあり，それが生きがいを得られる場でもあった。コミュニティや地縁のつながりが弱くなった今日，ゆるやかな関係性のもとで自由に集うことができる場が求められ，多くの自治体で高齢者の居場所事業やサロン事業，多世代交流など地域の実情に応じたかたちで広く実施されている。このような居場所が地域において機能することによって，見知らぬ者が自然につながることができ，社会的孤立をなくすことも期待される。

8 介護予防・フレイル予防と支援

a 介護予防

1 介護予防とは

　「介護予防マニュアル，第4版」によると，介護予防とは「要介護状態の発生をできる限り防ぐ（遅らせる）こと，そして要介護状態にあってもその悪化をできる限り防ぐこと，さらには軽減を目指すこと」[3]と定義されている。心身機能の状態を改善させることで，高齢者が活動的に過ごし，

> **プラス・ワン**
>
> **地域支援事業**
> 地域支援事業は，市町村が主体となり被保険者が要介護状態・要支援状態となることを防止するとともに，要介護状態となった場合でも，可能な限り地域で自立した日常生活を営むことができるよう支援することを目的として実施されている。全市町村が行う必須事業（介護予防・日常生活支援総合事業，包括的支援事業）と市町村の判断で行われる任意事業がある。
>
> **通いの場**
> 通いの場は，次の①〜④を条件に集計されている。
> ①体操や趣味活動などを行い，介護予防に資すると市町村が判断する場であること。
> ②運営主体は，住民であること。
> ③通いの場の運営について，市町村が財政的支援を行っているものに限らない。
> ④月1回以上の活動実績がある。

その結果生きがいや自己実現を達成することを目ざすものである。

介護保険サービスにおける介護予防は，①要支援1・2の者を対象に要介護状態になることを予防する**介護予防給付**と，②要支援者と第一号被保険者で生活機能の低下がみられた者を対象に要介護状態の予防や状態の悪化防止のために実施する**地域支援事業**とがある。

2 地域支援事業による介護予防

地域支援事業は2005（平成17）年の介護保険法改正で創設され，一般の高齢者に対する介護予防事業が市町村の業務として始まった。その後，2014（平成26）年の介護保険法改正で，地域支援事業を再編し，同事業に**介護予防・日常生活支援事業**と**一般介護予防事業**が創設され，2017（平成29）年度にはすべての市町村において介護予防・日常生活支援総合事業が実施された。

介護予防・日常生活支援総合事業においては，①介護予防・生活支援サービス事業として訪問・通所による介護予防や，配食などの生活支援などが行われ，②一般介護予防事業が行われている。一般介護予防事業において**通いの場**の充実が重視されている。通いの場は，元気な高齢者を含む住民やボランティアなどの多様な主体が実施する場において，第一号被保険者であれば高齢者は誰でも気軽に運動や体操などを楽しめるようにする取り組みである。通いの場は2022（令和4）年度において約14万5600か所で行われている。介護予防にとどまらず，地域づくりの推進という意義もあり，保健師には通いの場にかかわるボランティアや住民組織の育成などの支援を行い，充実させることが期待されている。

実践場面から学ぶ：通いの場による介護予防支援

■事例紹介

A地区の民生委員から，近所に心配な高齢者がいるので一緒に訪問してほしいとの依頼が保健師にあった。民生委員によると，その高齢者（Bさん，70歳女性）は，集合店舗内の味噌屋で娘にかわって日中の店番をしていた。半年前に集合店舗が老朽化でなくなり店を閉じてから，Bさんは外出しなくなってしまい，表情も乏しいのが気になるという。

保健師が民生委員と訪問してみると，Bさんの夫は10年以上前に他界しており，現在は娘（48歳）と娘の夫（50歳）との3人での生活であった。娘は味噌屋がなくなったあと別の仕事を増やしたうえ，隣県に住む孫娘（25歳）が昨年ひ孫を産み，その世話に行く必要もあって休日も家にいないことが多いという。Bさんの日常生活を聞くと「2週に一度は高血圧の薬をもらいに医院に行ってますよ」というが，それ以外はほとんど外出せず，娘が用意した昼食をとり，夕方，娘が仕事から帰宅するまでテレビを見て過ごすという。身体に問題はないと言うが，笑顔があまり見られないのが気になった。

●ポイント①:通いの場による介護予防

　保健師は，Bさんの家に近い通いの場を紹介し，参加することをBさんにすすめた。通いの場は，市が養成したボランティアが運営しており，高齢者ならば誰でも参加して一緒に体操したり，集った人と話したりして過ごせることを伝えた。Bさんは最初「この歳でいまさら体操なんて……」としり込みしたが，民生委員が自分も65歳だから一緒に行ってみようと誘ったところ納得し，早速翌日参加することになった。

　2か月後，保健師が通いの場を訪れると参加者と一緒に体操をするBさんの姿があった。その後，毎週ここに通うようになり，体操のあとも会話を楽しんで過ごしているという。Bさんは訪問時よりも立ち座りなどの動作がしっかりしており，なにより表情が明るくなった。「家から歩いて15分ほどかかるけど，ここが開いている日が楽しみになった」という。また保健師は，運営のボランティアから参加者の様子や運営上，気になっていることを聞いて助言をしつつ，Bさんたちが集う場を継続して運営していることをねぎらった。

　元気な高齢者が通いの場に来て体操で身体を動かすことや，参加者たちとの会話を楽しむことは，身体的にも精神的にも高齢者の健康に資するもので，介護予防として大きな意味をもつ。介護予防の必要な高齢者に通いの場の情報を伝え，参加を勧奨するのは保健師の役割である。また，通いの場を運営するボランティアや関係者の養成や，運営上のフォローなどを行い，通いの場が適切に継続していくよう支援することも大切な役割である。

●ポイント②:状況に応じて介護予防の継続をはかる

　保健師はその後も市の介護予防事業の計画にそって，ボランティアの養成と新たな通いの場の開設の支援を引きつづき行った。Bさんは自宅から5分ほどのところに新設された通いの場にも参加するようになった。

　ところが新型コロナウイルス感染症の蔓延がおこり，感染予防のため通いの場を開くことがむずかしくなった。通いの場で一緒に集えなくなっても，高齢者が運動する習慣を継続させることは介護予防のうえで重要である。市の担当課の保健師たちは自宅で体操を継続してもらうための対策を検討し，事務職員のサポートを受け高齢者のための体操の動画を作成し，また体操の手順を写真で見せるパンフレットを印刷した。保健師や民生委員，通いの場のボランティアで手分けをして参加者の自宅にパンフレットと動画の案内を配布した。

　その後，新型コロナウイルスの蔓延が落ち着きを見せたときも通いの場を再開することを参加者の各家庭に伝え，広報でも告知した。再開後，参加者に聞くと，動画は見るのがむずかしかったという声が多かったものの，ほとんどがパンフレットを見て自宅でも体操を続けたとの回答だった。

b フレイル予防

1 フレイルとは

　フレイルは，加齢に伴っておこるさまざまな臓器低下により外的なストレスへの脆弱性が亢進した状態とされ，さまざまな身体の問題を引きおこす。加齢や疾病により臓器などの身体機能は衰えても，栄養摂取と運動を適切に行うことでこのような衰えの進行を防げると考えられており，フレイル状態の高齢者を早期に発見し，適切な介入をすることにより，生活機能の維持・向上が期待される。

　フレイルは生活機能の自立度が高い「健康な状態」と日常生活動作に障害がある「要介護状態」との間に位置するため，フレイル予防はより早期から要介護状態を予防することになる。高齢者保健として疾病予防・治療とともにフレイルの予防を行うことが重要である。

2 フレイルの3つの側面

　フレイルは身体面，精神・心理面，社会面の3つの側面からとらえられている。

　身体的フレイルは身体的な老化，とくに骨格筋の機能低下を基盤として定義された概念である。運動器の障害による移動機能の低下（ロコモティブシンドローム）✚や，筋肉の衰え（サルコペニア）✚などが代表的な例である。身体的フレイルの基準にはフリード（Fried L., P.）らによるものがあり，①活動性の低下，②筋力低下，③動作の緩慢性（歩行機能の低下），④疲れやすさの増悪，⑤体重減少の5つの徴候のうち，3つ以上に該当する場合はフレイル，1～2つに該当する場合はプレフレイル（フレイルの予備状態）と判断される。

　わが国では2020（令和2）年に改定された「日本版CHS基準（J-CHS基準）」が代表的な診断法となっている。①体重減少，②筋力低下，③疲労感，④歩行速度，⑤身体活動の5項目のうち3項目以上が該当する場合をフレイルと分類し，1～2項目が該当する場合をプレフレイル，該当なしを健常と分類する。

　精神・心理的フレイルの定義は定まっていないが，精神機能・認知機能の低下などの心理面の虚弱としてとらえられ，身体的フレイルとうつ傾向が合併した状態との報告がある。抑うつや意欲の低下などの精神機能が低下し，外出や人と会うことを避け，社会参加や人とのつながりが乏しくなることで，身体面とも合わせてフレイルとなる。

　社会的フレイルは，高齢になり社会とのつながりが乏しくなり，独居状態や経済的に困窮になった状態のことである。社会的フレイルは，独居，社会的ネットワーク，社会的参加，経済状況などの要素をもとに判定される。

プラス・ワン

ロコモティブシンドローム（運動器症候群）
日本整形外科学会により提唱された概念で，運動器の障害のために身体能力（移動機能）が低下した状態のことをいう。原因として，関節，骨，筋肉などの運動器疾患，筋力やバランス力など運動機能の低下，運動時の痛みなどのための運動不足があり，これらの要因が影響し合い，ロコモティブシンドロームを引きおこす。

サルコペニア
高齢になるに伴う，骨格筋量の減少と骨格筋力の低下をいう。不活動が原因と考えられているが，そのメカニズムはまだ完全には判明していない。

> **プラス・ワン**
>
> **オーラルフレイル**
> オーラルフレイルの高齢者において，身体的フレイルの発症リスクは2.41倍であったという調査結果が報告されている[4]。

また，嚥下障害などの口腔機能の低下が低栄養や心身機能を低下させ身体的フレイルを引きおこすというオーラルフレイルの概念が示されている。

3 フレイルの予防対策

フレイル予防のポイントは栄養，身体活動，社会参加である。バランスのよい食事をしてタンパク質と水分を十分にとることと，身体活動として歩く，筋トレを行うなどの運動を定期的に行うことがすすめられる。

社会的フレイルには確立した予防対策がないが，就労やボランティア活動などの社会参加や余暇を楽しむことが効果的と思われる。前述した通いの場（地域サロン）や自治会活動に積極的に参加することも予防となる。

●引用文献
1) 秋山弘子：長寿時代の科学と社会の構想．科学 80(1)，59-64，2010．
2) 長谷川美規・安村誠司：日本人高齢者の転倒頻度と転倒により引き起こされる骨折・外傷．骨粗鬆症治療 7(3)：180-185，2008．
3) エビデンスを踏まえた介護予防マニュアル改訂委員会：介護予防マニュアル，第4版．p.5，2022．(https://www.mhlw.go.jp/content/12300000/000931684.pdf)（参照 2023-06-21）
4) 日本歯科医師会：2040年を見据えた歯科ビジョン．2020．(https://www.jda.or.jp/dentist/vision/pdf/vision-all.pdf)（参照 2023-06-21）

●参考文献
・荒井秀典監修，佐竹昭介編：フレイルハンドブック，2022年版．ライフ・サイエンス，2022．
・厚生労働省老健局：市町村・都道府県における高齢者虐待への対応と養護者支援について．2023．
・国立大学法人九州大学：認知症及び軽度認知障害の有病率調査並びに将来推計に関する研究報告書（令和5年度老人保健事業推進費等補助金〔老人保健健康増進等事業〕．2024．
・認知症介護研究・研修仙台センター編：専門職のための認知症の本人と家族がともに生きることを支える手引き．2018．(https://www.mhlw.go.jp/content/12300000/000333992.pdf)（参照 2023-06-21）

4章 精神保健医療福祉活動

4章 精神保健医療福祉活動

A 精神保健医療福祉の動向

POINT
- 法律の改正により，当事者の人権を擁護・尊重し，社会復帰やその人らしい暮らしを支援する施策が充実してきた。
- 国全体で精神疾患・障害をもつ本人の退院促進や地域移行を推進している。
- 社会情勢の変化により，中学生・高校生・労働者の心の健康づくりや，災害時のメンタルヘルス対策が推進されている。

1 精神保健の理念と変遷

a 精神保健の理念

　保健活動は人々の健康を保つことを目ざした活動であり，健康の保持・増進にとどまらず，発症した疾患の早期発見・早期治療や障害のリハビリテーションも含まれる。精神保健活動としては，心の健康づくりのような精神的健康の保持・増進の支援とともに精神疾患の予防や治療を継続するための支援などが行われている。

　過去の精神障害者の処遇をみると，精神疾患のために当事者が引きおこす混乱した行動，とくに自傷他害といわれる本人自身や他者を傷つける行為などをおそれて，精神障害者は自宅や精神科病院に隔離・収容されてきた歴史がある。近年では，当事者が地域で安定した生活を営むために，精神的に不調をきたした者を早期発見し，できるだけ早期に治療につなげるための支援や，受診や治療を継続するための支援が行われている。また，精神疾患・障害をもつ当事者が，自分らしさや能力をいかして就労したり，自己実現していくための支援も行われている。つまり，これまでの医療機関への入院を中心とした治療・支援を改め，当事者の「権利・名誉・尊厳の回復」をはかり，その人らしい生活や人生を送ることを目ざして(**全人的回復**)，ノーマライゼーションやリハビリテーション，リカバリー，ストレングスモデルなどの理念に基づく保健活動が展開されている。次項では精神保健の理念に基づいてどのように精神保健医療福祉の制度が進められてきたか，その変遷をみてみよう。

b 日本における精神保健医療福祉の変遷

1 「私宅監置」から精神保健医療による支援へ

　明治時代より前の精神障害者に対する支援は，おもに寺院により行われていた。明治時代に入り，1875（明治 8）年に**京都癲狂院**が，1879（明治 12）年には**東京府癲狂院**が創立された。精神病院の数は限られていたため，相馬事件✚後の 1900（明治 33）年に精神病者監護法が制定され，親族が精神障害者を自宅で監督し保護する，いわゆる「私宅監置」が進められた。

　親族が中心となって行われた私宅監置は，第二次世界大戦後の 1950（昭和 25）年に廃止された。精神障害者への適切な医療の提供と保護および障害の発生予防をめざして，**精神衛生法**が制定されたからである。同法により，①都道府県立精神病院設置の義務化，②精神衛生鑑定医制度の創設，③医療保護のための診察・保護申請を知事に行えることが盛り込まれ，④保健所や公立病院への精神衛生相談所の設置も明文化された。精神衛生法はライシャワー事件✚の翌年の 1965（昭和 40）年に改正され，①保健所を精神保健行政の第一線機関に位置づけること，②都道府県立精神衛生センターの創設，③通院医療費公費負担制度の開始，④措置入院制度の強化などが定められた。

2 精神保健医療福祉施策の推進と精神障害者の人権擁護

　精神障害者の人権擁護や福祉の増進，社会復帰促進の重要性が注目されるようになったのは，1983（昭和 58）年に精神科入院患者が看護職員らの暴行によって死亡した宇都宮事件がきっかけである。具体的には，精神衛生法が改正され 1987（昭和 62）年に**精神保健法**となり，同法には①精神障害者のための社会復帰施設（精神障害者生活訓練施設や授産施設）の設置，②任意入院と応急入院の制度化，③入院中に信書を送受信し，弁護士などと面会する権利の確保，④精神保健指定医制度および⑤精神医療審査会制度が盛り込まれた。

　1993（平成 5）年の精神保健法改正では，社会復帰の促進がめざされ，①グループホームおよび精神障害者社会復帰促進センターの新設，②精神障害者の再定義などが行われた。また③調理師や栄養士の資格制限としての精神病などの欠格事由が廃止され，これらの職種の免許申請に必要とされていた，精神病の有無を証する医師の診断書は不要となった。

　1993（平成 5）年に制定された**障害者基本法**✚によって，精神障害者が障害者に位置づけられ，障害者の権利擁護の機運が高まった。

　精神障害者の自立と社会参加促進をさらに進めるために，精神保健法は 1995（平成 7）年に**精神保健及び精神障害者福祉に関する法律**（精神保健福祉法）に改正され，①保健福祉手帳制度，②社会復帰施設（生活訓練

プラス・ワン

相馬事件
相馬藩（現在の福島県の一部地域）藩主の相馬誠胤が精神的不調により，自宅での監禁や東京府癲狂院への入院をしいられていることを不当な扱いとし，1887（明治 20）年に藩士の錦織剛清が告発，同院から誠胤を脱出させた。錦織は，誠胤の死後，その死因を関係者による毒殺と主張するも，証拠不十分で禁固刑となった。

ライシャワー事件
1964（昭和 39）年にライシャワー駐日米国大使が精神障害者に刺された事件。精神障害者が引きおこしたこの事件は社会的な反響が大きく，翌年に緊急的に改正された精神保健法においても地域での精神障害者の支援施策とともに，入院医療も強化された。

障害者基本法
1993（平成 5）年に心身障害者対策基本法（昭和 45 年法律第 84 号）が改正され，法律名も障害者基本法と改められた。この改正の際に次の事項が明文化された。①福祉の増進と障害の予防に関する国や地方自治体の責務，②国の障害者基本計画策定の義務化，③地方自治体による障害者計画策定の努力義務化。

プラス・ワン
精神保健福祉士
精神保健福祉士は、精神保健福祉士法（1997〔平成9〕年制定）に基づく国家資格。精神障害者が地域で自立生活を送る際や社会復帰をする際に、相談・助言・指導などの直接的な支援の提供と、社会資源の調整を担う。

施設、授産施設、福祉ホーム、福祉工場）の類型化、③通院患者リハビリテーション事業の福祉施策が盛り込まれた。また社会復帰支援の専門職の確保のため、1997（平成9）年に精神保健福祉士が国家資格化された。さらに、1999（平成11）年の精神保健福祉法改正では、市町村が在宅福祉サービス（ホームヘルプサービスなど）を提供することなどが定められた。

精神科病院への入院を精神障害者の医療の中心にしてきた日本は、他国と比較しても精神病床数の割合が高く、長期入院が課題となっていた。そのため、国は2004（平成16）年に「**精神保健医療福祉の改革ビジョン**」をまとめ、脱施設化と地域移行を加速させた。翌2005（平成17）年に制定された障害者自立支援法で、市町村が障害者に対する相談支援とサービス提供を担うことが定められたが、応益負担の問題が発生したため同法は見直しを行うことになった。一方で、2010（平成22）年の閣議決定「**障害者制度改革の推進のための基本的な方向について**」には、①精神障害者の医療提供確保のための指針策定、②保護者制度の廃止、③医療保護入院と精神医療審査会の見直しなどが盛り込まれた。このような流れを受け2012（平成24）年に、**障害者の日常生活及び社会生活を総合的に支援するための法律**（障害者総合支援法）が制定された。この法律は障害者が個人の基本的人権と尊厳を尊重するかたちで日常生活・社会生活を営めるようにするために支援を総合的に行うことを目的として、地方自治体が精神障害者のニーズや生活状況に基づき、自立生活を支援することとした。障害者総合支援法の支援は5章を参照されたい。

❷ 精神保健医療福祉施策

a 精神障害者の統計

高齢化の進展による認知症高齢者の増加や、リーマンショック以降に深刻化した労働者のうつ病の問題などの影響を受け、2008（平成20）年の患者調査で精神疾患の患者数が323万人に増加した。このような情勢を背景に、2011（平成23）年に精神疾患が医療計画に記載する5疾病の1つに位置づけられ、2013（平成25）年に開始された第6次医療計画において都道府県単位で医療提供体制の確保をはかることになった。

しかし、患者数は依然として増加傾向であり、2020（令和2）年の患者調査では、「精神および行動の障害」の総患者数は約502万5千人であった（2017〔平成29〕年調査では約348万1千人）。2020（令和2）年の患者調査によると「精神および行動の障害」の受療率（人口10万対）は入院188と外来211となっており、通院のほうが多い。また、「精神および行動の障害」の入院患者の半数以上を「統合失調症、統合失調型障害および妄想性障害」が占めている。

退院促進に関する政策の推進に伴い、2022（令和4）年における精神病

症の平均在院日数は 276.7 日であり，短縮傾向である。

b 精神障害者への支援施策

精神障害者への支援の大きな流れは前述したとおりである。以下では精神障害者および精神保健について近年の支援施策について概説する。

1 発達障害者への支援の充実

発達障害の定義および発達障害者への支援は，2004（平成16）年に制定された**発達障害者支援法**で規定されている（26ページ参照）。具体的には，児童の発達障害の早期発見・早期支援についての市町村と都道府県それぞれの役割が定められた。支援の施策としては，①保育，②教育，③放課後児童健全育成事業の利用，④関係機関による情報共有の促進，⑤就労支援，⑥地域生活支援，⑦権利利益の擁護，⑧司法手続における配慮，⑨家族などへの支援，⑩発達障害者の家族支援などが規定されている。また支援のための機関として，発達障害者支援センター・発達障害者支援地域協議会などが示されている✚。

2010（平成22）年の障害者自立支援法改正により，発達障害者は障害者に位置づけられ，現在では障害者総合支援法の対象となっている。

2 災害時の心のケア

1995（平成7）年に阪神・淡路大震災や地下鉄サリン事件といった健康危機が発生したことをきっかけに，2003（平成15）年に「**災害時地域精神保健医療活動ガイドライン**」が定められた。同ガイドラインは，災害によるメンタルヘルスの悪化や心的外傷後ストレス障害（PTSD）の予防や適切な対応について整理している。

また2011（平成23）年の東日本大震災をきっかけに，**災害派遣精神医療チーム**（Disaster Psychiatric Assistance Team：**DPAT**）が制度化された。DPAT は大規模災害などの被災者および支援者に対して，精神科医療・精神保健活動の支援を行うために被災地に派遣される専門的な精神医療チームである。DPAT の構成員は精神科医師・看護師・業務調整員および現地のニーズに合わせて，児童精神科医・薬剤師・保健師・精神保健福祉士・臨床心理技術者からなる。都道府県・指定都市は，DPAT の整備を行い，構成員に対する研修を行う。

3 心神喪失者等医療観察法による医療・観察と社会復帰支援

2005（平成17）年に**心神喪失者等医療観察法**✚が施行され，心神喪失または心身耗弱状態で重大な他害行為を行った者に対し，専門的医療による症状改善と再犯防止および当事者の社会復帰支援が行われている。対象者は指定入院医療機関への入院または通院により3年間（2年まで延長

✚ プラス・ワン

発達障害者の支援機関

発達障害者支援法では，当事者への支援機関として発達障害者支援センター・発達障害者支援地域協議会が規定されている。同法が規定するこれらの機関以外にも，国立障害者リハビリセンターと国立精神・神経医療研究センターにおいて，専門的人材の養成のための研修の充実がはかられている。国立障害者リハビリセンターには Web サイトで情報を発信する発達障害情報・支援センターも設けられている。

●発達障害者支援センター

都道府県などが設置する。実施する業務は発達障害者とその家族，関係者に対する相談・情報提供・助言，発達障害者に対する専門的な発達支援や就労支援，関係機関とその従事者に対する情報提供・研修の実施，連絡・調整など。

●発達障害者支援地域協議会

都道府県が発達障害者の支援体制の整備のために設置する。構成員は，発達障害者とその家族，関係機関とその従事者である。協議会では，発達障害者の支援体制の課題について情報共有により，関係者などの連携の緊密化をはかり，支援体制の整備について協議する。

心神喪失者等医療観察法

「心神喪失等の状態で重大な他害行為を行った者の医療及び観察等に関する法律」の略称である。重大な他害行為とは，殺人，放火，強盗，強制性交など，強制わいせつ（これら5つは未遂も含む）および傷害のことである。

●退院などの手続き

対象者の病状が改善した場合，病院管理者は，地方裁判所に申立てを行い，退院が許可される。
入院期間中から社会復帰調整官が，住まいや日常生活の支援なども含めた社会復帰の進め方について，都道府県保健所や市町村の担当者らと「ケア会議」で協議し，処遇実施計画を立案・実施する。
社会復帰調整官は定期的に彼らのメンタルヘルスや生活状況を把握し，処遇実施計画を適宜修正し，万一病状が悪化した場合には，すみやかに治療を受けられるように支援する。

可) 治療を受け, 同法による処遇が終わったあとは地方自治体が精神保健福祉法をよりどころとして支援する。

4 偏見・社会的排除など地域社会との関係から派生する課題

■精神障害者への差別・偏見の解消

精神疾患に対する差別や偏見の解消を目ざした動きとして, 2004(平成16)年に「こころのバリアフリー宣言」✚が定められた。その後, 障害者権利条約への批准を見すえて, 2012(平成24)年に改正障害者基本法が施行された。この改正では,「社会モデル」の概念を参考に, 障害者の生活上の制限を生じる一因として「社会的な障壁」を定め, 障害者の定義を変更した✚。さらに障害者差別を禁止するとともに, 障害者の療育, 防災・防犯, 消費者としての保護, 選挙や司法手続の際の配慮なども定めた。

2013(平成25)年には, **障害を理由とする差別の解消の推進に関する法律**が制定され, 差別的な扱いの禁止や合理的な配慮を行う必要性が示された。

■社会的排除への対応

社会的排除とは, 複合的な問題のために社会活動への参加がはばまれている状態のことをいい, 健康の社会的決定要因の1つとされている。精神障害者は孤立傾向にあり, 相対的貧困や失業, サービスへのアクセス困難などの不利益を経験するなど, 社会的排除を受けることが多い。

国は2021(令和3)年から「心のサポーター養成事業」を開始し, 地域社会全体で精神障害への理解が深化することを目ざしている。同事業は, 家族や同僚の話を傾聴する支援者を養成し, 精神疾患に対する正しい知識の普及と, メンタル不調者の早期発見・早期治療を目ざしている。

5 心の健康づくりと保健指導, 健康増進計画

都道府県は健康増進計画の策定が義務づけられているが, 各都道府県においては計画のなかで住民の心の健康づくりについても一次予防として各年代や各領域を対象にした対策を講じている。

■成人期・労働者への対策

とくに働き盛り世代の自殺やストレスへの対策は, 生活習慣病対策と等しく重要であり, そのためにゲートキーパー✚養成講座や中小企業に対する相談窓口の設置, 地域職域連携推進協議会が開催されている。

2006(平成18)年に策定された「**労働者の心の健康の保持増進のための指針**」(メンタルヘルス指針), に基づき, 各事業所では衛生委員会などで調査・審議して「心の健康づくり計画」を策定することになった。

さらに2015(平成27)年には,「**ストレスチェック制度**」が開始され, 従業員数が50人以上の事業場では, メンタルヘルス不調の者の発生予防と早期発見のため, 毎年仕事上のストレスを把握することが義務づけられ, 高ストレスな者から申し出があった場合には, 医師の面接指導が行

プラス・ワン

こころのバリアフリー宣言
精神疾患や精神障害者についての正しい理解を促すための基本を8つの柱に整理した指針である。

「社会モデル」の考え方による, 障害者の定義の見直し
「社会モデル」とは, 障害者が受ける制限は機能障害だけが原因ではなく, 社会のさまざまな障壁と相対することから生ずるものであるとする考え方。2012(平成24)年に施行された改正障害者基本法では, 社会モデルの考え方に基づき, 障害者の定義を「障害がある者であって, 障害及び社会的障壁により継続的に日常生活又は社会生活に相当な制限を受ける状態にあるもの」と変更した。

ゲートキーパー
当事者の自殺をうかがわせるきざしを察知し, 声かけや見まもり, 適切な専門機関や窓口につなぐといったアプローチを行い, 当事者の孤立化を防ぐ手だすけをする人のこと。

われる。事業場は，医師の意見をもとに職務上の措置を講じ，分析結果を職場改善に活用するとともに，労働基準監督署に結果を報告する義務があり，事業者は個人情報を保護し，労働者に不利益が及ばないようにしなければならない。

■ **中学生・高校生の世代への対策**

中学生・高校生の世代に対しては，厚生労働省が中高生向けのホームページ「こころもメンテしよう～若者を支えるメンタルヘルスサイト」を開設し，正しい知識の普及に努めている。また，学習指導要領の改訂に伴い，2022(令和4)年度から高校生の保健体育の講義のなかで「精神疾患の予防と回復」が取り上げられることになった。

●参考文献

- 厚生労働省：こころもメンテしよう──若者を支えるメンタルヘルスサイト．(https://www.mhlw.go.jp/kokoro/youth/)(参照 2023-05-18)
- 厚生労働省：自死遺族等を支えるために──総合支援の手引き．2018．(https://www.mhlw.go.jp/content/000510925.pdf)(参照 2023-05-19)
- 厚生労働省精神保健福祉対策本部：精神保健医療福祉の改革ビジョン(概要)．2004．(https://www.mhlw.go.jp/topics/2004/09/dl/tp0902-1a.pdf)(参照 2023-05-18)
- 国立精神・神経医療センター精神保健研究所地域精神保健・法制度研究部：リカバリー．(https://www.ncnp.go.jp/nimh/chiiki/about/recovery.html)(参照 2023-05-19)
- 呉修三・樫田五郎著，金川英雄訳・解説：精神病者私宅監置の実況──現代語訳．pp.20-28，医学書院，2012．
- 文部科学省：改訂「生きる力」を育む高等学校保健教育の手引き．2021．(https://www.mext.go.jp/a_menu/kenko/hoken/20210310-mxt_kouhou02-1.pdf.)(参照 2023-05-19)

B 精神保健にかかる健康課題と支援

- 保健師は当事者や家族，地域住民の相談にのり，ニーズに合わせて解決・改善策を検討する。
- 当事者の自立生活や QOL 向上をめざして支援を行う。
- 近年，精神障害者にも対応した地域包括ケアシステムの整備が進められている。

1 精神保健における保健師の支援

　精神疾患や精神障害の場合，診断名が同じであっても，支援対象者の特性や生活状況によって生活上の困りごとやニーズは千差万別であり，病状の回復や社会復帰にいたるプロセスや，それに必要な時間もさまざまである。また精神保健の支援対象者は治療を受けても，すぐにもとどおりの生活が送れるわけではなく，病状の揺り戻しを経験しながら，徐々に回復していくことが多い。

　保健師はこうした状況について理解し，当事者のペースや希望に合わせ，その人らしい生活が送れるように，その伴走者として支援する。そのためには，当事者や身近で彼らを支える家族や関係者が，病状や障害特性を受け入れ，そのコントロールや生活の工夫ができるように支援する必要がある。

2 早期発見・早期治療・早期退院による経過の短縮化

　なんらかの不調が出現してから治療が開始されるまでの未治療の期間を短縮化できれば，精神疾患の病状悪化や慢性化の予防，さらには円滑な社会復帰や QOL の改善につながる。支援対象者が精神的な不調をきたしたときに「早期発見・早期治療」の考えに基づき，自分自身で受診行動をとるためには，リテラシーが必要である。保健師は，対象者が不調をきたしたときに適切に動けるように支援する。とくに思春期や妊娠期，初老期といった心身の変化が大きい時期の人は精神的な不調をきたしやすく，本人やその家族，身近な支援者に対して，具体的な症状の特徴や専門家に相談・受診するタイミングなどの情報と，いつでも相談にのる用意があることを伝えておく。

　一方，入院治療が必要なレベルまで病状が悪化した場合でも，その後病状が安定したらできるだけ早期に退院し，地域での生活を再開するこ

とが大切である。国は診療報酬を改定して長期入院を防ぎ、地域の保健医療福祉サービスを充実させることで、精神障害者の地域移行や在院日数の短縮化を進めており、医療機関へ入院していた精神障害者も、治療により病状が安定すれば、即退院となる。保健師は精神障害者の再入院を防ぎ、地域で安定的に生活を継続できるように支援する必要がある➕。

３ 生活のしづらさや困難さへの支援

➕ **プラス・ワン**
地域での安定的な生活を継続するための支援
たとえば訪問看護師や往診医、ホームヘルパーなどの協力により、当事者の状態をモニタリングすることがある。複数の関係者が支援することで、当事者の病状悪化を早期発見し、タイムリーな治療につなげやすくなる。

障害者基本法において障害者は「障害及び社会的障壁により継続的に日常生活又は社会生活に相当な制限を受ける状態にあるもの」(第2条)と定義されているが、精神障害の場合、障害によるさまざまな症状は「生活のしづらさ・困難さ」として本人を苦しませ、混乱した行動を引きおこし、家族との間のいさかいの原因にもなる。精神疾患は、周囲の人からみてわかりづらい症状が多いため、周囲からの理解が乏しいことにより当事者や家族はさらに生活のしづらさを感じることがある。

保健師には、本人・家族から生活のしづらさ・困難さや具体的な症状への支援を求める相談だけでなく、病状が悪化した当事者の言動に困惑している近隣住民からの訴えなどがもち込まれる。このような精神障害者に関する相談ニーズに対応するため、市町村保健センターや都道府県保健所において相談支援事業が提供されている。

a 一般的な相談の場合

保健師は、当事者や家族からの相談に対して、成育歴や病歴、具体的な症状、困りごとなどについて聞きとり、当事者や家族の健康課題、各自の力量やパワーバランスなどをアセスメントし、その結果に基づき、課題解決の方策を当事者・家族と一緒に考える。相談者自身の力量で対応できる課題の場合は、具体的な助言を行って終了とする。1回の相談で完結しない場合には、継続して支援する。

当事者が受診・治療を要する状態であれば、保健師は家庭訪問などによって精神科医とともに当事者の状態や家庭環境を直接確認する。また、受診に向けた支援を行う際には、受診の日時、受診先、交通手段、受診の必要性を当事者に説明する人、受診に同行する人などについて、あらかじめ家族や関係者と相談する必要がある。

精神科医の診察の結果、当事者が入院治療を要する状態の場合には、任意入院、医療保護入院、応急入院、措置入院/緊急措置入院のいずれかが選択される(表4-1)。

表 4-1　入院の種類

入院の種類	精神障害者の状態像	精神保健福祉法条文
任意入院	・当事者が入院に同意できる。	第20条
医療保護入院	・任意入院がむずかしい際に，家族などが当事者の入院について同意する。	第33条
応急入院	・当事者および家族などの同意が得られない。	第33条の7 ※指定病院のみで，72時間以内（3日間）という制限あり。
措置入院/緊急措置入院	・精神保健指定医2名以上の診察により，「精神障害者であり，かつ入院させなければその精神障害のために自身を傷つけまたは他人に害を及ぼすおそれがある」と判断された場合。	第29条/第27条，第28条。 ※警察官の通報による措置入院は第23条に規定。

b　自傷他害のおそれがある相談の場合

　病状が急性期かつ増悪傾向であり，精神障害のために自身を傷つけたり，他人に害を及ぼしたりするおそれがある場合には，措置入院が適用されることがある。当事者の病状が改善すれば，措置入院から任意入院や医療保護入院に切りかえられたり，退院となったりする。保健師は，精神障害者の入院中から退院後の地域での生活を見すえて，当事者の希望やニーズを把握し，それに応じた社会資源の導入や，地域の支援者と当事者の橋渡しといった調整を担う。

　2014（平成26）年に改正された精神保健福祉法の施行に伴い策定された「**良質かつ適切な精神障害者に対する医療の提供を確保するための指針**」にのっとり，保健師などの支援者は医療機関や他職種と協力して，精神障害者が1年未満の入院期間で退院することをめざす必要がある。入院期間が長期にわたると，社会復帰の妨げになる場合があるからである。地域全体の医療の確保という観点からは，治療中断者に対するアウトリーチ型の医療の提供や，病状の急激な悪化に対応できる精神科救急医療体制の構築が求められる。糖尿病や高血圧といった基礎疾患を有する精神障害者については，精神科以外の診療科や関係機関との連携を円滑にするための協議会を開催し，医療提供体制を整備することも必要である。

4　日常生活における自立支援に向けたしくみ

a　精神通院医療

　精神障害者にとって，外来治療や薬物治療の継続は，病状安定のために不可欠である。当事者が外来通院を継続するために医療費の自己負担を軽減するしくみとして，障害者総合支援法では**自立支援医療**の精神通院医療という公費負担制度が設けられ，所得や疾患に応じた自己負担の

上限額が設定されている。精神通院医療の申請時（新規・更新）には主治医の診断書が必要になるため、保健師は当事者が定期的に受診しているかを確認する。とくに病状が不安定な者については、病状悪化時に備えて、主治医と地域での様子について情報を共有しておく必要がある。

b 障害福祉サービス

障害者総合支援法に基づく障害福祉サービスには大きく2種類ある。1つは**介護給付**である。生活上必要な介護支援（食事・入浴），短期入所（ショートステイ），生活介護（創作や生産活動の機会）が提供されている。もう1つは，**訓練等給付**である。具体的には自立訓練（機能訓練・生活訓練），就労移行支援，就労継続支援A型（雇用型）・B型（非雇用型），就労定着支援，自立生活援助が提供されている。介護給付は障害支援区分に応じて必要なサービスが提供される。訓練等給付については，保健師などの支援者は，当事者の病状や障害の程度を考慮したうえで，主治医の意見も参考にしながら，社会復帰や自立生活に向けて利用するサービスを選定する。

c 精神障害者保健福祉手帳

精神障害者保健福祉手帳は，交付を申請した精神障害者が精神障害の状態にあると都道府県知事が認めた場合に発行され，障害の程度に応じて，1〜3級に分けられている。交付された者は2年ごとに医師の診断書を提出し，更新手続きを行う。手帳保持者は，公共料金の減免，税金の控除，生活福祉金の貸付，障害者職場適応訓練の実施などを受けられる。また電車やバスなどの運賃や上下水道の料金の割引，福祉手当の支給を受けられる地方自治体もある。保健師は当事者の希望を聞いたうえで，生活支援の一助として申請について提案するとよい。

d 成年後見制度と日常生活自立支援事業

地域生活を送るには，金銭管理能力やさまざまな法的な手続き・契約などを行う能力が必要である。成年後見制度はこうした判断能力が不十分な成人の財産管理（預貯金や土地・家屋の管理，税金の支払いなど）や身上監護（契約，申請手続き，支払いなど）をたすけるためのしくみである。成年後見制度には任意後見と法定後見の2つがある（**表4-2**）。ただし，弁護士などの法定後見人が選定された場合には，毎月報酬を支払わなければならないため，保健師は当事者の経済状態を考慮したうえで制度を利用するかどうか提案をする必要がある。

成年後見制度を補完するものとして**日常生活自立支援事業**（福祉サー

表 4-2 任意後見制度と法定後見制度の違い

種類	後見人の選び方と報酬	当事者の判断能力	後見人の取消権
任意後見制度	・将来の心配に備えて自分であらかじめ選定(任意後見人)。 ・当事者との話し合いにより、任意後見契約で報酬を決定。	・現時点では心配ない。	・なし。
法定後見制度	・家庭裁判所が当事者の判断能力に応じて法定後見人を選定。経済状態に応じてその報酬も決定。	①補助人：不十分な場合。 ②保佐人：著しく不十分な場合。 ③成年後見人：判断能力を欠く場合。	・日常的に行われる買い物などの行為を除き、被保佐人の行為や契約を取り消すことが可能。

ビス利用援助事業)がある。個人のニーズや希望および経済状況を考慮し、最適な社会資源の利用のためにこのサービスの活用なども考える必要がある。日常生活自立支援事業は判断能力が不十分な者の福祉サービス利用や金銭管理などを支援するサービスで、社会福祉協議会が実施主体として、利用者と契約を交わして支援を行うものである。

5 社会復帰・地域生活支援

a 精神障害者の社会復帰に関する重要な概念

1 リカバリー

精神障害者の社会復帰に関する重要な考え方に「リカバリー」がある。精神障害者のリカバリーとは疾患が治癒するという意味にとどまらず、当事者本人が望む生き方や生活を送れるようになり、自身の人生を取り戻すことをいう。具体的には、薬物療法や精神療法によって当事者の症状が改善すると、症状をコントロールでき認知機能・セルフケア能力が改善する(臨床的リカバリー)、それに伴って当事者の教育や就労などの社会的な機能が拡大していく(社会的リカバリー)および、当事者が希望する道を選び、その人らしい人生を送るような心理的・社会的な回復(パーソナルリカバリー)というリカバリーがある。保健師は、当事者の希望や回復過程に寄り添いながら、その時々に合った方法を一緒に考え、サポートをする必要がある。

2 ストレングスモデル

当事者の疾病や障害ではなく、「できること」や「得意なこと」といった「強み」に着目する「ストレングスモデル」も重要な概念である。保健師は、当事者の自己実現をめざして短期・中期・長期目標を設定し、当事者の強みをいかしながらその実現に向けて日々の過ごし方などを検討し、支援する。

b 資源・サービスを活用した社会復帰・地域生活の支援

1 退院支援計画の作成と資源の活用

　措置入院や緊急措置入院を退院した精神障害者が，円滑に地域で生活を送れるようにするために，保健師などの支援者には，「**地方公共団体による精神障害者の退院後支援に関するガイドライン**」に基づく支援が求められる。たとえば，当事者の入院中に，退院後に通院する医療機関，利用する訪問看護ステーションや地域支援事業者，民生委員などと協力し，本人のニーズに基づいて退院後支援計画を立案する。具体的には，①入院までのプロセスのふり返り，②本人の退院後の支援ニーズと治療計画，③必要な医療などの支援の利用が継続されなかった場合や病状が悪化した場合の対処方針，④緊急連絡先など，を盛り込む。

　一方，精神障害者の外来通院の間隔は個人ごとに異なるため，体調や服薬の管理を支援する訪問看護サービスを活用する。また先述した日常生活自立支援事業を活用し，福祉サービスを利用する支援も考える。

　なお，精神障害者の社会復帰や地域生活支援のための機関として地域活動支援センターが設置されている➕。障害者総合支援法を根拠法としており，創作的活動・生産活動の機会の提供，ケア計画に基づいた相談支援や機能訓練，社会適応訓練などのサービスを提供しているが，就労継続支援A型やB型と異なり，収入は発生しない。

2 クライシスプランの作成

　精神障害の病状には波があるため，症状が落ち着いているときにクライシスプランを当事者とともに作成しておき，タイムリーな受診や支援に結びつくようにする。クライシスプランとは，「不調時に出やすい症状」（たとえば，「神様からのお告げがよく聞こえるようになる」など）や，病状が悪化したときの当事者自身の対応や主治医や関係者の支援について，当事者と支援者が合意して作成し支援者間で共有するものである。

6 地域ケアシステムの構築

　日本では，半数以上の精神障害者が親やきょうだいと同居している。このことは，多くの親族が社会資源の不足を補うかたちでケアを提供していることを意味している。保護者が現役世代のうちはなんとか対応できていても，高齢になると体力や経済的余裕がなくなる。また，保護者が病気や要介護状態になると，「8050問題」➕の事例として相談が寄せられることがある。精神障害者に対しても「ケアの社会化」を推進する必要がある。

　国は地域包括ケアシステムの考え方を応用して，「精神障害者にも対

➕ プラス・ワン

地域生活支援センター
地域活動支援センターとよく似た名称の施設として，地域生活支援センターがある。これは，精神保健福祉法に基づいて創設されたもので，日常生活支援や相談，住民との交流（地域交流という）を目的とした場の提供を行うものである。障害者総合支援法の制定により，相談支援，生活サポート，地域活動支援センターの3事業に再編された。

8050問題
子どもが思春期や青年期のときに始まったひきこもりが40〜50代になっても継続し，高齢で年金生活になった親が疾病や介護などの問題をあわせもつようになると，子どもの世話を担えなくなり，生活がいきづまる問題。
親子ともに長年どこにも相談せず，社会的に孤立していることから，親の介護などをきっかけに新規事例として急浮上することがある。

プラス・ワン
地域精神保健医療福祉社会資源分析データベース（ReMHRAD）

ReMHRADにより，地方自治体ごとに，①多様な精神疾患の指標（おもにレセプトや特定健康診査の情報），②調査に基づく入院患者数，③障害福祉サービス事業所，訪問看護ステーションの設置数や位置情報を示すことができる。

応した地域包括ケア」を推進している。これは「精神障害者が地域の一員として，安心して自分らしい暮らしをすることができるよう，医療，障害福祉・介護，住まい，社会参加（就労），地域の助け合い，教育が包括的に確保されたシステム」[1]と定義されており，市町村を中心として日常生活圏域でしくみづくりを進めている。

また，保健師が精神障害者に対する適切な医療や社会資源の体制整備を進めていくためには，障害福祉計画などの策定が必要である。計画策定のための地域アセスメントをする際に地域精神保健医療福祉社会資源分析データベース（Regional Mental Health Resources Analyzing Database：ReMHRAD）を活用することで，どのような資源を整備すればよいか，根拠に基づいて検討できる。ReMHRADは都道府県・二次医療圏・市区町村などの区分別に，精神保健・医療・福祉関連の資源などのデータを地図上に示すシステムである。

7 共通の課題をもつ小集団への支援

プラス・ワン
医療機関と保健所・地域活動支援センターのデイケア

医療機関で行われるデイケアは，主治医の指示で治療の一環として提供されるが，保健所や地域活動支援センターのデイケアは利用者の申し込みに基づく参加が可能であり，その多くが無料で実施されている。

a デイケア

医療機関や保健所，地域活動支援センターでは，精神障害者向けのデイケアプログラム（以下，デイケア）が行われている。デイケアに参加し規則正しい生活を送ることは，生活リズムを整え，精神障害者の病状安定や体力回復に役だつ。またデイケアの参加メンバーとの意見交換を通して，デイケアで実施する料理やゲーム，スポーツなどのプログラム内容や段取り，役割分担などについて協議し，実際の場面では時間内に終わるように相談・協力することは，デイケアメンバーとの距離のとり方や円滑なコミュニケーション能力，課題遂行能力を身につけることにつながる。また，当事者どうしが病気に対する理解や服薬の重要性について学びを深める貴重な機会でもある。デイケアへの参加を通して，1人暮らしや就職活動に関する見聞や経験を積んだり，自分の将来について考えるきっかけになったりすることもある。そのため保健師は，精神障害者の社会復帰を進める第一歩として，デイケアの利用をすすめることが多い。

b ソーシャルスキルトレーニング

ソーシャルスキルトレーニング（social skills training：SST，生活技能訓練）は，精神障害者が服薬管理や生活に不可欠なスキルを学ぶ技法である。近年この手法を，発達障害児や新生活を始めた小学生・中学生や高校生に用いる取り組みも始まっている。SSTを学ぶことによって，社会生活を営む際に不可欠な自制心や怒りのコントロール，誘いの断り方

やいやな気持ちの伝え方，仲間に入りたいときの声のかけ方など，対人関係を円滑にし，ストレスや困りごとへ対処する能力を身につけ向上させることを目ざす。

●引用文献
1）厚生労働省．精神障害者にも対応した地域包括ケア構築支援情報ポータル．(https://www.mhlw-houkatsucare-ikou.jp/ref.html)（参照 2023-05-19）

●参考文献
・Anthony, W. M.：Recovery from mental illness：the guiding vision of the mental health service system in the 1990s. *Psychosocial Rehabilitation Journal*, 16：11-23, 1993.
・厚生労働省：精神障害者にも対応した地域包括ケア構築支援情報ポータル．(https://www.mhlw-houkatsucare-ikou.jp/ref.html)（参照 2023-05-19）
・厚生労働省：地方公共団体による精神障害者の退院後支援に関するガイドライン．2018．(http://www.phcd.jp/02/t_seishin/pdf/seishin_tmp03.pdf)（参照 2022-11-24）
・厚生労働省：良質かつ適切な精神障害者に対する医療の提供を確保するための指針．2014．(https://www.mhlw.go.jp/web/t_doc?dataId=00008830&dataType=0&pageNo=1)（参照 2023-05-19）
・地域精神保健医療福祉社会資源分析データベース（Regional Mental Health Resources Analyzing Database：ReMHRAD）．(https://remhrad.jp/)（参照 2023-05-19）

C 心の健康課題と支援

POINT
- 心の健康課題には，不登校，引きこもり，うつ状態，自殺，心的外傷後ストレス障害などさまざまな種類がある。
- 各精神疾患・障害には典型的な症状があるが，一様ではない。
- 支援する際には，支援者が1人でかかえ込まず，当事者・家族・住民・関係者と協力する。

1 思春期における心の健康課題

a 不登校

文部科学省は，不登校を「何らかの学校に心理的，情緒的，身体的，あるいは社会的要因・背景により，児童生徒が登校しないあるいはしたくともできない状況にあること」(学校不適応対策調査研究協力者会議，1992年)と定義している。2019(令和元)年に同省は通知「不登校児童生徒への支援の在り方について」を発出し，支援の必要性を強調しているが，2022(令和4)年度の統計では，小中学校における長期欠席者は約46万人，高等学校では約12万人超となり，新型コロナウイルス感染症の流行に伴い急増している。不登校のおもな理由として，無気力・不安，生活リズムの乱れ，非行，友人関係の問題，学校への不適応などある。

支援者が最初に行うべきことは，当事者や保護者の意向やニーズの把握である。そして，当事者の心身の健康をまもりつつ，学習の機会の確保と自立を促進していくためにどのようなアプローチが適切なのかを，学校の校長や担任，養護教諭がスクールカウンセラーやスクールソーシャルワーカーなどと一緒に検討する。場合によっては，学外の保健・医療・福祉などの関連機関や民間団体などの協力も得る必要がある。行政の保健師の場合，学校からの要請があったとき，不登校児だけでなくその家族も含めた支援を検討しサポートする。

一方，**ヤングケアラー**のように，親の精神疾患や介護などのやむをえない事情で不登校となっている事例もある。保健師は，当事者の成育歴や家族の状況や背景要因などについてできるだけ詳しく情報収集し，アセスメントする必要がある。

b ひきこもり

不登校者の一部はひきこもりに移行する。齋藤らによると，ひきこもりは「様々な要因の結果として社会的参加（就学，就労，家庭外での交遊など）を回避し，原則的には6か月以上にわたって概ね家庭にとどまり続けている状態（他者と交わらない形での外出をしていてもよい）を指す現象概念」と定義されている[1]。当事者の生活リズムが昼夜逆転すると，日中の活動が妨げられ，ひきこもりがさらに長期化することがある。ひきこもりには未治療の統合失調症や発達障害などが含まれる場合がある。

当事者に幻聴・幻覚・妄想などの精神症状がある場合，家族や学校関係者から相談を受けた保健師などの支援者は，家庭訪問によるアウトリーチ型支援を早期に開始する必要性を提案し，医師による確定診断や治療につなぐ。家庭訪問などの場面で支援者は，保護者から成育歴や保護者と当事者，夫婦間の関係性について聞きとり，アセスメントする。その際に保護者たちとともに考える姿勢を貫くことが重要で，まず保護者が相談機関や自助グループにつながり，安心して相談を継続できるようにするために支持的にかかわる。改善のきざしがまったくみえないと，保護者が先行きに対する不安やあせりを感じ，支援者にそのことを繰り返し訴えることがある。支援者は，保護者の不安を受けとめるとともに，相談の場に当事者にも来てもらうためのアプローチを保護者と一緒に考える。

当事者への親のかかわり方が変化すれば，当事者の態度も軟化し，支援者に関心を示すようになる場合がある。保健師が当事者への個別支援を本格的に開始するのは，この段階である。当事者個人の状態に合わせて，類似の課題をもつ同年代の小集団のデイケアや就労支援につなげ，本人が活動の場を広げていけるように段階的に支援する。

c 家庭内暴力

思春期の当事者が親や支援者などに対し反抗的な言動をエスカレートさせ，家庭内の暴力として表出されることがある。家庭内暴力は，保護者の批判的な発言などが引きがねとなって，生じることもある。

保健師などの支援者は，家庭内暴力の相談を受けたときに，まず家族間で暴力による問題解決が日常的に行われているかどうかを把握する必要がある。育児のなかで親が子どもに暴力をふるってきた過去があると，子どももそれを学習し，暴力で問題解決しようとするからである。支援者は，当事者と保護者自身の安全をまもるために，暴力で問題解決することは容認できないことをきちんと伝える必要がある。また，子ども家庭支援センターや児童相談所の協力を得て，保護者の子どもへのかかわり方を改善するようなペアレンティングトレーニングへの参加を促

したり，アンガーマネジメントなどの具体的な助言を行ったりする。場合によっては，当事者と保護者の安全を確保するために，警察の協力をあおぐ。

2 社会生活における健康課題（依存，うつ，自殺）への支援

a 依存

依存症とは特定の物質や行為などをやめたくてもやめられない状態をいう。アルコールやカフェイン，タバコ，鎮痛薬，催眠薬，シンナーなどの揮発性溶剤などの物質を繰り返し大量に摂取すると心身の依存，使用量増加による耐性，後遺症を引きおこす。風邪薬などの市販薬も同様である。薬物による身体・精神依存が生じると，特定の物質に対する欲求が強くなるあまり，学業や仕事，趣味などよりも物質の摂取を優先するようになり，自分でコントロールできなくなる。

1 アルコール依存症

代表的な依存症であるアルコール依存症は，年齢や性別に関係なく発症するが，女性は男性よりも少ない酒量・飲酒期間で発症する。退職や配偶者の死を契機に発症する高齢者もいる。

病態としては，まず適量で飲酒をとめることや断酒が困難になり，しだいに飲酒量が増加し，酩酊状態や記憶消失からの回復に1日を費やすようになる。また，飲酒をやめた数時間〜20時間前後に早期離脱症状としてイラつき，大量の発汗，心悸亢進，手指の振戦，不安感，幻覚，せん妄などがおこる。さらに，2〜3日後には後期離脱症状として見当識障害や興奮なども出現する。依存症の特徴である否認は，アルコール依存症の患者が，他者から見て明らかに飲酒していることがわかるときでも，自身の飲酒を認めようとしないことである。アルコール依存症の患者は飲酒中心の生活の結果，人間関係のトラブルや家族への暴言・暴力，失職，借金問題などを引きおこし，身をもちくずすことがある。

■アルコール依存症患者への支援

アルコール依存症は会社などの健康診断で肝臓の血液検査の数値が悪化していると指摘されて内科を受診したり，酩酊状態で救急搬送されたりすることがなければ，専門医療につながりにくい。保健師は当事者や家族の困りごとを切り口として，患者の早期発見・早期治療をはかり，当事者自身が飲酒問題を認め，早期に専門医療を受けたり，自助グループにつながったりする必要性を認識できるように支援する。

また同居家族が知らず知らずのうちに，当事者の飲酒行動を助長する行為（**イネイブリング**✚）をしていることがある。イネイブリングを行って当事者本人が依存しつづける状態をたすける人を**イネイブラー**とい

プラス・ワン

イネイブリングの例
当事者の買ってきた酒を隠したり捨てたりする。当事者の顔色をうかがう。飲酒が原因で会社を休むための言い訳や連絡を肩がわりする，など。

> **プラス・ワン**
>
> **アルコール健康障害対策推進基本計画**
> 2021（令和3）年度より実施されている第2期基本計画では，一般の医療機関と精神科，アルコール依存症の専門医療機関，自助グループなどの関係機関の連携（Screening, Brief Intervention, Referral to Treatment and Self-help groups：SBIRTS）の構築がはかられている。
>
> **再犯防止推進計画**
> 2023（令和5）年開始の第2次再犯防止推進計画では，薬物依存の問題をかかえる者への相談支援や治療等に携わる人材・機関のさらなる充実，刑事司法関係機関や地域の保健医療機関などの各関係機関の連携体制の強化が目ざされている。
>
> **ハームリダクション**
> 薬物の使用量の減少・未使用化を目ざして，厳罰を処すのではなく，当事者や家族の健康および社会・経済的側面における二次被害の低減を目ざす考え方のこと。一例として，薬物依存症の患者に対し，地域の関係機関で清潔な使い捨て注射器・針を提供する取り組みがある。
>
> **スティグマ**
> 古代に犯罪者などに対して烙印を押していたことが語源。現代においても精神疾患をもつ人に対する根強い差別や偏見があり，コミュニティから排除しようとする動きもみられる。

う。保健師は，家族がイネイブラーにならないように正しい知識を提供するとともに，アルコール依存症の家族としていだく心理的負担感や自分の責任と思い込む気持ちなどの肩の荷を下ろして安堵することができるように，家族会を紹介したり必要時に受診につなぐ支援を行う。

2014（平成26）年に施行された**アルコール健康障害対策基本法**に基づき，**アルコール健康障害対策推進基本計画**が策定され，対策が推進されている。アルコール健康障害対策推進基本計画は2021（令和3）年度より第2期基本計画が実施されている。

2 薬物依存

違法薬物（アヘン，大麻，コカイン，覚醒剤）は依存性が強いため，少量でも強い興奮や多幸感を得られるが，それらはすぐに消失し，かわりに幻覚，妄想，倦怠感などがあらわれる。再び興奮や多幸感を得るために，徐々に使用量が増え，繰り返し使用するようになり，大量摂取により中毒死にいたることがある。

薬物依存症は再犯率が高いため，2016（平成28）年に制定された**再犯の防止等の推進に関する法律**に基づき策定された**再犯防止推進計画**においても薬物依存症の者への支援の施策が推進されている。

■ **薬物依存への支援**

法律による取り締まりや支援制度の整備だけでなく，**ハームリダクション**（harm reduction，二次被害低減）という考え方に基づき，薬物使用による被害の低減や未然防止を目的として依存症患者を支援する動きがある。保健師は，薬物依存は健康の社会的決定要因の1つであることに留意する必要がある。当事者は，法的罰則や**スティグマ**により社会的に排除され，孤立しているだけでなく，就業や経済的な困難も重なって，違法薬物に依存したくなる状況におかれている。当事者の孤立を防ぎ，専門医療を受けたり，自助グループに通いつづけられるように関係者と協力して支援することが求められる。

3 賭博などの行為への依存

賭博などの行為についても，強い欲求を自分の意思で制御しきれない場合には，障害として診断される。2018（平成30）年には**ギャンブル等依存症対策基本法**が定められ，医療の確保や正しい知識の普及・啓発が行われている。病的な行為（賭博・放火・窃盗）について特徴や支援の留意点を**表4-3**にまとめた。

b うつ状態

うつ状態は，妊娠，出産，更年期などのライフイベントやホルモンの影響を受けるため，女性のほうが発症しやすい。また過度のストレスや

表 4-3　病的賭博・病的放火・病的窃盗について

種類	特徴	支援する際の留意点
病的賭博（ギャンブル依存症）	自分の意思では賭博をとめられず，賭博を続けることで多額の借金をしたり，家庭生活や仕事などが破綻することがあるが，それでもなお賭博を続けようとする。	・当事者自身が問題行動について自認し，治療につながるように支援する。
病的放火（放火癖）	明確な動機はないものの，火災を見たり消防署員が駆け付けることに対する異常な興味を有し，繰り返し放火する。	
病的窃盗（窃盗癖）	ほかの精神障害はないものの，繰り返し物を盗みつづける。	

過労，生活の変化も発症のきっかけとなり，小児から高齢者まで幅広い年代で発症する。おもな症状は，なにごともおっくうになる，自己評価や自信の低下，悲観的な考え方，食欲不振，不眠，早朝覚醒，易疲労感，体調不良や仕事上のミスが頻発するなどである。症状が悪化すると自責の念が強まったり，死を考えたりするようになる。

こうした症状の典型的なもの（**メランコリー型**）のほかに，非定型なうつがある。遊んでいるときや自分の好きなことをしているときは問題ないが，仕事などストレス要因に関連するような状況では他責の傾向が強まったり，過食・過眠，うつ症状などがあらわれたりする。また，冬期など特定の季節に発生する季節性のうつ病もある。

保健師は，うつ状態の当事者に対して支持的にかかわるよう留意し，具体的には，信頼関係の構築や安全の確保を最優先させ，十分な休養をとり自己肯定感の向上につながるように支援する。症状が重い場合には，主治医の判断で一時的に休学・休職となることもあるが，当事者があせって復学・復職することによる病状悪化を防ぐため，復帰の時期やペースは主治医や関係者と相談しながら決める。当事者の家族に対しても，当事者の話をゆっくり聞くことやうつ状態の理解を促し，家庭での対応方法について伝える。

c 自殺

1 自殺対策の動向

1998（平成 10）年以後，年間の自殺者数が 3 万人をこえる状態が継続し，深刻な社会問題となった。自殺は経済的な困窮や職場における過重労働といった社会的な背景要因がからみ合う，複合的な問題である。そのため，国全体で自殺対策を推進していくために，2006（平成 18）年に**自殺対策基本法**が施行された。同法に基づき翌 2007（平成 19）年に**自殺総合対策大綱**が策定され，以後定期的に見直されている。なお，2016（平成 28）年の自殺対策基本法改正に伴い，地方自治体による自殺対策計画

プラス・ワン

自殺対策基本法
2006（平成 18）年施行。自殺の防止および自殺者の親族などに対する支援の充実を目的とする。自殺の背景にはさまざまな社会的な要因があることをふまえて，社会的な取り組みを行う。

自殺総合対策大綱
2007（平成 19）年に閣議決定され，2012（平成 24）年の大綱の見直しにより，「誰も自殺に追い込まれることのない社会の実現」を目標に，自殺対策が取り組まれている。
2022（令和 4）年に見直された大綱の基本方針は，次のとおりである。
①生きることの包括的な支援として推進する。
②関連施策との有機的な連携を強化して総合的に取り組む。
③対応の段階に応じてレベルごとの対策を効果的に連動させる。
④実践と啓発を両輪として推進する。
⑤国・地方公共団体・関係団体・民間団体・企業・国民の役割を明確化し，その連携・協働を推進する。
⑥自殺者などの名誉および生活の平穏に配慮する。

表 4-4　自殺のハイリスク要因

類型	要因
過去の自殺企図・自傷行為	過去の自殺企図（未遂，既遂），自傷行為（リストカット，オーバードーズ〔薬の過剰摂取〕など）。
心身の疾患	精神疾患，がんや難病などに対する病苦。
心理状態，性格	不安感や焦燥感が強い。衝動性や攻撃性が高い。絶望・孤立・無力感がある。他者に対してSOSを出すことができない。
喪失体験	親族や友人などとの死別，失業，病気。
ソーシャルサポートの不足	身近に当事者を支えてくれる支援者・知人の不足。
生活上の問題	昇進・降格・異動，借金，生活困窮，医療費滞納，家庭内外の人間関係の不和。
つらい体験	学校・職場などでのいじめ，児童虐待，家庭内暴力，災害，犯罪。
家族歴	血縁者のなかに自殺者がいる。
企図手段の準備	自殺に関連する情報を詳細に調べる。薬物や道具などを入手するなど自殺の手段の準備をしている。

策定が義務化された。

2 自殺企図者への支援

　自殺企図は未遂と既遂に分けられる。希死念慮がある者は，自殺完遂のリスクがきわめて高い。保健師は**表 4-4** に示した自殺のハイリスク要因を念頭におき，当事者がこれまでたいへんな人生を歩んできたことに心を寄せ，その話を傾聴するとともに，支援したい気持ちを率直に伝える。

　当事者は「大丈夫」と言ったり，支援を拒否したりすることがあるが，自殺の根本的な要因が解決されたわけではなく，再度自殺企図のおそれがある。支援者は，当事者の言葉をそのまま受けとらず，心配していることを伝え，当事者の孤立や自殺企図を防ぎ，本人がSOSを出せるようにかかわる必要がある。また，当事者と信頼関係を構築し，自殺企図の具体的な方法や状況に関する話を聞くことは，タブーではなく，支援を考えるうえで重要である。

　保健師は，地域における自殺予防のしくみづくりも行う。たとえば，医療機関や消防・警察などの関係者が自殺企図の人に何度も同じ話を聞かなくてすむような情報共有のしくみや，自殺企図で救急搬送された当事者が継続的に支援を受けられるようにするための地域ケアシステムを構築する必要がある。

3 自死遺族への支援

　自死遺族（自殺者親族）とは，親族を自殺によって亡くした遺族のことである。自死遺族は，親族の突然の死に直面して悲嘆し，罪悪感や自責の念にかられ，混乱をきたしている。遺族の受けたショックが大きい場合，遺族がうつや，後述するPTSDと診断される場合もある。また遺族が児童期・思春期の場合には，成人の反応とは異なること，とくに子ど

もの年齢や故人との関係性によっても受けとめや悲嘆などの反応が特有であることに注意する。

保健師は、自死遺族が必要な支援を適宜選択できるような支援を心がける。地方自治体や民間団体などの自死遺族の会や電話相談などの窓口についての情報を提供したり、必要な場合は参加できるよう支援する。

自死遺族のなかには、当事者の自殺の原因や方法によって相続の問題や借金の清算、学費・生活費の確保など法的・経済的な問題への対応や、遺品の整理などを迫られることもある。また自殺に対する偏見からさまざまな手続きがとどこおったり、親族間の関係が悪化したりすることもある。保健師は、このような生活上の支援についてもケースバイケースの対応が必要なことに留意し、法的支援を行う担当部署や関係機関の相談窓口を案内したり、確実に相談できるように同行訪問して橋渡しする。

d トラウマに起因する健康課題(心的外傷後ストレス障害〔PTSD〕)、複雑性 PTSD への対応

1 PTSD および複雑性 PTSD

生死にかかわるような災害や、テロリズム、犯罪、事故、事件などを経験した人が、そのできごとから1か月以上が経過しても、不安、恐怖、フラッシュバック、不眠、悪夢、感情鈍麻などの症状が続く場合、心的外傷後ストレス障害(post traumatic stress disorder：PTSD)と診断されることがある。上記の諸症状に加えて、感情コントロールや対人関係に支障が生じ、日常生活に支障をきたすものを複雑性 PTSD とよぶ。

2 PTSD への支援

災害や犯罪などを経験したすべての人に PTSD が生じるわけではないが、保健師はあらかじめ当事者に対し PTSD を発症する可能性を伝え、相談窓口を周知しておくと、当事者自身が不調をきたしたときに早めの相談につながりやすい。相談場面において支援者は当事者に対して次のような支援を行う。

・症状が改善しないときは、無理にがまんせず、精神科を受診するように、当事者にすすめる。
・支援者は当事者と一緒に、ストレスやトラウマとなったできごとを回避する方法や、症状出現時の対応について検討する。

■支援における注意点

なにかの拍子にトラウマとなった原因に遭遇した当事者は急に調子をくずすことがある。そのようなとき当事者は頭ではだいじょうぶと思いながらも身体の不調にとまどったり、不安を感じたりする。こうしたつらい体験や症状は、その人にしかわからないものであり、時間の経過に

より改善する場合もあるため,「支援者には相談したくない」と考えている者も一定数いることや,PTSDの回復には時間がかかることに留意して支援する必要がある。

当事者の相談を受けた支援者自身がストレスを感じたり,傷つくこともあり,これを**二次的外傷性ストレス**という。二次的外傷性ストレスを受けた支援者は1人で悩みをかかえ込まず,職場内外の人に相談したり,気分転換をはかったりする必要がある。

❸ 地域に暮らす精神疾患をもつ人々への支援の特徴

a 症状性を含む器質性精神障害

器質性精神障害は,なんらかの病因により脳の機能不全をきたした結果生じる精神障害で,アルツハイマー病と脳梗塞を原因とする血管性の認知症に大別される。認知症の前段階として,**軽度認知障害**(mild cognitive impairment:MCI)が生じることがある。

認知症は意識障害はないが,記憶障害,理解力や判断力の低下,見当識障害などといった認知機能障害(中核症状)がしだいに進行する。また,認知症に伴う行動・心理症状(behavioral and psychological symptoms of dementia:BPSD)として,感情のコントロールがむずかしくなることや,逸脱行動や意欲の低下により,社会生活や対人関係に支障が生じること,不安やあせり,幻覚・幻視,妄想,意欲減退によるうつ状態,迷子や徘徊などがあらわれる。家族や周囲の人は,当事者の初期症状を性格や言動の変化として認識し,認知症と気づかないことがある。

病的なもの忘れかどうかは,行為の記憶自体を喪失しているか否かをアセスメントするとよい。たとえば「食事をしたこと」を忘れて,「食事をしたい」と繰り返し訴える場合には認知症が疑われる。一方,朝食になにを食べたかを思い出すことが困難な場合は,加齢によるもの忘れと考えられる。保健師は,「もの忘れが増えた」と相談に来所した当事者や家族に対しては,適宜医療機関の専門外来への受診をすすめる。認知症と診断されたあとも,当事者の残存機能を最大限にいかしつつ,当事者や家族の意向に基づき,地域生活を継続できるように支援する(表4-5)。

b 統合失調症,統合失調型障害,妄想性障害

統合失調症の発症率は1%弱である。人格形成や社会に出るための準備期にあたる10～20代の青少年に好発する。

1か月以上にわたり陽性症状(幻覚,幻聴,妄想)や陰性症状(意欲の減退,引きこもり,セルフケア能力の低下,感情鈍麻など),認知機能障害(判断力・注意力・集中力・学習能力の低下など)がみられる。おもな治

表 4-5 症状性を含む器質性精神障害の特徴と支援する際の留意点

種類	特徴	支援する際のポイント
アルツハイマー型認知症	・脳神経の萎縮と変性をきたしたもの。最も多い症状は、記憶障害である「もの忘れ」。	・家事などの段取りがむずかしい場合には、介護保険サービスの利用を検討・開始する。 ・BPSDが出現している場合は、関係機関と協働して当事者の見まもりや安全確保などについて検討する。
血管性認知症	・原疾患は脳梗塞や脳血管障害。 ・症状は出血により傷害を受けた部位によって異なり、言語障害や歩行障害、感情失禁などさまざまである。 ・症状の出現が急で、できることとできないことにばらつきがある（まだら認知症）。	・原疾患の悪化や再発のたびに認知機能が低下するため、原疾患の治療・モニタリングを主治医や訪問看護師とともに行う。 ・歩行障害がある場合、転倒・転落の予防のため、外出支援、リハビリテーション、在宅改修などの利用を検討・調整する。
レビー小体型認知症	・パーキンソン症状（身体の拘縮、動作の緩慢化、手指の振戦、易転倒性）、幻視、自律神経障害が出現する。 ・症状は日内変動し、突然の興奮・錯乱状態となる反面、無気力状態や傾眠傾向になることがある。	・転倒や寝たきりを予防するため、リハビリテーションや日常的な運動（散歩など）により運動機能を維持できるように支援する。 ・幻視で不安が強いときは、可能な限り当事者に寄り添う。
せん妄	・急性または一過性に意識レベルが低下（意識混濁）し、認知機能障害や精神症状をきたす。 ・身体疾患や薬剤の使用、環境要因（入院・入所など）によって誘発される。 ・興奮などの精神症状は、夜間に悪化しやすい。	・せん妄のレベルをアセスメントし、根本原因をできるだけ除去し、ストレス緩和をはかる。 ・規則正しい生活を送り、睡眠と活動のバランスを保つ。 ・刃物などの危険物は撤去する。

療法は薬物療法（定型・非定型抗精神病薬）とリハビリテーション（作業療法、社会生活技能訓練、心理教育、就労支援など）である。薬物療法により症状が治まっても再発しやすいため、長期間の治療を要する。未治療や治療中断の期間をできるだけ短縮化し、家族の協力を得て早期に治療につなげることが回復のカギとなる。そのため保健師は、早期発見・早期治療を心がけ、当事者や家族が自己判断で服薬や治療を中断しないように、主治医と協力して支援する。また、発病当初から当事者のリカバリーに重きをおき、社会復帰や親元を離れても自立生活ができるように支援する。過干渉な家族の場合、当事者の病状悪化につながるため、家族会への参加や心理教育の受講をすすめる。

実践場面から学ぶ：引きこもりの統合失調症患者

■事例紹介

Aさん（男性・30歳）の母親（60歳）から、次のような相談が市保健センターにあった。「息子が定職につかず、自宅で引きこもっている。父親が昨年亡くなり、私の年金収入だけでは生活が苦しくなってきた。息子には自立してほしいが、どうしたらいいかわからない」

市保健センターの保健師が面談した母親の話によると、Aさんは母親

と2人暮らしで，兄弟はいない。Aさんは中学2年のときに不登校となった。中学卒業後，Aさんには叔父の経営するパン屋でアルバイトをさせたが，早朝3時の始業時間に出勤できず，遅刻が続いたため，レジ係に担当を変更となった。しかし，接客や商品陳列もうまくできず，叔父から何度も叱責されて，1か月もたたずに退職して自宅に引きこもるようになった。

　現在Aさんは自室で一日中ゲームや書き物をして過ごしている。母親が準備した食事を部屋のドアの前まで運んでもらい，気が向いたときに食べている。母親から1日1,000円の小づかいをもらい，近所のスーパーで好きなお菓子やジュースを買っている。就労のことなどを親が話そうとすると即座に自室に閉じこもってしまう。

　母親から話を聞くだけでは実態が不明なため，Aさんと直接会って状況を確認するために家庭訪問を計画した。住宅街にある一戸建てを訪問してみると，家の壁中になにかの説明を記載した紙がびっしりとはられていた。母親から，「中学を休むようになったころから，息子は宇宙から電気信号を受信していると言い，それを書いては壁にはっています」との説明があった。初回訪問時，保健師は自室をノックしても返事はなくAさんには会えなかった。保健師は，母親から相談を受けた時点では引きこもりと考えていた。しかし，家の様子から妄想を伴う統合失調症などの可能性が考えられたため，次回は精神科医と一緒に訪問することを母親に提案し了解を得た。

　保健師は市の精神保健相談事業の精神科医と同行訪問し，Aさんのアセスメントをする計画をたて，数日後，実施した。このときもドアのノックに応答はなかったが，母親の了解を得て，Aさんの自室に入った。乱雑に散らかった室内でAさんは一心不乱になにかを書きとめていた。「困っていることがあれば相談にのりたいのですが，なにを書いているのですか」という医師の問いかけに対し，Aさんは「お前は私を宇宙に連れていくために来てくれたのか？」などと，妄想めいたことを話すばかりで，会話は成立しなかった。

　精神科医は，別室で母親に対して，統合失調症の可能性がきわめて高いこと，未治療・未診断なので，いったん精神科に入院して治療を開始するのが望ましいこと，入院がむずかしい場合は往診できる医師による薬物治療を行う必要があることを伝えた。保健師は，母親の「精神的な病気だったのならば早く治療してほしい」という希望を確認した。こうしてAさんが幼少期から信頼している叔父の協力を得て，隣の市にある精神科病院に自家用車で受診し，医療保護入院をすることになった。

　未治療の期間が長かったため治療はやや難航したが，Aさんは1年後に退院できる見通しとなった。Aさんは「退院後はひとり暮らしをしたい」と話しており，その希望をかなえるため，保健師は関係者とAさんの退院後の生活に向けて調整した。その結果，Aさんは退院後に母親とは世帯を分離して生活保護を受給し，グループホームへ入所しての生活を開始できた。

●ポイント①：訪問により対象者をアセスメントし支援につなぐ

この事例で，保健師は母親からの相談時点では引きこもりの事例とも考えたが，母親の話だけでは実態が不明確で，支援の必要性を判断するために家庭訪問を実施した。その結果，Aさんは統合失調症などの可能性が高いとアセスメントし，精神科医と同行訪問やその後の診断・治療につなぐことになった。保健師のもとには，当事者とその家族，近隣の住民から，さまざまな支援の要請や相談がもち込まれるが，もち込まれた情報だけで判断するのではなく家庭訪問などを実施し，対象を総合的に把握してアセスメントし，対象に必要な支援につなぐ。

●ポイント②：退院後の円滑な地域生活のための支援

措置入院や緊急措置入院の退院後の地域での生活を円滑に送れるようにするために，保健師には，関係者と協力し，本人のニーズに基づいた退院後支援計画を作成し，退院後に必要な支援や利用する社会資源を調整する。この事例では生活保護の担当者や，Aさんが入所を希望するグループホームと連絡をとり，地域生活を支援した。

統合失調症と類似点の多い，統合失調型障害と妄想性障害の特徴と支援の留意点を**表 4-6**に整理した。

c 地域において支援が必要な精神障害・精神疾患

先述した器質性精神障害や統合失調症など以外の，地域において支援が必要な精神障害・精神疾患について，特徴や支援の留意点を表 4-7〜4-14 に示す。

表 4-6 統合失調型障害・妄想性障害

種類	特徴	支援する際の留意点
統合失調型障害	・統合失調症とは別の疾患。 ・風がわりで奇異な行動や，猜疑的な妄想，社会通念上のその場にふさわしくない思考などがみられる。 ・親しい人がほとんどおらず，1人を好む。	・おもな治療方法は精神療法と薬物療法。とくに抑うつ的な状態の者には薬物療法が有効なため，早期に受診につなげる。
妄想性障害	・さまざまな妄想が続いたり発展するものの，妄想以外の感情や行動に問題はない。 ・DSM-5 によると次の 5 つに大別される：①被愛型(第三者が自分に対して恋愛感情をもつと信じ込む)，②誇大型(自分は他者よりも卓越した高貴な存在と信じ込む)，③嫉妬型(恋人や配偶者の浮気を信じ込む)，④被害型(食物に毒を盛られる，スパイから監視されていると信じ込む)，⑤身体型(身体への位置情報システムやマイクロチップなどの埋め込み・注入を信じ込む)。	・妄想以外に困りごとがない場合は，治療につなげることがむずかしい。 ・当事者の妄想を発展させるような質問や声かけは避ける。

表 4-7 気分(感情)障害

種類	特徴	支援する際の留意点
躁病	・気分が高揚し,心身の活動量とスピードが過多になり,万能と感じる状態が続く。どの年代でも発症する可能性がある。 ・症状として,社交性の高まり,ギャンブルや買い物などの浪費,多弁,睡眠時間の減少などが生じる。 ・気分にムラがあり,周囲の人に対して攻撃性が増すことがある。	・ほかの疾患や依存症を併存する可能性があるので,ていねいに面接して情報を収集する。 ・当事者は心身ともに「絶好調」と感じており,受診を拒否することが少なくない。当事者の不安や困りごとを糸口として支援する。
双極性障害	・躁状態とうつ状態を繰り返す。躁状態のときに受診すると躁病,うつ状態のときに受診するとうつ病と診断されるため,診断までに時間を要する。 ・再発しやすく,病状悪化を繰り返すと,短期間で躁状態とうつ状態が入れかわり出現するようになる。 ・病状悪化により,破産や失業といったかたちで社会的信頼の喪失や,家庭崩壊をまねく場合がある。	・これまでの病状の経過を聞きとり,その変化や大きなエピソードを年表やグラフで可視化し,当事者や家族と共有化することで病状悪化に気づきやすくなる。 ・調子が改善したり躁状態になると,自己判断で断薬・治療中断しやすいため,治療継続を支援する。 ・再発のきっかけになるようなできごとや症状があれば,早期に主治医への相談をすすめる。

表 4-8 自閉症スペクトラム障害の特徴および支援

種類	特徴	支援する際の留意点
自閉症スペクトラム障害	・男児(性)に多くみられる発達障害。 ・おもな症状は言語の発達遅滞,おうむ返しといったコミュニケーション障害,視線が合わない,対人関係を築くことがむずしい,こだわりや興味のかたよりが強い,感覚過敏や鈍麻,自傷,微細運動や粗大運動の遅れがある。 ・アスペルガー症候群では,知能や言語発達の遅滞はない。	・当事者の脳の機能障害が原因のため,親が当事者の障害を受容できるように支援する。 ・当事者のニーズに合った療育支援をすすめる。 ・成長するにつれて異なる課題が生じるため,引き継ぎを確実に行い,継続的に支援する。

表 4-9 摂食障害

種類	特徴	支援する際の留意点
摂食障害	・思春期や成人期の女性に多くみられるが,男性も発症する。 ・摂食障害は神経性無食欲症と神経性過食症に大別できる。 ・**神経性無食欲症**:ボディイメージのゆがみなどから食思不振や食欲欠如となり,必要なエネルギーを食事から摂取できなくなる。著しい体重減少をきたし,心身の発達が遅れる。症状が続くことによって通学・通勤などの日常生活が困難になる。 ・**神経性過食症**:食欲をコントロールできないため,短時間に大量に食べる。太ることを嫌悪し,自発性嘔吐,下剤や利尿薬の濫用などを生じることがある。	・自己肯定感が低い者が多いので,共感的に接する。前向きな変化がみとめられる際は,積極的にほめる。 ・コーピング行動について当事者とともに考える。 ・生命の危険に瀕することがあるため,いざというときは入院治療につなぐ。

表 4-10 神経症性障害，ストレス関連障害，身体表現性障害

種類	特徴	支援する際の留意点
神経症性障害	・不安や強いストレスが原因で発症する。 ・恐怖症（社会不安障害）：広場，高所，閉所，人前などで強い恐怖や緊張を感じる。 ・代表的なものにパニック障害・不安障害・強迫性障害などがある。 ・パニック障害・不安障害：強い精神的不安から心拍数の急増，発汗，息苦しさや窒息感，吐きけや腹痛，死への恐怖などを感じ，生活に支障が出る。 ・強迫性障害：特定の考えが頭から離れないため，手洗いや施錠確認といった特定の行動や衝動をコントロールできず，反復的に行う。	・薬物治療や認知行動療法が有効な場合もあるため，早期受診をすすめる。 ・当事者の不安やストレスを受けとめる。
適応障害	・学校・職場・家庭などの人間関係や環境の変化に適応することができず，抑うつ状態，不安，不眠，食欲不振などがみられる。 ・ストレスがない状況下では症状は出現せず，従前どおりの生活ができるが，一部はうつ病に移行する。	・おもな治療法は環境調整（ストレスの軽減）と薬物療法。 ・主治医と適宜情報共有しながら当事者の社会復帰を支援する。
身体表現性障害	・検査結果の数値は問題ないが，頭痛，胸痛，胃腸症状，痛みなどを呈する。	・当事者の症状のつらさを受容し，症状の発症機序について説明する。 ・ストレス軽減方法について一緒に考える。

表 4-11 精神遅滞の特徴および支援

種類	特徴	支援する際の留意点
精神遅滞	成人するまでに生じるもので，次の3領域に関する知的・適応機能の双方が欠如する発達障害の一種である。①概念的領域（問題解決，読み書き，計算，記憶，記憶など），②社会的領域（コミュニケーション，他者の気持ちに共感するなど），③実用的領域（セルフケア，金銭や課題などの日常生活の管理など）。	・障害の改善は困難だが，当事者の能力をいかして二次障害を予防し，日常生活を支援する。

表 4-12 パーソナリティ障害の特徴および支援

種類	特徴	支援する際の留意点
パーソナリティ障害	・認知や思考の極端なかたよりのため，対人関係や日常生活に問題が生じ，当事者や周囲の人が苦痛を感じる。 ・DSM-5では，10種類を3群に大別している：①奇妙または風がわりさを特徴とするA群（a 猜疑性・妄想性，b シゾイド・スキゾイド，c 統合失調型），②演技的・感情的・移り気を特徴とするB群（a 反社会性，b 境界性，c 演技性，d 自己愛性），③不安やおそれを特徴とするC群（a 回避性，b 依存性，c 強迫性）。 ・突然怒りを爆発させたり，他者を意図的に動かそうとして操作的な言動をとる。 ・うつ病や双極性障害，摂食障害などをあわせもつことがある。	・当事者の許可を得て主治医の治療方針や内容を関係者と共有する。 ・当事者に対して一貫した対応をとるように心がける（支援者自身の巻き込まれを防ぐ）。

表 4-13　抜毛症の特徴および支援

種類	特徴	支援する際の留意点
抜毛症	・妄想や幻覚はなく，緊張や不安緩和のために，自身の体毛を抜く行為をとめられない。	・抜毛したくなるときの気持ちについて，みずから気づけるようにかかわる。抜毛したくなったときは手を握るなどの代替行為をとるように助言する。

表 4-14　小児期・青年期に発病する行動・情報の障害の種類・特徴

種類	特徴	支援する際の留意点
チック障害	・急速かつ反復的に不規則な運動（まばたき，首を急に振る，肩をすくめる，顔をしかめる，とびはねるなど）または発声（咳払い，鼻を鳴らす，うなる，同語反復など）がみられる。 ・1年以上症状が継続するものはトゥレット症候群とよぶ。	・完治を目的とせず，障害に対する理解を深め，環境調整やストレス軽減に努める。
吃音	・円滑に話をすることができない。 ・発達性吃音（幼児期に多い）と獲得性吃音（神経学的疾患や心的ストレスなどにより10代後半に発症）の2種類がある。 ・非流暢さが特徴で連音（例：バ，バ，バナナ），伸発（例：バーナナ），難発（例：…バナナ）がある。	・当事者や親のニーズによって支援者や教員などに求められる対応が異なるため，配慮すべき内容についてあらかじめ話し合っておく。 ・周囲の人が当事者に対してゆっくり話しかける。

● 引用文献

1) 齊藤万比古：ひきこもりの評価・支援に関するガイドライン．2010．(https://www.mhlw.go.jp/file/06-Seisakujouhou-12000000-Shakaiengokyoku-Shakai/0000147789.pdf)（参照 2022-11-24）

● 参考文献

・American Psychiatric Association 編，日本精神神経学会日本語版用語監修，髙橋三郎・大野裕監訳：DSM-5 精神疾患の分類と診断の手引．医学書院，2014．
・World Health Organization 編，融道男ほか監訳：ICD-10 精神および行動の障害新訂版．医学書院，2005．
・国立障害者リハビリテーションセンター研究所：吃音について．(http://www.rehab.go.jp/ri/departj/kankaku/466/2/)（参照 2022-11-24）
・杉原玄一・村井俊哉：統合失調症または他の一次性精神症群(ICD-11「精神，行動，神経発達の疾患」分類と病名の解説シリーズ各論②)．精神神経学雑誌 123(5)：287-293，2021．
・日本うつ病学会：うつ病看護ガイドライン．2022．(https://www.secretariat.ne.jp/jsmd/iinkai/katsudou/data/guideline_kango_20220705.pdf)（参照 2023-05-19）
・日本神経学会監，「認知症疾患診療ガイドライン」作成委員会編：認知症疾患診療ガイドライン 2017．医学書院，2017．
・日本精神科救急学会監修，杉山直也・藤田潔編：精神科救急医療ガイドライン，2022年版．(https://www.jaep.jp/gl/gl2022_06.pdf)（参照 2023-05-19）
・長谷川典子・池田学：2．認知症とせん妄．日本老年医学会雑誌 51：422-427，2014．
・森浩一：吃音(どもり)の評価と対応．日本耳鼻咽喉科学会会報 123(9)：1153-1160．2020．
・文部科学省：通知「不登校児童生徒への支援の在り方について」．2019．(https://www.mext.go.jp/a_menu/shotou/seitoshidou/1422155.htm)（参照 2023-05-19）
・文部科学省：令和4年度 児童生徒の問題行動・不登校等生徒指導上の諸課題に関する調査結果について．2023．(https://www.mext.go.jp/content/20231004-mxt_jidou01-100002753_1.pdf)（参照 2025-01-10）
・數井裕光ほか：認知症患者の記憶障害に対する適切な対応法——認知症ちえのわ net の結果から．高次脳機能研究 39(3)：64-69．2019．(https://www.jstage.jst.go.jp/article/hbfr/39/3/39_326/_pdf)（参照 2023-2-22）

5章 障害者（児）保健医療福祉活動

A 障害者(児)の保健医療福祉の動向

POINT
- 障害者基本法により政策面だけでなく障害者に対する基本理念が示された。
- 障害者総合支援法では，本人と事業所の契約および支援の度合いを示す障害支援区分に基づいてサービスを利用する。
- 障害を身体・精神・心理・発達面の特徴としてとらえるだけでなく，社会背景から生じる「生活のしづらさ」として理解する。

1 障害者(児)保健の理念と変遷

　人が生を受け，成長し，生活をしていくうえで「その人らしさ」が尊重されることや「安心した暮らし」を送れることは非常に重要である。生まれながらになんらかの障害があったり，人生の途中で障害をもつことになったりしたとしても，その重要性はかわらない。誰もがその人らしく，安心した暮らしを送るために社会保障制度があり，そのなかでも社会福祉と保健医療・公衆衛生は障害者に直接かかわることが多い。

　社会福祉はさまざまなハンディキャップを負っている者が安心して社会生活を営めるよう，公的な支援を行う制度であり，社会福祉の対人サービスには高齢者，障害者(児)，児童，その他の生活困窮者という4つの対象・分野がある。また，障害者(児)保健は，障害をもって生きる者(児)が個々に健やかにゆたかな生活を追求し，社会のなかで互いに認め合い，安心して生活を送ることができるよう，当事者への支援だけにとどまらず，政治や地域，社会全体にはたらきかけていくものである。

　このような障害者(児)保健医療福祉には，**ノーマライゼーション**，**リハビリテーション**，**インクルージョン**という重要な理念がある。これらのほかに，**共生社会**，**虐待予防**や**人権擁護**などの概念も，人々が等しく尊重され，ともに生きる社会の形成を目ざすうえで重要である。これらの理念・概念について以下で触れる。

a ノーマライゼーション

　ノーマライゼーションとは，障害者が障害をもたない者と同じように生活し，活動する社会を目ざすものである。1950年代にデンマークの社

＋ プラス・ワン
ノーマライゼーションの原理
①起床から始まり，就寝にいたるまでの1日のノーマルな生活リズム，②家庭生活，仕事，余暇活動などを楽しむ1週間のノーマルな生活リズム，③季節ごとの地域社会でのさまざまな習慣を経験したり，休暇に参加したりするノーマルな1年の生活リズム，④ライフサイクルに応じたノーマルな発達的経験，⑤選択と自己決定の尊重，⑥自然なかたちでの異性との関係の発達，⑦ノーマルな経済的水準，⑧その地域におけるノーマルな環境水準。

プラス・ワン

障害者基本法の基本理念

1993（平成5）年に心身障害者対策基本法から改正されたときの障害者基本法第3条では，次のように基本理念が示されている。「すべて障害者は，社会を構成する一員として社会，経済，文化その他あらゆる分野の活動に参加する機会を与えられるものとする」。

医学モデル

障害は疾病や変調に起因する機能的なものであるとし，障害をもつ本人にその原因があるとする考え方。「個人モデル」ということもある。医学モデルにおいては，障害は個人の心身の機能障害から生じるものであり，障害に対し，治療や機能訓練などの当事者個人の行動によって対処するものとする。

生活モデル

生活モデルでは，障害を生活の主体である当事者と環境の交互作用のなかで生じるものとしてとらえる。生活モデルは日常生活を送る過程で，当事者が自然環境・社会環境・人的環境などと互いに影響しながら変化し，適合していく過程を重視する考え方である。日常生活の過程には，日々の生活という意味だけではなく，成長・発達や退歩の過程も含まれる。

社会モデル

障害は，個人の心身機能の障害と社会的障壁（モノ，環境，人的環境など）の相互作用により生じるものであるととらえ，社会にはその障壁を取り除く責務がある，という考え方。障害者の不利益や差別の原因についても，障害者本人にあるのではなく，社会にあるとする。

人権モデル

障害者は，保護・福祉の対象ではなく，人権の主体であるという考え方。社会モデルと同義語として用いられることがあるが，近年は社会モデルを改善・拡張するものという考え方や，両者は相補的な関係にあるという考え方が広まってきた。

会省でバンク-ミケルセン（Bank-Mikkelsen, N. E.）が知的障害者施設の暮らしを通常の生活に近づけることを目的とした法整備のなかで提唱し，1960年代の終わりにスウェーデンでニィリエ（Nirje, B.）が定義し，8つの原理➕を示した。のちに以下のように再定義されている。「ノーマライゼーションの原理は知的障害者やその他の障害をもつすべての人が，彼らがいる地域社会や文化や生活方法にできる限り近い形態や毎日の生活状況を得られるように，権利を行使するということを意味している」[1]。

日本では，障害の有無にかかわらず障害者もあらゆる分野の活動に参加する機会を得，地域でゆたかに暮らしていける社会を目ざすとする理念として，1993（平成5）年に心身障害者対策基本法が改正され，**障害者基本法**となったときに同法に位置づけられた➕。

b リハビリテーションと自立生活運動

リハビリテーションの定義をみると，古くは1942年の全米リハビリテーション評議会による「障害者が可能な限り，身体的，精神的，社会的及び経済的に最高限度（maximum）の有用性を獲得するよう回復させること」や，1968年の世界保健機関（WHO）による「医学的，社会的，教育的，職業的手段を合わせ，かつ相互に調整して訓練あるいは再訓練することによって，障害者の機能的能力を可能な最高レベルに達せしめることである」[2]などがある。これらの定義から当時は身体や精神の機能回復により社会復帰させ経済的に自立させることが重要とされていたことがわかる。

一方，1960年代のアメリカで，障害当事者による**自立生活運動**（Independent Living Movement：IL運動）がおこり，1970年代には世界的な広がりを見せた。この運動では自立とは自己決定であり，障害者自身がライフスタイルの選択をし，自己決定や自己管理の権限をもち，病院や施設ではなく，地域で通常に生活することが重視された。

こうして，障害のとらえ方が医学モデルから生活モデルや社会モデル，人権モデルへと変遷した➕。社会モデルや人権モデルの理念は「**障害者の権利に関する条約**」（障害者権利条約）や，2011（平成23）年に改正された日本の障害者基本法にも取り入れられた。リハビリテーションについても，障害をもつ人が身体機能の回復にとどまらず，人間らしく生きる権利を回復すること（**全人間的復権**）としてとらえられるようになった➕。

c 国際生活機能分類（ICF）

障害に関する国際的な分類として，WHOが1980年に発表したのが国

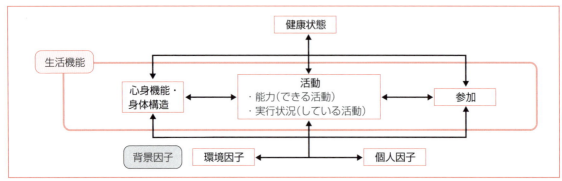

図 5-1　ICF（国際生活機能分類）

プラス・ワン

国際障害者年におけるリハビリテーションの位置づけ

国際障害者年（1981 年）の厚生白書では，リハビリテーションについて次のように記した。「リハビリテーションとは障害者が一人の人間として，その障害にもかかわらず人間らしく生きることができるようにするための技術及び社会的，政策的対応の総合的体系であり，単に運動障害の機能回復訓練の分野だけをいうのではない」。

インテグレーション（統合）教育

ノーマライゼーションの考え方を教育に具現化し，障害児と障害のない子どもが一緒に学び，ともに活動することが普通であるとする教育である。特別支援学校や特別支援学級に障害児だけを集めて行う教育（分離教育）に相対する考え方ではあるが，同じ場所で教育を行うという，「場の統合のみ」が行われるものであった。

一方，インクルーシブ教育は，場を統合するだけでなく，個々が必要とするさまざまなニーズに対して「合理的配慮」を行いつつ，多様な子どもたちがともに学ぶような教育のことである。

際障害分類（International Classification of Impairments, Disabilities and Handicaps：**ICIDH**）である。その後 2001（平成 13）年の WHO 総会において，ICIDH の改訂版として，**国際生活機能分類**（International Classification of Functioning, Disability and Health：**ICF**）が採択された。

ICF は，人が生きていくための機能全体を生活機能としてとらえたもので，人間の生活機能と障害を生活機能および生活機能に影響を及ぼす健康状態と背景因子からとらえ分類するものである（**図 5-1**）。生活機能は，①心身機能・身体構造（身体の動きや精神のはたらき），②活動（ADL・家事・職業能力や屋外歩行などの生活行為全般），③参加（家庭や社会生活で役割を果たすこと）の 3 つの構成要素からなり，障害もこの 3 つのレベルからとらえる。また，背景因子は，①環境因子（物理的環境・人的環境・制度的環境）と②個人因子（年齢・性別・民族や学歴・職歴など，その人固有の特徴）の 2 つの因子から構成されている。

ICIDH は医学的な視点から，身体の機能障害が能力障害，社会的不利へと進むという理解に基づき，生活機能の障害のマイナス面を分類する考え方が中心であった。これに対し，ICF は生活機能というプラス面から障害をみるように視点を転換し，さらに環境因子などの観点が加わりその影響もみるもので，医学モデルと社会モデルを統合したモデルといえる。

d インクルージョン

インクルージョンには，「包み込む，包含」といった意味がある。教育や福祉の領域でインクルージョンは，障害があっても地域の資源を利用し，地域のなかで市民が包み込まれた共生社会を目ざす理念としてとらえられている。類似の概念のインテグレーション（統合）は，1960 年代後半よりノーマライゼーションが世界的に広まったなかで生まれた理念だが，あくまでも障害者など少数者を一般の人が受け入れる，という意味合いが強かった。これに対しインクルージョンは，インテグレーショ

ンの限界をのりこえ，多様性を認め合い，1人ひとりのニーズに合わせた支援を重視し，ともに生きる社会(**共生社会**)を目ざす理念である。

e 共生社会の形成

1 地域共生社会の理念

　厚生労働省は改革のビジョンとして，制度・分野の枠や，「支える側」「支えられる側」という従来の関係をこえ，人と人，人と社会がつながり，1人ひとりが生きがいや役割をもち，たすけ合いながら暮らしていくことのできる，包摂的なコミュニティ，地域や社会をつくるという考え方を示している。

2 障害者基本法の改正

　2011(平成23)年の障害者基本法の改正により，障害者を，必要な支援を受けながら，みずからの決定に基づき社会のあらゆる活動に参加する主体としてとらえ，障害者があらゆる分野において分け隔てられることなく，他者と共生することができる社会の実現を目ざすことが，新たに基本原則として第3条に規定された。また第4条に基本原則の2つ目として，地域における共生，差別の禁止などが定められ，障害を理由とする差別の禁止の実施に関し，障害者権利条約の「**合理的配慮**」の概念が盛り込まれた。さらにこの改正法において，共生社会をつくるための国・地方公共団体の責務や国民の責務などが定められている。

3 社会福祉法の改正

　2018(平成30)年，地域共生社会の実現を目ざして社会福祉法が改正された。それまで地域住民は，社会福祉法第4条において地域福祉の推進役として位置づけられてきたが，この改正法において，福祉サービスを必要とする個人および世帯の地域生活課題について，関係機関との連携などによりその解決をはかることが目ざされるようになった。

4 重層的支援体制整備事業

　地域住民の複雑化・複合化した支援ニーズに対応するためには包括的な福祉サービス提供体制を整備する必要があるとし，社会福祉法や介護保険法，老人保健法などの関連法を改正するために「地域共生社会の実現のための社会福祉法等の一部を改正する法律」が2020(令和2)年に成立した。これにより，新たに規定されたのが**重層的支援体制整備事業**である。この事業により障害分野，高齢分野，子ども分野，生活困窮の分野などに分断されて行われていた支援を，一体的に実施していくこととなった。

f 人権擁護・虐待予防

2006(平成18)年,障害者権利条約が国連総会で採択された。これは障害者の人権および基本的自由の享有を確保し,障害者の固有の尊厳の尊重を促進することを目的として,障害者の権利の実現に向けた取り組みなどを定めた条約である。第2条でいくつかの用語を定義しているなかで,合理的配慮については,「障害者の人権と基本的自由を確保するための必要かつ適当な変更及び調整」であって,「均衡を失した又は過度の負担を課さないもの」と規定している。また,障害者に合理的配慮をしないことは差別になることも定められている。

2013(平成25)年には**障害を理由とする差別の解消の推進に関する法律**(障害者差別解消法)が成立したことを受け,日本でも環境が整ったとして障害者権利条約を2014(平成26)年に批准した。障害者差別解消法により,事業者には障害者に対する合理的配慮を提供する努力義務規定が課されていたが,2021(令和3)年に成立した障害者差別解消法改正法で,義務規定に修正され,2024年度から実施される。

1990年代以降に障害者が被害者となる虐待事件が続き,社会問題となったことを受け,4つ目の虐待防止法✚として障害者虐待の防止,**障害者の養護者に対する支援等に関する法律**(障害者虐待防止法)が2011(平成23)年に制定された✚。

> **プラス・ワン**
>
> **虐待防止法**
> 障害者虐待防止法のほかに,2000(平成12)年制定の児童虐待の防止等に関する法(児童虐待防止法),2001(平成13)年制定の配偶者からの暴力の防止及び被害者の保護に関する法律(DV防止法),2005(平成17)年制定の高齢者虐待の防止,高齢者の養護者に対する支援等に関する法律(高齢者虐待防止法)がある。

2 障害者(児)の保健医療福祉施策

障害者(児)保健医療福祉の理念を実社会に反映していくためにはさまざまな施策が必要となる。施策として実施されるべき内容は,人々の障害に対する考え方や医療・科学技術の進歩などによって変化していく。障害をもつ人や,その家族がいきいきと生活していくために必要な施策が策定され運用されるには,法として明確に定められ,予算に基づき現実的に実施されるしくみがつくられる必要がある。時代の変遷のなか,どのような目的で,施策の整備が進んでいったのかを学ぶ。

> **プラス・ワン**
>
> **虐待対応状況調査**
> 障害者に対する虐待対応状況調査は,養護者によるもの,障害者福祉施設従事者等によるもの,使用者によるものに分類して集計されている。2022(令和4)年度の養護者による障害者虐待の相談・通報件数は8,650件(前年度7,337件)で,過去最多であった。うち,虐待判断件数は2,123件(前年度1,994件),被虐待者数は2,130件(同2,004件)といずれも最多件数を更新している。しかし,相談・通報件数に対する虐待の判断件数の割合はやや減少している。
> 虐待の累計としては身体的虐待が68.5%と最も多く,ついで心理的虐待が32.1%,経済的虐待が16.5%,ネグレクトが11.1%,性的虐待が3.2%である。障害種別は知的障害が45.0%,精神障害が43.4%,身体障害が19.0%である。

a 障害者(児)保健医療福祉の経緯

1 戦後〜障害者基本法まで

第二次世界大戦後の日本における障害者施策は,戦争によって被害を受けた多くの子どもを救うため,1947(昭和22)年に障害児施策を含む児童福祉の基本施策を定めた**児童福祉法**の制定から始まった(表5-1)。

明治時代以来,日本の社会福祉事業は民間の事業にまかされてきたが,第二次世界大戦後に連合国軍最高司令官総司令部(GHQ)の占領政

表 5-1　障害者(児)保健医療福祉の経緯

年	法制度など(第二次世界大戦後)	
	日本	国連
1946(昭和21)年	旧生活保護法(1950〔昭和25〕年，現行の生活保護法制定)	
1947(昭和22)年	日本国憲法，児童福祉法	
1948(昭和23)年		世界人権宣言(UDHR)
1949(昭和24)年	○身体障害者福祉法	
1950(昭和25)年	◇精神衛生法	
1951(昭和26)年	○●◇社会福祉事業法(措置制度)(2000〔平成12〕年社会福祉法に改正)	
1970(昭和45)年	○●心身障害者対策基本法	
1971(昭和46)年		知的障害者の権利宣言
1975(昭和50)年		障害者の権利宣言
1987(昭和62)年	◇精神保健法	
1993(平成5)年	○●◇心身障害者対策基本法から障害者基本法へ改正(この改正で対象に精神障害者が追加された)	
1995(平成7)年	◇精神保健法から精神保健福祉法へ改正	
1998(平成10)年	●精神薄弱者法(1960〔昭和35〕年制定)から知的障害者福祉法へ改称	
2003(平成15)年	○●支援費制度	
2004(平成16)年	◆発達障害者支援法成立	
2005(平成17)年	○●◇障害者自立支援法(2010〔平成22〕年　◆発達障害を対象に加えた)	
2006(平成18)年		障害者の権利に関する条約
2011(平成23)年	○●◇◆障害者基本法改正，障害者虐待防止法制定 ○●◇◆障害者自立支援法から障害者総合支援法へ改正	
2012(平成24)年	難病を障害者支援法の対象に加えた	
2013(平成26)年	○●◇◆障害者差別解消法制定	
2014(平成27)年	障害者の権利に関する条約批准。障害支援区分認定調査項目に発達障害特性に関する項目が加えられた	
2018(平成30)年	地域共生社会の実現を目ざした社会福祉法の改正	

○身体障害者　●知的障害者　◇精神障害者　◆発達障害者

策により，国の公的役割の明確化が進められた。また，それまで軍人援護により傷痍軍人が優遇されてきたが，無差別平等の原則が取り入れられた。こうした流れを受け，障害者全般に関する法律として1949(昭和24)年に**身体障害者福祉法**が成立した。翌1950(昭和25)年には精神衛生法，1951(昭和26)年に**社会福祉事業法**(2008年に社会福祉法へ改正)が成立し，現在の障害者(児)の保健医療福祉制度の基礎となる法的整備が進められた。

1970(昭和45)年にすべての障害者を対象とする**心身障害者対策基本法**が制定された。この法律により，日本ではじめて障害者に関する総合的な障害者施策が確立された。心身障害者対策基本法は1993(平成5)年に**障害者基本法**へ改正された。障害者基本法により，障害者施策だけでなく障害者に対する基本的な考え方や理念も示された。また，心身障害者対策基本法では対象とされていなかった精神障害が障害の1つに位置づけられ，法の施策の対象に追加された。

障害者基本法はその後，2004(平成16)年の改正で，基本理念に**障害者の差別禁止**についての規定が追加され，2011(平成23)年の改正では**共生社会**の実現について明文化された。

> **プラス・ワン**
> **応益負担と応能負担**
> サービスを利用した者が，その費用の一部を負担する際のしくみである。応益負担は，所得の高低にかかわらず，使用したサービス費用の一部を定率で負担する方法である。そのため，障害や介護の度合いが高く，多くのサービス利用が必要な者は多くの費用負担を要することになる。応能負担は，所得に応じて費用負担の高低が決まるしくみである。

2 措置制度から障害者総合支援法へ

先述した**社会福祉事業法**は，戦後の社会福祉事業の新しい理念と体系を定めたもので，約50年にわたり社会福祉事業の全分野における共通的事項を定める法として位置づけられてきた。社会事業法により，福祉サービスは行政の措置として提供され，費用は応能負担とするという**措置制度**に基づく社会福祉の基礎構造が形成された。

2000（平成 12）年に「社会福祉の増進のための社会福祉事業法等の一部を改正する等の法律」が成立し，障害者および障害児への福祉サービスが措置制度から，利用者とサービス事業者との契約によりサービスを提供する**支援費制度**へと改正された。これによってサービス利用はのびたものの，財源が不十分であったことや，対象に精神障害が含まれていないことなどの問題があり，2005（平成 17）に**障害者自立支援法**が制定された。この法律は 2012（平成 24）年に改正され，**障害者の日常生活及び社会生活を総合的に支援するための法律**（障害者総合支援法）と名称を改め，2013（平成 25）年度から施行されている。

b 障害者(児)への支援制度

1 障害者総合支援法による支援

■法の概要と対象

障害者総合支援法の目的は「障害者及び障害児が基本的人権を享有する個人としての尊厳にふさわしい日常生活または社会生活を営むこと」とされている。障害者自立支援法からの改正に伴い，基本理念が新たに設けられた。これは障害者基本法の理念を継承したもので，すべての国民が，障害の有無にかかわらず，等しく基本的人権を享有するかけがえのない個人として尊重されることや，共生社会を実現するために，すべての障害者および障害児が可能な限り身近な場所で支援を受けることができ，社会参加の機会や，どこで誰と生活するかについて選択の機会が確保され，地域社会での共生や社会生活を送るうえでの障壁の除去に資することが定められている。

法の対象者について，身体障害者，知的障害者，精神障害者（発達障害者を含む）に加え，谷間のない支援を提供する観点から，**難病等**が追加され，障害福祉サービスの対象とされた。障害者支援の各法律の対象者について**表 5-2** にまとめた。

■サービス利用のしくみ

サービスを利用する際には，障害支援区分認定調査（80項目）を行い，障害支援区分について1～6の6段階（6が最重度）で，サービスの必要度を判定する。障害支援区分は，障害の重さではなく，多様な特性その他

A. 障害者(児)の保健医療福祉の動向

表 5-2　障害者支援の基本法と対象別の法

分類	法律(制定年)	障害者(児)の定義・法の対象
基本的な法	障害者基本法(1993)	障害者：身体障害，知的障害，精神障害(発達障害を含む)などがある者で，障害・社会的障壁により継続的に日常生活・社会生活に相当な制限を受ける状態にある者をいう。
	障害者の日常生活及び社会生活を総合的に支援するための法律(2013)	身体障害者福祉法，知的障害者福祉法，精神保健福祉法，発達障害者支援法に定める障害者，児童福祉法に定める障害児，および難病患者を対象とする。
対象別の法	児童福祉法(1947)	身体に障害のある児童，知的障害のある児童，精神に障害のある児童(発達障害児を含む)などを「障害児」としている。
	身体障害者福祉法(1949)	身体上の障害がある18歳以上の者であって，都道府県知事から身体障害者手帳の交付を受けた者を「身体障害者」としている。
	知的障害者福祉法(1960)	定義はない。
	精神保健福祉法(1995)	統合失調症，精神作用物質による急性中毒またはその依存症，知的障害，精神病質その他の精神疾患を有する者を「精神障害者」としている。
	発達障害者支援法(2004)	自閉症，アスペルガー症候群その他の広汎性発達障害，学習障害，注意欠陥多動性障害その他これに類する脳機能の障害であって，その症状が通常低年齢において発現するものとして政令で定めるものを「発達障害」とする。発達障害を有するために日常生活または社会生活に制限を受ける者を「発達障害者」とし，そのうち18歳未満の者を「発達障害児」とする。

の心身状態に応じて必要とされる支援の度合いを示すものである。市町村が支給を決定する際には，障害支援区分の判定結果に加え，介護者の状況やサービス利用への意向や計画などが勘案される。

障害者総合支援法のサービスは**自立支援給付**(おもに利用者個人に対して支給決定されるもの)と**地域生活支援事業**(自治体が柔軟に実施するサービス)に大別される。自立支援給付のうち，**介護給付**(入浴，排泄，食事の支援や，外出時の支援など)と**訓練等給付**(ひとり暮らしや共同生活を目ざした日常生活上の訓練や，就労に向けた訓練，身体機能の維持向上に向けた訓練など)を合わせて障害福祉サービスとして規定している。障害者総合支援法によるサービスの体系について**表5-3**にまとめた。

■**自立支援医療**

自立支援医療は，障害者(児)に対し医療費の自己負担額を軽減する公費負担医療制度である。すべての障害者が対象ということではなく，次の①更生医療，②育成医療，③精神通院医療が対象である。

①**更生医療**：身体障害者手帳の交付を受けた者で，手術などにより障害を除去・軽減する効果が確実に期待できる者(18歳以上)に対し，障害の軽減などを目的に行う治療をいう。

②**精神通院医療**：精神疾患を有する者で，通院による精神医療を継続的に要する者に対する通院による医療をいう(130ページ参照)。

③**育成医療**：身体障害を有する児童で，手術などにより障害を除去・軽減する効果が確実に期待できる者(18歳未満)に対し，生活の能力を得るために行う医療をいう(45ページ参照)。

> **プラス・ワン**
>
> **自立支援医療の対象**
> 自立支援医療の対象となる障害と治療例を示す。
> ①精神通院医療：精神疾患に対する，向精神薬の処方や精神科デイケア通院など
> ②更生医療，育成医療
> ・肢体不自由：関節拘縮に対する人工関節置換術など
> ・視覚障害：白内障に対する水晶体摘出術など
> ・内部障害：
> 　心臓機能障害に対する弁置換術やペースメーカー埋込術など
> 　腎臓機能障害に対する人工透析療法や腎臓移植術など

表 5-3 障害者総合支援法におけるサービスと対象

		サービス名	サービス内容	障害者	障害児
訪問系	介護給付	居宅介護（ホームヘルプ）	自宅で入浴, 排泄, 食事の介護などを行う。	○	○
		重度訪問介護	重度の肢体不自由者または重度の知的障害・精神障害により, 常時介護を要する人に, 自宅で入浴, 排泄, 食事の介護, 外出時における移動中の介護を総合的に行ったり, 入院または入所している者にコミュニケーション支援などを行ったりする。	○（原則として18歳以上）	△（児童相談所長が必要性を認めた場合は15歳以上の障害児も利用可）
		同行援護	視覚障害により, 移動に著しい困難を有する者に同行し, 移動に必要な情報の提供, 移動の援護, 排泄および食事の介護などを行う。	○	○
		行動援護	知的障害または精神障害により行動上著しい困難を有し, つねに介護が必要な者が行動するときに, 危険を回避するために必要な援護や外出支援を行う。	○	○
		重度障害者等包括支援	介護の必要性がとても高い人に, 居宅介護などの複数のサービスを包括的に行う。	○	○
日中活動系		短期入所（ショートステイ）	自宅で介護する人が病気の場合などに, 短期間, 夜間も含め施設で入浴, 排泄, 食事の介護などを行う。	○	○
		療養介護	医療および常時介護を要する人に, おもに昼間, 病院などの施設にて, 機能訓練, 療養上の管理, 看護, 介護および日常生活上の世話を供与する。	○	
		生活介護	常時介護を要する人に, おもに昼間, 食事や入浴, 排泄などの介護や日常生活上の支援, 創作活動または生産活動の機会を提供する。	○	
施設系		施設入所支援	施設入所する人に, おもに夜間の入浴, 排泄, 食事の介護などを供与する。	○	
訓練系・就労系	訓練等給付	自立訓練（機能訓練）	地域での生活に必要な身体的リハビリテーション（理学療法や作業療法など）や日常生活上の相談支援を一定期間行う。	○	
		自立訓練（生活訓練）	地域での生活に必要な食事や家事などの日常生活能力を向上させるための支援や日常生活上の相談支援を一定期間行う。	○	
		就労移行支援	一般就労への移行に向け, 事業所内や企業における作業や実習, 適性に合った職場さがし, 就労後の定着のために, 一定期間支援を行う。	○	
		就労継続支援A型（雇用型）	一般就労が困難な人に, 雇用契約に基づく就労の機会を提供するとともに一般就労に必要な知識, 能力向上への訓練を行う。	○	
		就労継続支援B型（非雇用型）	一般就労が困難な人に, 就労や生産活動の機会を提供（雇用契約は結ばない）するとともに, 知識や能力向上への訓練を行う。	○	
		就労定着支援	一般就労に移行した人に, 就労に伴う生活面の課題解決に向けた支援を行う。	○	
居宅支援系		自立生活援助	ひとり暮らしに必要な理解力や生活力を補うための支援を目的とし, 一定期間, 定期訪問や随時対応, 近隣住民との関係構築などの支援を行う。	○	
		共同生活援助（グループホーム）	おもに夜間に共同生活を営むべき住居において相談, 入浴, 排泄または食事の介護など, その他の日常生活上の援助を行う。	○	

表 5-4 障害児施設サービス

サービス		サービス内容	対象者
通所系	障害児通所支援 — 児童発達支援	日常生活における基本的な動作の指導，知識・技能の付与，集団生活への適応訓練などの支援を行う。	未就学(6歳まで)の障害児
	医療型児童発達支援	日常生活における基本的な動作の指導，知識・技能の付与，集団生活への適応訓練などの支援および治療を行う。	未就学(6歳まで)の肢体不自由のある障害児
	放課後等デイサービス	放課後や夏休みなどの休校日に，児童発達支援センターなどの施設に通わせ，生活能力向上に必要な訓練や社会との交流促進などの支援を継続的に行う。	幼稚園・大学を除く学校に就学している(6歳から18歳まで)障害児
訪問系	居宅訪問型児童発達支援	居宅を訪問して発達支援を行う。	重度の障害などにより外出が著しく困難な障害児
	保育所等訪問支援	保育所，小学校，乳児院，児童養護施設などを訪問し，障害児以外の児童との集団生活への適応のための専門的な支援などを行う。	保育所などの施設に通う障害児や乳児院・児童養護施設に入所する障害児
入所系	障害児入所支援 — 福祉型障害児入所施設	施設に入所している障害児に対して，保護，日常生活の指導および知識・技能の付与を行う。	盲ろうあ児・肢体不自由など身体に障害のある児童，知的障害または精神に障害のある児童(発達障害児を含む)
	医療型障害児入所施設	施設に入所または指定医療機関に入院している障害児に対して，保護，日常生活の指導および知識・技能の付与ならびに治療を行う。	知的障害児(自閉症児)，肢体不自由児，重症心身障害児

2 障害児への支援

障害児の保健医療福祉制度の基本法が**児童福祉法**である。児童福祉法において対象とする年齢は18歳未満✚である。児童福祉法における障害児への支援体系は，①通所および訪問による支援を行う**障害児通所支援**と，②入所しての支援を行う**障害児入所支援**に大別される(**表5-4**)。障害児通所支援には，学校や保育所へ通う障害児を対象にした放課後等デイサービスや保育所等訪問支援がある。障害児とその家族に特有なニーズに応じるために，児童福祉法や障害者総合支援法に基づくサービスを臨機応変に活用できるような支援は非常に重要である。

障害の有無にかかわらず，子どもが家族とともに健やかに成長していけるような支援についても忘れてはならない。**母子保健法**に基づき，居住する市町村で行われる乳幼児健康診査や，健診後の発達支援の親子教室などを活用し，親子が居住する地域のなかで，周囲の住民らとつながりをもちながら成長していくこともたいへん重要である。保育所や幼稚園，義務教育の小学校・中学校への就学，さらには高校や大学への進学の機会が奪われてはならない。障害児とその家族の場合，とくに小学校就学時に，特別支援学校や特別支援学級に所属するかどうかの判断や，通学するために必要なサービス調整など，生活様式も含めた大きな変化に直面することが多い。小学校就学時には**学校教育法**に基づき，市町村の教育委員会は就学時の健康診査を実施し，子どもの特性に応じ，盲学

✚ プラス・ワン

障害者・障害児の法律における年齢別の対象

児童福祉法の対象が18歳未満であるのに対し，障害者総合支援法ではすべての年齢の障害者(児)が対象となる。一方，介護保険法の第一号被保険者(65歳以上)および第二号被保険者(40〜64歳)の特定疾病に該当する人について，障害福祉サービスに相当するサービスが介護保険法にある場合は，介護保険サービスの利用が優先される。

校や聾学校，特別支援学校への就学に関して助言を行うことになっている。保健師は出生から就学時年齢までの親子に密にかかわり支援することができる職種として，乳幼児健康診査や家庭訪問，親子教室などでの支援経過をふまえ，就学時の健康診査における助言を求められる。障害児とその家族が地域のなかで，その家族なりの生活を大切に送れるように支援するだけでなく，家族が今後の生活をゆたかに送るうえで必要な支援や環境づくりに資する支援を提供する必要がある。

C 障害者手帳

障害者手帳は，障害をもつと認定された人に公布されるもので，身体障害者手帳，療育手帳，精神障害者保健福祉手帳の3種の手帳がある。手帳を所持している人は，その手帳が規定する支援を受けることができる（表5-5）。障害者手帳はそれぞれの障害に応じて異なるもので，1人の人が複数の手帳をもつ場合もある。また難病患者のなかには症状が変化するために，障害者手帳の対象と認定されないこともある。

障害者手帳に基づくサービスを利用する場合，複数の種別の手帳で重複したサービスがある一方で，必要なサービスがいずれの手帳にもないということもある。そのため，障害者総合支援法で取り入れられた障害支援区分は，障害者手帳の所有にかかわらず，障害をもつ者が必要とする支援の度合いをあらわしている。質・量ともに各人のニーズに合った支援を受け，その人が思うような生活を地域で送るためには，障害者手帳や障害支援区分の認定で定められるサービスの範囲に限定せず，必要なサービスにつなぎコーディネートしていくことが重要となる。

表 5-5　障害者手帳

	身体障害者手帳	療育手帳	精神障害者保健福祉手帳
根拠	身体障害者福祉法（昭和24年法律第283号）	厚生事務次官通知「療育手帳制度について」（昭和48年9月27日，厚生省発児第156号）	精神保健及び精神障害者福祉に関する法律（昭和25年法律第123号）
概要	・身体の機能に一定以上の障害があると認められた者に交付される。 ・手帳には最も重度である1級から7級まで7段階の等級が定められている（手帳の交付対象は1〜6級）。 ・身体障害のある児童も交付対象。 ・原則，更新はない。	・児童相談所・知的障害者更生相談所において，知的障害があると判定された者に交付される。 ・各自治体において，判定基準などの運用方法を定めている。	・精神疾患の状態と能力障害の状態の両面から総合的に判断され，1級から3級までが定められている。

●引用文献
1) ベンクト＝ニィリエ著，河東田博ほか訳編：ノーマライゼーションの原理――普遍化と社会変革を求めて，増補改訂版．p.130，現代書館，2000．
2) 奥野英子：リハビリテーションの国際的展開と今後への期待．リハビリテーション連携科学 18(1)：2-8，2017．

●参考文献
- 上田敏：リハビリテーションを考える．pp.6-15，70-91，青木書店，1983．
- 小澤温編：よくわかる障害者福祉(やわらかアカデミズム・〈わかる〉シリーズ)，第7版．pp.16-19，26-31 ミネルヴァ書房，2023．
- 外務省：障害者の権利に関する条約(障害者権利条約)(Convention on the Rights of Persons with Disabilities)(https://www.mofa.go.jp/mofaj/gaiko/jinken/index_shogaisha.html)(参照 2023-07-13)
- 柿木志津江・清原舞編著：障害者福祉(最新・はじめて学ぶ社会福祉 15)．pp.48-62，93-117，ミネルヴァ書房，2023．
- 厚生労働省：ICF「国際生活機能分類――国際障害分類改訂版」(日本語版)．(https://www.mhlw.go.jp/houdou/2002/08/h0805-1.html)(参照 2023-07-13)
- 杉本章：障害者はどう生きてきたか――戦前・戦後障害者運動市史，増補改訂版．pp.48-63，現代書館，2008．
- 内閣府：誰もが暮らしやすい社会を目指して――心のバリアフリーの理念を理解する．(https://www.kantei.go.jp/jp/singi/tokyo2020_suishin_honbu/udsuisin/pdf/kyo02.pdf)(参照 2023-07-13)
- 内閣府：平成 26 年度版障害者白書(概要)(第2章 施策推進の経緯と近年の動き 第1節 施策推進の経緯)．(https://www8.cao.go.jp/shougai/whitepaper/h26hakusho/gaiyou/h02.html)(参照 2023-07-13)
- 二本柳覚編著：図解でわかる障害福祉サービス．pp.40-41，中央法規，2022．
- 村井龍治編著：障害者福祉論(シリーズ・はじめて学ぶ社会福祉 5)，改訂版．pp.8-16，ミネルヴァ書房，2013．
- 文部科学省：日本の障害者施策の経緯．(https://www.mext.go.jp/b_menu/shingi/chukyo/chukyo3/siryo/attach/1295934.htm)(参照 2023-07-13)

B 障害者(児)の健康問題と支援

POINT
- 障害者の生活のしづらさを多角的にとらえ，現在の生活に必要なことだけでなく，今後の生活を見すえた支援を行うことが重要である。
- 保健師は障害者(児)保健医療福祉活動において，個人・家族，小集団，地域全体に対する支援を実施するとともに，地域ケアシステムづくりを推進する。

ICFにより，さまざまな要因で障害者(児)とその家族の生活機能が制限されている状態を，その人にとって障害がある状態ととらえるようになった。このような社会モデル中心のとらえ方により，障害者の人権が重視されるようになったことは非常に重要である。しかし人権を過度に重視するあまり，障害者(児)特有の心身機能・身体構造や環境因子による生活のしづらさに目を向けなくなることは避けなければならない。保健師は支援対象者がそれぞれの成長・発達の過程のなかで，障害の有無にかかわらず，ライフステージにそった発達課題をのりこえられるように支援する必要がある。支援に際しては年齢別や障害の種別で設けられた支援制度のすき間からこぼれ落ちる人がないように，支援全体をみる視点を大切にしたい。また支援制度のすき間を発見した際には既存の法制度を活用してそのすき間を埋める方策を見いだしたり，新たな施策化に結びつけたりするなどの活動が必要となる。

1 健康状態の評価と支援

障害者本人やその家族の生活のしづらさがどのように生じているのかを考え，本人の弱みと強みを見いだし，強みをいかした支援につなげていくことが大切である。そこでICFを用い，本人の全体をアセスメントし，支援を検討する。まず本人や家族がどのような状況にあり，どのような生活を思い描いているのかをていねいにとらえることが重要である。

a 本人の健康状態を評価する際に役だつ指標とその活用

本人の疾患・障害や，心身の状態を客観的な基準を用いて評価することも重要である。どのような病や障害をもち，どのような治療・服薬をしているのか，あるいは検査結果などの情報は健康状態の評価に大いに

表 5-6　障害者(児)の健康状態の評価に役だつ検査・指標

- 障害者手帳の等級
- 障害支援区分(区分 1〜6)
- 要支援・要介護度(要支援 1〜2，要介護 1〜5)
- 日常生活自立度(寝たきり度　ランク J，A〜C)
- 認知機能検査(改訂長谷川式認知症スケール，MMSE など)
- 発達検査(ウェクスラー式知能検査，田中ビネー知能検査 V，デンバー式発達スクリーニング検査，遠城寺式乳幼児分析的発達検査など)
- 「大島の分類」による重症心身障害者(児)分類法*

*169 ページのプラス・ワンを参照。

役だつ。障害者の健康状態を評価する際に役だつ指標などを**表 5-6**にまとめた。

　このような健康状態についての情報は看護職だけでなく，他職種と連携して支援方針を検討し支援を展開する際に，対象者の共通理解を深めるうえで参考になる。注意したいのは，それらの情報で本人や家族をラベリングして，対象者を理解できたつもりにならないことである。あくまでも 1 つの情報として，本人や家族がその状況をどのように考えているのか，どのような生活を希望しているのかをとらえ，アセスメントし，支援を展開する必要がある。とくに保健師には，現在の状況とあわせて，本人と家族のライフステージから今後どのようなことがおこりうるのかを予見し，支援対象の障害者(児)が生活者としてゆたかな生活を送ることができるよう，支援を行うことが期待される。

2 二次障害・合併症予防

a 二次障害の予防

　障害に対する理解が十分に得られなかったり，適切な支援が受けられなかったりしたことから，本人がもともともっていた障害(一次障害)の増悪や，新たな課題が引きおこされることを二次障害という。身体的な二次障害には麻痺の程度の増悪や手足のしびれ，腰痛などがある。精神的な二次障害には，うつや不安障害，適応障害などがあげられる。なかでも発達障害者(児)に関する二次障害において，養育者が発達障害児に育てにくさを感じ，虐待をしたり，あるいは特別支援学級・学校への偏見から，本人に合わない進路を選んだ結果，いじめにあったりしたケースが報告されている。

　視聴覚の障害などは，早期に気づいて適切な養育環境を整えることで，その後の日常生活が広がる可能性が大きい。そこで乳幼児健康診査などで障害を早期に発見できるように，保健師を含めた専門職は支援技術を身につける必要がある。また，発見された障害者本人や家族，とくに障害児の養育者が孤立せずに支援者を得て，安心して子育てができる

プラス・ワン
ペアレントトレーニング
発達障害や知的障害をもつ子どもの保護者・養育者が，子どもへの肯定的なはたらきかけのしかたなどを学ぶことである。
ペアレントトレーニングにより，子どもとのかかわり方を改善し，その結果として心理的なストレスが減り，子どもの適切な行動が促進されるとともに不適切な行動が改善されることを目ざす。

ような支援や，保護者や養育者へのペアレントトレーニング➕を提供することが求められる。周囲の人の不適切なかかわりが二次障害の原因になりうるため，障害についての知識を一般に広める啓発活動も重要である。

実践場面から学ぶ：中年の知的障害者と家族

■事例紹介

Aさん(男性・45歳・自閉スペクトラム症)は父親のBさん(72歳)と母親のCさん(67歳)との3人暮らし。療育手帳のB1(中度の等級)を取得し，障害基礎年金2級を受給している。弟のDさん(42歳)と妹のEさん(36歳)はそれぞれ結婚し，他市で生活している。

Aさんは1歳6か月児健康診査の際に言葉の遅れを指摘され，3歳児健康診査でも発達の遅れを指摘された。両親は「はじめての子で男児だし，言葉の遅れは気にならない。様子を見たい」と言って健診後のフォロー教室や経過観察検診を受けなかった。幼稚園には3歳から入園し，パニックをおこして教室を飛び出すなど繰り返したが，両親ともに地元出身で先祖の代から近隣との付き合いを大切に生活してきたこともあり，「A君はちょっと個性的だけど，そういう子だよね」と近隣の理解を得ながら成長し，小学校は普通学級に進学した。学習面での遅れや中学校進学後の不安が大きくなったため小学5年生のときに専門医を受診し，自閉スペクトラム症の診断を受けた。中学校・高校は特別支援学校に通い，卒業後は生活介護事業所に週5日10〜16時に通所し，作業は割箸の袋詰めなどの軽作業を行う。行きは施設の送迎車，帰りは電車を利用して1人で通っている。排泄や入浴は1人で行える。食事は出されたものをかまずに飲み込んでしまうので，ゆっくり食べるようにと声かけが必要である。予定外のことを理解するのはむずかしく，パニックをおこして大声を出す。慣れない人に介助されるとパニックになるためヘルパー利用などがむずかしい。

Dさんは，幼少期から手のかかる兄のAさんと妹のEさんに両親がかかり切りになっていて自分は放っておかれたと感じていた。そのため高校卒業とともに実家を出て，奨学金を受けて大学進学，就職，結婚し，いまは妻の実家で義父母と同居している。「兄のことは気にかけているが，自分は小さいころから1人で頑張ってきた。そのぶん，兄の面倒はみられない」とはっきりと言い，数年に1回程度しか実家に帰らない。Aさんの今後の生活について口出しするつもりもないが，経済的にも支援しないと言う。

妹のEさんは子どもを連れて年に数回実家を訪れる。Aさんが月1回1〜3泊で短期入所を利用している期間は両親がEさん宅に遊びに行っている。両親が「年々Aの世話がたいへんになってきた」と話すようになり，Eさんは「私も手伝いたいけれど子育てに手がかかるし，両親のように兄の世話はできない。専業主婦で自由になるお金もない。兄にはグループホームなどに入ってもらいたい」と話すようになった。

先日，救急車のサイレン音でAさんがパニックをおこして走り出し，止めようとしたCさんが転倒して足首を捻挫した。両親は「自分たちがAの世話をできる限り続けていきたいが，ほかに頼れる人がいない」と通所施設職員に不安をもらすようになった。

● ポイント①：発達障害を早期に発見して支援を開始する

乳幼児健康診査で発達の遅れを指摘され，ショックを受けない親はいない。BさんとCさんも2度の健診で指摘されたAさんの発達について気にはなっていたと推測する。しかし，Aさんが第一子で，はじめての子育てということもあり，子どもの問題を素直に認めたくない心情などから，フォロー教室や経過観察検診を受けなかったと思われる。

乳幼児期に発達の遅れが認められた場合，その子どもに合った療育を受けることで発達が促されることが多い。適切なタイミングで支援を受けることが，子どもの発達に大きな恩恵となり，親子のその後の生活をゆたかにする。乳幼児健康診査で発達の遅れがみられた子どもの保護者に対し，保健師が子どもの状況や支援の必要性をていねいに説明し，子どもが療育などを受けるように促すことは重要である。また発達の遅れをもつ子どもの親への支援だけでなく，療育を受けることへの差別や偏見に対する啓発を地域全体へはたらきかけることも重要である。

● ポイント②：障害者の8050問題

8050問題とは，80代の親が50代の子どもの生活を支えるという問題である（133ページ参照）。子どもの引きこもりがおもな背景であるが，障害をもつ子どもを介護する親という関係性においても8050問題がみられる。障害者の高齢化も急速に進展しており，自分が亡くなったあと，残された障害をもつ子どもの生活を親が案じるケースが増えている。障害をもつ子の世話を親が一手に引き受けるのではなく，障害児が成長し，親から離れて生活するときがくることを想定し，障害者の地域生活を支援するような取り組みが必要である。

b 合併症の予防

障害特性による感覚過敏やこだわり，身体の動かしづらさなどがもとになってほかの疾患を合併したものを合併症という。たとえば味覚や感覚の過敏・鈍感などから食習慣のかたよりにつながり，糖尿病などの生活習慣病を合併することがある。また感覚の過敏性のため，歯みがきや歯科治療が苦手で齲歯や歯周疾患になりやすい。筋骨格系の障害特性による運動の困難さから筋力低下や関節拘縮，褥瘡を発症することもある。

障害者(児)は自分の状況を言葉や非言語的な表現(表情，しぐさなど)で伝えづらいため，さまざまな合併症をもつことがある。

合併症は予防や治療が可能なものも多く，障害者(児)のQOL低下を防ぐためにも合併症の予防や早期発見・早期治療は重要である。精神障

害者は糖尿病や循環器疾患，悪性新生物，皮膚疾患などを合併していても，本人の病識が浅く発見が遅れることがあるので，周囲の者，とくに医療者は合併症の可能性を考えて支援にのぞむ必要がある。

3 障害者サービスの調整，地域ケアシステムの構築

障害者総合支援法の施行以降は，障害の種別によらず，本人の生活のしづらさにそったサービス調整が重視されるようになった。支援対象者の生活のしづらさについて，ICFなどを用いて包括的にとらえ，対象者本人に対し，障害者サービスを調整し計画していく。サービスを計画する際には，対象者の生活がサービスにより一層ゆたかになるよう，計画から実践，そして点検・評価を経て調整・改善と続くPDCAサイクルをまわして進めることが重要である。

a サービス等利用計画

対象者の状況に合わせ，かつ市町村から認定を受けた障害支援区分にそうように，障害者総合支援法に基づくサービスやインフォーマルな社会資源を組み合わせて利用するには，**サービス等利用計画**が必要となる。サービス等利用計画は対象者の課題の解決のために必要なサービスを適切に組み合わせるものである。サービス等利用計画は**相談支援事業者**が作成するほか，当事者本人や家族が作成することも可能であり，一定の実務経験に加えて都道府県が主催する研修を修了した**相談支援専門員**がその相談に応じている。

b 地域ケアシステムの構築と包括的支援体制の整備

障害者（児）と家族が地域で生活していくためには，さまざまなサービスの利用や周囲の理解が重要となる。保健師は，障害者（児）とその家族のニーズに対して支援チームが機能するように，チームの内外において支援を行う。チーム内では，支援が効果的に行われるように対象者に直接はたらきかける一方，支援者間あるいは支援者・対象者間の関係づくりをサポートする。チームの外における支援としては，今後，支援者となりうる者へはたらきかけたり，1つの支援チームから生まれた連携が，別の個別支援でもいかされるように，地域ケア会議などの場を活用して定例的に情報共有を行ったりする。こうしてさまざまな機関によるサービスが組織的・系統的に提供される地域ケアシステムを構築する。

2021（令和3）年より，複合・複雑化している地域住民の支援ニーズに対応し，包括的な支援体制を整備するために，①相談支援（属性を問わない相談支援，他機関協働による支援，アウトリーチなどを通じた継続的

支援），②参加支援，③地域づくりに向けた支援を一体的に実施する**重層的支援体制整備事業**が市町村にて実施されている(95 ページ参照)。

自然災害が多く発生するなか，障害者(児)については災害発生時における**避難行動要支援者**として，平常時に避難行動要支援者名簿に記載しておき，できれば個別の避難計画もたてておくことが望ましい。保健師は，名簿や避難計画の作成にかかわるとともに，障害者(児)がふだんから近隣の住民とつながりをもつことで，どのような生活を送り，なにに困っているのかを互いに理解し合い，各人ができることをもってたすけ合える関係性を醸成するような地域づくりに，平時から携わる必要がある。

4 重複障害者と家族への支援

> **プラス・ワン**
> **大島の分類**
> 重症心身障害児(者)は医学的診断用語ではなく，状態をあらわす児童福祉法の用語である。大島の分類(大島一良博士による分類法)によって日常生活活動と知的能力で判定されるのが一般的である。

a 重症心身障害

重症心身障害とは，重度の運動機能障害(肢体不自由)と，重度の知的障害が重複した障害をさす。日本特有の概念であり，重症心身障害児施設の入所判定基準として提示された行政用語である🟥。医学的な「重症」の用法と異なり，「小児期以前に生じた疾患によって知的機能と運動機能がどちらも重度に制限される状態」をさす。呼吸器障害や咀嚼・嚥下機能障害など多様な病態がある。現在は入所児(者)数よりも在宅児(者)数が多い。障害の重度化に伴い，超重症・準超重症という概念も生まれている。

重症心身障害児(者)の支援では，①生命の支援(継続的な医療ケア)，②生活の支援(家族や支援者による行為介助)，③人生の支援(発達を意識したライフサイクルを見通した支援)の視点が重要である。

b 重症心身障害児(者)の家族への支援

保健師は当事者への支援だけでなく，家族員それぞれの課題と，家族全体の課題の両者に目を向けて支援を行う必要がある。家族員のうち障害児(者)の親やきょうだいへの支援はとくに重要で，出生時にすでに重症児であることがわかっている場合には，退院前から，重症心身障害児とほかの家族員が「家族になっていく」過程に寄り添って支援し，共感的にかかわることが求められる。

重症心身障害児(者)は質量ともに多くの支援を要し，多くの職種・機関が支援にかかわる。そこで支援者間で，つねに支援対象者と家族の情報を共有し，対象者と家族が思い描く生活を実現できるよう，支援のあり方を臨機応変に考えていく。

5 小集団への支援

障害者の当事者グループや家族会の支援も保健師が行うグループ支援に位置づけられる。このようなグループには，障害をもつ当事者どうしだからこそ，グループメンバーが互いにわかり合い，有用な情報交換ができるというメリットがある。保健師は，当事者の主体性を引き出し，自分たちの会として運営していくようにグループの育成支援を行う。新たなグループの立ち上げに際しては，当事者がグループの目的を明確に定めて，グループをつくるように支援する➕。

グループにもライフサイクルがあり，新たなグループが誕生し，成熟し，終結を迎える。グループによっては長らく活動が継続していくものもあるが，短期間で解散を迎えるものもある。障害者の当事者グループの場合，当事者の高齢化や，心身機能の脆弱性から運営を担うことがむずかしくなることがある。主体的なグループ運営は重要だが，必要な場合には運営面を手伝ったり，グループを支援するボランティアを育成したりするなど，保健師には柔軟な支援を行うことが求められる。また，当事者会や家族会を必要としている人々に情報を提供し，グループへの参加につなぐことも重要である。このように当事者会や家族会が地域の社会資源になっていく課程をさまざまなかたちで支援することは保健師の重要な機能の1つである。

➕ プラス・ワン

グループを立ち上げる際のアドバイス

たとえば同じ障害の悩みをもつ人とつながりたいというニーズから，新たなグループを立ち上げるとする。この場合に，参加者を多数集めることが重要ではない。当事者や家族どうしがつながるという目的を見失わないように，保健師は「最初からおおぜいを集めようとするのではなく，まずは2名以上のメンバーで始めてみよう」というスタンスでグループを立ち上げるようにアドバイスする。

高次脳機能障害

外傷性脳損傷や脳血管疾患などで後天的に脳に損傷を受け，その後遺症として生じた記憶障害，注意障害，社会的行動障害などの認知障害などをさす。日常生活において大きな支障をもたらすことが多い。障害が他者にわかりにくく，周囲の理解や適切な対応を得にくいことが課題となる。

実践場面から学ぶ：中途障害の本人と家族

■事例紹介

Aさん(男性・60歳)は妻のBさん(55歳・パート勤務)，長男Cさん(26歳・会社員)，次男Dさん(22歳・大学生)の4人暮らし。Aさんは営業部門の管理職であったが，1年前に営業先で右半身に力が入らなくなり，救急搬送先で脳梗塞と診断され，そのまま入院となった。半年前にリハビリテーション病院を退院し，自宅での生活に戻った。右半身に麻痺が残り，高次脳機能障害➕により集中力や記憶力の低下がある。自宅内では短下肢装具を装着して移動し，身のまわりのことは妻の手だすけを受けて行っている。

職場復帰を目ざして，本人は「もっとしっかりリハビリテーションを受けたい」と言い，ベッド上で体操など自分のできることを行っているつもりだが，日中はぼんやりとテレビを見ながらウトウトしていることがほとんどであり，妻が声をかけると「馬鹿にするな，自分でできる！」と声を荒げる。息子たちが見かねて声がけしても「誰のおかげで大学まで行かせてもらっているんだ」と怒り出す。

対応に困り果てた妻が市役所の障害福祉課に相談に行ったところ，窓口で保健師が対応した。保健師から介護保険サービスを利用することも

できるが，障害支援区分の認定を受けてサービスを利用し，できる範囲での就労をめざしてはどうか，と提案された。またいままでの家族のがんばりに対してねぎらいと，1人で悩まないでいまの思いや困っていることを保健師や同じような立場の人に話してほしいと言われ，家族会の紹介を受けた。同じようにがんばっている人やその家族がいることを知って妻は励まされたと感じ，相談できるところがあることに安心した。

その後，Aさんは週2回，就労継続支援B型に通所しはじめた。もとの職場へ復帰したいと強く望んでいたものの，まずは生活リズムをたて直すことから開始できたことに，Aさんも内心ほっとしていた。通所の日には早く起き，身支度をしようするAさんの姿を見て家族も前向きな気持ちになれた。家族会には家族全員で参加し，Aさんは自分と同じように苦労している仲間から元気をもらい，Bさんや息子たちは先輩患者家族に愚痴を聞いてもらったり，情報交換をしたりしている。Dさんは家族会への参加を通じ，このような活動を運営するNPOに魅力を感じ，就職を考えるようになった。

●ポイント①：制度を活用し，家族の負担軽減をはかる

障害をもって生活をすることは，本人だけでなく家族にも多くの時間的・経済的な負荷がかかる。家族は当事者のケアのために睡眠時間や自分のための時間が削られ，自身の病気の受診ができずに発見・治療が遅れることもある。このような障害者・家族の負担を軽減するために，経済的な負担を軽減する目的のものも含め，さまざまなサービスが障害者総合支援法などで設けられている。サービスの利用については，当事者と家族がどのような生活を希望しているのかをていねいにとらえ，そのためにどのような支援が必要かを，本人・家族とともに考えて導入する。

当事者に必要な世話を家族が担わず，サービスに頼ることについて，自責の念にさいなまれる家族もいる。サービスを導入するにあたっては，家族の考えを確認するとともに，制度やサービスを利用せずにいまの生活を続けたときにおこりうるリスクを予測し，そのリスクを軽減するために必要なサービスについて当事者・家族と話し合うことが重要である。その結果，家族が罪悪感をいだかず納得してサービスを利用することができる。家族のさまざまな負担を軽減し，予防的に行動できるようはたらきかけることは保健師の重要な役割である。

●ポイント②：中途障害者と家族の障害受容の支援✚

事例のような中途障害の場合，当事者本人と家族の生活が一転する可能性がある。障害を受けた本人は，心理的にショックを受け，障害をもった現状を否認したり，抑うつや攻撃的な反応を示したりする。家族も，家計や家事，育児や介護を支えるために新たな役割や負担が生じることもある。

中途障害を負った本人・家族が，障害をもった状況を受けとめ，家族や社会のなかでの新たな役割や立ち位置を見つけ前向きに生きていけるよう支援することは重要である。そのためには，当事者だけでなく各家

✚ **プラス・ワン**

中途障害者の障害の受容に影響する要因

①当事者本人がこれまでにどのような人生を歩んできたのか，②本人が属する家族や学校・職場などコミュニティ内での立場・役割はどのようなものか，③前項のコミュティのメンバーが対象者の障害をどのように受けとめているのか，などは本人の障害の受けとめ方に影響を及ぼす要因である。

族員の発達段階，および家族ライフサイクルに留意して支援する。本人の障害受容や家族員との新たな関係性・役割を受け入れていく過程への支援において，障害者総合支援法などによる制度やサービスを有効に活用する。

●ポイント③：家族看護の視点の重要性

　障害をもってからの生活は，これまでの生活の先に再構築されるものである。家族員の誰かが障害をもつことによって，「これからどうしていったらよいか」と向き合える可能性もあれば，これまでの家族関係でうまくいっていなかった部分が端緒となって，一層困難な関係になることもある。家族看護の視点から，受傷前の家族のあり方をふまえ，当事者とその家族がこれからどのような関係であったらよいのかを一緒に考え，よりよい方向を目ざせるように，必要に応じて多職種で連携しながら支援を行う。

6 障害者(児)の住環境・地域環境の整備

プラス・ワン

障害者が賃貸住宅で直面する問題の例
障害者が賃貸住宅に入居する際に次のような問題に直面する。
・バリアフリー住宅と銘打たれた物件であるが，建物の入り口までのアプローチが砂利敷で車椅子での通行が困難である。
・住宅の壁が薄くて呼吸器の音やアラーム音が近所の迷惑となる。

シルバーハウジングプロジェクト
シルバーハウジングプロジェクトとして，高齢者・障害者の生活特性に配慮してバリアフリー化された公営住宅と，生活援助員による生活相談・緊急時対応などのサービスがあわせて提供されている。

　障害者(児)が地域での生活を送るために，賃貸住宅などに居住しようとすると，その賃貸契約を締結する際も含めて，さまざまな困難を伴う。障害者が一成人として1人暮らしを希望する際に，グループホームやケアホームだけではない選択肢が広がることが望まれる。

　そこで低廉な家賃で入居できる公営住宅を，障害者の地域生活の場として積極的に活用する施策が厚生労働省と国土交通省の連携により行われている。具体的には，障害者が単身で入居できるように入居要件を緩和し優先的に入居させることや，障害者向けの公営住宅を供給するなどの障害者の支援策である。障害者が暮らしやすい地域環境は多くの住民の暮らしやすさにつながる。保健師には，住民が障害の有無にかかわらず，住み慣れた地域で住居を得て生活できるように，地域環境にはたらきかけていく役割が期待される。

●参考文献
・大川たか子・中山洋子：入院精神障害者の身体合併症の実態とケア上の困難さの分析．日本精神保健看護学会誌 13(1)：63-71，2004．
・厚生労働省：政策レポート「障害者の住まいの場の確保について(国土交通省との連携)」(https://www.mhlw.go.jp/seisaku/2009/11/04.html)(参照 2023-07-18)
・国立障害者リハビリテーションセンター高次脳機能障害情報・支援センター：支援・診療のための資料「高次脳機能障害者支援の手引き(改訂第2版)」．(http://www.rehab.go.jp/brain_fukyu/data/)(参照 2023-07-18)
・佐久間肇：障害者の合併症予防．順天堂医学 51(2)：194-201，2005．
・二本柳覚編著：図解でわかる障害福祉サービス．pp.8-9，中央法規，2022．
・八代博子編著：写真でわかる重症心身障害児(者)のケアアドバンス――人としての尊厳を守る療育の実践のために．pp.12-22，インターメディカ，2017．

6章 難病保健活動

A 難病対策の動向

POINT
- 日本の難病対策はスモンの発生に始まり，その原因解明の経緯から「難病対策要綱」が策定された。
- 難病保健活動は，「難病対策要綱」が策定された時期に始まり，地域保健法により保健所が実施する事業として規定された。
- 「難病対策要綱」の策定から40年が経過し，難病の患者に対する医療費等に関する法律（難病法）が制定された。
- 難病法により，医療費助成対象の指定難病が増え，「難病対策地域協議会」の設置が保健所の努力義務となった。
- 難病対策に関する法や事業が整備され，市町村や多機関でサービスが提供されるようになり，関係機関とのより一層の連携や協働が重要となっている。

1 難病対策の歴史的変遷

a 難病法の制定以前の難病対策

1 スモン──日本における難病対策のはじまり

　日本の難病対策は，1964（昭和39）年におこったスモン🞧の大量発生に始まる。この年，全国各地で集団発生を思わせる多数の患者があらわれ，深刻な病状に加え，失明や歩行障害などの深刻な後遺症が残ることや，当初は病気の明らかな原因が不明だったためウイルスが原因と疑われたことから，患者が社会的阻害を受けたことなどが社会問題となった。

　1964（昭和39）年度から原因解明と治療方法についての研究が進められ，1969（昭和44）年には当時の厚生省にスモン調査研究協議会が設けられ，大型研究班によるプロジェクト方式の調査研究が行われた。この結果，1970（昭和45）年にスモンとキノホルムの関係が示唆され，整腸剤として使用されていたキノホルム剤の販売などを中止したところ，患者の発生が激減した。1972（昭和47）年にスモン調査研究協議会は総括的見解として，「スモンと診断された患者の大多数は，キノホルム剤の服用によって神経障害をおこしたものと判断される」と発表した。以上がスモンの原因解明の経緯である。

　1969（昭和44）年に全国スモンの会が結成され，患者たちは国や自治体

プラス・ワン
スモン（SMON）
スモン（SMON）は，亜急性脊髄視神経ニューロパシー（subacute myelo-optico-neuropathy）の頭文字をとった病名。亜急性に発症し，脊髄・末梢神経・視神経に病変がみられる。1958（昭和33）年にはじめて学会で症例が報告された。1964（昭和39）年に埼玉県戸田町（現在の戸田市）で集団発生したのに端を発し，各地で次々に多数の患者があらわれたことで全国的な注目を集めた。
整腸剤として使用されていた成分「キノホルム」が原因と判明してキノホルム剤の販売停止措置がとられてからは，新規の患者発生はない。

> 難病（いわゆる不治の病）
>
> **難病（「難病対策要綱」による定義）**
> ①原因不明，治療方法が未確立，かつ，後遺症を残すおそれが少なくない疾病
>   例：ベーチェット病，重症筋無力症，再生不良性貧血，悪性関節リウマチ
> ②経過が慢性にわたり，単に経済的な問題のみならず介護などに著しく人手を要するために家庭の負担が重く，また精神的にも負担の大きい疾病
>   例：小児がん，小児慢性腎炎，ネフローゼ，小児ぜんそく，進行性筋ジストロフィー，腎不全（人工透析対象者）
>   なお，寝たきり老人，がんなど，すでに別個の対策の体系が存在するものについては，この対策から除外する。
>
> **難治性疾患克服研究事業対象疾患（特定疾患治療研究分野〔130疾患〕）**
> 次の要素のある疾患
> ①稀少性，②原因不明，③効果的な治療方法未確立，④生活面への長期にわたる支障（長期療養を必要とする）
>   例：正常圧水頭症，ギラン・バレー症候群，ペルオキシソーム病など，および下記の特定疾患治療研究事業対象疾患など
>
> **特定疾患治療研究事業対象疾患（56疾患〔医療費助成対象〕）**
> 難治性疾患克服研究事業対象疾患のうち，次の要素のある疾患
> ①診断基準が一応確立，②難治性，重症度が高い，③患者数が少ない，④公費負担のかたちをとらないと原因の究明，治療方法の開発などに困難をきたすおそれがある
>   例：ベーチェット病，スモン，筋萎縮性側索硬化症，プリオン病など

（東京都福祉保健局保健政策部疾病対策課資料．2017による，一部改変）

図6-1 「難病対策要綱」の時代（難病法が施行される前）における難病の概念図

に患者の救済，原因解明などの対策を要望した。国はこうした動きに応じて，1971（昭和46）年度からスモン入院患者に対し，月額1万円の医療費助成を治療研究費から支出した。スモンに対する取り組みが難病対策の発展の大きな推進力となり，1972（昭和47）年に難病プロジェクトチームが設置され，その検討結果として「**難病対策要綱**」が策定された。

2 「難病対策要綱」の策定

「難病対策要綱」における難病の範囲は，①原因不明，治療方法が未確立であり，かつ，後遺症を残すおそれが少なくない疾病，②経過が慢性にわたり，単に経済的な問題のみならず介護などに著しく人手を要するために家庭の負担が重く，また，精神的にも負担の大きい疾病と定義された（図6-1）。従来の医学的定義とは大きく異なり，社会的定義とされたことは特記すべきことである。

「難病対策要綱」の事業は，①調査研究の推進，②医療施設の整備，③医療費の自己負担の解消を3つの柱に進められた。当初，調査研究の対象疾患は8疾患✚からスタートして徐々に拡大された。治療研究では，支給額1万円/月の協力謝金だったものが，医療保険による自己負担分の補助（医療費公費負担）へと充実していった。後述の**難病の患者に対する医療等に関する法律**（難病法）の制定前には，難治性疾患克服研究事業対象疾患（特定疾患調査研究分野）130疾患，特定疾患治療研究事業対象疾

プラス・ワン
調査研究開始当初の対象疾患
①スモン，②ベーチェット病，③重症筋無力症，④全身性エリテマトーデス，⑤サルコイドーシス，⑥再生不良性貧血，⑦多発性硬化症，⑧難治性肝炎の8疾患が調査研究開始当初の対象疾患となった。そのうち上記①～④の4疾患が治療研究の対象であった。

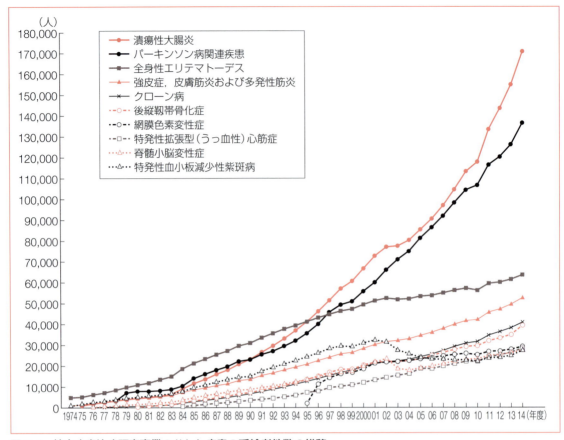

図6-2　特定疾患治療研究事業のおもな疾患の受給者件数の推移

患（医療費公費負担対象）56疾患にまで増え，対象患者数も年々増加した（図6-2）。

3 保健医療福祉の充実，QOL向上を目ざした福祉施策の推進

難病対策は「難病対策要綱」の策定当初の3つの柱に，④地域における保健医療福祉の充実・連携，⑤QOLの向上を目ざした福祉施策の推進を加えた5本柱へと拡充していく（表6-1）。

社会状況・経済状況の変化に応じて患者や家族のニーズも変化し，1996（平成8）年度には**難病情報センター**が開設され，1997（平成9）年に「**難病患者等居宅生活支援事業**」が開始される。1998（平成10）年に重症難病患者に重点をおいた難病対策を充実させるため，調査研究の強化や「**重症難病患者入院施設確保事業**」「**難病患者地域支援対策推進事業**」などを内容とする「**難病特別対策推進事業**」が創設された。2003（平成15）年度には難病患者のさまざまなニーズに対応したきめ細かな相談支援が行えるよう，都道府県ごとの活動拠点として**難病相談支援センター**が設置された。

保健分野においては，1994（平成6）年に保健所法が地域保健法に改正

プラス・ワン

難病情報センター
難病患者や家族の療養上の悩みや不安に的確に対応し，その療養生活の一層の支援をはかるため，研究事業の成果，専門医・専門医療機関の所在，公的サービスなどの情報を収集・整理し，インターネットを通じて情報提供を行っている。（http://www.nanbyou.or.jp/）（参照2017-02-21）

難病患者等居宅生活支援事業
●対象者
難治性疾患克服研究事業の対象疾患（130疾患）および関節リウマチの患者のうち，介護保険法などのほかの施策の対象とならない者。
●目的
在宅難病患者のQOL（生活の質）の向上のため，ヘルパー派遣・生活用具給付により日常生活を支援し，患者の自立と社会参加を促進すること。

プラス・ワン

難病患者等居宅生活支援事業
(続き)
●実施内容
①難病患者等ホームヘルプサービス事業，②難病患者等日常生活用具給付事業，③難病患者等短期入所事業(ショートステイ)。1997(平成9)年1月に事業開始。障害者総合支援法に難病が含まれることになり，この事業は2013(平成25)年度末で廃止された。

重症難病患者入院施設確保事業
●対象者
病状の悪化などの理由により，居宅での療養がきわめて困難な状況となり，入院治療が必要となった重症難病患者。
●目的
適時に適切な入院施設の確保などが行えるよう，地域の医療機関の連携による難病の医療体制の整備をはかること。
●実施主体
都道府県
●実施内容
都道府県は難病医療連絡協議会を設置するとともに，おおむね二次医療圏ごとに1か所の協力病院を指定し，そのうち1か所を拠点病院にして，重症難病患者のための入院施設の確保を行う。

難病患者地域支援対策推進事業
●対象者
在宅の要支援難病患者
●目的
難病患者等の療養上の不安解消をはかるとともに，きめ細かな支援が必要な要支援難病患者に対する適切な在宅療養支援を行うこと。
●実施主体
都道府県，地域保健法第5条に基づいて保健所を設置している市および特別区。
●実施内容
保健所を中心として，地域の医療機関，市町村福祉部局などの関係機関との連携のもとに次の事業を行う。
①在宅療養支援計画策定・評価事業，②訪問相談事業，③医療相談事業，④訪問指導(診療)事業。

表6-1 難病対策の5本柱

難病対策の5本柱	事業の種類
調査研究の推進	厚生労働科学研究 　(難治性疾患克服研究) 　(障害者保健福祉総合研究) 　(免疫アレルギー疾患等予防・治療研究) 　(子ども家庭総合研究) 精神・神経疾患研究事業　　など
医療施設などの整備	重症難病患者拠点・協力病院 国立高度専門医療研究センター 独立行政法人国立病院機構　　など
医療費の自己負担の軽減	特定疾患治療研究 小児慢性特定疾患治療研究 育成医療 更生医療 重症心身障害児(者)措置 進行性筋萎縮症児(者)措置　　など
地域における保健医療福祉の充実・連携	難病特別対策推進事業 難病相談・支援センター事業 難病患者地域支援対策推進事業 難病情報センター事業 患者サポート事業　　など
QOLの向上を目ざした福祉施策の推進	難病患者等居宅生活支援事業

(難病対策研究会監修：難病対策提要，平成23年3月版．p.12，太陽美術，2011による，一部改変)

され，難病対策における保健所の役割が明確になった。これを受けて保健師などに難病患者の看護や生活指導に必要な知識・技術を習得させるため，1995(平成7)年より「特定疾患医療従事者研修」が実施されるようになった。

4 在宅難病患者にかかわる諸制度の発展

高齢社会対策や障害者対策の充実・強化がはかられ，難病対策の推進と相まって在宅難病患者の療養環境が大きくかわってきた。ここでは，とくに大きな影響があった3点について概要を述べる。

■介護保険法の施行(2000〔平成12〕年)

介護保険法は，疾病の進行によりADLの低下や介護を必要とする難病患者にとって，社会全体で介護を支え合う制度として在宅で利用できるサービスの種類や量を飛躍的に発展させ，介護支援専門員(ケアマネジャー)により，具体的なサービス利用計画が作成されるようになった。介護保険の第2号被保険者(40歳以上65歳未満)の要介護者・要支援者として認定される特定疾病には，複数の難病が含まれている。

■難病が障害福祉サービスの対象へ——障害者総合支援法

1993(平成5)年の**障害者基本法**の改正では，難病による身体・精神上の障害があり長期にわたり生活上の支障がある者が，同法の規定する障

> **プラス・ワン**
> **介護保険における特定疾病**
> 太字は現在の指定難病を示す
> ①**がん**(がん末期)(医師が一般に認められている医学的知見に基づき回復の見込みがない状態にいたったと判断したものに限る)、②関節リウマチ、③**筋萎縮性側索硬化症**、④**後縦靱帯骨化症**、⑤骨折を伴う骨粗鬆症、⑥初老期における認知症、⑦**進行性核上性麻痺、大脳皮質基底核変性症およびパーキンソン病**(パーキンソン病関連疾患)、⑧**脊髄小脳変性症**、⑨脊柱管狭窄症、⑩**早老症**、⑪**多系統萎縮症**、⑫糖尿病性神経障害、糖尿病性腎症および糖尿病性網膜症、⑬脳血管疾患、⑭閉塞性動脈硬化症、⑮**慢性閉塞性肺疾患**、⑯両側の膝関節または股関節に著しい変形を伴う変形性関節症。

表 6-2 障害者総合支援法の対象疾病の要件

指定難病の要件	障害者総合支援法における取扱い
①発病の機序が明らかでない	要件としない（ただし、ほかの施策体系が樹立している疾病は、障害者総合支援法の対象疾病からも除く）
②治療方法が確立していない	要件とする
③患者数が人口の 0.1％程度に達しない	要件としない
④長期の療養を必要とする	要件とする
⑤診断に関し客観的な指標による一定の基準が定まっている	要件とする

(障害者総合支援法対象疾病検討会資料,障害者総合支援法の対象疾病の要件,2015による,一部改変)

害者に含まれることになった。しかし、具体的なサービスは身体障害者手帳所持者に限られていた。

2013(平成25)年に施行された**障害者の日常生活及び社会生活を総合的に支援するための法律**(障害者総合支援法)では、制度の谷間のない支援を提供する観点から、障害者の定義に難病などが追加され、障害福祉サービスの対象とされた。また、症状の変動などで身体障害者手帳を取得できなくても、一定の障害がある人が障害福祉サービスを利用できるようになった。それまでの難病患者等居宅生活支援事業は、区市町村事業であったため、利用にあたっては自治体間の格差があったが、障害者総合支援法の対象者であればどの地域でもサービスが利用できるようになった(難病患者等居宅生活支援事業は2013〔平成25〕年度末で廃止となった)。

障害者総合支援法の対象疾病の要件は、**表 6-2** に示したとおりであり、難病法の指定難病より対象範囲が広い。なお、指定難病と障害者総合支援法の対象疾病とで異なる疾病名を用いているものがあり、指定難病の見直しは今後も行われていくため、最新の情報を難病情報センターのWebサイトで確認するとよい。

■**介護職員などによる喀痰吸引等制度(認定特定行為業務)の実施**

人工呼吸器の装着など医療依存度が高い患者の在宅療養には24時間体制の介護が必要となる。しかし、人工呼吸器装着に伴って必要となる、痰の吸引などの医療行為はホームヘルパーには頼めず、24時間体制で介護を担う家族の大きな介護負担となっていた。

2002(平成14)年に日本ALS協会が、厚生労働大臣に「ALS等の吸引を必要とする患者に医師の指導を受けたヘルパー等介護者が日常生活の場で、吸引を行うことを認めてください」と要望書を提出し、これを受けて2003(平成15)年に家族以外の者による、ALS患者の痰の吸引が一定の条件下で容認された。その後、対象を徐々に拡大し、法整備に向けた検討が行われ、2012(平成24)年に、**社会福祉士及び介護福祉士法**の改正によ

り，研修を受けた介護職員が一定の条件下で喀痰の吸引および経管栄養を実施できることになった。

b 難病の患者に対する医療等に関する法律の制定

「難病対策要綱」の制定から40年がたち，難病対策は一定の成果をあげてきた。その一方で，研究事業や医療費助成の対象にならない疾病の患者に不公平感があることや，医療費助成について都道府県の超過負担が続いていること，難病に関する普及・啓発が足りず国民の理解が十分でないことなど，多くの課題が指摘されていた。

2011(平成23)年9月より，厚生科学審議会疾病対策部会難病対策委員会において難病対策の改革の審議が始まった。その後，まとめられた提言や報告書をふまえた**難病の患者に対する医療等に関する法律**(難病法)が2014(平成26)年5月に成立し，2015(平成27)年1月に施行となった。難病法の施行により，従来は予算事業(特定疾患治療研究事業)で行われていた難病対策が，法律に基づくものとなった。「難病対策要項」から難病法にいたるまでの難病対策の変遷を**表6-3**に示す。

表6-3 おもな難病対策と難病療養支援にかかる保健医療福祉関連施策

年号	おもな難病対策	難病療養支援に係るおもな保健福祉関連施策
昭和30年代後半～	スモンの発生	
1972(昭和47)年	難病対策要綱を策定	
1983(昭和58)年		老人保健法施行
1992(平成4)年		老人保健法改正(老人訪問看護制度開設)
1993(平成5)年		障害者基本法の障害者の対象に難病指定
1994(平成6)年		地域保健法公布(保健所業務に難病を位置づけ)
〃		健康保険法改正(老人以外も訪問看護対象となる)
1995(平成7)年	特定疾患医療従事者研修を開始	
〃	公衆衛生審議会成人病難病対策部会難病対策専門員会最終報告	
1996(平成8)年	難病情報センター開設	
1997(平成9)年	難病患者等居宅生活支援事業を開始	地域保健法施行
〃	「今後の難病対策に具体的な方向について」(報告)	
1998(平成10)年	難病特別対策推進事業(保健医療局長通知)	
2000(平成12)年		介護保険法施行
2002(平成14)年	「今後の難病対策の在り方について」(中間報告)	
2003(平成15)年	難病相談・支援センターを設置	
2006(平成18)年		障害者自立支援法施行
2012(平成24)年	「今後の難病対策の在り方(中間報告)」	社会福祉士及び介護福祉士法の一部改正(介護職員等による喀痰吸引等制度の実施)
2013(平成25)年	「難病対策の改革について(提言)」	障害者総合支援法施行(手帳を所持しない難病も対象に)
2015(平成27)年	難病の患者に対する医療等に関する法律施行 療養生活環境整備事業を開始 「難病の患者に対する医療等の総合的な推進を図るための基本的な方針」告示	
2021(令和3)年		医療的ケア児及びその家族に対する支援に関する法律

2 難病保健施策と保健師活動

a 難病の患者に対する医療等に関する法律

1 難病法の目的・基本理念

　難病法の目的は，難病患者に対する医療や難病に関する施策に必要な事項を定め，良質かつ適切な医療の確保および難病患者の療養生活の質の維持・向上をはかることである（第1条）。この法律の基本理念は，難病の患者に対する医療などは，難病の克服を目ざし，難病の患者がその社会参加の機会が確保されることや地域社会において尊厳を保持しつつほかの人々と共生することを妨げられないことを旨に，難病の特性に応じて，社会福祉など関連施策との有機的連携に配慮し総合的に行われなければならないとされている（第2条）。

2 難病法の概要

　難病法では，前項で示した目的や基本理念を示し，基本方針の策定について規定したほか，制度の3本柱として，①難病にかかる新たな公平かつ安定的な医療費助成の制度の確立，②難病の医療に関する調査および研究の推進，③療養生活環境整備事業の実施をもとに総合的な対策を進めること，としている。

■基本方針の策定

　難病法の基本方針について「厚生労働大臣は，難病に係る医療その他難病に関する施策の総合的な推進のための基本方針を策定する」（第4条）と規定している✚。

■難病の定義と指定難病

　難病法で難病とは，①発病の機構が明らかでなく，かつ治療方法が確立していない稀少な疾病であり，当該疾病にかかることにより長期の療養を必要とするものと定義されている（第1条）。患者数などによる限定は行わず，ほかの施策体系が樹立されていない疾病を幅広く対象とする。

　難病法の体系では，医療費助成の対象疾患とする難病が指定難病である。すなわち難病のうち，患者の状況から見て良質かつ適切な医療の確保の必要性が高いものを「指定難病」として，厚生労働大臣が厚生科学審議会の意見を聞いて定める。指定難病の要件は，①患者数が日本において一定の人数に達しないこと，②客観的な診断基準（またはそれに準ずるもの）が確立していること，の2点をともに満たしていることである。

　難病法施行前の医療費助成対象疾患（特定疾患治療研究事業対象疾患）は56疾患であったのが，2015（平成27）年1月の難病法施行時には医療費助成対象の指定難病は110疾患に拡大した。さらに同年7月から指定難病は306疾患に増え，2017（平成29）年4月には330疾患に増えた（2025

プラス・ワン

難病法の基本方針
以下の項目について，基本指針で定めることを難病法第4条では規定している。
(1) 難病の患者に対する医療等の推進の基本的な方向
(2) 難病の患者に対する医療費助成制度に関する事項
(3) 難病の患者に対する医療を提供する体制の確保に関する事項
(4) 難病の患者に対する医療に関する人材の養成に関する事項
(5) 難病に関する調査および研究に関する事項
(6) 難病の患者に対する医療のための医薬品，医療機器および再生医療等製品に関する研究開発の推進に関する事項
(7) 難病の患者の療養生活の環境整備に関する事項
(8) 難病の患者に対する医療などと難病の患者に対する福祉サービスに関する施策，就労の支援に関する施策その他に関連する施策との連携に関する事項
(9) その他難病の患者に対する医療などの推進に関する重要事項

プラス・ワン

指定難病から除外された特定疾患

スモンは発病の機構が明らかであり，原因の薬剤の使用が禁止されている現状において，新規患者が発生する蓋然性がほとんどないため指定難病から除外された（特定疾患治療研究事業の対象として従来どおりの取扱いとなっている）。劇症肝炎，重症急性膵炎は「長期の療養を必要とする」という要件に合致しないと判断された。

大都市特例の施行

2018（平成30）年4月1日から大都市特例の施行により，特定医療費の支給に関する事務が都道府県から指定都市に委譲された。

〔令和7〕年4月時点348疾患）。なお，指定難病の要件を満たさない3疾患（スモン，劇症肝炎，重症急性膵炎）は除外された。今後も指定難病検討委員会により指定難病を拡大する検討が進められている。

3 医療費の助成のしくみ

難病の医療費助成の対象となるのは，原則として「指定難病」と診断され，「重症度分類等」に照らして病状の程度が一定以上の場合である。難病指定医が記載した臨床個人調査票（診断書）を添えて都道府県に申請する（**表6-4，図6-3**）。申請された書類などは指定難病審査会で審査され，認定されると特定医療費（指定難病）医療受給者証が発行される。特定医

表6-4 指定医の要件と作成する診断書

指定医	要件	新規認定の診断書の作成	更新認定の診断書の作成
難病指定医	診断または治療に5年以上従事した経験がある医師で，次のいずれかに該当し，診断書を作成するのに必要な知識と技能を有するとみとめられる者。 ①関係学会の専門医の資格を有していること。 ②都道府県知事が行う研修を修了していること。	可能	可能
協力難病指定医	診断または治療に5年以上従事した経験がある医師で，都道府県知事が行う研修を修了している者で，診断書を作成するのに必要な知識と技能を有するとみとめられる者。	不可	可能

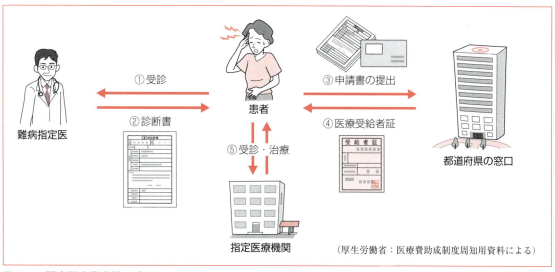

図6-3 難病医療費申請の流れ

> **プラス・ワン**
> **難病等の医療提供体制のあり方の基本理念**
> ・できる限り早期に正しい診断ができる体制
> ・診断後はより身近な医療機関で適切な医療を受けることができる体制
> ・遺伝子関連検査について、倫理的な観点もふまえつつ実施できる体制
> ・小児慢性特定疾病児童などの移行期医療にあたって、小児科診療科と成人期診療科が連携する体制

療費(指定難病)医療受給者証を都道府県が指定した医療機関などで提示すると、受診・調剤および一部の介護サービスに使用することができる。

なお、月額自己負担限度額は、所得や状態(高額かつ長期、人工呼吸器等装着者)により異なる。

4 難病の医療提供体制

前述したように、難病法では、①難病の患者に対する医療費の助成、②難病の医療に関する調査・研究の推進、③療養生活環境整備事業の実施の3本柱による対策が行われることになった。しかし、難病は発症から確定診断までに長期間を要する場合が多く、早期に診断ができる体制の構築や、長期の療養生活において身近な医療機関で適切な医療を受けられる体制の確保が求められる。そこで難病の医療提供体制について、難病対策委員会よる報告書「難病の医療提供体制の在り方について」がまとめられ、今後の難病対策のあり方や目ざすべき方向性が示された➕。

5 療養生活環境整備事業

「療養生活環境整備事業」は難病法第28条に定められた事業である。難病の患者の療養生活の質の維持・向上をはかることを目的に、難病の患者とその家族に対する相談支援、難病の患者に対する医療などにかかる人材育成、在宅療養患者に対する訪問看護を行う。これまでの難病対策で行われていた取り組みのうち、①難病相談支援センター事業、②難病患者等ホームヘルパー養成研修事業、③在宅人工呼吸器使用患者支援事業が「療養生活環境整備事業」に位置づけられた。

6 難病相談支援センター

1996(平成8)年に「難病特別対策推進事業」に位置づけられた難病相談支援センターは、2003(平成15)年度より設置が推進され、2007(平成19)年度末にすべての都道府県に設置された。

2014(平成26)年の調査によると、難病相談支援センターの運営主体は、調査対象47か所のうち、都道府県による直接運営は14か所(30%)、「委託運営」は33か所(70%)で、うち18か所(38%)は「任意団体・NPO(当事者)」が運営している[1]。

難病法においても重要な機関の1つとして位置づけられており(第28, 29条)、その事業内容は「療養生活環境整備事業実施要綱」に定められている(表6-5)。難病相談支援センターは保健所を中心に実施される既存の施策と有機的に連携するとともに、就労支援においては公共職業安定所に配置された難病患者就労サポーターと連携している。

7 難病対策地域協議会

難病法第32条では、都道府県、保健所を設置する市および特別区は、

表 6-5　難病相談支援センター事業

センター事業	事業内容
各種相談支援	電話，面接，日常生活用具の展示などによる，療養・日常生活・各種公的手続きなどに対する相談・支援。またそれらについての情報（住居・就労・公共サービスなど）の提供などを行う。
地域交流会などの（自主）活動への支援	レクリエーション，患者会などの自主的な活動，地域住民や患者団体との交流などをはかるための場の提供支援，医療関係者などを交えた意見交換会やセミナーなどの活動支援を行うとともに，地域におけるボランティアの育成に努める。
就労支援	難病患者の就労支援に資するため，公共職業安定所等関係機関と連携をはかり，必要な相談・支援，情報提供を行う。
講演・研修会の開催	医療従事者などを講師とした患者などに対する講演会の開催や，保健・医療・福祉サービスの実施機関などの職員に対する各種研修会を行う。
地域支援対策事業	特定疾患の関係者にとどまらず，地域の実情に応じた創意工夫に基づく地域支援対策事業を行う。

（難病相談支援センターの役割に関する研究報告書．p.2，群馬県難病相談支援センター，2016による，一部改変）

難病の患者の支援体制整備のため，**難病対策地域協議会**をおくように努めることが規定されている。この協議会は，関係機関などが相互の連携をはかることにより，地域における難病の患者への支援体制に関する課題について協議を行うものとされている。

難病対策地域協議会は，「難病特別対策推進事業」の難病患者地域支援対策推進事業のなかに位置づけられている（次項参照）。

8 難病特別対策推進事業

難病法には規定されていないが，「難病特別対策推進事業」は重要な事業として引きつづき実施されている。前述したように，難病相談支援センター事業と難病患者等ホームヘルパー養成研修事業が療養生活環境整備事業へ移行し，①難病医療提供体制整備事業，②在宅難病患者一時入院事業，③難病患者地域支援対策推進事業，④神経難病患者在宅医療支援事業，⑤難病指定医等研修事業，⑥指定難病審査会事業が「難病特別対策推進事業」として実施されている。

9 その他の課題

■就労支援

難病患者にとって，仕事と健康管理の両立は容易ではなく，周囲の理解や就労環境の配慮が必要である。難病相談支援センターでは，2013（平成 25）年度よりハローワークに配置が進められた**難病患者就職サポーター**と連携して，難病患者の就労支援を実施している。難病法による制度においても就労支援は重点施策の 1 つである。

プラス・ワン

難病対策地域協議会の関係機関・関係者
難病法では難病対策地域協議会を構成する関係機関として，次の者を規定している。関係機関・関係団体，難病の患者とその家族，難病の患者に対する医療・福祉・教育・雇用に関連する職務に従事する者などの関係者。

難病患者地域支援対策推進事業
難病法施行により，難病患者地域支援対策推進事業は，177 ページのプラス・ワンに示した従来の事業に，「難病対策地域協議会の設置」と「多職種の協働による包括的支援体制構築事業との連携」が追加された。

就労に関する助成金制度
事業主を対象にした就労に関する助成金制度としては，①発達障害・難治性疾患者雇用開発助成金，②障害者職場定着支援奨励金，③障害者トライアル雇用奨励金，④障害者職場復帰支援助成金などがあり，その利用についての普及・啓発が進められている。

■ **小児慢性特定疾病**

　小児慢性特定疾病対策も難病対策の見直しと同時期に行われ，2015（平成27）年1月より改正児童福祉法が施行された。小児慢性特定疾病治療医療費が裁量的経費から義務的経費に変更され，自己負担は2割となり，世帯の所得に応じた医療費の自己負担上限額が設けられた。医療費助成の対象疾患も拡大された（11疾患群514疾患→14疾患群705疾病。2021〔令和3〕年11月時点では16疾患群788疾病）。小児慢性特定疾病の成人期への移行期医療の課題や自立支援，障害者施策との有機的連携など，今後も検討が継続されることとなっている。

　なお，2021（令和3）年に**医療的ケア児及びその家族に対する支援に関する法律**が施行された。

b 難病保健における保健師活動

1 難病保健活動のはじまり

　「難病対策要綱」策定後の1974（昭和49）年に**難病の治療・看護に関する研究班**が設置され，神経難病の看護・ケアに関する研究が始まった。地域においては，**筋ジストロフィーの子どもたちの親の会（東京進行性筋萎縮症協会）**が，1970（昭和45）年ごろから毎年，夏に2泊3日の旅行を開催し，そこに看護師や保健師がボランティアとして協力し，検診の手伝いや看護を行っていた。そこから学びの場が生まれ，1973（昭和48）年に在宅看護研究会として始まる（現在の日本難病看護学会）。昭和50年代には，東京都内の地域医師会数か所で難病検診が始まった。この検診から専門医や家庭医の紹介，新たな受療や検査の方針が出されるなど，難病患者が医療ルートにのるきっかけとしての役割をもつようになった。

　各地の保健師も事例研究や，個別の患者についての支援者間の連絡や話し合いを通して難病保健活動を進め，保健所の難病療養相談，リハビリテーション教室，医療費助成申請時の面接など難病対策事業を広げていった。難病対策の根拠法がなかったこの時期には，保健所が当事者の声を受けとめ，専門医療機関が少ないなかで支援の必要性を事例から学び，地域ケアシステム化をはかる取り組みが全国で進められていった。「在宅療養・在宅ケア」「在宅医療（支援）チーム」「地域支援」という用語が，実態を伴って使われはじめたのは昭和50〜60年代からである。

2 保健師活動の変遷

　昭和50〜60年代には保健医療福祉における高齢化への対策が進められ，1983（昭和58）年の**老人保健法**の施行に始まり，1992（平成4）年に訪問看護ステーションの設置，2000（平成12）年には**介護保険法**が施行された。医療依存度の高い難病の療養者への支援を通して構築してきた地域

プラス・ワン

災害対策

行政において災害対策は重要な課題である。東日本大震災(2011年)の教訓から2013(平成25)年に改正された災害対策基本法では，防災施策においてとくに配慮を要する人を**要配慮者**(高齢者・障害者・乳幼児など)と位置づけ，要配慮者のうち，災害発生時の避難などにとくに支援を要する人(**避難行動要支援者**)の名簿作成が市町村に義務づけられた。人工呼吸器使用難病患者などは避難行動要支援者に該当し，停電により生命の危険があるため平常時からの備えが必要であり，災害時個別支援計画の作成などが各地方公共団体で進められている。

ケアシステムが，これらの施策にもいかされた。

保健師活動においては，1997(平成9)年の**地域保健法**施行により，保健所の再編整備や保健福祉部門との統合，保健師の分散配置などが進められるなか，新たな感染症や虐待問題，思春期の精神保健，発達障害への対応，災害対策✚など，さまざまな健康課題への対応が求められている。その一方で，保健師の活動全体に占める難病対策の割合はかつてより減少傾向にある。しかし，難病にかかっても安全で安心して暮らすことのできる地域をつくることは，公衆衛生看護・地域保健の重要な使命であり，保健師だからこそ果たすべき役割である。

③ 保健師活動における難病保健の位置づけ

保健所の事業の根拠となる地域保健法では，難病について以下のように定めている。「第6条 保健所は，次に掲げる事項につき，企画，調整，指導及びこれらに必要な事業を行う。(中略) 11 治療方法が確立していない疾病その他の特殊の疾病により長期に療養を必要とする者の保健に関する事項」。この「治療方法が確立していない疾病その他の特殊の疾病」とは，地域保健法制定当時の「難病対策要綱」に基づく難病のことである。また，この法律に基づく「**地域保健対策の推進に関する基本的な指針**」(最終改正2022〔令和2〕年)において，都道府県の設置する保健所における「専門的かつ技術的業務の推進」のなかに難病対策が位置づけられ，市町村の福祉部局などとの十分な連携・協力をはかることとされている。

先述したように，難病法第32条に基づき，都道府県，保健所を設置する市および特別区は，**難病対策地域協議会**を設置することが規定されている。また，都道府県，保健所を設置する市および特別区における保健所保健師の難病保健活動の根拠として，「難病特別対策推進事業」の「難病患者地域支援対策推進事業」があり，医療相談事業や訪問相談・指導事業などによる患者・家族への支援を実施する。

このように「難病対策要綱」が策定されたころに比べると，難病対策における保健師の活動の根拠となる法や事業が整備されてきた。一方で，介護保険や障害者福祉サービスなど難病患者の療養支援のサービスは，市町村や居宅サービス事業所などで実施・提供されている。そのため，難病対策を実施するうえで，保健所は市町村や関係機関により一層の連携や協働をはかることが重要となる。

●引用文献
1) 分担研究者川尻洋美：難病相談支援センターの役割に関する研究報告書. pp.6-7, 群馬県難病相談支援センター，2016.

●参考文献
- 川村佐和子：難病看護が乗り越えて来た幾山河．難病と在宅ケア 18(10)：4-7，2013．
- 厚生労働省：医療的ケア児等とその家族に対する支援施策．(https://www.mhlw.go.jp/stf/seisakunitsuite/bunya/hukushi_kaigo/shougaishahukushi/service/index_00004.html)（参照 2025-01-10）
- 厚生労働省：難病対策．(https://www.mhlw.go.jp/stf/seisakunitsuite/bunya/kenkou_iryou/kenkou/nanbyou/index.html)（参照 2023-09-05）
- 小森哲夫・原口道子編：難病法施行後の難病患者等ホームヘルパー養成研修テキスト．社会保険出版社，2016．
- 都道府県保健所・保健所設置市（含む特別区）における難病の保健活動指針――「稀少性難治性疾患患者に関する医療の向上及び患者支援のあり方に関する研究」班　分科会 2「関連職種のスキルアップ」分科会　分担研究報告書．2015．
- 難病情報センター：療養生活環境整備事業・難病特別対策推進事業．2016．(http://www.nanbyou.or.jp/entry/1375)（参照 2023-09-05）
- 日本看護協会監修：保健師業務要覧，新版，第 4 版，2023 年版．日本看護協会出版会．2023．

B 難病患者への支援・保健活動

- 難病にはさまざまな疾患があり、その病状に個別性がある。患者の年齢や家族の状況により問題となることも異なる。難病による生活の困難さを克服していくうえで、個々の患者にあわせた支援が必要である。
- 医療処置の選択などについての患者の意思決定や遺伝についての相談など、看護職の専門知識をもとにていねいに支援しなければならない課題がある。
- 難病患者に多職種がかかわるなかで、保健師には家族への支援や療養支援チームの構築、ケア会議などを効果的に活用し、患者本人がその人らしく主体的に地域で暮らせるよう支援する役割がある。
- 難病患者の個別支援のなかで地域の課題を把握し、難病対策の事業を展開する一方で、難病患者や家族が暮らしやすい地域ケアシステムを構築することが重要である。

1 難病患者と家族の特徴

a 難病とともに生活していくということ

　難病には、筋萎縮性側索硬化症（ALS）に代表される神経疾患をはじめ、全身性エリテマトーデス（SLE）などの膠原病、潰瘍性大腸炎などの消化器疾患など、さまざまな疾患がある。難病法では指定難病の数が拡大され、多くの先天性疾患や小児期に発症する疾患も指定された。

　発症年齢や出現する症状、疾病がもたらす障害などにより、難病患者の生活上の困難や悩みは多様である。先天性の疾患あるいは小児期からの発症の場合、成長や発達に大きな影響を受けるだけでなく、数少ない専門医療機関へ継続して通院することや、保育や就学時の環境を整えること、子どもの健やかな成長を願う親の心理的葛藤などの問題に直面する。成長期に発病する病気であれば、治療と学校生活の両立の問題や、通常の思春期の発達課題に直面することに加え、将来の就職や結婚などへの不安をいだくこともある。

　働き盛りの世代が発病すると、世帯の稼ぎ手としての役割を果たせなくなることやその結果としての経済的な問題、子どもを育てる親としての役割の遂行にも影を落とし、仕事や育児、趣味を楽しむなど、生きがいそのものを失うという危機に直面する場合もある。高齢になって発病しても同じことがいえる。「退職をして、やっと老後の生活を楽しもうと

思っていた矢先に……」と嘆く声をよく耳にする。

　進行する疾患もあれば，病状に波がある疾患もある．就労している人もいれば，寝たきり状態の人もいる．同じ疾患にかかっても，患者ごとに病状や生活状況は異なる．治療法が確立していない難病に，長期にわたって付き合っていかなければならない患者や家族は，継続して医療にかかり，適切な自己管理方法を模索しながら，疾患による生活の困難さを克服していかなければならない．

b 診断の告知と受容に関する問題

　稀少な疾患では，複数の医療機関を受診したのちやっと診断が確定したり，異なる病名の治療を受けて改善しないため別の医療機関を受診した結果，難病と診断されるなど，確定診断までに時間を要することは少なくない．多くの時間がかかった末に難病の病名を告知された患者は，「頭が真っ白になった」と医師からの説明が十分伝わらないことも多い．難病の診断に対して，「どうして自分が……」「誤診ではないか」など，不安・怒り・否認などの感情が錯綜し，病気を受け入れることはたやすいことではない．

　インターネットが普及した今日では，難病について多くの情報を簡単に得ることができるようになった．その一方で，インターネットなどにあふれる情報のなかから正しいものを選択できなかったり，藁にもすがる思いから，エビデンスの乏しい民間療法にお金を費やしたりする患者もいる．病気を受け入れることができないまま，進行する病状やADLの低下に直面し，抑うつ状態となることも少なくない．

　患者が病気を受け入れてうまく付き合えるようになるには，病気についての正しい知識をもつことが前提となる．そのためには医師は正確な医療情報を患者・家族が理解できるようていねいに話し，繰り返し説明する必要がある．保健師などの支援者は，難病患者やその家族の気持ちを理解しつつ，病気についての医療情報から日常生活において必要な情報まで提供し，相談を実施することが求められる．

c 意思決定について

　ALSや多系統萎縮症などの神経難病などでは，呼吸障害・嚥下障害・排尿障害などの特定の症状が進行していく．患者と家族は，症状の進行に伴い，気管切開や人工呼吸器の装着，胃瘻の造設，尿留置カテーテルの使用などの医療処置を実施するかどうかの選択，すなわち意思決定を迫られる．

　たとえば気管切開を選択すれば声を失うことになり，人工呼吸器の選択をすれば24時間介護の問題が発生するが，これらの医療処置を選択し

なければ生命がおびやかされる。患者と家族はこのようなとても厳しい意思決定を迫られるうえ，患者本人と家族の意向が異なる場合もある。

支援者は，患者・家族がある日突然に意思決定を迫られることなく，よりよい選択ができるように意識して事前に支援していく必要がある。

d 家族の介護負担

ADLが低下するような難病の場合は，介護を誰が担うのかという問題が家族に生じる。医療依存度の高い人工呼吸器の使用や痰の吸引が必要な場合などは，さらに24時間体制の医療的ケアが必要となり，それを実施する家族には大きな負担がのしかかる。訪問看護や，介護保険・障害者福祉サービスのホームヘルプなどのサービスが導入されても，すべて他者にケアをゆだねることはむずかしい。緊急時やトラブル発生時の対応や判断に家族は必要とされるうえ，サービスの選択・契約や，どこまで経済的な自己負担が可能かなど，家族が本人と話し合って決めなければならない。またプライバシーの場である自宅に，支援者といえども他人を受け入れることに抵抗を感じる患者・家族は少なくない。

子育て世代の発病であれば，家計を維持していくための就労ができないことから経済的な問題に直面したり，子どもの世話や日常の家事をこなしたりしながら介護に向き合うことになる。

介護は，患者本人へのケアを提供する課題だけではなく，家族介護者自身の健康問題や心理的葛藤に直面したり，家族としての役割遂行が困難になったりと，家族員に大きな影響を及ぼす。

e 遺伝に関すること

指定難病には遺伝性疾患が多く含まれる。難病を発症したことだけでも人生設計の変更を余儀なくされるうえ，遺伝性疾患の場合，子どもの結婚や就職時に差別を受けることや，子ども自身も将来発症することへの不安や恐怖をもつことも少なくない。配偶者と子どもが同じ病気を発病するなど，同一家族内で発症した複数の患者を1人で介護している場合もある。発症前診断，出生前診断などさまざまな遺伝学的検査ができるようになった一方で，難病患者の支援者には遺伝性疾患特有のデリケートな問題を十分理解し対応していくことが求められている。

❷ 患者・家族への支援

難病患者や家族への支援における保健師の役割は，具体的なサービスの提供やケアプランの作成ではない。保健師には，難病の患者・家族が療養経過において直面するさまざまな困難の解決あるいはよりよくなる

ことを目ざし，患者と家族全体を支援していくことが求められる。ここでは，個々の患者・家族への支援（個別支援）について述べる。

a 保健師が難病患者・家族と出会う場面

保健師が難病患者・家族と出会う場面で最も多いのは，指定難病の医療費助成申請書類を提出するために患者・家族が保健所などの窓口に来所するときである。とくに確定診断から間もない時期に来所する初回の申請時は，患者・家族も不安のなかにいる。保健師は，ていねいに患者・家族から話を聞いて今後の支援につなげていく。

そのほかに患者・家族と保健師が出会うのは，患者・家族が電話で相談してきたり，関係機関が支援を求めてきたときである。難病検診で新たな患者を発見することや，母子保健や精神保健の活動で支援する対象の家族に，確定診断されていない難病患者を見つけることもある。

b アセスメントと支援計画の立案

難病患者・家族と出会った保健師は，患者・家族の困りごとに耳を傾けつつ，アセスメントしていく。情報提供だけでニーズが満たされる患者・家族もいる。しかし，病気の進行が速い，子育て中の親が発病した，精神的な不安が強いなど保健師の支援を必要とする事例も少なくない。患者・家族がいま直面している困りごとの内容だけでなく，疾患の特性，家族の状況，予測される問題などを含めて保健師などの支援の必要性をアセスメントし，問題の解決に向けて介入を実施していく。

保健師の職種の強みは，家庭訪問による支援である。家庭訪問をして，生活に関するさまざまな情報を直接見聞きして把握し，支援につなぐことができる。たとえば不安定な歩行状態を観察したら，家屋状況に合わせた具体的な転倒防止策や，介護保険などのサービス導入を提案できる。嚥下障害が進行している場合は，どのような形態の食品をどのくらい時間をかけて食べているか，むせ込みや体重減少があるかなど嚥下障害の状況を把握する。把握した患者の状況を，受診時に家族が主治医へ伝えられるよう助言したり，場合によっては受診に同行して医師への説明を手だすけする。

家庭訪問では身体面だけでなく，家族関係や世帯の経済状況など，患者・家族の状況を把握することができる。こうして得た情報から家族の介護力をアセスメントするとともに，患者と家族が必要な支援を検討する。また，患者・家族がこれまで歩んできた人生や価値観などの情報を把握して，今後のサービス導入やよりよい意思決定のための支援にいかす。

このように患者の身体面・心理面，家族関係，世帯の経済面などさま

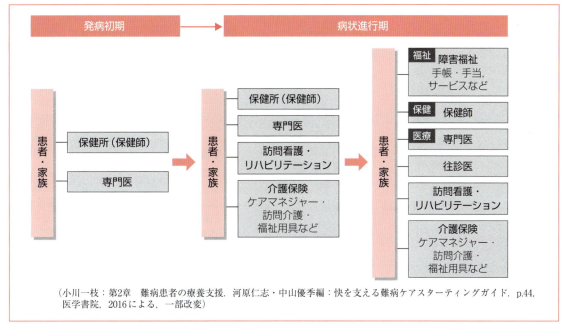

(小川一枝:第2章 難病患者の療養支援. 河原仁志・中山優季編:快を支える難病ケアスターティングガイド. p.44, 医学書院, 2016による, 一部改変)

図 6-4 病気の進行による支援機関の変化(イメージ図)

ざまな角度から患者と家族の情報を把握し整理して, アセスメントすることで具体的な支援計画をたてていく。

C 療養支援チームの構築

　病気の進行により ADL が低下し, 吸引や経管栄養, 酸素療法, 人工呼吸器などの導入が必要になるなど医療依存度が高くなる疾患の患者については, 在宅療養を支えるチームを築いて支援する。専門医が遠方であれば, 訪問診療をしてくれる身近な開業医をさがし, 訪問看護や訪問リハビリテーションを訪問看護ステーションなどに依頼し, ホームヘルプ・訪問入浴介護・デイサービスなどの介護保険のサービスを導入する。さまざまなサービスと職種からなる支援者で在宅療養生活を支援するのである。療養支援チームは築いたらそのままというものではない。継続的に支援をしていくなかで, 患者の状態の変化やそのときどきの家族の介護力をアセスメントし, 患者・家族の希望にそうように, 地域で利用できるサービスを調整して対応していく(図 6-4)。

　難病患者の療養支援について利用できる制度は, 医療保険・介護保険・障害福祉・難病事業など, 多岐にわたる。そのため, 介護支援専門員(ケアマネジャー)による介護保険の居宅介護サービス計画や相談支援員による障害者総合支援法のサービス等利用計画の枠をこえた制度の利用や調整が必要である(図 6-5)。とくに専門病院と訪問診療医との連携(病診連携)や, 訪問看護ステーションなどの看護との連携には, 保健師

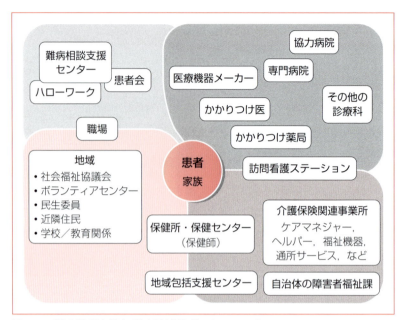

図6-5 難病患者を取り巻く地域サポートシステム

の看護職としての調整機能が発揮される。

d ケア会議・カンファレンスなどの開催

　難病患者・家族が望むような療養を実現するには，支援者間で必要な情報を共有し，支援方針を一致させていくことが必要である。そのために支援者が顔を合わせてカンファレンスをすることが，チーム形成におけるカギとなる。難病患者のケアで直面する問題はすぐに解決できないものが多いかもしれない。しかしその問題をチームで共有することで，自分1人だけが悩んでいる問題ではないことに支援者自身が気づき，支援の方向性を理解したうえで日々のケアを行える意義は大きい。緊急時の対応もカンファレンスなどで確認し，支援者間で共有しておく。

e 家族への支援

　難病患者の支援者の多くは，患者の医療やケアの提供が目的であり，家族への支援まではいきわたらない。患者の家族全体に目を向けて支援していくことが保健師の役割である。たとえば引きこもりの子どもがいる母親が難病の夫の介護をしている事例では，母親は子どもが気がかりなのに，夫の介護で手がまわらない状況にある。この家族には，子どもの問題は難病患者への支援と同様に対応が必要なのである。
　ほかにも，介護が必要となった夫に対し，抑うつ状態の妻が「介護ができない。不安だ」と訴えることができないまま，夫が退院となった事例が

➕ プラス・ワン
コミュニケーション手段
透明文字盤や，障害者総合支援法の携帯用会話補助装置（日常生活用具）や重度障害者用意思伝達装置（補装具）などがある。ICTの発達によりさまざまな装置が開発されるが，日常的に普及しているパソコンやスマートフォンなども活用する。

あった。妻は不安・不眠が続き，精神状態が悪化したため，保健師はレスパイト入院を手配し，妻の受診支援を行った。患者だけでなく，家族1人ひとりの健康を気にかけて支援する役割が保健師にはある。

f QOLの向上を目ざすこと

難病の患者・家族への支援は，医療や介護，生活上の困難さへの対応だけではない。患者がその人らしく主体的に生活することを支援していくことも重要である。そのためには患者・家族が本来もっている力のエンパワメントをはかり，QOLの向上を目ざすことをつねに念頭においてかかわる。コミュニケーション障害がある場合は，患者の主体性の尊重のためにも患者がみずから言葉や意思を発信できるようなコミュニケーション手段➕を確保することがとても重要である。

実践場面から学ぶ：ALS患者への支援

■事例紹介

　Aさんは，38歳の主婦で，筋萎縮性側索硬化症（ALS）患者である。Aさんは40歳の夫と小学生の子どもの3人家族で，保健所管内に転入してきた。AさんのADLは，移動動作が車椅子（室内はつたい歩き）など，日常生活に介助が必要とされる状態で，呼吸不全の徴候として朝の頭痛があるなど呼吸障害も進行していた。転入してきた理由はエレベーターがある集合住宅をさがした結果であった。夫は仕事からの帰宅が遅いため，Aさんの介護に加え，子どもの生活への支援も必要と保健師は判断した。

　保健師は往診できる開業医と訪問看護ステーションをさがし，介護保険の対象でないため，市の障害者福祉ワーカーと同行訪問してホームヘルプの導入，手すりの設置，段差の解消，シャワーチェアの手配などを行った。その後も継続的に家庭訪問をしてAさんの訴えや気持ちを聴き，転居後の子どもの様子を観察した。病状の進行による立位困難や呼吸障害の悪化がみられたため，保健師は専門医への受診に同行し，現状を専門医へ伝えるとともに，往診医の対面診察を受けられる事業（訪問診療事業）を提案し了解された。

　療養支援チームを構築し，訪問診療時には，夫・専門医・往診医・訪問看護師・ホームヘルパーなどが同席して，Aさんの状況について情報を共有し，病状進行時には緊急時の対応を具体的に確認した。また，専門医から病気についての説明を受けたり，Aさんの情報を共有したりするため，支援関係者が一堂に会したカンファレンス（在宅療養支援計画策定・評価事業）を保健所で開催した。

　この段階でAさんは気管切開や人工呼吸器装着を希望していなかったが，子どもの成長を見まもる母親としての気持ちが会話の端々に感じられた。気管切開などの医療処置についての意思決定に関し，Aさんの心が揺らいだり，方針を変更せざるをえない状況が生じたりした場合に対

応できるよう，主治医や訪問看護師との連携を強化した。

● ポイント①：医療体制を整える

　ALSはADL低下をきたし，胃瘻の設置や気管切開，人工呼吸器の導入などの医療処置についての意思決定が必要な疾患であり，専門医とかかりつけ医との連携が重要となる。地域の医療機関の情報から，ALS患者の訪問に対応できる訪問診療医や訪問看護ステーションに依頼し，専門医療と連携できる体制を整えた。保健師自身も家庭訪問時はADLや，ALSに特有な症状の観察に努め，医療・看護の関係者との情報共有をはかった。

● ポイント②：患者・家族の生活を支援する

　家庭を支えていた主婦が重い病にかかったことで，日常の家事や子どもの養育にも課題が生じていた。ホームヘルパーの家事援助で家事の問題には対応したが，転居がAさんの病状や子どもへ及ぼす影響も心配であった。保健師は子どもともコミュニケーションをとり，様子を観察した。支援者へ依存しがちな夫には，働き盛りのたいへんさに耳を傾けながらも父親・夫としての役割がとれるように支援した。

● ポイント③：本人の望む生活を支援する支援チームを構築する

　家庭訪問時には本人から苦痛の訴えを聞くだけではなく，楽しみにしていることや希望についても収集する。「授業参観に行きたい」というAさんの希望に対しては，小学校に相談して段差への配慮をしてもらい車椅子で授業参観をすることができた。日中に単身となる患者が病状進行期になると，ホームヘルパーの心身の負担が増えるなど，支援者の悩みや不安についても適宜カンファレンスを開催して支援者間で共有することにより，顔の見える関係の療養支援チームが構築されていった。

３ 地域ケアシステムの構築

　保健師は患者・家族への個別支援をしながら，難病に罹患しても住みやすい地域を目ざしたアプローチをしていく。その結果として地域ケアシステムが構築されることになる。

a 地域アセスメントによる地域の課題の明確化

　難病患者・家族にとって生活しやすい地域づくりのために，その地域にはどのような特性や課題があるかを明確にすることが必要である。すなわち，必要な資料やデータを整理して地区を分析する地域アセスメントを実施する。そのための資料には，難病医療費助成の申請状況，医療機関や訪問看護ステーションその他の施設の設置状況，介護保険や福祉サービスの利用状況などがあり，これらのデータから量的なアセスメントができる。また地域の情報を整理する方法の1つが，関係機関や患者

| プラス・ワン

マッピング
たとえば在宅人工呼吸器使用者の災害時対策を考える際に，ハザードマップ上に患者宅や医療機関，訪問看護ステーションをプロットすることで，災害時対策の課題が地図上に明らかになる。

の分布などをマッピングすることであり，地理的要因がひと目で理解することができる。

保健師活動においては個々の患者への支援（個別支援）をとおして地域の問題に気づき，課題を発見することが重要となる。「レスパイト入院先をさがしたが見つからない」「この地区には往診してくれる開業医がいない」「人工呼吸器装着者に訪問看護してくれるステーションはいつも同じ」などの，難病患者の療養生活上の課題などの重要な情報は，個別支援を通して得られることが多い。保健師活動では，こうして把握した課題を地域に向けて発信し，解決に向けて行動することが重要である。

b 保健所の難病対策事業の展開

一般向けあるいは患者向け講演会，難病療養相談会，リハビリテーション教室，地域の人材育成研修会，難病対策地域協議会やその他の会議など保健所はさまざまな難病対策関連の事業を実施している。保健所が実施するこれらの事業は保健所管内の地域特性に合わせて工夫されており，個別支援や地域へのはたらきかけに活用できる。

事業を展開する具体例をあげてみよう。同じ難病の患者と知り合いたいというニーズを個別支援などで把握したら，患者向けの講演会を開催して患者どうしの交流の場を設け，その場がいずれは患者会として育っていくように支援する。「在宅医療機器について勉強したい」という訪問看護師の情報を得たら，研修会を企画し在宅人工呼吸器療養者への支援や医療依存度の高い療養者の災害対策についても研修会の内容に盛り込む。このように保健所の難病対策関連の事業を活用して，難病患者・家族が住みやすい地域づくりに向けた保健活動を展開する。

保健所の難病対策事業は，保健所のほかの事業と同様にPDCAサイクルで展開されている。すなわち，難病についての地域の状況，患者のニーズ，関係機関のニーズを把握し，それを難病対策地域協議会で可視化して提示し，地域の情報や課題を地域関係者で共有・協議しながら地域における難病患者の支援体制の構築を推進していくのである。

c 施策化ということ

保健師にとっての施策化とは，「フィールドワークで把握した地域の課題や，現実に確認された地域の生の情報を行政としてすくい上げ，それらへの対策を形にすること」[1]であるとされる。前項で保健所の難病対策事業における展開例をあげた。そして施策化として地域の課題やその解決の方法を関係者で共有，検討・協議して，さらにその取り組みを推進させるために行政計画へ反映させるのである。

難病保健活動は，地域保健医療計画や高齢者保健福祉計画など関連す

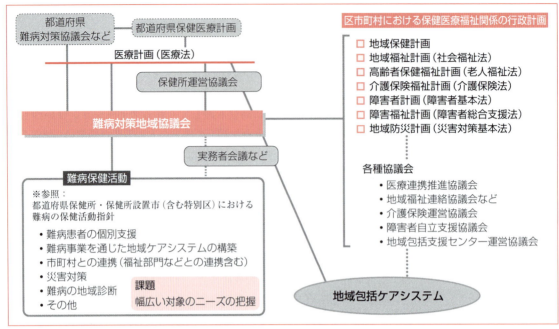

図6-6 難病対策地域協議会と保健医療福祉関係の行政計画・各種協議会などとの関係

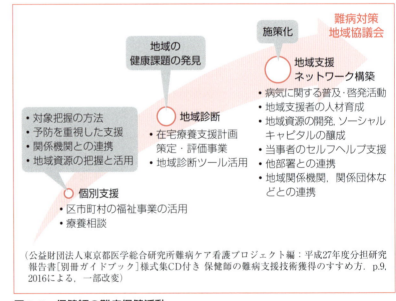

（公益財団法人東京都医学総合研究所難病ケア看護プロジェクト編：平成27年度分担研究報告書［別冊ガイドブック］様式集CD付き 保健師の難病支援技術獲得のすすめ方．p.9, 2016による，一部改変）

図6-7 保健師の難病保健活動

る行政計画を念頭において活動し，活動で把握した課題は難病対策地域協議会などで協議され，各種行政計画に基づく協議会などの資料となり，それぞれの行政計画へ反映されていくことになる（図6-6）。

このような施策化の基盤にあるのが保健師の個別支援である。難病保健活動の展開は個々の患者への支援などで把握した課題やニーズを，地

域アセスメントに基づき地域の課題としてとらえ，対策のための事業や施策を組みたてていく（図6-7）。すなわち，保健師の日々の難病患者・家族への個別支援が地域を動かす原点となるのである。

実践場面から学ぶ：小児慢性特定疾病の双子への支援

■事例紹介

市の保健師から保健所保健師に「出生連絡票で，人工呼吸器をつけて入院している双子を把握した」との連絡があった。病名は先天性ミオパチーであった。保健所保健師は双子の母親の了解を得て，双子が入院中の病院で母親と，人工呼吸器を装着した双子と面会した。母親は2人とも自宅で育てることを希望していた。保健師は母親の希望にそって，安全な在宅生活ができるよう支援を開始した。父親も母親と同じ気持ちではあるが精神科受診歴があり，双子の在宅療養について負担感もあるため，夫婦間のコミュニケーションにも配慮しながら支援を進めた。

保健師は往診を引き受けてくれる医師と，訪問看護ステーションをさがす一方で，入院中の病院とも連絡を取り合ってカンファレンスを重ねた。1人ずつ子どもの試験外泊を実施しては評価と再調整を繰り返したのち，初回の相談から1年後に双子がそろって退院となった。レスパイトの必要性を感じていた保健師は，退院前からレスパイト先の医療機関についても確保した。

こうしてスタートした在宅療養では，レスパイト先の負担のため双子はそれぞれ別の医療機関に入院していた。このことについて母親は「同じ病院に入院させたい。近くの病院がいい」と希望したため，往診医と保健師は近くの総合病院に相談をもちかけた。その病院では病棟看護師に技術的な不安があったため，保健師は既存の重度心身障害児の看護研修を紹介したところ，病棟の看護師の多くが参加した。こうして近くの病院でのレスパイト入院が始まり，母親にとっては双子がそろって入院できる，使いやすいレスパイト先となった。

双子は全身状態が安定してくると発達のきざしが観察されたため，保健師は「遊び」のボランティアの導入を提案した。結果として，「遊び」のボランティアが定期的に入り，さらに双子への支援の輪が広がった。

●ポイント①：母親と子どもに面会してニーズを把握する

事例の情報を把握し支援の必要性があると判断した場合，保健師はすぐにアプローチする。本事例では，まず子どもの状態を把握するとともに，今後の支援の方向性の軸となる母親の気持ちを聞きとり，母親の希望にそった支援の可能性をさぐっている。医療依存度が高いこの事例では，往診を引き受けてくれる医師や，訪問看護を地域でさがした結果，これまでの地区活動のなかで信頼関係を築いてきた医療機関・訪問看護ステーションに相談して，対応してもらえることになった。

●**ポイント②：入院中からの専門医療機関と在宅支援機関との連携**

　本事例のような重度心身障害児が在宅生活の準備なしに退院した場合，子どもや母親にとっても，支援機関にとっても大きな負担となり，安全は担保できない。試験外泊や関係者のカンファレンスを繰り返して調整するなかで，母親と支援者間の信頼関係と，顔の見える関係の支援者ネットワークを構築したことにより，安全な療養環境を整えることができた。保健師はこの連携づくりのプロセスで重要な調整役を担っていた。また，レスパイト先の開拓では，往診医と連携しての相談・依頼，必要な看護研修の紹介，レスパイト後のフォローといった，きめ細やかな支援を行った。その結果，双子が一緒にレスパイト入院することが可能となった。

●**ポイント③：子どもの発達を支援する**

　病気があっても子どもは発達する。またそれは母親の大きな喜びでもある。本事例では子どもの発達を促す支援として，「遊び」のボランティアを導入した。子どもの成長と発達を促す視点をもち，インフォーマルな支援をつなぐことも保健師の重要な機能である。

●**引用文献**

1) 多摩・保健師の活動を考える会：戦略基礎シート（施策化編）の提案（短期連載「保健師活動の『戦略』を整理する」最終回）．保健師ジャーナル 51(4)：360-365, 2005.

●**参考文献**

・河原仁志・中山優季編：快をささえる難病ケアスターティングガイド．医学書院，2016.
・看護師に対する緩和ケア教育テキスト，改訂版（厚生労働省委託がん医療に携わる看護研修事業）．公益社団法人日本看護協会，2015.
・東京都医学総合研究所難病ケア看護研究室編：「難病対策地域協議会」を効果的に実施するために．東京都医学総合研究所，2015.
・難病保健活動の人材育成と「難病対策地域協議会」の活用，効果的な難病保健活動のために（厚生労働科学研究費補助金難治性疾患政策研究事業　難病患者への支援体制に関する研究「保健所保健師の役割」に関する分担研究報告書）．2016.

7章

感染症保健活動

7章 感染症保健活動

A 感染症対策の動向

POINT
- 感染症保健活動の目的・理念は，感染症の予防及び感染症の患者に対する医療に関する法律に明示されている。この法律は保健師活動における感染症対策の指針である。
- 保健師は，感染症を予防するための基本原則に基づいて保健指導を行う。

1 感染症保健活動の理念，感染症対策の変遷

a 感染症保健活動の理念

　感染症とは，病原微生物への感染によって引きおこされる疾患のことである。感染症の患者個人への対応としては早期診断や治療が重要である。一方，感染症保健活動においては個人への対応だけでなく，集団や地域に蔓延するという感染症の性質への対策も重要な活動である。

　感染症保健活動の理念とはなんだろうか。感染症対策を統括する法律である**感染症の予防及び感染症の患者に対する医療に関する法律**（感染症法）の条文にあるように，感染症保健活動の目的は，①感染症の発生予防と②感染症の蔓延防止である。また，その理念にのっとり，感染症保健活動に携わる保健師には，国際的な感染症の動向を把握する力，新興感染症やその他の感染症に迅速かつ的確に対応する力，他者への感染予防をしつつも感染者を適切に擁護できる力が求められる。

プラス・ワン

感染症法の目的・基本理念
第1条　この法律は，感染症の予防及び感染症の患者に対する医療に関し必要な措置を定めることにより，感染症の発生を予防し，及びそのまん延の防止を図り，もって公衆衛生の向上及び増進を図ることを目的とする。
第2条　感染症の発生の予防及びそのまん延の防止を目的として国及び地方公共団体が講ずる施策は，これらを目的とする施策に関する国際的動向を踏まえつつ，保健医療を取り巻く環境の変化，国際交流の進展等に即応し，新感染症その他の感染症に迅速かつ適切に対応することができるよう，感染症の患者等が置かれている状況を深く認識し，これらの者の人権を尊重しつつ，総合的かつ計画的に推進されることを基本理念とする。

b 感染症対策の変遷

1 感染症の克服を目ざした時代

　歴史の変遷とともに流行する感染症は変化し，それに対して人類は，各時代において感染症対策を進めてきた（図7-1）。とくに第二次世界大戦以降は，抗生物質の開発・使用などの医学的対策や社会基盤・防疫体制の整備などの社会的対策のほか，栄養状態・衛生状態などの健康水準の改善もあり，先進工業国を中心に感染症による死亡率は著しく低下した。その象徴として，1980年にWHOは天然痘の根絶を宣言し，それに続いてポリオの根絶へ向けての取り組みもあり，感染症の克服も可能なのではないかと思われた時代があった。

図7-1 歴史上におけるおもな感染症の流行とトピックス

日本では，1897（明治30）年に制定された**伝染病予防法**が，100年以上にわたって感染症対策の根幹をなしてきた。第二次世界大戦後の劣悪な衛生環境における感染症対策は保健師の重要な役割であった。1935～1950年における日本の死亡原因の第1位だった結核が，1977（昭和52）年以降は第10位以下に順位を落としたように（2019年は第31位），感染症は徐々に制圧された。時代とともに衛生環境が改善されると，保健師業務の中心は，感染症対策から母子保健対策や生活習慣病対策へと移り，感染症対策の内容も予防や健康危機管理を中心としたものになった。

2 新興・再興感染症の出現

ところがWHOが1996年に「われわれは，いまや地球規模で感染症による危機に瀕している。もはや，どの国も安全ではない」（世界保健報告1996年版）と警告したことで，感染症克服への期待は打ちくだかれた。1970年以降，エボラ出血熱やウエストナイル熱，鳥インフルエンザ，重症急性呼吸器症候群（SARS）など，少なくとも30以上のこれまで知られ

プラス・ワン

新興・再興感染症

新興感染症とは，1990年にWHOにより「新しく病原体が発見され，局地的あるいは国際的に公衆衛生上問題となる感染症」と定義づけられている。それに対して再興感染症とは，すでにヒトを宿主とする疾患として認識されてはいるが，①新たな地域での流行，②新たな耐性が出現したもの，③いったんは制御されたもの」の総称とされている。

ていなかった感染症(**新興感染症**)が出現し，また，近い将来克服されると考えられてきた結核・マラリアなどの感染症(**再興感染症**)が再び脅威をもたらしている。

　新興感染症・再興感染症が出現した第一の原因として，森林開発や都市化により，これまでにヒトが遭遇しなかった病原体と遭遇する機会が増えたことがあげられる。また，交通機関の発達により，これまで限られた地域でしか罹患しえなかった病気が，ヒトの移動速度の加速とともに急速に世界規模で広がるようになったこともその背景にある。さらに，薬剤耐性菌の出現など，医療技術の急速な発展が皮肉にも再興感染症を生み出したのである。

3 感染症法による対策

　新興・再興感染症の出現などの新たな状況に対応すべく，日本では1998(平成10)年に感染症法が制定され，翌年に施行された。感染症法の制定に伴い，それまでの感染症対策の中心だった伝染病予防法が廃止され，性病予防法・エイズ予防法も感染症法に統合された(図7-2)。

■**感染症法の特徴**
●**感染症の流行に対する事前対応型行政**

　感染症法が目ざす感染症対策は，感染症発生後の防疫活動が中心だった従来の事後対応型から方向転換し，平常時から感染症の発生・拡大を防止する事前対応型へとなった。事前対応型行政のおもな特徴としては，①感染症発生動向調査✚を法定化し，法の類型にそった感染症の発生状況を把握する，②政府が感染症予防の基本指針を，都道府県が予防計画をそれぞれ策定する，③とくに総合的な予防施策が必要な感染症について特定感染症予防指針✚を策定することがあげられる。

●**感染症類型の設定**

　感染症法では感染症を，その感染力や重篤性から1類感染症〜5類感染症の5類型と新型インフルエンザ等感染症・指定感染症・新感染症に分類し，各類型の特徴に合わせた対策を規定した(**表7-1**)。

●**患者の人権に配慮した入院手続き**

　患者の人権に配慮した入院手続きなどを規定したことも感染症法の特徴である。

■**感染症法の改正**

　感染症法は法律の制定後も時代とともに変化する感染症の流行に対応し，改正されてきた。すなわち，2003(平成15)年の同法改正では，SARSへの対応などをふまえ，疾病類型を4分類から5分類に変更して動物由来感染症(人畜共通感染症・人獣共通感染症)の対策が強化された。2006(平成18)年には，病原体管理体制の見直し，結核予防法を統合するかたちで結核を同法に位置づけるなどの法改正が行われた。2008(平成20)年には新型インフルエンザを新たな疾病類型として追加するとともに，感

プラス・ワン

感染症発生動向調査
1981(昭和56)年より，感染症の発生状況を把握・分析し，その情報を還元することにより，感染症の発生・蔓延を防止することを目ざして実施されている調査事業である。1999(平成11)年度より感染症法の施行に伴い，法定化された。

性感染症対策などのための特定感染症予防指針
性感染症は，①正しい知識とそれに基づく正しい行動により十分に予防が可能であること，②早期発見・早期治療により，治癒または重症化を防止することが可能であることより，2000(平成12)年に性感染症の予防対策のための「**性感染症に関する特定感染症予防指針**」が策定された。エイズに対する予防指針として「**後天性免疫不全症候群に関する特定感染症予防指針**」が1998(平成10)年に策定された。エイズと性感染症は，感染経路，発生の予防方法，蔓延の防止対策などに関連が深い。そのため，性感染症とエイズの予防指針に基づく対策を連携し推進していくこととなっている。
　性感染症の予防指針は，感染の発生動向や治療などに関する科学的知見などを勘案して，少なくとも5年ごとに再検討を加え，必要時に変更していくとして，2018(平成30)年に最新の改正が行われている。

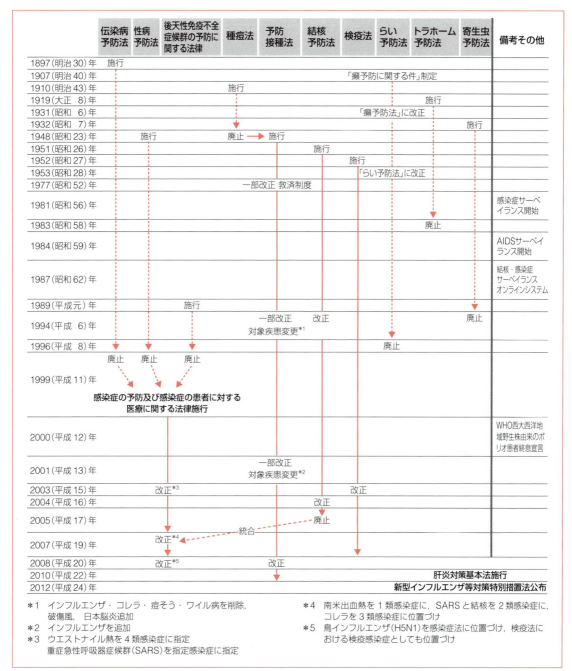

図 7-2 感染症関係のおもな法律の経緯

染拡大防止のための社会規制を規定する法改正が行われた。2011（平成23）年にはインフルエンザ患者のうち，入院患者のサーベイランスについても実施できるよう，届出方法の一部改正が行われた。

2020（令和2）年に指定感染症に指定された新型コロナウイルス感染症は，2021（令和3）年に新型インフルエンザ等感染症に位置づけられ，さらに2023（令和5）年に5類感染症に変更された。

表7-1 感染症法に基づく感染症の分類（2024年4月現在）

類型	疾患名	性格	おもな対応・措置	届出
1類感染症	エボラ出血熱，クリミア-コンゴ出血熱，痘そう，南米出血熱，ペスト，マールブルグ病，ラッサ熱	感染力や罹患した場合の重篤性など，総合的な観点から危険性がきわめて高い感染症	・原則入院 ・消毒などの対物措置（例外的に，建物への立ち入りや通行の制限などの措置）	ただちに届出
2類感染症	急性灰白髄炎，結核，ジフテリア，重症急性呼吸器症候群(SARS)，鳥インフルエンザ(H5N1・H7N9)，中東呼吸器症候群(MERS)	感染力・重篤性など総合的な危険性が高い感染症	・状況に応じて入院 ・消毒などの対物措置	ただちに届出
3類感染症	コレラ，細菌性赤痢，腸管出血性大腸菌感染症，腸チフス，パラチフス	感染力・重篤性など，総合的な危険性は高くないが，特定の職業への就業によって感染症の集団発生をおこしうる感染症	・特定職種への就業制限 ・消毒などの対物措置	ただちに届出
4類感染症	E型肝炎，ウエストナイル熱，A型肝炎，黄熱，Q熱，狂犬病，炭疽，つつが虫病，デング熱，鳥インフルエンザ(H5N1・H7N9を除く)，日本脳炎，ブルセラ症，ボツリヌス症，マラリア，野兎病，レジオネラ症，など	動物または飲食物などを介してヒトに感染し，国民の健康に影響を与えるおそれがある感染症（ヒトからヒトへの感染はない）	・媒介動物の輸入規制 ・施設の消毒	ただちに届出
5類感染症	全数届出感染症：ウイルス肝炎(A型肝炎およびE型肝炎を除く)，クリプトスポリジウム症，クロイツフェルト-ヤコブ病，後天性免疫不全症候群，梅毒，破傷風，バンコマイシン耐性黄色ブドウ球菌感染症，風疹，麻疹，百日咳，など	国が感染症発生動向調査を行い，その結果などに基づいて必要な情報を国民や医療関係者に提供・公開していくことによって，発生・拡大を防止すべき感染症	・感染症発生状況の収集・分析とその結果の公開・提供	7日以内に届出[1] 定点のみ週報または月報届出
	定点届出感染症： 　小児科定点：感染性胃腸炎，水痘，手足口病，ヘルパンギーナ，流行性耳下腺炎，など 　インフルエンザ/COVID-19定点：インフルエンザ（鳥インフルエンザおよび新型インフルエンザ等感染症を除く），新型コロナウイルス感染症(COVID-19) 　眼科定点：急性出血性結膜炎，流行性角結膜炎 　性感染症定点：性器クラミジア感染症，淋菌感染症，など 　基幹定点（週報）：細菌性髄膜炎，など 　基幹定点（月報）：メチシリン耐性黄色ブドウ球菌感染症，など			
新型インフルエンザ等感染症	新型インフルエンザ 再興型インフルエンザ 新型コロナウイルス感染症 再興型コロナウイルス感染症	ヒトからヒトに伝染するとみとめられるが，一般に国民が免疫を獲得しておらず，全国的かつ急速な蔓延により国民の生命・健康に重大な影響を与えるおそれがある感染症	患者に入院勧告や就業制限などの強制措置	ただちに届出
指定感染症	現在該当なし	既知の感染症のなかで上記の1類～3類，新型インフルエンザ等感染症に分類されない感染症で，1類～3類に準じた対応の必要が生じた感染症	厚生労働大臣が公衆衛生審議会の意見を聞いたうえで，1類～3類感染症に準じた入院対応や消毒などの対物措置を実施（政令で規定する）	ただちに届出
新感染症	現在該当なし	ヒトからヒトに伝染するとみとめられる疾病であって，既知の感染症と症状などが明らかに異なり，その伝染力，罹患した場合の重篤度から判断した危険性がきわめて高い感染症	・当初：都道府県知事が厚生労働大臣の技術的指導・助言を得て個別に応急対応する ・要件指定後：政令で症状などの要件指定をしたのちに1類感染症と同様の扱いをする	

1) 侵襲性髄膜炎菌感染症，麻疹，風疹は，ただちに届出。

2 感染症対策の体制

a WHOおよび各国の感染症対策

　WHOは国際保健事業の指導・調整機関として，感染症対策についてもさまざまな取り組みを実施している。たとえば先述した天然痘の根絶はWHOの活動の成果である。WHOは，エイズ・結核・マラリア対策のほか，SARS・鳥インフルエンザ・エボラ出血熱などの新興・再興感染症への総合的・重点的対策にも取り組んでいる。

　上記した感染症への対策は各国でもすでに取り組まれているが，その一方で，「**顧みられない熱帯病**」（neglected tropical diseases：**NTDs**）とよばれる，おもに開発途上国の貧困層に多くみられる熱帯病がある。WHOがNTDsとしてあげている17疾病の管理・撲滅に向けて，2007年より世界各国および関連機関が話し合いをもち，2011年には，2020年までに行うべき方策として指針「**NTDの世界的影響克服の推進―実施に向けたロードマップ**」を作成し，合意が得られた✚。

b 保健分野と検疫所・防疫所・医療機関との連携

　日本の感染症対策は，感染症法のほかに検疫法や，感染症による健康危機対策のための「感染症健康危機管理実施要領」などが定められており，これらの法令に基づいて各機関が連携して実施している。海外から感染症や病害虫などが持ち込まれたり，また持ち出されたりすることを防ぐ機関として，検疫所および植物防疫所がある。これらは対象（人体・食品・動植物など）により担当部署が異なる体制で，国内に常在しない媒介による感染症について水際での防御対策を行っている。

　すでに発生した感染症については，感染症サーベイランスとして感染症発生動向調査を実施する一方で，WHOや米国のCDCなどから国外における感染症の動向を受け，感染症の拡大を予測し，予防対策に資するような体制が組まれている。国内だけで情報を共有するのではなく，通報義務のある疾患についてはWHOに通報し，義務を課せられていない疾患も報告を行うか検討されている。

c 薬剤耐性対策

　薬剤耐性の問題✚に世界的な規模で取り組む必要からWHOは2010年代に取り組みの推進を訴え，2015年にはWHO総会で「**薬剤耐性（AMR）に関するグローバル・アクション・プラン**」が採択された。このプランにより各加盟国が行動計画の策定を求められたことから，日本では，2016（平成28）年，活動計画書「**薬剤耐性（AMR）対策アクションプラン**」がま

プラス・ワン

NTDの世界的影響克服の推進―実施に向けたロードマップ
この指針のおもな内容は，撲滅を目標に掲げた疾患（11疾患）と管理を目標に掲げた疾患（6疾患）に分け，2015年までに目標を達成することと2020年までに目標を達成することに分類されている。
- **撲滅を目標に掲げた疾患**：狂犬病，失明にいたるトラコーマ，トレポネーマ感染病，ハンセン病，シャーガス病，トリパノソーマ（アフリカ睡眠病），内臓リーシュマニア症，メジナ虫症，象皮症，河盲症（河川盲目症），住血吸虫症。
- **管理を目標に掲げた疾患**：デング熱，ブルーリ潰瘍，皮膚リーシュマニア症，嚢虫症，食物媒介吸虫類感染症，土壌伝播寄生虫症。

国際的に薬剤耐性対策が求められた背景
・1980年代以降，ヒトに対する抗微生物薬の不適切な使用により薬剤耐性菌が増加した。
・先進国のおもな死因が非感染性疾患に移行し，新しい抗微生物薬の開発が減少した。
・多剤耐性・超多剤耐性結核（抗酸菌），耐性マラリアなどが世界的に拡大した。
・動物における薬剤耐性菌が畜産物を介してヒトに感染する可能性をもった。

とめられた。このプランは，AMRの発生をできる限り抑え，薬剤耐性微生物による感染症の蔓延を防止する対策をまとめたもので，6つの分野について目標と，その目標ごとの戦略と具体的な取り組みが示されている。このプランに基づき，「抗微生物薬適正使用の手引き」や「薬剤耐性ワンヘルス動向調査年次報告書」が作成され，対策が推進されている。

■AMRアクションプランの目標

- **普及啓発・教育**：薬剤耐性に関する知識や理解の普及を啓発し，専門職への教育を促進する。
- **動向調査・監視**：適切な抗微生物剤の使用がまもられているか継続的に監視していく。
- **感染予防・管理**：適切な感染予防や管理を実践し，薬剤耐性微生物の拡大を防止する。
- **抗微生物剤の適正使用**：医療・畜水産などの分野で抗微生物剤を適切に使用することを推進する。
- **研究開発・創薬**：薬剤耐性微生物に対する予防・診断・治療手段を開発する研究を推進する。
- **国際協力**：国際的視野で他分野と協働した薬剤耐性対策を推進し，アジア地域における主導的役割を担う。

実践場面から学ぶ：結核

■事例紹介

A市内に住む大学生Dは，咳・痰に続いて発熱や胸痛も症状に加わったため，受診したところ，胸部X線により空洞がみとめられ，喀痰塗抹検査陽性で，ガフキー7号と診断された。大学生Dは同市内で両親と同居している。A市を管轄する保健所の結核担当の保健師Cは，主治医から結核届出票の記載内容の確認と初期のアセスメントに必要な情報を収集した。その後，保健師Cは大学生Dと家族に対する初発患者調査を実施し，以下のことがわかった。

①大学生Dは，市内の大学へ公共交通機関を使わずに自転車で毎日通学。②アルバイトはしていない。③大学の軽音楽部の練習（月〜土）には毎回出席。④発症から診断確定までの半月以上，大学生Dはほぼ毎日登校。①〜④を総合した結果，家族のほか大学の学生・教職員・出入り業者など700人（濃厚接触者：300人，非濃厚接触者400人）と接触があった。

接触者に対し，クオンティフェロン(QFT)検査・ツベルクリン反応検査を同心円法で実施した結果，濃厚接触者から20人，非濃厚接触者から25人の患者が発見された。聞きとり調査により，本事例ではハイリスク接触者はみとめられなかった。

●ポイント①：患者支援

結核の治療は，中断することなく確実に服薬を完了することが重要で

プラス・ワン

日本における薬剤耐性に関する意識の変化について

「薬剤耐性ワンヘルス動向調査年次報告書2022」では薬剤耐性に関する意識の変化について下記のような調査結果が報告されている。普及・啓発活動は進んでいるものの，成果として実を結ぶには時間がかかることが予想される。

- **国民の薬剤耐性に関する意識について調査**（2017〔平成29〕年〜2020〔令和2〕年）
  - 2019年までは回答者の約40％以上がかぜの際に抗生物質を服用していたが，2020（令和2）年には29.8％まで減少した。
  - 抗生物質の内服を自己判断で中断した回答者は全体の約2割おり，それを自宅で保管していると答えた回答者が約1割存在した。自宅で保管していると回答した者のうち，約8割の者が自己判断で使用していた。
- **診療所医師を対象とした意識調査**（2018〔平成30〕年，2020〔令和2〕年）
  - 日本化学療法学会・日本感染症学会合同外来抗菌薬適正使用調査委員会の調査によると，2020（令和2）年のアクションプランの認知度は2018（平成30）年の結果と比較すると上昇していたが，薬剤耐性対策の重要性が理解できることと処方行動とは一致していない。

結核感染の受けやすさ

結核感染の受けやすさは，結核菌（飛沫核により伝播する）への曝露の濃厚度・頻度・期間により，次のように分類されている。

- **濃厚接触者**
  初発患者が結核を感染性させる可能性のある期間（感染性期間）において，濃密な接触，高頻度の接触または長期間の接触があった者
- **非濃厚接触者**
  濃厚接触者ほどではないが，初発患者と接触のあった者。たとえば，初発患者を数回たずねた，週に1回程度，短い時間会っていた，などが該当する。

プラス・ワン

結核感染の受けやすさ（続き）

ハイリスク接触者
感染した場合に発病リスクが高い、または重症型結核が発症しやすい接触者をいい、次の場合が該当する。①乳幼児（とくに、BCG 接種歴のない場合）、②免疫不全疾患（HIV 感染など）の患者、治療管理不良の糖尿病患者、結核発病のリスクを高める薬剤治療（免疫抑制薬・副腎皮質ホルモン製剤など）を受けている者、臓器移植例、透析患者など。

QFT 検査
QuantiFERON TB 検査。既往の BCG 接種の影響を受けず、特異度の高い結核感染の検査法として、従来のツベルクリン反応検査にかわって普及している。

同心円法
接触者健康診断の対象者について、優先度の高い対象集団から低い対象集団へと段階的に対象者を拡大する方法。

あり、再び感染源となることを予防する。そのために、日本版 DOTS 戦略として、初期の確実な服薬確認に続き、退院後にも柔軟な服薬支援方法を取り入れた、治癒を目的とした包括的服薬支援プログラムが実施されている。本事例では、大学生 D を含む患者全員に対し、入院中は院内 DOTS を実施し、退院後は保健所保健師の地域 DOTS による、服薬支援を行った。

● ポイント②：接触者健康診断にいたるまでの準備

結核患者発生届を受けた保健所保健師は、発生届の記載情報を主治医から確認したのち、大学生 D と面接し、心理的なケアを実施するとともに接触者についての調査を行った。患者への調査は、感染した可能性のある接触者を把握して接触者健康診断につなぐことが第一の目的であるが、患者の心理へのケアも保健師の重要な役割である。

● ポイント③：接触者健康診断の優先度の決定

接触者健康診断の目的としては、患者の接触者のなかから①潜在性結核感染者の発見と進展防止、②新たな結核患者の早期発見、③感染源・感染経路の探索がある。とくに①および②をおもな目的として実施する場合は、「初発患者の感染性の高さ」および「接触者の感染・発病リスク」の 2 つを組み合わせた視点により接触者健康診断の優先度を決め、優先度の高いほうから、①最優先接触者、②優先接触者、③低優先接触者（本事例では、大学に出入りする業者など）と区分する。

本事例の場合、①最優先接触者は家族、同一の講義を受けた学生、教員およびサークル活動仲間が、②優先接触者は事務職員・親戚が、③低優先接触者は、大学に出入りする業者などが、それぞれ該当する。

B 感染症保健施策と保健師活動

> **POINT**
> - 感染症保健における保健師の活動において，住民が感染症の発症や蔓延の予防のために，望ましい行動をとれるよう促すことが重要である。
> - 保健師には，感染症発生時に疫学調査を実施し，感染拡大を防止し事態を早期に収束させるための活動が求められる。

1 感染症予防

a 感染症成立の3大要因

感染症の発生には，①病原体，②感染経路，③宿主の感受性の3条件がすべてそろうことが必要である。これら①〜③を**感染症成立の3大要因**という。3条件の1つでも欠ければ感染症は発生しない。

①**病原体**：疾患の原因となる微生物のことで，寄生虫・細菌・原虫・真菌・ウイルスなどがある。

②**感染経路**：病原体が宿主に伝播される経路のことである。感染経路は，直接感染と間接感染に大別される。

③**宿主の感受性**：免疫のことをさす。免疫はその獲得の仕方により能動免疫または受動免疫とよばれる。**能動免疫**は，抗原を投与することで，体内にある免疫系を刺激・活性化させ，積極的に免疫を与えることである。自然に病気に感染して免疫を獲得する場合と予防接種のように人工的に抗原を投与することによって獲得する場合がある。**受動免疫**は，すでに免疫を有している個体の免疫抗体を血清などによってほかの個体に与えることである。たとえば，毒蛇にかまれたときに毒に対する抗体を注射する場合や，母親の免疫抗体を胎盤や母乳を介して受けとった子どもが発症を免れることができる（母子免疫）場合が受動免疫にあたる。

b 感染症の流行

感染症の流行というと毎年冬に流行するインフルエンザを思い浮かべる人もいると思うが，その規模や状況により次のように区別されている。

 プラス・ワン

直接感染
直接感染とは，感染した宿主から直接病原体が運ばれることをいう。直接感染には以下のものがある。

●**直接接触感染（接触感染）**
キス・性交など感染源と直接的に接触して感染がなりたつ。直接接触感染には，患者の排泄物・分泌物や土壌・堆肥などの病原巣に直接あるいは間接的に接触することによって感染する場合も含む。

●**飛沫感染**
くしゃみ・咳・会話などにより飛び散った飛沫粒子（粒径5μm以上）による感染。

●**垂直感染（垂直伝播）**
母体内の病原微生物が胎盤・産道を通じて，または母乳を通して胎児・乳児に感染が伝播する場合をいう。代表的なものに，B型肝炎，梅毒，風疹，エイズなどがある。

間接感染
血液・衣類・物・水・食物・媒介動物・空気などを介し，間接的に感染にいたることをいう。間接感染には，次のものがある。

●**間接接触感染**
日常生活用品（食器・衣服・寝具・玩具など）や医薬品（ガーゼ・包帯・注射針など）を媒体とした間接的な接触による感染。

プラス・ワン

間接感染（続き）
●**空気感染**
空気中の病原体による感染。空気感染には微生物を含んだエアロゾル（粒径5μm以下）が気道・肺胞などに入り感染する飛沫核感染，および病原体を媒介する飛沫や分泌物がちりやほこりとともに飛塵となって空気中に浮遊し，感染源となる塵埃感染がある。

●**水系感染**
水（飲料水）を介する感染。水系感染は，水中で病原体が希釈されるため，発症率・致命率ともに低いことが特徴である。

●**食物感染**
夏季とくに高温時の不適切な食物保存により，食物が病原体の培地の役割を果たし感染症が発生する。夏季に発生頻度が高く，発病率が高いという特徴がある。また食堂やパーティ会場など多くの人が集う場所で発生した場合，集団感染をおこすことがある。

アウトブレイク
アウトブレイク（集団発生）とは，ある病原微生物による感染症が，通常の発生率以上に発生することをいう。撲滅された感染症（たとえば天然痘）は通常の発生率が0であるため，1例の発生でもアウトブレイクとなる。

■ **エンデミック**

エンデミックとは，ある地域において一定の罹患率で，または一定の季節的周期で流行が繰り返される常在的な状況をいう。流行の予測が可能である。季節性のインフルエンザはエンデミックにあたる。

■ **エピデミック**

エピデミックとは，一定の地域において**アウトブレイク（集団発生）**がおこったことをいう。すなわち，ある地域において特定の感染症が通常の期待値をこえて流行する状況，またはこれまでは流行がなかった地域に感染症がみられる状況が，一定の期間に限っておこることをいう。エピデミックが同時期に世界の複数の国・地域で発生することを，**パンデミック**という。2020年3月，新型コロナウイルス感染症（COVID-19）の世界的な流行に関して，WHOはパンデミックであると声明を出した。

通常の感染症対策は，その感染の流行が予測可能なエンデミックへの対応を計画する。エピデミックは予期せぬ流行であるため対策は一層困難となるが，迅速に対応できるための準備は必要である。

C 感染予防の3原則

前述したように，感染症が発生するためには，①病原体，②感染経路，③宿主の感受性が必要であり，これらが1つでも欠ければ感染症は発生しない。そこで，病原体との接触阻止（感染源対策＝感染源の除去），病原体の特徴に合わせた感染経路（侵入経路）の遮断，宿主の免疫を高めるような予防対策が必要になる。すなわち，これらが感染症予防の3原則である。

①**感染源対策**：感染者の隔離・治療，消毒，滅菌などにより，病原体を除去する。
②**感染経路対策**：手洗い，うがい，マスク・ガウンの装着，コンドームの使用などにより，病原体の侵入経路を遮断する。
③**感受性宿主への対策**：予防接種などにより，個体の抵抗力を増強する。
保健師は，この3原則に基づいた保健指導を通して感染症予防を行う。

2 感染症法に基づく施策と保健師活動

日本における感染症保健施策の中心は予防および健康危機管理である。保健師の役割として地域の状況を把握することは当然であるが，国内および海外の感染症発生動向を把握し，正確かつ最新の情報を収集する。

住民に注意を喚起する必要があれば，健康診査・健康相談・健康教育・家庭訪問などの機会に保健指導をする。感染症保健指導を行う場は

多様である。個人・小グループを対象にすることもあれば，保育所や老人保健施設など抵抗力の弱い人々が集団活動を行っている施設において集団感染を予防するという視点で実施することもある。

a 感染拡大の予防施策

1 感染症の届出基準

1類〜4類感染症または新型インフルエンザ等感染症を診断した医師は，ただちに最寄りの保健所長を経由して都道府県知事に届け出ることが，感染症法で規定されている。5類感染症の全数把握対象疾患については7日以内に届け出なければならない（表 7-1〔204 ページ〕）。

2 感染症発生動向調査

上記の届け出を受けた保健所からの報告を受けた中央感染症情報センター（国立感染症研究所内）は，各感染症の発生状況を都道府県ごとに集計して1週間の感染症発生状況を公表する。5類感染症のうち定点把握対象疾患として規定されている26疾患については，同センターが，指定届出医療機関から週1回あるいは月1回の報告を受けて公表する。

b 感染症発生時における保健師活動

発生した感染症についてその状況・動向・原因および予防方法を明らかにする必要がある場合は，保健所などは原因解明のための調査を行い，感染拡大を防止し事態を収束させる措置をとる。その際，個々の事例への対応はもちろん必要であるが，地域へ感染が拡大することを防ぐための対応が保健師には求められる。

1 個々の事例への対応：積極的疫学調査の実施

患者はもちろん有訴者も含めた積極的疫学調査を実施し，事態の把握に努める。この調査は，感染の危険性が高いと考えられる者に対する感染予防策および感染例の早期発見と迅速な治療開始による感染の拡大防止策を講じるために，できるだけ早期に始めることが重要である。

■症例調査

患者（感染の疑いがある者を含む）から聞きとり調査を行い，必要時には検体を採取して患者を把握するとともに，入院や自宅待機の必要性を判断する。症例調査は，①患者の感染源の特定を目的とする感染源調査と，②患者が発病後の行動を把握して患者と接触した者を調べる症例行動調査に大別できる。

①**感染源調査**：患者の感染源（ヒト，動物，飲食物）を早期に特定するた

プラス・ワン

標準予防策

標準予防策とは，ヒトの血液・体液および分泌物（尿・便・痰・膿）などは感染を引きおこすものと考え対応する感染対策の方法のことである。標準予防策は，病原体となる微生物をもっている人がほかの人に感染させないこと，病原体となる微生物をもっている人から医療従事者自身が感染しないようにするために行う。具体的には，手洗いをはじめとして，体液に直接的に触れるのを避けるため，必要時にはマスク・手袋・ゴーグル・ガウンなどを使用して感染を防ぐ方策が示されている。

感染症サーベイランスの機関

「感染症発生動向調査事業実施要綱」の規定により，国立感染症研究所に中央感染症情報センターが設置され，地方感染症情報センターが各都道府県などの域内に1か所設置されている。

> **プラス・ワン**
>
> **患者本人・家族など対象者のプライバシーの保護と心理的なケア**
>
> 調査の際に，患者本人・家族のプライバシーに十分に配慮した対応は必要不可欠である。ほかの保健指導でも必要になることであるが，信頼関係の構築が正確な情報把握の糸口になるため，日常業務のなかでの専門技術の向上が必要となる。
>
> 患者本人・有訴者および家族は，突然の事態に不安感をいだいていることも少なくない。聞きとりの際は情報の収集だけではなく，このような対象者の気持ちをしっかり受けとめて対応する必要がある。

めに行う調査である。患者本人および有訴者や家族などから聞きとりを行い，感染症が発生するまでの生活状況について記憶をたどりながら，国内国外に関係なく情報を収集していく✚。

②**症例行動調査**：症例の行動について詳細な情報を把握し，症例との接触者を抽出するために行う調査である。症例に行動を思い出してもらい，どのような人と接触したのかを確認していく必要がある。感染が拡大していくことを防ぐために非常に重要であり，詳細な情報収集が必要になる。

■**接触者調査**

症例の接触者に対する調査であり，症例ごとの潜伏期間などをふまえて接触者リストを作成し状況確認を行い，追跡調査へとつなげていくものである。ヒト-ヒト感染の可能性が疑われる場合には，早期対応が求められるため，不特定多数の接触者（同一の交通機関に乗り合わせたなど）を含む接触者数の規模や分布範囲などを迅速に把握する必要がある。

2 地域への対応

■**接触者への対応**

患者本人・有訴者や家族などとの面接から得られた情報より，接触者へ感染の拡大が予測できる場合には，接触者の感染防止のための対応が必要である（たとえば，抗インフルエンザウイルス薬の投与など）。感染症の集団発生がおこった場合などは特定場所の消毒などが必要になることもある。その際には，集団施設や住民の協力を得て，対策を講じる。

■**二次感染予防**

感染源が特定されてすでに排除され，ヒトからヒトへの感染が考えられない場合は二次感染予防の必要はない。今後さらに感染者が増える可能性がある場合は，感染症の特性に応じた二次感染予防策を講じる必要がある。手洗い・うがいの励行，マスクの着用などがそれにあたる。

■**情報発信**

エピデミックが考えられる場合には，関係機関（地域の医師会や自治体の担当部局，関連施設など）に向けた情報発信が必要となる。必要があればマスメディアも利用して情報を発信する。情報を発信する際には，患者・家族などのプライバシー保護の観点から，発信する情報の内容を十分に吟味する必要がある。

■**事態終息後の対応**

感染症の流行が終息したのちは，地域全体の感染症対策の力量を向上させるために，対策の経過や結果を提言のかたちで報告書にまとめる。とくに感染経路などに関する情報をまとめて，地域の関係機関に情報を還元し今後の発生予防に役だてる。保健師は，感染症が発生した時点の対応のみではなく，感染症発生事例の経過からまとめられた提言や情報をいかし，日常活動と連動した対策を平時に準備しておく必要がある。

3 予防接種法に基づく施策と保健師活動

プラス・ワン

定期予防接種と任意予防接種
● 定期予防接種
予防接種法で規定されているため，接種費用は原則として公費負担である。
● 任意予防接種
予防接種法などの法律に定められていないもので，希望者に行う予防接種である。そのため接種費用は対象者が負担する。
小児用肺炎球菌ワクチン，HPVワクチン，ヒブ（Hib）ワクチンは2013（平成25）年4月以降，任意予防接種でなくなり，定期予防接種になった。

a 予防接種の意義

　予防接種はワクチンの接種により疾病に対する免疫を獲得し，疾病を予防したり軽症化したりすることで，感染症罹患によっておこる甚大な被害の予防をめざすものである。すなわち予防接種は，感染症予防の3原則の1つ「感受性宿主への対策」である。予防接種の普及は，感染症発生の予防において大きな意味をもつ。

　日本において現在，接種可能な感染症ワクチンには，表 7-2 に示したものなどがある。この表で定期予防接種✚として示したものが，次項で述べる予防接種法で規定されている予防接種である。

　2019年に中国から全世界に感染が広がった COVID-19 は，2023（令和5）年5月8日に，「新型インフルエンザ等感染症」（いわゆる2類相当）から「5類感染症」に変更された。人々の行動制限も緩和され感染拡大が続

表 7-2　日本において接種できるおもな感染症ワクチン（2023年8月現在）

予防接種法の分類	ワクチン名	予防対象の感染症
定期予防接種 臨時接種	BCGワクチン	結核
	麻疹風疹混合ワクチン（MR）	麻疹・風疹
	DPT-IPV（4種混合ワクチン）	ジフテリア・百日せき・破傷風・ポリオ
	DPT（3種混合ワクチン）	ジフテリア・百日せき・破傷風
	DT（ジフテリア・破傷風ワクチン）	ジフテリア・破傷風
	IPV（不活化ポリオ）	ポリオ
	日本脳炎ワクチン	日本脳炎
	HPV（ヒトパピローマウイルス）ワクチン（2価・4価）	ヒトパピローマウイルス感染症（子宮頸がん）
	小児用肺炎球菌ワクチン（13価）	小児の肺炎球菌感染症（細菌性髄膜炎・肺炎など）
	Hibワクチン（ヘモフィルスインフルエンザ菌b型ワクチン）	Hib感染症（細菌性髄膜炎・喉頭蓋炎・肺炎など）
	水痘ワクチン	水痘（みずぼうそう）
	インフルエンザワクチン	インフルエンザ（65歳以上，リスクが高い60歳以上65歳未満）
	肺炎球菌ワクチン（23価多糖体）	肺炎・中耳炎・気管支炎・髄膜炎など
	B型肝炎ワクチン	B型肝炎
	ロタウイルスワクチン	ロタウイルス感染症
	新型コロナウイルスワクチン（65歳以上，60〜64歳のうち規定の機能障害をもつ人）	新型コロナウイルス感染症
任意予防接種	ムンプスワクチン	流行性耳下腺炎（おたふくかぜ）
	黄熱ワクチン	黄熱
	A型肝炎ワクチン	A型肝炎
	インフルエンザワクチン	インフルエンザ
	狂犬病ワクチン	狂犬病
	コレラワクチン	コレラ
	破傷風トキソイド	破傷風
	ワイル病秋やみ混合ワクチン	ワイル病・秋やみ・出血性黄疸
	水痘ワクチン	帯状疱疹
	新型コロナウイルスワクチン（定期接種の対象以外）	

プラス・ワン

A類疾病とB類疾病

2013（平成25）年の予防接種法改正により，従来の一類疾病がA類疾病に，二類疾病がB類疾病に，それぞれ変更された。

- ● A類疾病
  - ・発生と蔓延を予防することを目的に予防接種を行う：ジフテリア・百日せき・急性灰白髄炎・麻しん・風しん・日本脳炎・破傷風・結核・Hib感染症・肺炎球菌感染症（小児）・ヒトパピローマウイルス感染症，B型肝炎，ロタウイルス感染症。
  - ・発生と蔓延の予防のためにとくに予防接種を行う必要があると認められ政令で定める：痘そう・水痘。
- ● B類疾病
  - ・個人の発症・重症化を防止し，蔓延を予防することを目的に予防接種を行う：インフルエンザ・新型コロナウイルス感染症（高齢者）・肺炎球菌感染症（高齢者）。

任意予防接種における被害救済

任意予防接種で健康被害が発生した場合は，独立行政法人医薬品医療機器総合機構法に基づく救済給付の対象となる。

くなか，生後6か月以上の者を対象に，「令和5年秋開始接種」が2023年9月～2024年3月に実施された（日本国内で初回接種を完了していることを条件に1人1回に限り無料で接種）。このように，定期予防接種にも任意予防接種にも位置づけられいていない予防接種もある。

b 予防接種法

予防接種法は，伝染のおそれのある疾病の発生・蔓延を予防するために予防接種を行うこと，予防接種による健康被害の迅速な救済をはかることを目的としている。以前の予防接種は国民に接種を義務づけて推進されてきたが，現在では国民の責務として，「受けるよう努めなければならない」という努力義務というかたちになっている。保健師は，住民が予防接種について十分に理解したうえで，自己決定できるように支援する。

1 疾病および接種の分類

予防接種法では，定期予防接種の対象疾病をA類疾病とB類疾病に分類し，その対象者や接種期日・期間について定めている（29ページ参照）。また，定期予防接種以外に，蔓延予防上緊急の必要がある場合に行うものとして，「臨時接種」「新たな臨時接種」の類型が創設されている。

2 予防接種による健康被害の救済

予防接種の副反応による疾病・障害・死亡はまれにではあるが，おこりうるため，これらに対する救済制度として**予防接種健康被害救済制度**が予防接種法で定められている。

c 予防接種における保健師の支援

予防接種を受ける対象者に対して保健師は次のような支援を実施する。

1 情報提供

健康診査・家庭訪問・健康相談・健康教育などあらゆる保健指導の場面が情報提供の機会となる。とくに，未接種のまま該当年齢・期間を過ぎてしまいそうな場合，長期の里帰りや転入などで標準的な予防接種スケジュールに合わない場合などは，個別指導により支援していくことが必要となる。

2 接種前および接種日のケア

現在ではほとんどの予防接種が医療施設での個別接種として実施されているので，対象者は各施設での指示や注意事項をまもる必要がある。一般的な注意事項としては，予防接種を受けるにあたり，体調を整え，

接種当日はできるだけ安静にしておくこと，接種後に副反応（高熱・痙攣・接種部位の強い腫脹など）がおこることがあり，その際には医師の診察をすみやかに受けることを指導する。

予防接種による健康被害がみとめられた場合は，予防接種健康被害救済制度が適用される旨も説明する必要がある。

3 個別の支援

慢性疾患の患者や障害児，過去の接種によりアレルギー症状を呈したことのある子どもについては，接種前に主治医と十分に検討するとともに，対象者への個別の支援が必要になる。また，なんらかの理由で該当年齢内での予防接種の完了がむずかしくなりそうな場合は，早目に個別指導を行い，接種できるように支援する。

実践場面から学ぶ：O157 による集団感染

7月3日午前，A市内のB小学校に通う女児1名から腸管出血性大腸菌（O157）が検出されたという連絡が，病院から保健所に入った。その児童は激しい腹痛および血便があり，受診した病院での便培養により診断が確定した。その日の午後には，B小学校の児童男女5名ずつの合計10名も同様の症状で別の病院に入院したと保健所に連絡が入った。

B小学校では毎日給食が出されており，給食を原因とする集団食中毒もしくは患児を介した集団感染の両方の観点から疫学調査がなされた。

保健所はB小学校の全学童500名と教職員50名の健康調査と，全学童の同居家族1,200名の検便を実施したところ，学童150名，教職員10名，同居家族4名（保育園児2名を含む）からO157：H7が検出された（陽性だった2名の園児が通う保育園についても教職員・園児の検便を実施したが，すべて陰性であった）。給食の食品サンプルの調査も行ったところ，6月29日（患者発生連絡の4日前）に給食で出されたポテトサラダからO157：H7が検出されたが，具体的な原因食材までは明らかにならなかった。

以上から，給食による集団食中毒として学校では休校措置がとられ，当該学校施設および周辺保育園・幼稚園の消毒，保護者への説明会と保健指導の実施，配布した消毒液による各自住居の消毒が行われた。その後，今回の集団食中毒の原因と考えられるポテトサラダ喫食後，最長潜伏期間（9日間）を経過した7月13日に1回目の検便対象者に対して再検便を行った。

●ポイント①：積極的疫学調査および医療の確保

本事例のように，同じ給食を食べた児童が食中毒にかかった場合は，集団食中毒の可能性を疑い，患児の家族や学校関係者を対象とした疫学調査を，疫学の3要素（①人，②場所，③時間）にそって実施し，発生状

況を確認する。人の要素は，学年別・クラス別での児童・教職員の発症動向などであり，乳幼児や高齢者の家族についてはとくに注意する。場所についての確認事項は，各児童の住居区により発症動向が異なるか，ほかの施設（小学校など）と交流がなかったかなどである。時間については，発症経過とあわせて発生状況を確認する。疫学の3要素についての調査結果を総合し，健康被害の規模を判断する。

　同時に，患者の症状に合わせた医療の確保も必要で，医療機関との連携・調整は保健所の重要な役割である。

● ポイント②：二次感染予防

　二次感染予防のために，事例のように保護者向けの説明会を開催し，感染の状況を伝えるとともに，保健指導（①受診勧奨，②手洗いの励行，③消毒液配布による家庭内の消毒の推奨）を行う。O157の潜伏期間は4〜9日程度と長いので，早い段階で説明会を開き，症状の発現に注意するよう周知させる必要がある。一方で，検便の複数回の実施による菌陰性化の確認は感染拡大予防のためには重要である。また，感染者が差別やいじめを受けないように啓発活動を強化することも忘れてはいけない。

● 参考文献

・井伊久美子ほか編：保健師業務要覧，新版，第4版，2023年版．日本看護協会出版会，2023．
・加藤誠也監修，阿彦忠之編：感染症法に基づく結核の接触者健康診断の手引きとその解説，令和4年改訂版．結核予防会，2022．
・日経サイエンス編集部編：感染症の脅威——パンデミックへの備えは万全か．別冊日経サイエンス163：136-143，2008．
・船入和志ほか：大学での結核集団感染におけるQuantiFERON TB-2 Gの有用性の検討．結核 80(7)：527-534，2005．
・安武繁著：研修医・コメディカルスタッフのための保健所研修ノート．医歯薬出版，2008．

C 疾病管理

POINT
- 主要な感染症についての動向や保健活動を学ぶ。
- 主要な感染症について，リスクの高い集団やその行動を学び，焦点をしぼった対策を実施できることを目ざす。

1 新興・再興感染症と感染症予防

プラス・ワン

新型インフルエンザの大流行
新型インフルエンザは20世紀以降，4回の大流行があった。①スペインかぜ(1918年)，②アジアかぜ(1957年)，③香港かぜ(1968年)，④ブタ由来のインフルエンザ(A/H1N1)(2009年)。

国際保健規則(IHR)
1951年に「国際衛生規則」として制定され，1961年には「国際保健規則」に改名した。2005年に行われた改正のポイントは以下のとおりである。
- **対象の拡大**：改正以前は，黄熱，コレラ，ペストの3疾病のみだった対象を，原因を問わず，国際的な公衆衛生上の脅威となりうるあらゆる事象(PHEIC：Public Health Emergency of International Concern)へ拡大した。
- **WHOへの通告義務**：PHEICを検知してから24時間以内の通告を義務化した。

a 新興・再興感染症とは

　新興・再興感染症は，1990年代から問題視されるようになった。WHOの1996年の定義によると，新興感染症とは，「かつては知られていなかった，この20年間に新しく認識された感染症で，局地的にあるいは，国際的に公衆衛生上の問題となる感染症」である。西アフリカの3か国（ギニア，シエラレオネ，リベリア）を中心に集団発生したエボラ出血熱（2014〜2015年）のほか，SARS（2003年），腸管出血性大腸菌（O157），新型インフルエンザ✚，新型コロナウイルスなどによるものがある。

　再興感染症とは，「既知の感染症で，すでに公衆衛生上の問題とならない程度までに患者が減少していた感染症のうち，この20年間に再び流行しはじめ，患者数が増加したもの」と定義されている（WHO，1996）。おもなものは，薬剤耐性結核や薬剤耐性マラリア，デング熱（2014年に日本国内での流行あり），コレラのほか，性器ヘルペスや梅毒なども注意が必要な疾患である。

　耐性菌の増加，都市開発や森林伐採に加え，地球温暖化による生態系の変化，交通手段の発達により，限られた地域にのみ流行していた感染症の世界的拡散や伝播，自然災害や戦争などに伴う人口移動などの要因により，現代では感染症がいったん勃発すると，国をこえ世界レベルの問題になる。このような状況をふまえ，2005年にWHOは**国際保健規則**（International Health Regulation；IHR）✚を大改定した。

　さらにCOVID-19のパンデミックにおける教訓をふまえ，2024年のWHO総会でIHR（2005年）の改正が合意された。この改正では，「国際的に懸念される公衆衛生上の緊急事態」や，パンデミック緊急事態状況について定義された。また，先進国と途上国の間での医薬品へのアクセスや分配についての公平性がパンデミック時の課題であったことから，次

プラス・ワン

2024年の国際保健規則の改正内容
- 「パンデミック緊急事態状況」を定義：①地理的広範囲に感染が拡大し，②国内の保健システムの対応能力をこえるまたはこえる高いリスクがあり，③国際交通・貿易を含む実質的な社会経済的破綻がおこりえる場合であり，④かつ政府および社会全体のアプローチを通した，より強固な国際的協働が求められる状況のこと。
- IHR の原則に「公平性」を追加。
- IHR の効果的な実施のための委員会の設置。

感染症法における類型の変更
2023（令和 5）年 5 月，新型コロナウイルス感染症の感染症法上の位置づけが新型インフルエンザ等感染症から 5 類感染症に変更された。これに伴い，感染者数の把握は，「全数把握」から，全国の 5,000 箇所の医療機関からの報告による「定点把握」に変更された。

「3 つの密」の回避
「3 つの密」とは，①密閉空間（換気のわるい密閉された空間），②密集場所（多くの人が密集），③密接場面（互いに手をのばしたら手が届く距離での会話や発声）という 3 つの条件をいう。これら 3 つの条件が重なると COVID-19 感染拡大のリスクが高まると考えられ，「3 つの密」を回避することがすすめられた。

のパンデミックに備え，IHR の原則に「公平性」が追加された。

1 COVID-19 などの呼吸器感染症

呼吸器感染症は，感冒（かぜ症候群），インフルエンザ，急性気管支炎など多岐にわたる疾患である。感染力の強さから，肺結核がとくに問題となってきたが，ウイルス性の疾患として，季節性インフルエンザや新型インフルエンザ，COVID-19 も注意すべきである。

❶ COVID-19

■感染拡大の動向

2020（令和 2）年 1 月に国内で最初の患者が報告されて以降，COVID-19は第 1 波〜第 8 波と流行を繰り返し，累計でおおよそ 3380 万人が新型コロナウイルス陽性と報告された（2023〔令和 5〕年 5 月 8 日時点）。最も多いときの 1 日の新規陽性者数は，全国で 26 万人をこえた。

■感染経路と感染対策

COVID-19 の感染経路は，飛沫感染として咳，くしゃみ，会話などのときに排出される飛沫やエアロゾルを吸入した場合や，接触感染としてウイルスの付着した手などで眼や鼻，口の粘膜に直接接触した場合に感染する。一般的には，1 m 以内の近接した環境において感染するが，エアロゾルは 1 m をこえて空気中にとどまり，換気が不十分な混雑した室内に長時間滞在することは感染拡大のリスクとなる。

政府によると，基本的な感染対策として，「3 つの密」の回避や，マスクの着用，手洗いなどの手指衛生，換気を行うことが重要であるとされた。感染症法における類型が「5 類感染症」へ移行したあと，マスクの着用は，個人の主体的な判断を基本とされることとなり，医療機関受診時や高齢者施設の訪問時など感染拡大防止対策としてマスクの着用が効果的な場合に，マスクの着用が推奨されている。

■保健師の役割

COVID-19 の感染拡大に対して保健師が行った実践は多岐にわたる（表 7-3）。発生当初，保健所は新規陽性者の感染経路を特定し，感染拡大を防止するために積極的疫学調査や陽性者の入院・療養調整などに取り組み，保健師はその業務を最優先に行った。しかし，保健所や保健師の数には限りがあり，そのキャパシティをこえる業務量の増大が短期間に生じた。

このような事態においては，新型コロナウイルス対策室のような専任部署の立ち上げや，疫学調査を実施する「疫学調査班」，健康観察や入院調整を行う「健康観察班」，企業・学校・高齢者施設などへの調査やクラスター対応を実施する「企業班」に分かれての対応，医療職以外でも対応できる業務を整理して事務職や他部署の保健師（市町村を含む）による保健所保健師業務の応援体制の整備が行われる。

表 7-3　COVID-19 対応における保健師の業務

相談対応
検査・受診の調整
積極的疫学調査
陽性者の入院・療養調整（搬送同行を含む），在宅療養者の健康観察
濃厚接触者の特定，検査，自宅待機中の健康観察
陽性者の所属集団（福祉施設，病院等）の感染拡大防止対策（調査，検査，感染防止策の徹底）
クラスター対策
組織体制の整備と人材育成・受援調整
職員のメンタルヘルスケア

（斉藤富美代：COVID-19 対策を通した地域づくりと保健師の役割，保健師ジャーナル 77(6)：454-459)，2021 による，一部改変）

　一方で，予防的観点やハイリスク者支援の観点から，通常各部署で取り組んでいる事業や保健師の地区活動へ感染拡大が及ぼす影響を考慮する必要がある。たとえば孤立しがちなハイリスク者の支援や，感染への不安や家族関係の変化のため不安定になる支援対象者への支援などが継続して提供されるように，電話や感染予防策を講じて実施する家庭訪問などによる個別支援をていねいに実施する。集合して対面で行われる両親学級が感染拡大のために中止となったときには，オンラインで開催して，はじめての出産・育児にとまどう対象者への支援を実施し，また参加者どうしがつながることもサポートする。健康づくり部門の保健師であれば，外出自粛による運動不足や体力低下の予防のための普及・啓発を広報・リーフレットの配布や，自宅でできる運動の動画配信により行う。感染リスクが高いとされる高齢者は，外出自粛の結果，フレイルが進行し深刻な課題となりうるため，高齢者が感染予防に留意しながら地域での活動を継続できるよう，住民主体のグループ活動の支援も行う。

b　感染予防の基本

　新興・再興感染症のように感染源や感染経路が明らかになっていない場合，人々は，根拠のない感染経路を想定し，不安感を増大させる。未知の病原体へ人々が不安をもつのは当然であるが，保健師は，まず住民の不安を助長させないよう，その時点で伝えることのできる正しい知識を提供する。

1　予防のための対応

　保健師は，感染症の予防知識（正しい手洗い，規則正しい生活，感染症の流行時期における不必要な外出を控えるなど）を伝えることを最優先する。また感染源や感染経路が不明な場合でも，体調不良がある人には，迅速に医療機関を受診し，体調の回復に努め，必要な治療に専念するよう指導することも重要である。家族の健康状態も把握し，目だった症状

がない場合も，できるだけ外出を控えるよう伝える。

感染源や感染経路が特定された場合は，特定された感染症に合わせた予防方法の情報を提供し，感染の拡大を防ぐ。

2 感染した人あるいは感染が疑われる人への対応

感染症の蔓延防止対策では，強制入院や隔離措置，移動の自由の制限や，感染者の接触者への追跡調査など，集団防衛のためにさまざまなかたちで個人の自由を制限することが必要な場合もある。強制入院や隔離措置の期間や方法は，人権に配慮した方法をとることが望ましい。

インターネットが普及し，世界のさまざまな情報が一瞬にして把握できる時代になってきている。保健師は，間違っても患者個人を特定できる情報が不特定多数の人々に流れる事態にならないよう，情報の扱いには細心の注意をはらうとともに，関係機関や関係者との間で，個人情報を含む必要な情報を共有する。そして，感染者や感染が疑われた人々が治療や休養に専念できるような環境づくりを行うと同時に，周囲の人々に対して感染症への理解を促すようにはたらきかける。

2 結核

a 日本における動向

本章A節で述べたように，結核は昭和30年代まで日本における死因の上位を占めていた。その後，結核罹患率は急速な減少時期を経て，鈍化したとされた時期があった。それに伴い，結核に対する保健師活動の機会は減少し，家庭訪問に占める結核の割合もかなり減少した（**図7-3**）。

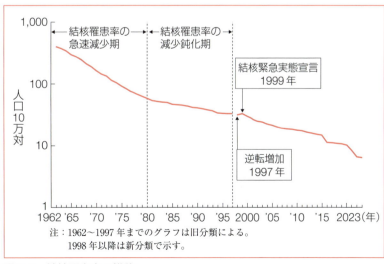

図7-3　結核罹患率の推移

プラス・ワン

日本における結核の課題
2023（令和5）年の結核罹患率（人口10万人対）は8.1であり，新登録結核患者数は1万96人である。

● 高齢者の占める割合が高い
- 結核患者の高齢化が進んでいる（1990年代は60歳代が最多，2001年は70歳代，2013年以降は80歳以上が最多）。
- 新登録結核患者の半数以上を70歳以上が占めている（47.9%〔2007年〕から62.1%〔2023年〕に増加）。

● 罹患率の地域間格差
- 結核罹患率（人口10万対）の地域差は依然大きい。
- 結核罹患率が高い都道府県〔2023年〕：大阪（13.1），大分（12.2），奈良（10.8）。最も結核罹患率が高い大阪府（13.1）は，結核罹患率が最も低い岩手（3.6）の3.6倍である。

● そのほかの問題点
- 日本は世界のなかで結核の「中蔓延国」であった。2021年に「低蔓延国」になった（新型コロナウイルスの影響も考えられる）。
- 若者の結核も要注意（若い世代の集団感染）。
- 働き盛りの世代の発見の遅れ。
- 外国人の割合が増加。
- HIV感染症・エイズとの合併症の危険。

結核罹患のリスクの高い集団
● ハイリスクグループ
結核罹患リスクの高い者をいう。
① 高齢者
② 結核患者との濃厚接触者
③ 小児・若年者では，BCGなしでツベルクリン反応強陽性者，BCG接種ありでも塗抹陽性患者との接触がある人でツベルクリン反応強陽性者
④ 成人で，X線有所見で化学療法歴のない者，糖尿病・塵肺症・アルコール依存症の患者，副腎皮質ホルモン製剤・抗がん薬・腎透析・免疫抑制薬の使用者，胃切除の既往者など
⑤ 結核既往のある者
⑥ 結核高蔓延国の出身者または居住歴のある者

国民の間にも，「結核は過去のもの」という認識が広がり警戒心が薄れてきていた。しかし，1990年代以降，多剤耐性結核の発生などを背景に，集団発生事例や重症例が増加し，罹患率は一転して増加傾向を示した。また高齢者や外国籍患者など特定層についての患者発生の偏在化や大都市部における結核患者発生の増加など地域間の格差も顕著になった。1999（平成11）年，厚生省（当時）は「**結核緊急事態宣言**」を出し，国民に注意を喚起した。保健師は結核の予防と感染者の支援のために多大な功績をあげてきたが，以前より問題が深刻化するいま，もう一度原点に戻り，過去の経験をいかしつつ新たな方法論による対応が求められている。

結核対策の根拠法令であった結核予防法は，2006（平成18）年，**感染症法**に統合された（2007〔平成19〕年4月1日実施）。この法改正により，結核予防法にあった対策に必要な基本的な要素が引きつがれた感染症法には，人権の尊重，積極的疫学調査，病原体管理，潜在結核感染症など新たな時代に必要な考え方が加わっている。

b 日本における結核対策

日本における結核対策の概略を**表7-4**に示す。結核対策は，基本的には患者発見（健康診断），発病予防（予防接種），治療（適正医療の普及）の3本柱からなっている。

1 集団的対応から個別的対応へ

かつて結核が「国民病」といわれた時代は，多くの国民が結核に感染する可能性があった。そのため，国民全体に対し定期健康診断を実施して早期発見に努め，感染した患者を早期に治療につなげ，新たな感染者が出ないような対策を行ってきた。しかし，結核を取り巻く状況や医療の進歩，多くの研究や経験の積み重ねにより，すべての対象に対して一律の対策を行う**ポピュレーションストラテジー**ではなく，リスクの高い集団にしぼって予防接種・健康診断などの対策を行う**ハイリスクストラテジー**が効果的であるとわかってきた。結核罹患リスクの高い集団は，ハイリスクグループとデインジャーグループに整理できる。

2002（平成14）年4月および6月に出された提言を受け，2003（平成15）年4月より，小学校1年生と中学校1年生に対するツベルクリン反応検査・BCG再接種は廃止され，**接触者健康診断**（以下，接触者健診）と**直接服薬指導確認療法（DOTS）**を推進・強化することとなった。また，2005（平成17）年4月より，乳幼児のBCG接種を生後6か月に達するまで（やむをえない場合は1歳まで）に直接接種することになり，接種前のツベルクリン反応検査が廃止された。さらに，2013（平成25）年度より，予防接種法の改正により，BCG接種時期が生後1歳未満に引き上げられ，標準的接種期間が生後5か月〜8か月未満となった。

表 7-4　日本における結核対策の概要と感染症法などの規定

結核対策		概要	感染症法
健康診断	定期	一般住民・学生・従業員・施設入所者などのうち政令で定める者(発病しやすい人や二次感染をおこしやすい者へ重点的に実施)	第53条の2(定期の健康診断)
	定期外	結核にかかっていると疑うに足りる正当な理由のある者(接触者調査を中心にしたリスク評価に基づいて実施)	第17条(健康診断)
予防接種	定期	市町村長は学齢未満の者に対して、政令で定める期間に定期の予防接種を行わなければならない。	⇒予防接種法*
	定期外	結核予防上とくに必要があるとみとめるときには定期外の予防接種を行うことができる。	
届出・登録および指示	届出	診断時・入院退院時など	第12条(医師の届出) 第53条の11(病院管理者の届出)
	登録	結核登録票、患者の現状把握	第53条の12(結核登録票)
	保健指導	家庭訪問・衛生教育・DOTSなど	第53条の14(家庭訪問指導)
	管理健診	要経過観察者・治療中断患者・放置患者など	第53条の13(精密検査)
伝染防止	従業禁止など	他人に伝染させるおそれのある患者の従業禁止、入所命令	第18条(就業制限) 第26条の2(結核患者に係る入院に関する特例)
	消毒などの措置	家屋の消毒、物件の消毒廃棄など	第29条(物件に係る措置) 第32条(建物に係る措置)
	立入調査	患者調査など	第15条(感染症の発生の状況、動向および原因の調査)
医療 (公費負担：1995年より保険優先)	命令入所医療	従業禁止・命令入所患者の医療費(入院医療費など)	第37条(入院患者の医療)
	適正医療	結核の適正な医療を普及するための医療費(化学療法、外科的療法など)	第37条の2(結核患者の医療)
結核の調査に関する協議会	協議会	適正医療の診査、3人以上の委員(過半数は医師)で組織	第24条(感染症の診査に関する協議会)

*予防接種法により、定期予防接種は生後1歳にいたるまでの間にある者を対象とする。
　標準的な接種期間は、生後5か月に達した時から生後8か月に達する期間である(2013年4月1日より)。

2 直接服薬指導確認療法(DOTS)の推進・強化

WHOは1993年に「世界結核非常事態宣言」を採択し、加盟各国に注意を喚起し、1995年3月にはDOTS(Directly Observed Treatment, Short-course)戦略をWHOの結核対策の戦略的核心にすることを提唱した。

日本においても国内の実情にあった「**日本版21世紀型DOTS戦略**」が2000(平成12)年に提言された。2003(平成15)年2月には厚生労働省課長通知で「**日本版DOTS戦略推進体系図**」が提示され、2004(平成16)年6月の結核予防法の改正により、DOTS体制が強化された。結核予防法廃止後もその体制は継続されている(感染症法第53条の14および15)。

2011(平成23)年、「**結核に関する特定感染症予防指針**」が改正されたことを受けて、日本版DOTSの体系図も改正された(図7-4)。改正のポイ

プラス・ワン
結核罹患のリスクの高い集団
(続き)
● デインジャーグループ
結核を発病すると周囲の多くの人に感染させるリスクの高いグループをいう。
・教職員、保健医療関係者(医師・検査技師・看護師など)、接客業者

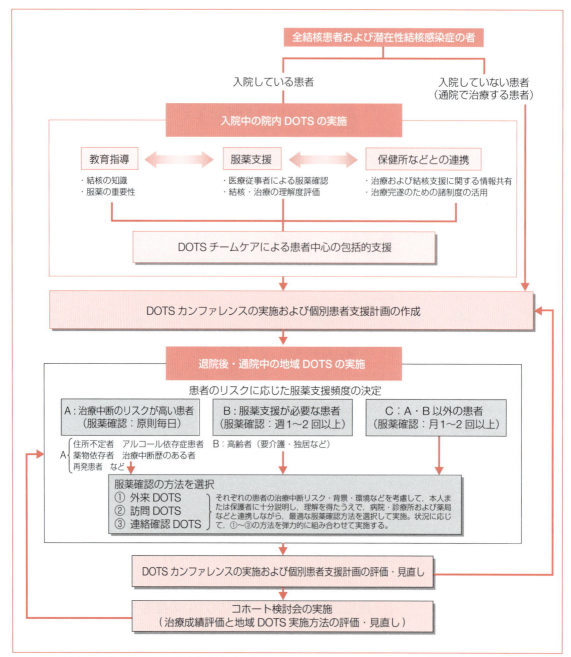

図7-4　日本版21世紀型DOTS戦略推進体系図（2015年5月改正）

ントは，①対象が潜在性結核感染症患者を含むすべての患者に拡大されたこと，②**院内DOTS**の概念を「教育指導」「服薬支援」「保健所との連携」からなる**DOTSチームケアによる患者中心の包括的支援**と明確化したこと，③**地域DOTS**ではリスクと支援頻度を関連づけ，患者背景や地域の実情に応じて支援方法を選択するよう明記されたことである。院内DOTS，地域DOTS（外来DOTS・訪問DOTS・連絡確認DOTS）の連携を軸に患者支援の強化が期待されている。

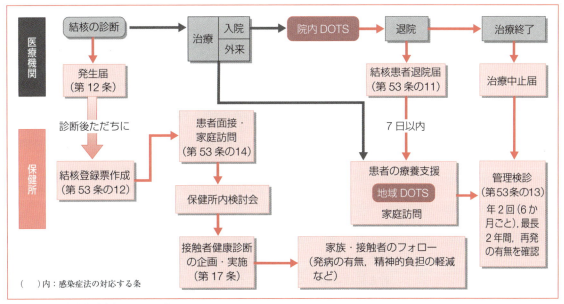

図 7-5 結核患者支援のおもな流れ

> **プラス・ワン**
>
> **DOTS 戦略の要素**
> WHO が提唱する DOTS 戦略には，次の 5 つの要素がある。
> ①政府・行政の強いコミットメント
> ②喀痰塗抹検査中心の患者発見
> ③標準化された短期化学療法の DOT（直接監視下療法）
> ④結核薬の安定供給
> ⑤記録・報告と定期的な評価

　DOTS の目的は，治療開始から終了まで症状がなくても薬を飲みつづけなければならない患者に対する服薬支援を確実に実施することである。しかし，ただ単に服薬確認の意味ではなく，その人のことを気にかけ，治療を継続してほしいという医療従事者の熱意を伝えることが効果をもたらすといわれている。患者の治療完了を目標にして医療・保健・福祉の各部門や各専門職種が連携を強化し，患者が継続して治療に専念できるような支援体制を構築する必要がある。

3 結核患者が発生した場合の支援の流れ（図 7-5）

■患者発生届の受理から初動調査・初回面接まで

　結核患者が発生した場合，医師は診断後ただちに結核発生届を保健所へ提出する。保健所は医師からの発生届を受理すると，患者 1 人につき 1 枚の結核登録票を作成し，主治医などから患者の病状や診断までの経過に関する情報を収集する。

●初動調査

　医療機関からの情報を参考にして，感染力の強さ，感染拡大の可能性を判断し，できるだけ早急に病院や自宅に出向き，結核患者本人やその家族，患者の職場関係者などに直接会って面接調査を実施する。電話での聞きとりは面接の代用とはならない。患者が喀痰塗抹陽性の場合には，感染防護用具（N95 マスク）を装着することが重要である。喀痰塗抹陰性など，患者の感染性が高くないと判断された場合でも届出受理後 1 週間以内の訪問・面接を目標とする。患者本人の了解なしに，家族や知人に会ったり，情報を得たりすることはプライバシーの保護のために避

表7-5　初発患者調査(患者や家族からの情報収集)のチェックポイント

- 呼吸器症状(とくに咳)の出現(悪化)時期を正確に確認できたか
- 症状出現以降の社会活動(勤務状況・通勤方法・サークル活動・交友関係・趣味・娯楽，介護・福祉サービスの利用状況など)に関する情報をもれなく聴取したか(感染源の推定および接触者の範囲と接触程度を把握できたか)
- 診断までの受診状況(かかりつけ医の有無，受診医療機関名・時期など)を確認できたか
- 合併症・既往歴・胸部X線検査受診歴を把握したか
- 結核患者あるいはそれと疑われる人との接触はないかを確認できたか
- ハイリスク接触者(乳幼児，HIV感染者，治療管理不良の糖尿病患者，免疫抑制薬治療例など)がいないかを確認できたか
- その他(国籍，海外での生活歴，頻繁に訪問する国など)

(加藤誠也監修, 阿彦忠之編：感染症法に基づく結核の接触者健康診断の手引きとその解説, 令和4年改訂版. p.33, 結核予防会, 2022による, 一部改変)

けたほうがよい。保健所の初動調査の遅れは，患者とその家族および患者と接触のあった関係者に不信感をいだかせ，その後の保健指導や接触者健康診断の実施を困難にすることがあるので注意する。

● 初回面接

初回面接では，患者や家族の不安軽減をはかりながら，結核の正しい知識を伝え，規則的な服薬の動機づけを行うとともに，接触者の範囲や感染源の把握のために情報収集を行う。ただし，初回面接時からもれなく聞きとろうとするあまり，患者や家族との信頼関係をそこなう場合もある。初回面接時は患者や家族の精神的な状態などを考慮しながら，信頼関係を築く努力を優先する。初発患者調査(患者や家族からの情報収集)のチェックポイントを**表7-5**に示す。

■ 接触者健康診断と治療

● 感染危険度と接触者の区分

医療機関や患者・家族からの情報に基づいて初発患者の感染性を評価し，感染を拡大させないために，接触者健康診断の必要性と優先度を判断する。「感染症法に基づく結核の接触者健康診断の手引きとその解説, 令和4年改訂版」では，接触者側の感染・発病のリスクの評価も初発患者の感染性の評価と同じくらい重視し，両方のリスクを組み合わせて接触者健康診断の優先度を決定することが提案がされている。すなわち，喀痰検査および胸部X線検査の結果に基づいて患者側の感染危険度を評価し，接触者健康診断などの必要性を判断する。患者側の感染危険度を単純化するため，従来の感染危険度指数✚による3段階評価ではなく，喀痰塗抹検査の結果が陽性か否かを基本に，「高感染性」と「低感染性」の2区分とする。接触者とは，初発患者が結核を感染させる可能性のある期間にその患者と同じ空間にいた者のことをいう。感染・発病の危険度に応じて**表7-6**に示したように接触者を区分する。

● 接触者健康診断後の措置と治療

接触者健康診断の結果は，可能な限りすみやかに(実施からおおむね1

✚ プラス・ワン

感染危険度指数

感染危険度指数=「最大ガフキー号数」×「咳の持続期間(月)」。同指数の算定結果に基づいて，初発患者の重要度区分(最重要, 重要, その他の3区分)を行う。

表 7-6　接触者の分類

接触者	内容
ハイリスク接触者	感染した場合に発病リスクが高い、または重症型の結核を発症しやすい接触者をいう。 ①乳幼児（とくに BCG 接種歴のない場合） ②免疫不全疾患（HIV 感染など）、治療管理不良の糖尿病患者、免疫抑制薬剤（抗 TNF-α 製剤を含む）や副腎皮質ホルモン製剤などの結核発病のリスクを高める薬剤治療を受けている者、臓器移植例、人工透析患者など
濃厚接触者	初発患者が感染性であった時期に長期間、高頻度または濃密な接触があった接触者をいう。次の例などが該当する。 ①患者の同居家族、あるいは生活や仕事で毎日のように部屋を共有していた者 ②患者と同じ車に週に数回以上同乗していた者 ③換気の乏しい狭隘な空間を共有していた者 ④結核菌飛沫核を吸引しやすい医療行為（感染性結核患者に対する不十分な感染防護下での気管支内視鏡検査、痰の吸引、解剖、結核菌検査など）に従事した者 ⑤集団生活施設（免疫の低下した高齢者が多く入所する施設や刑務所）の入所者（このような施設で感染性結核患者が発生した場合）
非濃厚接触者	濃厚接触者ほどではないが、感染性結核患者との接触があった者をいう。数回、初発患者を訪ねていた者、週に一回程度、短い時間会っていた者など）
非接触者	初発患者と同じ空間を共有したことが確認できない者（原則として、接触者健康診断の対象外）

（加藤誠也監修、阿彦忠之編：感染症法に基づく結核の接触者健康診断の手引きとその解説、令和4年改訂版. pp.19-22、結核予防会、2022 を参考に作成）

週間以内）に受診者に通知し、次のような対応をとる。

・精密検査が必要と判断された者、感染が強く疑われる者に対しては早期の医療機関受診をすすめる。
・接触者健康診断の結果が「異常なし」の者に対しては、今後の呼吸器症状に注意するよう指導する。
・感染後間もないと思われる人や感染の可能性が高い人は潜在性結核感染者と判断され、発病を防ぐために、適切な治療（従来行われてきた予防内服）が行われる。2007（平成19）年6月15日より潜在性結核感染症も保健所への届出の対象となり、DOTS に準じた服薬支援が必要となった。

結核を予防する対策を考案するため、発症した患者1人ひとりに対し、「なぜ結核を発症してしまったのか」「予防することができなかったか」という視点で、予防可能な要因の検討を保健所内で行う。この要因をさぐることで既存の諸制度の改善点を具体的に明らかにすることができる。

● 保健師の役割

治療が開始された患者に対し保健師は、治療が継続して行われているか、家族や接触者に発病者は出ていないかなど、継続的にフォローしていく。患者だけではなくその家族、または接触者健康診断を受診することになった人々に対し、結核に対する正しい知識を伝え、患者が治療に専念できるよう適切な指導を行う。また、患者自身が処方された薬剤を確実に服用できるように支援を行う（DOTS の推進）。治療後は、患者自身あるいはその家族も、またもとの生活が送れるように、周囲の人々の理解を得るよう、はたらきかける。

③ HIV感染症・エイズ・性感染症

　HIV感染症・エイズは，HIV(ヒト免疫不全ウイルス)の感染によって引きおこされる細胞性免疫不全状態をおもな病態とする疾患である。感染は，HIVに汚染された血液・精液・腟分泌液を介しておこる。おもな感染経路は，①HIV感染者との性行為，②血液または血液製剤の輸注，③母子感染である。

a エイズの動向

1 世界の動向

　エイズはいまでも世界で最も深刻な健康課題の1つである。国連合同エイズ計画(UNAIDS)によると，2023年にあらたにHIVに感染した人(成人と子ども)の数はおよそ130万人であり，1995年のピーク(320万人)から59％減少している。子どもの新規感染者はおよそ13万人で，2010年の31万人から58％減少している。これは，過去10年間のエイズ対策における国際社会の連帯がもたらした驚くべき成果である。2023年末時点における全世界のHIV感染者数は3990万人と推計されており，その5割以上が東部・南部アフリカにいるとされる。

　治療薬の開発が進み，早期発見により早期治療を行えば，エイズ発症後の治療より負担が少ないといわれている。しかし，検査体制の問題，経済的な問題，文化的背景などにより，十分な治療が受けられない人々が依然として多いことが問題となっている。

2 日本における動向

　日本では，1980年代に不幸な薬害問題がおこり，エイズ対策が始まった。時間の経過とともに，若者を中心とした性的接触による感染の増加がみられるようになってきた。日本におけるHIV感染症・エイズの流行状況の特徴は次のとおりである(2022〔令和4〕年)。
・新規HIV感染者は669人で，多くは日本国籍の男性である。新規HIV感染者数は，過去最高(1,126人)であった2008(平成20)年以降，減少傾向であったが，2022(令和4)年より増加に転じた。
・新規報告を感染経路別にみると，HIV感染者・エイズ患者ともに，同性間性的接触が半数以上を占める(HIV感染者の新規報告における約70％，エイズ患者の新規報告における約54％)。

b 日本におけるエイズ対策

1 エイズ対策の経緯

　日本のエイズ対策は，1987(昭和62)年のエイズ対策関係閣僚会議で示された「**エイズ問題総合対策大綱**」と1989(平成元)年に施行された**後天性免疫不全症候群の予防に関する法律(エイズ予防法)**によって推進されてきた。1989年には，血液病治療のために使用した血液製剤によりHIVに感染したことに対する損害賠償請求訴訟が国と製薬企業を相手に提訴され，1996(平成8)年に和解が成立した。

　1993(平成5)年には日本エイズストップ基金が設立され，1994(平成6)年からエイズストップ7年作戦が展開された。1997(平成9)年度には，エイズ治療・研究開発センター(AIDS Clinical Center：ACC)および地方ブロック拠点病院などエイズ医療・研究体制が整えられた。

　一方，1998(平成10)年，「ヒト免疫不全ウイルスによる免疫機能の異常」が身体障害として認定され，HIV感染者はその障害の程度によって，身体障害者手帳の交付を受け，身体障害者福祉法のサービスを受けることが可能となった。

　1999(平成11)年，感染症法が施行され，エイズは同法の4類感染症に位置づけられた(エイズ予防法は廃止)✚。この年には，総合的なエイズ対策を講ずるために，「**後天性免疫不全症候群に関する特定感染症予防指針(エイズ予防指針)**」が策定された。エイズ予防指針は，いままでの施策が全般的で，特定の集団に対する感染の拡大抑制に必ずしも結びついてこなかった現状をふまえ，**個別施策層**✚に対して人権や社会的背景に最大限配慮したきめ細かく効果的な施策を追加的に実施することが重要であるとしている。エイズ予防指針は，国・地方自治体・医療関係者および患者団体を含む非政府組織(NGO)がともに提携してエイズ対策を進めていくものである。

　エイズ予防指針は，2006(平成18)年4月に抜本的見直しが行われ，今後の具体的な施策として，①普及・啓発および教育，②検査・相談体制の充実，③医療提供体制の再構築が掲げられた。さらに同指針は，2012(平成24)年に改正され，新規感染者・エイズ患者が依然増加傾向にある一方で，エイズ治療の進歩により延命がはかられた患者の長期・在宅療養における課題が生じている状況への対策が示された✚。

2 地域におけるエイズ対策

　地域におけるエイズ対策は，感染拡大の防止，医療の確保と感染者への支援，偏見のない社会づくりを目標に，以下の項目に焦点をあてた施策が行われている。
①**正しい知識の普及・啓発**：健康教育，広報など

✚ プラス・ワン

感染症法におけるエイズ
2003(平成15)年の感染症法改正により，エイズは5類感染症に位置づけられた。

個別施策層
青少年・外国人・MSM(男性間で性行為を行う者)・性風俗産業従事者およびその利用者。薬物濫用者。

エイズ予防指針の改正
2012(平成24)年における同指針の改正では，以下の対策を中心にして，社会全体で総合的なエイズ対策を実施していく方針を示した。
①「検査・相談体制の充実」の位置づけ強化。
②個別施策層に対する検査について，目標設定の必要性を明記。
③地域における総合的な医療提供体制の充実。
④NGOなどとの連携の重要性を明記。

②**相談指導体制の充実**：電話相談，来所相談，ピアカウンセリングなど
③**検査指導体制の充実**：匿名・無料の抗体検査，夜間・休日の抗体検査の実施，検査前・検査後のカウンセリングなど
④**医療体制の充実**：協力病院の確保と相互連携，協力病院と一般医療機関のネットワーク化，医療従事者への意識啓発など
⑤**療養支援体制の整備**
⑥**調査・研究および国際協力の推進**

　保健師は，これらの施策が具体的に実行されるよう，学校・企業・医療機関などさまざまな関係機関と連携をとりながら，とくに正しい知識の普及・啓発，相談指導体制の充実，療養支援体制の整備に積極的に取り組んでいくことが期待されている。

3 学校との連携

　性に目ざめ，性的関心の高まる第二次性徴期の子どもたちに対し，性教育の一環として HIV 感染症・エイズについての取り組みが進められてきた。最近の若者の間にクラミジアや梅毒などの性感染症と 10 代の人工妊娠中絶が増加している現状から，若者の間で無防備な性行動が拡大していることが予想される。エイズの最大感染経路は性行為であり，最も適切な予防方法は性行為をしないことであるが，若者の行動をふまえると，現実的な予防方法はコンドームを正しく使用することである✚。思春期保健の一環として，自分たちの身体をまもるための大切な知識や，性感染症（エイズを含む）の予防方法とともにパートナーとの相互理解の必要性など，性に関する意思決定や行動選択についての能力の形成を促すことが重要である。

4 企業との連携

　1987（昭和 62）年に閣議決定された「エイズ問題総合対策大綱」に基づき，地域・職域などあらゆるルートを通じ，国をあげて啓発運動を展開することとされた。1995（平成 7）年に労働省（当時）が「職場におけるエイズ問題に関するガイドライン」を定め，事業所におけるエイズ問題に対する自主的な取り組みを促進することとした。同ガイドラインにおいては，労働者にエイズの正しい知識を提供し，適切な行動がとれるようなエイズ教育の必要性が示されている✚。

プラス・ワン

予防方法としてのコンドーム
「性感染症に関する特定感染症予防指針」（2000〔平成 12〕年）のなかで，コンドームは性感染症の予防方法として確実かつ基本的な効果をもっているとして推奨している。その後，2012（平成 24）年に改正された同指針では，コンドームだけでは防ぐことができない性感染症があること，正しい使い方などの情報の普及・啓発に努めることが重要としている。

エイズ教育の必要性
採用選考の際には HIV 検査は行わないこと，HIV 検査は本人の意思に基づいて受けること，検査の実施者は秘密の保持を徹底し，検査前および結果の通知に関して十分な説明やカウンセリングを行うこととしている。HIV に感染していても健康状態が良好である場合は処遇においてはほかの労働者と同様に扱い，HIV に感染していること自体は解雇の理由にならないことも「職場におけるエイズ問題に関するガイドライン」に明記されている。

4 腸管出血性大腸菌感染症

　腸管出血性大腸菌の感染によっておこる新興感染症である。腸管出血性大腸菌はベロ毒素を産生する。ベロ毒素を産生する大腸菌は O157 が最も多い。潜伏期間は 2〜14 日（通常 3〜5 日）であり，水溶性下痢と腹痛などを発症する。腸管出血性大腸菌感染症は経口感染であり，患者や保

C. 疾病管理

菌者の便からの二次感染もみられる。

日本では1996(平成8)年に，全国で爆発的な腸管出血性大腸菌感染症の集団発生がみられた。このときの原因は学校給食であった。1997年以降は散発的に発生している。乳幼児や高齢者の発症が多く，季節的には夏期に多い。

腸管出血性大腸菌感染症は，感染症法では3類感染症に位置づけられ，診断した医師はただちに患者および無症状病原体保有者を届け出る義務がある。

腸管出血性大腸菌感染症の集団発生を予防するためには迅速な公衆衛生的な対応が必要となる。現在では，保育所・学校・高齢者施設などの集団発生を予防するために，各県で腸管出血性感染症マニュアルを作成しているので，そのマニュアルに基づいて予防活動を行う。保健師は，学校・福祉施設・医療機関などと連携をとり，一般的な注意事項を伝えるとともに，感染が発生したときには，感染が拡大しないように，そして感染者やその家族が差別・偏見を受けないように，正しい知識や具体的な予防方法を伝える🞣。

プラス・ワン
腸管出血性大腸菌感染症の感染拡大の防止のための保健指導のポイント
①患者に対しては，隔離の必要性はない。糞便に対する注意と手洗いを徹底し，洗濯物や汚染物品は閉鎖的に処理する。
②家庭・施設に対しては，トイレのまわりはアルコール消毒や逆性石けん液で消毒する。
③菌陽性者の調理業務は禁止する。
④一般住民に対しては，正しい知識と手洗いの重要性を伝える。

5 肝炎

日本では，ウイルスによる肝炎(ウイルス性肝炎)が80％を占め，その原因となるウイルスの型から，A型・B型・C型・D型・E型の5種類が確認されている。このうち，B型・C型は慢性化しやすく，感染が持続する場合，慢性肝炎から肝硬変・肝がんへと進行する可能性がある。その特徴を**表7-7**に示す。持続感染の状態にある人は，発症者も含め持続感染者(キャリア)とよばれている。現在，ワクチンができているのは，A型とB型だけである。

プラス・ワン
肝炎訴訟と被害者の救済
● B型肝炎
1948～1988(昭和23～63)年における集団予防接種で注射器が連続使用されたことから，40数万人がHBVに持続感染した。この被害者が国に対して損害賠償を求めたB型肝炎訴訟は，2011(平成23)年に和解条件を定めた基本合意書が締結された。2012(平成24)年には，今後提訴する被害者への対応も含めて解決をはかるため**特定B型肝炎ウイルス感染者給付金等の支給に関する特別措置法**が施行された。
● C型肝炎
出産や手術での大量出血などの際にフィブリノゲン製剤や血液凝固第IX因子製剤を投与されたことによってC型肝炎ウイルスに感染した薬害事件があった。2008(平成20)年に厚生労働大臣と原告(C型肝炎感染被害者)との間に基本合意書が締結された。この年に成立した**特定フィブリノゲン製剤及び特定血液凝固第IX因子製剤によるC型肝炎感染被害者を救済するための給付金の支給に関する特別措置法**に基づいて，感染被害者には給付金が支給される。

a 日本における動向

厚生労働省による推計では，持続感染者(キャリア)数は300万人をこえ，国内最大の感染症ともいわれている。キャリアには，集団予防接種の際の注射器の連続使用によるB型肝炎ウイルス(HBV)への感染，特定の血液凝固因子製剤へのウイルスの混入によるC型肝炎ウイルス(HCV)への感染なども含まれている。現在は，感染被害者と国との和解が成立し，被害者への救済に関する法律も制定されている🞣。

1 B型肝炎

日本における新規HBV感染の原因は，母子感染(垂直感染)であることが多い。HBV🞣は，HCVと比べ感染力が強く，乳幼児期に感染すると体内ウイルスが持続的に存在しつづけるキャリアになる可能性が高い。

プラス・ワン

HBV の分類

HBV は，遺伝子型（ジェノタイプ）により 8 つに分類される。日本の HBV は水平感染からの慢性化がまれである遺伝子型（ジェノタイプ C）が多かった。欧米に多い遺伝子型（ジェノタイプ B）はおもに性行為で感染し，一部は慢性化することが明らかとなっている。日本でも報告例があり，今後，増加することが懸念されている。

表 7-7　B 型肝炎と C 型肝炎の特徴

	B 型肝炎	C 型肝炎
原因ウイルス	B 型肝炎ウイルス	C 型肝炎ウイルス
病原体の発見	1968（昭和 43）年	1988（昭和 63）年
検査方法の確立	1970（昭和 45）年	1989（平成元）年
献血時の検査開始	1972（昭和 47）年	1989（平成元）年
おもな感染経路	血液，血液を含む体液を介して感染 ・垂直感染（母子感染） ・水平感染（輸血などの医療行為，性感染，など）	
ワクチンの有無	あり	なし
キャリア数（推定）	約 110 万～120 万人	約 90 万～130 万人

キャリアの約 80～90％の患者は，無症候性キャリアとして，慢性肝炎を発症せず一生を終える。

2 C 型肝炎

現在，感染の危険性が高いと考えられているのは，薬物濫用者間の注射器のまわし打ち，入れ墨，適切な消毒をしていない器具によるピアスの穴あけなどである。HCV に感染すると，感染した年齢にかかわらず，キャリアとなる場合が多いといわれ，多くのキャリアが慢性肝炎を発症し，20～30 年かけて肝硬変や肝がんへと進行する。キャリアは 40 代で多くなり，年代が高くなるほどキャリアの率も高くなる傾向がある。

b 日本における肝炎対策

通常の生活では，多くの人々は，ウイルスを含む血液や体液に触れる機会は少ない。医療機関にかかった場合でも，輸血製剤や血液製剤の徹底したスクリーニング，医療器具の使い捨てや完全消毒の実施，医療機関における院内教育の徹底などにより，医療機関で新たに感染することは激減した。しかし，感染源であるウイルスが発見される前やそのウイルスの検査方法が発見される前の輸血や予防接種の経験がある場合は，感染している可能性を否定できない。

肝臓は「沈黙の臓器」といわれるように，感染してもすぐ発症せず自覚症状のないまま長期間推移し，慢性肝炎になっても本人が気づきにくい。そのため，感染の予防，早期発見，早期治療，キャリアの重症化防止などの対策が必要となる。過去の不幸な歴史を繰り返さないためにも，肝炎に対する正しい知識の普及や検査体制・治療体制の整備が行われている。肝炎対策のおもな経過を**表 7-8** に示す。

HBV は，幼児期の感染が問題となる。そのため，HBV キャリアの母親からの感染を防ぐ「**B 型肝炎母子感染防止対策**」が，1985（昭和 60）年度から実施された。これにより，母子間垂直感染によるキャリアの発症は

プラス・ワン

幼児期における HBV 感染防止

水平感染が大きな感染経路である場合，小児全員に HBV ワクチンを投与している国もある（ユニバーサルワクチネーション）。

C. 疾病管理

表 7-8　肝炎対策の経緯

年	事業名	おもな内容
1985（昭和60）年	B型肝炎母子感染防止対策	HBVキャリアの母親からの感染を防ぐ
2002（平成14）年	C型肝炎等緊急総合対策	肝炎ウイルス検査の導入
2007（平成19）年	新しい肝炎総合対策の推進について	肝炎ウイルス検査の実施，検査体制の強化，診療体制の整備
2008（平成20）年	肝炎総合対策（5本柱）	肝炎ウイルス検査の促進，インターフェロン治療の医療費助成など
	C型肝炎訴訟の基本合意書締結	
	「特定フィブリノゲン製剤及び特定血液凝固第Ⅸ因子製剤によるC型肝炎感染被害者を救済するための給付金の支給に関する特別措置法」の成立	
2010（平成22）年	肝炎対策基本法施行	
2011（平成23）年	肝炎対策の推進に関する基本的な指針	肝炎対策基本法により策定
	B型肝炎訴訟の和解	
2012（平成24）年	肝炎研究10か年戦略（〜2021〔令和3〕年度）	
	「特定B型肝炎ウイルス感染者給付金等の支給に関する特別措置法」の成立	
2022（令和4）年	肝炎研究推進戦略の開始	

劇的に減少した。近年は，性的接触による感染が増加しており，HIVとともに性感染症として予防教育が必要である。また，キャリアのパートナー，腎透析患者，医療従事者，救急隊員などはB型肝炎ワクチンを任意接種することで予防が可能である。

HCVについては，1989（平成元）年以降，C型肝炎治療の著しい進歩により，肝硬変や肝がんへの進展を抑えることが可能となってきている一方で，自覚症状がなく感染に気づいていない人が多数いることがわかってきた。そのため，C型肝炎対策は国民の健康にとって緊急の課題であると認識されるようになった。2002（平成14）年度からは，C型肝炎等緊急総合対策として，既存の各種健康診査体制（老人保健事業の基本健診，政府管掌健康保険などの生活習慣病予防健診など）を活用して，40歳以上の国民が自分自身のウイルスの有無を無料で調べることができる肝炎ウイルス検診を導入した。さらに，2007（平成19）年にまとめられた「**新しい肝炎総合対策の推進について**」を受けて，2008（平成20）年より**肝炎総合対策**が実施された。

2010（平成22）年より，**肝炎対策基本法**が施行された。この法律は，肝炎対策の基本理念を定め，国・地方公共団体・医療保険者・国民・医師の責務を明示し，肝炎対策の推進に関する基本指針の策定についてなど肝炎対策の基本を定めることにより，肝炎対策を総合的に推進することを目ざしている。

2012（平成24）年度より**肝炎研究10か年戦略**が行われ，B型肝炎創薬実用化の研究などが総合的に推進された。WHOが公衆衛生上の脅威としての肝炎ウイルスの排除達成を2030年までの目標として掲げている

プラス・ワン

肝炎検診の受診促進策
2011（平成23）年度から，個々のニーズに応じた検診（出張型検診や個別勧奨メニューなど），職場への協力要請など，多くの人々が検診を受けられるような対策が強化されている。

肝疾患診療連携拠点病院の整備
肝炎診療についての地域格差を是正するため，2007（平成19）年，「都道府県における肝炎検査後肝疾患診療体制に関するガイドライン」により，肝疾患診療の中心的な役割を果たす肝疾患診療連携拠点病院が各都道府県に原則1か所設置されることとなった。2023（令和5）年1月現在，47都道府県で72拠点病院がある。

こともふまえ，この戦略は2022(令和4)年度からは**肝炎研究推進戦略**に引き継がれ，研究の推進がはかられている。

　上記した肝炎対策を推進していくうえで，保健師には，肝炎ウイルス検査の受検勧奨や要診療者に対する受診勧奨の方法および肝炎に関する既存制度の活用方法を習得した人材(**肝炎医療コーディネーター**)として活躍することが期待されている。

●参考文献
- 青木正和著・森亨追補：医師・看護職のための結核病学1(基礎知識)，平成24年改訂版．結核予防協会，2012．
- 青木正和・森亨追補：医師・看護職のための結核病学4，平成25年改訂版．結核予防協会，2013．
- 青木正和・森亨追補：医師・看護職のための結核病学5(予防)，平成26年改訂版．結核予防協会，2014．
- 赤林朗・児玉聡：入門・医療倫理3――公衆衛生倫理．勁草書房，2015．
- 加藤誠也監修，阿彦忠之編：感染症法に基づく結核の接触者健康診断の手引きとその解説，令和4年改訂版．結核予防会，2022．
- 厚生労働省エイズ動向委員会：令和5(2023)年エイズ発生動向年報(1月1日〜12月31日)．2024．
- 厚生労働省：2023年結核登録者情報調査年報集計結果について．2023．
- 厚生労働統計協会編：国民衛生の動向2023/2024年版．厚生の指標増刊70(9)，2023．
- 斉藤富美代：COVID-19対策を通した地域づくりと保健師の役割，保健師ジャーナル，77(6)，454-459，2021．
- 中島秀喜：感染症のはなし――新興・再興感染症と闘う．朝倉書店，2012．
- 日本公衆衛生看護学会災害・健康危機管理委員会：第11回日本公衆衛生看護学会学術集会 災害・健康危機管理委員会ワークショップ報告　COVID-19積極的疫学調査における保健師の役割と必要な技術，日公衆衛生看護学会誌，12(1)，77-85，2023．
- 日本公衆衛生看護学会災害・健康危機管理委員会：COVID-19における公衆衛生看護活動の課題と対応，必要とされた技術，日公衆衛生看護学会誌，12(1)，63-76，2023．
- 渡邉治雄：新興・再興感染症の現状と課題．公衆衛生79(7)：438-443，2015．

歯科口腔保健活動

歯科口腔保健の動向

> **POINT**
> - 日本における歯科口腔保健活動の流れを理解する。
> - 歯科口腔保健について多職種との連携の重要性を理解する。
> - 日本の歯科口腔状態およびその評価指標を理解する。

1 歯科口腔保健の理念と変遷

a 歯科口腔保健における啓発活動

1928(昭和3)年に日本歯科医師会は「む(6)し(4)」歯にちなみ,6月4日を「**虫歯予防デー**」と定め,啓発活動を開始した。この活動は,第二次世界大戦によって一時中断したものの,1958(昭和33)年からは,毎年6月4日から10日までを「**歯の衛生週間**」として実施されている。また1952(昭和27)年には,厚生省(現厚生労働省)と日本歯科医師会主催による「母(現在は「親」に変更)と子のよい歯のコンクール」が始まり,現在も継続実施されている。

厚生省と日本歯科医師会は,1989(平成元)年からは高齢者に注力し「**8020運動**」(80歳になっても20本以上自分の歯を保とう)を展開し,この運動推進の一環として1993(平成5)年には,11月8日を「い(1)い(1)歯(8)」の日とした。また2018(平成30)年には,日本歯科医師会から高齢化社会に対応した**オーラルフレイル**の周知を目的としたリーフレットが配布された。2020(令和2)年には,高齢者の保健事業と介護予防の一体化の実施に向けた「通いの場で活かすオーラルフレイル対応マニュアル」が発表された。

> **プラス・ワン**
> **オーラルフレイル**
> 2014(平成26)年,日本老年医学会は虚弱(frailty)のことを「フレイル」とよぶことを提唱した。オーラルフレイルは,2013(平成25)年度厚生労働省老人保健健康増進等事業「食(栄養)および口腔機能に着目した加齢症候群の概念の確立と介護予防(虚弱化予防)から要介護状態に至る口腔ケアの包括的対策の構築に関する研究」で設置されたワーキンググループにより提唱された。
> その定義は「老化に伴う様々な口腔の状態(歯数・口腔衛生・口腔機能など)の変化に,口腔健康への関心の低下や心身の予備能力低下も重なり,口腔の脆弱性が増加し,食べる機能障害へ陥り,さらにはフレイルに影響を与え,心身の機能低下にまで繋がる一連の現象及び過程」である。

b 歯科口腔保健における法的な整備

歯科口腔保健に関連する法律には地域保健法と健康増進法があり,また歯科健康診査については母子保健法が,そして2011(平成23)年に制定された**歯科口腔保健の推進に関する法律**(歯科口腔保健法)がある。

地域保健法では,第6条で保健所が行う事業の1つとして歯科保健に関する事項(第9項)が規定されている。**健康増進法**では,第7条で「国民

プラス・ワン

健康日本21(第三次)における歯科口腔保健の目標

「健康日本21(第二次)」を引き継いで2024年度から開始される「健康日本21(第三次)」では、歯科口腔保健分野として、次の目標が設定されている。①歯周病を有する者の減少、②よくかんで食べることができる者の増加、③歯科検診の受診者の増加。

歯科口腔保健法の目的

同法の目的は、「口腔の健康が国民が健康で質の高い生活を営む上で基礎的かつ重要な役割を果たしているとともに、国民の日常生活における歯科疾患の予防に向けた取組が口腔の健康の保持に極めて有効であることに鑑み、歯科疾患の予防等による口腔の健康の保持の推進に関し、基本理念を定め、並びに国及び地方公共団体の責務等を明らかにするとともに、歯科口腔保健の推進に関する施策の基本となる事項を定めること等により、歯科口腔保健の推進に関する施策を総合的に推進し、もって国民保健の向上に寄与すること」(第1条)とされている。

の健康の増進の総合的な推進を図るための基本的な方針」(基本方針)について規定しており、この方針で定める事項のなかに「食生活、運動、休養、飲酒、喫煙、歯の健康の保持その他の生活習慣に関する正しい知識の普及に関する事項」(第6項)がある。またこの基本方針により「健康日本21」が規定されており、**健康日本21(第三次)** では「歯・口腔の健康」について3項目の目標値が設定された。

母子保健法では、第10条「保健指導」により、市町村に、妊産婦もしくはその配偶者または乳児・幼児の保護者に対して、医師・歯科医師・保健師などの保健指導を受けることを勧奨する義務を規定している。また、第12条「健康診査」により、市町村に1歳6か月～2歳および3歳～4歳の幼児に対して健康診査を実施する義務を規定しており、これら健康診査の項目のなかに「歯及び口腔の疾病及び異常の有無」(母子保健法施行規則第2条第5項)が示されている。

歯科口腔保健法は歯科口腔保健を推進する施策の基本を定め、総合的に推進をはかるものであり、同法第2条ではその基本理念として次の3つが示されている。①国民が、生涯にわたり、日常生活で歯科疾患の予防を行い、歯科疾患の早期発見・早期治療を促進すること、②乳幼児期～高齢期の各時期における口腔とその機能の状態や歯科疾患の特性に応じ、適切かつ効果的に歯科口腔保健を推進すること、③保健・医療・社会福祉・労働衛生・教育などの関連施策の有機的な連携をはかり、関係者の協力を得て、総合的に歯科口腔保健を推進することである。

歯科口腔保健法第12条に基づき、歯科口腔保健の推進に関する基本的事項(以下、基本的事項)が策定され目標と目標値が設定された。基本的事項は、2022(令和4)年度に見直しが行われ、5つの目標「歯・口腔に関する健康格差の縮小」「歯科疾患の予防」「生活の質の向上に向けた口腔機能の獲得・維持・向上」「定期的な歯科検診又は歯科医療を受けることが困難な者に対する歯科口腔保健」「歯科口腔保健を推進するために必要な社会環境の整備」と、合計17項目の目標値が設定された(**表8-1**)。

都道府県・市区町村では、基本的事項を参考に歯科口腔保健計画の策定や、さまざまな事業が実施されている。地域における歯科口腔保健活動の展開には、歯科疾患だけに焦点をあてるのではなく、他疾患の共通リスク要因とあわせたアプローチが有効かつ合理的である。それは、口腔の健康が全身に及ぼす影響として、歯周病が糖尿病や動脈硬化の進行促進要因となる可能性や、認知症をはじめとする脳機能やADLと関連していること、食品摂取状況・栄養摂取状態など栄養と歯科口腔の状態との密接な関連などが報告されているからである。このような経緯からWHOはコモンリスクファクターアプローチ(共通リスク要因アプローチ)の考え方を提唱している(**図8-1**)。

表 8-1 歯科口腔保健の推進に関する基本的事項(第2次)」(歯・口腔の健康づくりプラン)の目標

項目	目標	指標	目標値
歯・口腔に関する健康格差の縮小	歯・口腔に関する健康格差の縮小によるすべての国民の生涯を通じた歯科口腔保健の達成		
	歯・口腔保健に関する健康格差の縮小	・3歳児で4本以上の齲蝕のある者の割合	0%
		・12歳児で齲蝕のない者の割合が90%以上の都道府県数	25都道府県
		・40歳以上における自分の歯が19歯以下の者の割合	5%
歯科疾患の予防	齲蝕の予防による健全な歯・口腔の育成・保持の達成		
	齲蝕を有する乳幼児の減少	・3歳児で4本以上の齲蝕のある者の割合(再掲)	0%
	齲蝕を有する児童・生徒の減少	・12歳児で齲蝕のない者の割合が90%以上の都道府県数(再掲)	25都道府県
	治療していない齲蝕を有する者の減少	・20歳以上における未処置歯を有する者の割合	20%
	根面齲蝕を有する者の減少	・60歳以上における未処置の根面齲蝕を有する者の割合	5%
	歯周病の予防による健全な歯・口腔の保持の達成		
	歯肉に炎症所見を有する者の減少	・10代における歯肉に炎症所見を有する者の割合	10%
		・20代〜30代における歯肉に炎症所見を有する者の割合	15%
	歯周病を有する者の減少	・40歳以上における歯周炎を有する者の割合	40%
	歯の喪失防止による健全な歯・口腔の育成・保持の達成		
	歯の喪失の防止	・40歳以上における自分の歯が19歯以下の者の割合(再掲)	5%
	より多くの自分の歯を有する高齢者の増加	・80歳で20歯以上の自分の歯を有する者の割合	85%
生活の質の向上に向けた口腔機能の獲得・維持・向上	生涯を通じた口腔機能の獲得・維持・向上の達成		
	よくかんで食べることができる者の増加	・50歳以上における咀嚼良好者の割合	80%
	より多くの自分の歯を有する者の増加	・40歳以上における自分の歯が19歯以下の者の割合(再掲)	5%
定期的な歯科検診または歯科医療を受けることが困難な者に対する歯科口腔保健	定期的な歯科検診または歯科医療を受けることが困難な者に対する歯科口腔保健の推進		
	障害者・障害児の歯科口腔保健の推進	・障害者・障害児が利用する施設での過去1年間の歯科検診実施率	90%
	要介護高齢者の歯科口腔保健の推進	・要介護高齢者が利用する施設での過去1年間の歯科検診実施率	50%
歯科口腔保健を推進するために必要な社会環境の整備	地方公共団体における歯科口腔保健の推進体制の整備		
	歯科口腔保健の推進に関する条例の制定	・歯科口腔保健の推進に関する条例を制定している保健所設置市・特別区の割合	60%
	PDCAサイクルにそった歯科口腔保健に関する取り組みの実施	・歯科口腔保健に関する事業の効果検証を実施している市町村の割合	100%
	歯科検診の受診の機会および歯科検診の実施体制等の整備		
	歯科検診の受診者の増加	・過去1年間に歯科検診を受診した者の割合	95%
	歯科検診の実施体制の整備	・法令で定められている歯科検診を除く歯科検診を実施している市町村の割合	100%
	歯科口腔保健の推進等のために必要な公共団体の取組の推進		
	齲蝕予防の推進体制の整備	・15歳未満でフッ化物応用の経験がある者の割合	80%

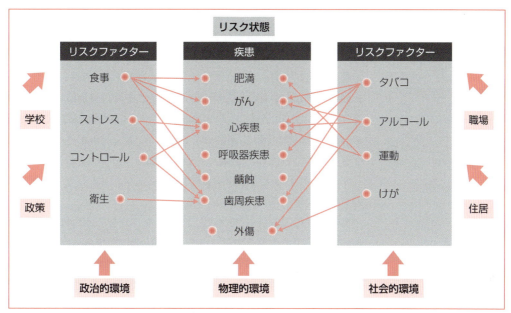

図 8-1 コモンリスクファクターアプローチ

2 歯科口腔保健に関する統計

プラス・ワン

歯科疾患実態調査
この調査の目的は，歯科保健状況を把握し，8020 運動（歯科保健推進事業など）のさまざまな対策の効果についての検討や，「健康日本 21」において設定した目標の達成度などの判定を行い，今後の歯科保健医療対策の推進に必要な基礎資料を得ることである。
1957（昭和 32）年より 6 年ごとに実施されている。

歯科口腔保健に関する全国的なデータは，毎年実施される国民健康・栄養調査（厚生労働省）や，5 年に 1 度実施される歯科疾患実態調査、毎年実施の学校保健統計調査（文部科学省）から得られる。2016（平成 28）年に実施された歯科疾患実態調査結果を中心に歯科口腔保健の現状を述べる。

a 歯や歯茎の状態

1 乳幼児期・学齢期

乳幼児期を代表する歯科口腔保健の課題は 3 歳児の齲蝕である。2016（平成 28）年の 1 人平均齲歯数は 1.0 本で，1993（平成 5）年 3.2 本，1999（平成 11）年 2.1 本で，2005（平成 17）年 0.9 本と減少した。3 歳児における齲蝕をもつ者の割合は 1993（平成 5）年の 59.7％から段階的に減少し，2005（平成 17）年に 24.4％と半分以下となり，2016（平成 28）年には 8.6％と着実に減少している。

学齢期では 12 歳児の齲蝕を代表的な指標としている。2022（令和 4）年の学校保健統計調査では，齲歯がない者の割合は，74.2％であった。

2 成人期・高齢期

成人期では，年齢別の歯肉出血を有する者の割合と 4 mm 以上の歯周

プラス・ワン

歯周ポケット

健康な歯ぐき（歯肉）と歯のすきま（歯周ポケット）の深さは1～2mm程度だが，歯周ポケットにプラーク（歯垢）がたまり，プラークの細菌により歯肉が炎症をおこし，はれる（歯肉炎）と，歯周ポケットが深くなる。進行すると歯を支える歯槽骨がとけ，歯がぐらぐらする歯周炎となる。歯肉炎と歯周炎を合わせて歯周病という。

ポケット✛を有する者の割合に注目される。2022（令和4）年の歯科疾患実態調査では，歯肉出血を有する者の割合について，40代は50％をわずかに上まわっていた。また4mm以上の歯周ポケットを有する者の割合は，年齢とともに上昇し25歳以上で30％を上まわり，65歳以上で50％を上まわる。4mm以上の歯周ポケットを有する者の割合について年次推移でみると，2016（平成28）年調査まですべての世代において増加傾向であったが，2021（令和3）年調査では20～69歳で改善がみられた。喪失歯を有する者の割合は，年齢とともに増加し40代では30％以上である。しかし，1人平均喪失歯数は40代までは1本を下まわり，40代以降においても，経年的に減少傾向にある。

　高齢期では，80歳で20本以上の歯を有する者の割合は，2022（令和4）年の歯科疾患実態調査では51.6％であり，38.3％であった2011（平成23）年以降，改善傾向が顕著である。1人平均の歯数の増加に伴い，65歳以上の齲歯をもつ者の割合は，経年で増加傾向である。すなわち，65～74歳では，1993（平成5）年に76.9％であったが，1999（平成11）年は83.7％となり，2011（平成23）年は91.9％，2022（令和4）年は96.6％であった。

　口腔インプラントは25歳以上から装着者がみられ，最も多いのは70～74歳の5.9％である。

b 歯科口腔保健行動の状況

　2022（令和4）年の歯科疾患実態調査では，毎日歯をみがく者の割合は97.4％で，前回より微増である。毎日2回以上みがく者の割合は増加傾向にあり，2022（令和4）年の同調査では79.2％であった。デンタルフロスや歯間ブラシを使用している者は，ほぼすべての年代で女性が男性を上まわっていた。35～79歳の年齢階級の女性におけるデンタルフロスや歯間ブラシを使用する人の割合は60％をこえ，50～59歳では76.8％であった。齲歯予防に効果のあるフッ化物を利用した，フッ化物塗布経験者の割合も経年的に増加し，2011（平成23）年は42.0％であったが，2016（平成28）年の同調査以降約60％である。

　また国民・健康栄養調査において，過去1年間に歯科検診を受けた者の割合が，2009（平成21）年33.8％，2012（平成24）年47.0％，2016（平成28）年51.5％と増加し，これは各世代で同じ傾向であった。またこの割合は，年齢とともに上昇していた。

● 参考文献
・厚生労働省：歯科疾患実態調査.（https://www.mhlw.go.jp/toukei/list/62-17b_ro4.pdf）（参照2024-08-30）

B 歯科口腔の健康の保持と歯科保健活動

- ライフサイクル・健康レベルに応じた歯科保健対策の特徴を理解する。
- 歯科疾患・口腔機能・嚥下機能の予防について理解する。
- 在宅療養者の口腔疾患予防について理解する。

1 ライフサイクル・健康レベルに応じた歯科保健対策

ライフサイクルに応じた歯科口腔保健事業は，歯科口腔保健法のもと，母子保健法，学校保健安全法，労働安全衛生法，健康増進法あるいは高齢者の医療の確保に関する法律などの各種法律との整合性を保ちながら実施されている。また，近年は，介護保険法における介護予防事業の一環として，歯科口腔保健と関連する内容が実施されている。

歯科口腔保健活動に携わる専門職は，歯科医師と歯科衛生士だけではなく，保健師(看護師)も重要な位置を占める。実際，地域保健事業として母子保健や成人・高齢者保健における歯科口腔保健活動に携わる保健所と市区町村職員の配置状況をみると，2021(令和3)年度末時点で総数約6万人の常勤職員のうち保健師がその45.9%(2万7979人)を占めているのに対して，歯科医師は121人(0.2%)，歯科衛生士は718人(1.2%)にすぎない。また，産業保健における歯科口腔保健指導は，従来より保健師や看護師によって実施されてきており，看護職は歯科保健に大きくかかわっている。

a 妊産婦・乳幼児

1 妊産婦

妊産婦は女性ホルモンの急激な増加による口腔環境の変化や，「つわり」による嗜好の変化や歯みがきの困難などによって，齲歯や歯周病になりやすい。歯周病に罹患した妊婦の早産，低体重児出産に対する危険率は2倍以上であり，早産・低体重児出産に対する危険率は4倍をこえる。しかし，妊産婦健康診査受診者に対し，歯科健康診査受診者の割合は約6%にすぎない。

プラス・ワン

乳幼児と妊産婦の歯科健康診査体制の整備

1994(平成6)年の母子保健法の改正により，1歳6か月児・3歳児を対象としている乳幼児の歯科健康診査に加え，妊産婦が対象の歯科健康診査・保健指導の実施体制が整備された。

② 乳幼児

　乳歯は，一般的には生後6か月ごろから萌出が始まり2歳6か月ごろまでにはすべての乳歯20本がはえそろい，3歳ごろに乳歯列が完成する。乳歯齲蝕の要因は，卒乳時期の遅れ，甘い味を覚えた時期とその摂取量などがあり，生活習慣とおおいに関連している。地域における歯科保健活動では，生活習慣の改善に主眼をおいたプリシード-プロシードモデルを利用した取り組みが多くみられ，3歳児の1人平均df歯数✚の減少といった効果がみられた。一般的にポピュレーションアプローチの効果発現には年月を要するが，乳幼児の取り組みは，乳歯がはえてくる0歳児から歯列が完成する3歳までの約3年間という短期間で効果があらわれるという特徴がある。

　歯は萌出時が最も口腔内常在菌による酸に弱く，齲蝕になりやすい。歯質強化のためには，フッ化物の利用✚が有効である。多くの市区町村においてフッ化物塗布事業が実施されている。フッ素塗布の効果を期待するならば歯科医院での定期的な塗布が必要である。

　保育所，認定こども園などでの集団を対象とした齲蝕予防法としてフッ化物洗口法がある。2022（令和4）年に厚生労働省より示された「フッ化物洗口の推進に関する基本的な考え方」と「フッ化物洗口マニュアル」によると，フッ化物洗口法の効果が大きい年齢は4～14歳であり，4歳未満は洗口液の誤飲のリスクから対象としない。齲蝕は地域や社会集団による健康格差がみとめられることからフッ化物洗口が推進されている。しかし，2018（平成30）年の保育所など・認定こども園・幼稚園における施設実施率✚をみると，都道府県格差は大きい。

プラス・ワン

齲蝕罹患の指標（齲蝕スコア）

齲蝕罹患の状況の指標（齲蝕スコア）は代表的なものとして，未処置歯（D），処置歯（F），喪失歯（M）の総数から導きだされた1人平均齲蝕数（DMFT指数）や，D・M・Fのいずれか1つ以上有する者の齲蝕有病者率であらわすことが多い。
乳歯の場合はアルファベットの小文字 d, f で表現され，1人平均齲蝕数（df歯数，dft指数）であらわす。

フッ化物の利用法

フッ化物の利用法は，塗布だけでなく，歯磨剤，洗口が日本では一般的であるが，海外においては水道水，塩やミルクへ添加したものもある。

フッ化物洗口法の施設実施率

2018（平成30）年の保育所など・認定こども園・幼稚園におけるフッ化物洗口法の施設実施率は全国平均で18.4%である。これを都道府県別にみると，70%をこえる佐賀県，長崎県，新潟県に対して東京都，神奈川県，栃木県，大阪府，徳島県，福岡県は1%未満であり，地域格差が大きい。

実践場面から学ぶ：母子歯科保健の企画

■事例紹介

　「3歳児の齲蝕が隣町より多いなぁ」とA町の保健師は気づいた。3歳児の齲蝕の原因は，歯みがきだけでなく，食生活などが影響していることがわかっている。では，A町の0～3歳児は，どのような食生活を送っているのだろうか。また子どもの健康についての保護者の知識や態度，価値観はどのようなもので，なんの影響を強く受けているのだろうか。保健師は次々に疑問がわいた。

　1歳6か月児と3歳児の健康診査で歯科担当の町内の歯科医師や記録・指導担当の在宅歯科衛生士に聞いても，個々の子どもの問題は指摘できるが，町全体としての問題ははっきりとはわからない。それでは，「全体を把握する」ために「なにをするのか」。それをコーディネートできるのは自治体職員として町の保健事業全体にかかわっている保健師，すなわち自分であると気づいた。

●ポイント①：ニーズの把握・共有のために行う保健師の役割

　母子歯科保健においても地域把握のための質問紙が開発されているが，その調査は「いつ」「どこで」「誰に」「どうやって」実施したらよいだろうか。保育園で，健診の場で，歯科医院など，保護者を含めた関係者が「集まる」場において（なければ設定するところから），みんなで議論し進めていくことが重要である。地域の特徴やいろいろな人々を知っていて，そこへアウトリーチできるのが保健師である。質問紙調査の結果から見える地域のニーズを関係者で共有する場合にも，「集まる」場を設け，関係者みんなで話し合うことで，おのずと個々人の役割が見えてくる。調査結果の伝え方として，プリントやプレゼンテーション資料をつくるのか，作成する場合はどのようなものをつくるのか，歯科の専門的な内容に熟知していなくても，保健師としてできること・しなければならないことは多い。

　事例では，質問紙調査の結果からA町の歯科保健指導として保健師・歯科衛生士・管理栄養士がそれぞれになを伝えていくのか役割分担が明確になった。他職種の保健指導内容をみて，重複があっても，もれがないようにしながら，町の特徴に合わせた歯科保健指導内容を組みたてることにした。

●ポイント②：保健師だからできる歯科保健の企画を

　妊婦は歯肉炎になりやすいため，両親学級などの場での歯科医師・歯科衛生士による講話・指導や，妊婦対象歯科健診の実施が有効である。一方，妊婦に対して乳児の齲歯の話をしても，目の前の身体の変化や出産準備に追われている妊婦は忘れてしまうことが多い。保健指導はタイミングが重要であり，早すぎてもよくない。タイムリーな内容の保健指導が実施できるような企画づくりは保健師の役割である。

　歯科保健指導において，保健師はヘルスプロモーションの「調停」の場面で「唱道」していることが多いであろう。「能力の付与」としてのいわゆる歯みがき指導は歯科衛生士にまかせ，保健師の役割としては生活習慣の改善の支援に取り組むことが重要である。

b 児童・生徒

　児童・生徒に対して学校保健安全法により健康診断が実施されており，そのうち歯・口腔の検査については齲蝕や歯肉炎の有無，歯垢・歯石の付着状況，歯列・咬合の状態そのほかの疾病・異常である。

　2018（平成30）年度の学校におけるフッ化物洗口法の施設実施率は小学校25.1％，中学校10.9％，特別支援学校7.9％で，全国平均は19.0％であった。また人数実施率はそれぞれ17.0％，5.7％，6.2％であった。

c 労働者

　厚生労働省「歯科健康診査推進等事業」により事業場において歯科健診・保健指導を受けた者に対して実施したアンケート調査によれば「満足」「やや満足」は86.8％と高いが，この歯科健康診査は法的な義務づけはない。労働安全衛生法第66条に基づき実施される歯科医師による歯科健康診断に関しては有害な業務に従事する労働者と限定されている（同条第3項）。有害な業務に従事する者とは塩酸，硝酸，硫酸，亜硫酸，フッ化水素，黄リンその他，またはその支持組織に有害な物のガス・蒸気または粉塵を発散する場所に従事する者のことである（労働安全衛生規則第48条）。これらの有害物質により酸蝕症✚がみられることがあるためである。

　「事業場における労働者の健康保持増進のための指針」（THP指針）（2021〔令和3〕年度改訂）に基づき，事業場が健康の保持・増進対策に取り組む参考となるようにポイントやノウハウ，事例を提示した「職場における心とからだの健康づくりのための手引き」（以下，手引き）が作成されている。この手引きでは，事業場外資源の1つとして歯科専門職が位置づけられており，事業場外資源を活用することや，社会的ニーズの高まりとして口腔保健の重要性が指摘されている✚。

d 成人・高齢者

　市区町村では，健康増進法を根拠として40歳，50歳，60歳および70歳の節目の者を対象とした歯周疾患検診を実施している。「2021（令和3）年度地域保健・健康増進事業報告」によると，歯周疾患検診の実施率は79.4％であり，年々増加している。受診者における各指導区分の割合は，要精検者66.5％，要指導者23.0％であった。かかりつけ歯科医をもち定期的に歯科医院での健康診査を受けている者が，この歯周疾患検診を受診しているとは考えにくく，この受診が歯科医院での定期健診受診のきっかけとなることが期待される。

　高齢者の，歯周疾患を起因とする細菌性心内膜炎・動脈硬化症などの悪化，口腔機能低下による誤嚥性肺炎などを予防するため，2014（平成26）年度から後期高齢者医療広域連合における歯科健診に国庫補助が実施されている。

　「後期高齢者を対象とした歯科健診マニュアル」（厚生労働省，2018〔平成30〕年）によると，現在歯数，咀嚼機能，舌・口唇機能，嚥下機能の低下が，全身の身体機能障害や死亡リスクなどを有意に高めるため，「咀嚼機能」「舌・口唇機能」「嚥下機能」など口腔機能に関する健診を行うことが望ましいとされている✚。

✚ プラス・ワン

酸蝕症
酸のガスやミストが歯の表面に直接作用することによって，表面が脱灰し，進行すると実質欠損をきたすものである。好発部位は下顎の中切歯・側切歯の唇側面で，左右対称にみられることが特徴である。また，レモンなどの柑橘類や酸性飲料の多量摂取，胃腸障害や摂食障害による嘔吐の繰り返し（胃液の逆流）によっても生じることがある。

労働者の高齢化を見すえた取り組み
「職場における心とからだの健康づくりのための手引き」では，健康保険組合などの医療保険者と事業場とが連携したコラボヘルスの推進事例として，健康保険組合からの歯科健診費用の補助の例が示されている。この事例は，労働者の高齢化を見すえた取り組みとして紹介されている。

健診における口腔機能の情報収集
「後期高齢者を対象とした歯科健診マニュアル」では，口腔機能の低下や全身疾患のリスクの高い高齢者を抽出するために，歯科健診の問診などで情報を収集する意義を示している。その情報とは，口腔機能と関連する服薬や生活の状況，低栄養や誤嚥性肺炎を示す体重減少や発熱の有無などの「健康状態」などである。

2 歯科口腔の健康の保持と歯科保健活動

a 齲蝕の予防

3歳児の齲蝕有病者率を自治体別にみると東北や九州が高い傾向があり，地域格差が生じている。この背景には，地域の社会経済・文化・環境などが人々の行動を左右し，齲蝕の発症にも影響を及ぼすことがある。たとえば，糖類の消費量が多い地域は齲蝕が多い。また兄弟姉妹の数が多い家庭において年齢が下の弟妹は齲蝕を発生しやすい。

高齢者も20本以上の歯を有する現代においては，生涯を通じて齲蝕を発症する可能性があり，歯周疾患によって歯の根面が露出した部分に齲蝕（歯根面齲蝕）を発症することが多くなる。

歯ブラシの届く場所の齲蝕はブラッシングで予防できるが，最も齲蝕になりやすい部位はブラッシングだけでは予防しきれない。齲蝕原性細菌が飲食中の糖分を発酵して有機酸を産出するのを防ぐため，①糖分の摂取制限や，齲蝕抵抗性（耐酸性の獲得，結晶性の向上，再石灰化の促進）を高めること，②フッ化物の利用，そして小窩裂溝を物理的に埋めること，③シーラント（小窩裂溝填塞）を組み合わせて実施することである。また齲蝕予防効果がある甘味料はキシリトールとソルビトールだけである。

1 糖分の摂取制限

WHOはガイドライン「成人及び児童の糖類摂取量」(2015年)により，1日あたり遊離糖類摂取量を，エネルギー総摂取量の10%未満に減らすようすすめており，これにより，過体重・肥満・齲歯のリスクを減らせるとしている。

また2023（令和5）年にWHOは，減量目的で人工甘味料を含む非糖質系甘味料（NSS）を使用しないことを推奨するガイドラインを発表した。このガイドラインは，歯みがき剤に含まれている非糖質系甘味料（NSS）には適用されない。

2 フッ化物の利用

フッ化物の利用は，経口的に摂取されたフッ化物を歯の形成期にエナメル質に作用させる全身応用（ミルク，塩，水道水への添加など）と，フッ化物を直接歯面に作用させる局所応用がある。局所応用は，歯科医師，あるいは歯科医師の指導のもと歯科衛生士によるフッ化物塗布，フッ化物による洗口，フッ化物配合歯磨剤の使用がある。

プラス・ワン

糖類
遊離糖類とは単糖類（グルコース・フルクトースなど）と二糖類（スクロース・食卓砂糖など）である。蜂蜜・果汁など天然に存在しているものも遊離糖類であるが，このガイドラインでは，生鮮果実・野菜中や乳中などに天然に存在する糖を対象に含めていない。

非糖質系甘味料
非糖質系甘味料は，アセスルファムK，アスパルテーム，サッカリン，スクラロース，ステビアなどである。

b 歯周疾患予防

　歯周病の直接の原因は歯垢に含まれる細菌のため，ブラッシングの状況によりおこりやすさが異なる。喫煙者は非喫煙者と比較し歯周病に3倍以上罹患しやすく，糖尿病患者も歯周病が進行しやすい。歯周炎の炎症部位からサイトカインの血中放出がみとめられ，糖尿病を悪化させるといわれており，糖尿病患者には歯科検診がより推奨される。金属やプラスチック製の補綴物と歯の間に段差やすきまがあると歯垢が付着しやすくなり，歯周病を悪化させる原因の1つとなる。

　歯周病の予防は，個人が主体となって行うセルフケアとして，歯垢除去を目的としたブラッシングや歯間ブラシやデンタルフロスを用いた歯間清掃が有効である。一方で，歯列や補綴物の状況によって，個人ごとに歯周病に罹患するリスクが異なるため，定期的に歯科検診とブラッシング指導などを受けることが重要となる。また，歯石はセルフケアでは対処できないため，歯科医院における専門家からのケア（プロフェッショナルケア）が必要となる。

c 口腔機能・嚥下機能の低下の予防

1 オーラルフレイル

　後期高齢者が要介護状態となる原因に，サルコペニアやフレイルがある。これらは低栄養と関係しており，フレイル予防の3つの柱の1つに「口腔機能と栄養」がある。

　老化に伴って口腔機能が低下すると，食べられる食物の種類や量が制限され食事の質がわるくなる。口腔の状態の変化に，口腔の健康への関心の低下や心身の予備能力低下が重なり，食べるという機能の障害に陥り，さらには心身の機能低下にまでつながる一連の現象・過程をオーラルフレイルという。口腔機能が低下している者は，低下していない者に比べて身体的フレイル，サルコペニア，要介護状態，死亡の新規発生リスクがおのおの2倍以上と報告されている。オーラルフレイルに相当する保険診療上の疾患名として口腔機能低下症✚がある。

2 口腔機能の回復ための支援

　高齢者の場合，脳血管疾患などによる障害のため，摂食嚥下機能の低下や口腔衛生の不良な状態がおこり，低栄養や誤嚥性肺炎，あるいは窒息といった死亡と直結する重大な事態をまねく可能性がある。摂食嚥下障害への評価や対応には，主治医，言語聴覚士などとの連携が必要である。

　口腔機能の回復には，適切な補綴物（義歯やブリッジなど）の装着があ

✚ プラス・ワン

口腔機能低下症
口腔機能低下症の診断には7つの検査項目がある。すなわち，①口腔衛生状態不良，②咬合力低下，③咀嚼機能低下，④舌口唇運動機能低下，⑤口腔乾燥，⑥低舌圧，⑦嚥下機能低下で，これらのうち3つ以上が該当した場合に，治療対象となる。

るが，義歯を新調し装着しただけでは食事内容の改善はみられず，あわせて栄養指導を実施した場合に改善がみられたことが報告されている。歯科医療の現場では，管理栄養士との協働が期待されている。

d 在宅療養者の口腔疾患の予防

在宅療養者とくに障害者〔児〕，難病患者は，本人の口腔衛生への関心の低下，口腔内愁訴が的確に表現されないこと，身体的な制限があることなど，良好な口腔衛生状態を保持するうえでの阻害要因がある。一般の人々より広範囲に歯垢が付着し，歯周疾患や口臭がみとめられることも少なくない。そのため，本人の口腔清掃だけでは不十分で，介護者による口腔清掃支援が不可欠である。

また，歯科医療専門職のアセスメントとそれに基づく個別指導は重要であるが，痛みや不快といった口腔内愁訴が的確に表現されないため，歯科医療以外の医療専門職による口腔観察も異常の早期発見に有効である。異常に気づいた場合には重症化予防のために早期の歯科医療受診を促すことが重要である。

このようにリスクが高い状況にある在宅療養者の口腔管理は，かかりつけ歯科医により専門的かつ継続的に実施される必要がある。かかりつけ医をもたない者に対しては，保険診療による歯科訪問診療や訪問歯科衛生指導が受診できるよう，歯科医療機関につなげる取り組みが必要である。

在宅療養者の日常の歯みがきには，齲蝕発生予防効果が確認されているフッ化物配合歯磨剤の利用が効果的である。フッ化物配合歯みがき剤は，ジェルタイプや泡タイプも市販されている。使用する歯ブラシの選択やみがき方などについて，歯科医療専門職は対象者にていねいに助言し，在宅療養生活における歯みがきを実施していくことが大切である。

●参考文献
- 厚生労働省：う蝕対策等歯科口腔保健の推進に係る調査．(https://www.mhlw.go.jp/stf/seisakunitsuite/bunya/kenkou_iryou/iryou/shika_hoken_jouhou/usyokutaisaku.html)（参照 2023-08-28）
- 厚生労働省：後期高齢者を対象とした歯科健診マニュアル．(https://www.mhlw.go.jp/content/000410121.pdf)（参照 2023-08-28）
- 厚生労働省：フッ化物洗口の推進に関する基本的な考え方．(https://www.mhlw.go.jp/content/001037972.pdf)（参照 2023-08-28）
- 歯科口腔保健の推進に資するう蝕予防のための手法に関する研究班編：フッ化物洗口マニュアル，2022 年版．(https://www.mhlw.go.jp/content/001037973.pdf)（参照 2023-08-28）

9章 学校保健

9章 学校保健

A 学校保健の基本

POINT
- 学校保健の目的と対象を理解する。
- 学校保健活動における養護教諭の役割について理解する。
- 学校保健・安全に関する法規および組織について理解する。
- 学校保健に関する人材について理解する。
- 学校安全危機管理について理解する。
- 学校保健計画・学校安全計画について理解する。
- 学校環境衛生および学校給食・食育・衛生管理について理解する。

1 学校保健とは

a 学校保健の目的

　学校保健は,「心身ともに健康な国民の育成を期するものであり,児童・生徒1人ひとりが生涯にわたって,健康・安全で,充実した生活を送れるようにすること」を目ざすものである。具体的には,学校において行われる,①児童・生徒などの健康の保持・増進をはかること,②集団教育としての学校教育活動に必要な健康や安全に配慮すること,③自己や他者の健康の保持・増進をはかる能力を育成することなどを目ざす保健管理・保健教育および学校保健組織活動の総称である。

　学校保健の対象は,学校教育法第1条に規定されている幼稚園,小学校,中学校,義務教育学校,高等学校(高校),中等教育学校,特別支援学校,大学(短期大学・大学院を含む)および高等専門学校である。

b 学校保健における職員および養護教諭の役割・機能

　学校保健の活動は,保健主事・養護教諭・栄養教諭などの学校保健関係職員が中心となり,校長の管理・指導のもと,各教職員や学校三師(学校医・学校歯科医・学校薬剤師)と連携し組織的に展開される。また,学校保健委員会などの開催を通じて,保護者や地域の関係機関・職種が参画し,学校と連携・協働しながら進めていくことが求められている。

　現代的な子どもの健康課題に対応し健康をまもり安全・安心を確保する学校の取り組みが求められるなか,養護教諭には学校保健活動のコー

プラス・ワン

養護教諭

養護教諭は,学校教育法第37条で「小学校には,校長,教頭,教諭,養護教諭及び事務職員を置かなければならない。養護教諭は,児童の養護をつかさどる。教諭は児童の教育をつかさどる」と規定されている。具体的な役割としては,救急処置,健康診断,疾病予防などの保健管理,保健教育,健康相談,保健室経営,保健組織活動があげられる。

子どもの現代的な健康課題の対応にあたり,養護教諭はコーディネーターとして学級担任・学校医・学校歯科医・学校薬剤師・スクールカウンセラーなどの学校内の職員および,医療・福祉の関係者など地域の関係機関との連携を推進することが期待されている。

プラス・ワン

現代における子どもの健康課題に対する養護教諭の役割

2008(平成20)年の中央教育審議会答申[1]により,「子どもの現代的な健康課題の対応に当たり,学級担任等,学校医,学校歯科医,学校薬剤師,スクールカウンセラーなど学校内における連携,また医療関係者や福祉関係者など地域の関係機関との連携を推進することが必要となっているなか,養護教諭はコーディネーターの役割を担う必要がある」と示されている。

ディネーターとなり,中核としてかかわることが求められている。

また,昨今,子どものかかえる課題は背景が複雑化,多様化,深刻化し,学校においてチームでの支援体制の充実が求められるようになった。文部科学省は,2015(平成27)年に答申[2]を発出し,養護教諭は,児童・生徒の身体的不調の背景に,いじめや不登校,虐待などの問題のサインなどにいち早く気づくことができる立場であり,児童・生徒の健康相談において重要な役割を担っていることや,教諭とは異なる専門性に基づき,心身の健康に課題のある児童・生徒に対して指導を行っており,従来から力を発揮していた健康面の指導だけでなく,生徒指導面でも大きな役割を担っていることに言及し,学校保健活動における養護教諭の専門性・役割・機能について具体的に示している。

2 学校保健の動向

a 社会的背景と学校保健の動向

1 明治時代における学校保健のはじまり

1871(明治4)年,文部省(現在の文部科学省の前身)の設置により,江戸時代から全国に普及していた各種の学校を,すべて近代の学校制度として文部省の管轄下に整備・編成する「学制」が,1872(明治5)年に発布・実施された。1886(明治19)年に教育改革として「学校令」が発布され,その結果として学校教育が普及したことに伴い,学校環境の衛生問題や児童・生徒の疾患についての深刻な問題が表面化した。これらの問題に対応するため,1891(明治24)年,文部省の学務局に,日本の教育行政において最初の学校衛生専門担当者(学校衛生取調嘱託)がおかれることとなった。1893(明治26)年には,学校制度の体系化をはかり学校衛生に関する最初の訓令が発布された。これが学校保健のはじまりである。

1898(明治31)年「学校医令」により学校医制度が開始され,1900(明治33)年には,当時全国規模で流行していたトラコーマの対策に,学校衛生の中心的な担い手としてはじめて公立学校(岐阜県の小学校)に学校看護婦が採用・配置された。

2 昭和時代～平成時代

1958(昭和33)年に学校保健法が制定され,学校保健が法律に明確に位置づけられた。同年に「小学校学習指導要領」が全面的に改正され,「保健に関する事項の指導は,各教科・道徳・特別教育活動,及び学校行事等の教育活動全体を通じて行うものとすること」とされ,保健教育が強化されるようになった。

1970年代に入り,近視・齲歯,心臓,腎臓疾患,喘息などの呼吸器疾

患にかかる児童・生徒が増加した。さらに昭和から平成にかけての社会の変容に伴い，肥満，心の問題など，さまざまな子どもの心身の課題が表出し，そのたびに学校保健制度の改善が行われている。2009（平成21）年には学校保健法が学校保健安全法に改正され，児童・生徒および教職員の健康の保持・増進に加え，学校の安全管理の事項について新たに定められた。

③ 現代における学校保健の課題

近年，急速に進展する少子高齢化，情報化，国際化，価値観の多様化などによる社会や生活環境の変化は，著しく子どもの心身の健康に影響を及ぼしている。とくに不登校・引きこもりの増加は深刻である。また，2020～2022（令和2～4）年におこった新型コロナウイルス感染症の世界的規模の感染拡大のように，学校保健の現場は今後も新興感染症や再興感染症の流行にみまわれることが予測される。

小児科医療の進展により，在宅において医療的ケアを必要とする子どもの数が，2005（平成17）年から2019（令和元）年の間に2倍以上も増加したと推計されている。2021（令和3）年に施行された**医療的ケア児及びその家族に対する支援に関する法律**（医療的ケア児支援法）により，学校教育法施行規則が改訂され，看護職員の学校などへの配置が法制化された。

文部科学省は，共生社会の形成に向けて，インクルーシブ教育➕システムの理念を重視し特別支援教育を推進することを提言している。インクルーシブ教育の進展に伴い，学校保健のしくみや制度は今後もさらなる見直しや改善が求められると考えられる。

b 学校保健統計の動向

学校保健統計は，「学校における幼児，児童及び生徒の発育及び健康の状態を明らかにすること」を目的に実施される。学校保健統計調査は，学校保健計画を立案するうえで有益な参考資料となるものである。

調査は，学校保健安全法による健康診断の結果に基づき，4月1日～6月30日の間に実施➕されている。文部科学大臣が，都道府県知事を通じ，調査実施校の長に調査票などを配布し，調査実施校の長は，都道府県知事の定める期日までに調査票を都道府県知事に提出する。都道府県知事は，提出された調査票を整理・審査し，8月10日までに文部科学大臣に提出する。

■調査の範囲

幼稚園，小学校，中学校，義務教育学校，高校，中等教育学校，幼保連携型認定こども園のうち，文部科学大臣があらかじめ指定する学校（以下「調査実施校」という）とする。

➕ **プラス・ワン**

インクルーシブ教育
文部科学省はインクルーシブ教育について，「同じ場で共に学ぶことを追求するとともに，個別の教育的ニーズのある幼児児童生徒に対して，自立と社会参加を見据えて，その時点で教育的ニーズに最も的確に応える指導を提供できる，多様で柔軟な仕組みを整備することが重要である」[3)]としている。

調査実施の例外
新型コロナウイルス感染症の感染拡大により健康診断の実施が確定できなかったなどの理由により，2020（令和2）年度と2021（令和3）年度は，同年4月1日から翌年3月31日に実施された。

■対象

調査実施校に在籍する満5歳から17歳(2021〔令和3〕年4月1日現在)までの幼児,児童および生徒(以下「児童等」という)の一部とする。

■調査事項

- 児童等の発育状態:身長,体重
- 児童等の健康状態:栄養状態,脊柱・胸郭・四肢の疾病・異常の有無,視力,聴力,眼の疾病・異常の有無,耳鼻咽頭疾患・皮膚疾患の有無,歯・口腔の疾病・異常の有無,結核の有無,結核に関する検診の結果,心臓の疾病・異常の有無,尿及びその他の疾病・異常の有無

c 養護教諭の動向

養護教諭の前身である学校看護婦は,1905(明治38)年当時大流行していたトラコーマ対策の洗眼や点眼を行う目的で配置された。1941(昭和16)年,「国民学校令」により,学校看護婦は教育職としての役割・身分が確立し,「養護訓導」と名称が変更された。1947(昭和22)年「学校教育法」により「養護訓導」から「養護教諭」に改称された。

1997(平成9)年には保健主事の登用や兼職発令(271ページ参照)により,養護教諭が保健の授業を講師として担当できるように法改正された。

養護教諭は,基本的に各校1名の配置であるが,近年は養護教諭のニーズや重要性が高まり,法の規定によらず,独自の予算措置により複数配置を行っている地方公共団体が増加しつつある。

> **プラス・ワン**
> **養護教諭の配置**
> 養護教諭の配置は1校に1名が基本で,小学校851人以上,中学校・高校801人以上,特別支援学校61人以上でなければ,2人以上配置する体制にならない。

3 学校保健の制度としくみ

a 学校保健安全の構成・内容

1 学校保健の構成

学校保健安全は学校保健と安全管理の2つの領域に分けて考えることができる。さらに学校保健は,①保健教育,②保健管理,③保健組織活動に分けられる。

■保健教育

学校の教育課程は教科教育,道徳,総合的な学習の時間,外国語活動,特別活動の領域(中学校は外国語活動,高校は外国語活動と道徳を除く)からなる。**保健教育**は,教科で実施されるものと教科学の保健体育に分類される教科で行われる。保健教育は体育・保健体育科目「保健」であり,学習指導要領に基づいて行われ,保健の基礎的知識や科学的な根拠を理解し,的確な思考・判断による実践力を養うものである。

それに対し,特別活動など,教科外で実施される保健教育がある。健

> **プラス・ワン**
> **教育課程**
> 学校教育の目的や目標を達成するために,児童・生徒の心身の発達に応じて教育内容を授業時数との関連において総合的に組織した学校の教育計画のことをいう。
>
> **学習指導要領**
> 全国のどの地域で教育を受けても,一定の水準の教育を受けられるようにするため,文部科学省が,学校教育法などに基づき,各学校で教育課程(カリキュラム)を編成する際の基準を定めている。

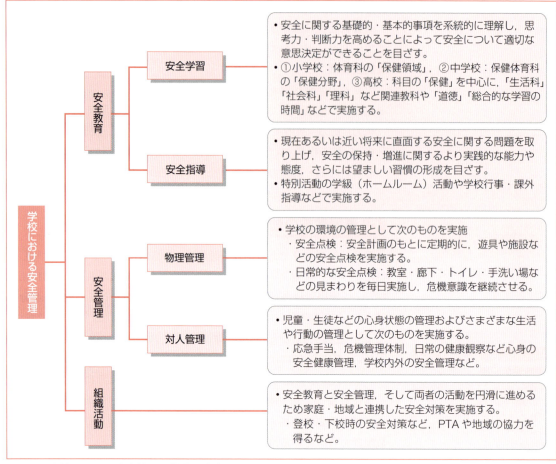

図 9-1 学校における安全管理の構成・内容

康に関する指導は当面する健康課題を中心に取り上げ具体的な課題解釈ができる資質や能力，さらには望ましい習慣の形成を目ざす。個別の保健指導は保健室で養護教諭が実施する。

2 学校における安全管理とは（図 9-1）

学校における安全管理は，①安全教育，②安全管理，そして両者の活動を円滑に進めるための③組織活動から構成されている。

安全教育は，児童・生徒などがみずからの行動や外部環境に存在するさまざまな危険を制御して，みずから安全に行動したり，ほかの人や社会の安全のために貢献したりできるようにすることを目ざすものである。

学校における**安全管理**は，児童・生徒などを取り巻く環境を安全に整えることにより，①事故の要因となる学校環境や児童・生徒などの学校生活などにおける行動の危険を早期に発見し，それらの危険をすみやかに除去すること，②事件・事故災害が発生した場合には，適切な応急手当や安全措置ができる体制を確立して，児童・生徒などの安全の確保を

はかることを目ざすものである。

組織活動は，安全教育と安全管理の活動を円滑に進めるために家庭・地域社会と連携して行うことが不可欠な活動である。

b 学校保健安全に関する法規

1 教育基本法

教育基本法第1条では，「教育は人格の完成を目指し，平和で民主的な国家及び社会の形成者として必要な資質を備えた心身ともに健康な国民の育成を期して行われなければならない」と規定している。

2 学校教育法

学校においては，幼児・児童・生徒・学生・職員の健康の保持・増進をはかるため，健康診断その他の保健に必要な措置を講じなければならない（第12条）。養護教諭の配置についてもこの法律で規定している。

3 学校保健安全法

学校保健安全法の目的は，学校における児童・生徒・職員の健康の保持・増進をはかるため，保健管理に関し必要な事項を定め，教育活動が安全な環境において実施され，児童・生徒などの安全の確保がはかられるよう，安全管理に関して必要な事項を定めている。

4 学校給食法

この法律は，学校給食および学校給食を活用した食に関する指導の実施に関し必要な事項を定め，学校給食の普及・充実および学校における食育の推進をはかることを目的としている。

c 学校保健・安全の組織・人材

学校保健・安全を担当する職員および専門職について，その職務と根拠法などを**表9-1**にまとめた。これからの学校においては，多様な背景の人材が今まで以上に運営に加わることが求められている。

d 学校保健計画・学校安全計画

学校には，児童・生徒の予防教育も含む学校保健活動を全教育活動のなかで計画的に実施することが求められる。そこで，学校における保健に関する具体的な実施計画として策定されるものが学校保健計画である。学校保健計画は学校保健安全法第5条に規定されているように，

プラス・ワン

チームとしての学校
中央教育審議会は2015（平成27）年12月21日付け答申[3]において，「学校や教員が，心理や福祉等の専門家や専門機関と連携・分担する体制を整備し，学校の機能を強化していくことが重要である」とし，「チームとしての学校」の体制整備を推進することとした。
この背景には，子供たちの貧困問題や，帰国・外国人児童・生徒および特別支援を必要とする子どもの増加など，心理や福祉など教育以外の高い専門性が必要なケースが増加していることがある。

学校保健計画における立案・実施・評価・見直し
2008（平成20）年の中央教育審議会の答申[1]では，「学校保健計画に基づき，教職員の保健部（係）などの学校内の関係組織が十分機能し，すべての教職員で学校保健を推進することができるように組織体制の整備を図り，保健教育と保健管理に取り組むことが必要である」と示された。養護教諭は保健主事とともに計画の原案を立案し，策定においては学校医，学校歯科医，学校薬剤師，保護者代表とともに策定する。計画の策定後は教職員，児童・生徒，保護者に周知する。
学校保健計画は，学校全体および学校保健活動の状況をふまえて毎年度評価を行い，改善をはかる必要があり，立案・実施・評価・見直しのプロセス（PDCAサイクル）に基づき実施する。

表 9-1　学校保健にかかわる職員・専門職

職名・職種	職務	根拠法など
学校長	・校務をつかさどり，所属職員を監督する。	学校教育法第 37 条
保健主事	・学校全体の活動と学校保健との調整。 ・学校保健計画の立案。 ・保健教育と保健管理の推進と調整，保健教育の適切な実施。 ・組織活動の推進（学校保健委員会の運営）。	学校教育法施行規則第 45 条
養護教諭	・児童の養護をつかさどる。 ・養護教諭は保健主事になることができる。 ・養護教諭として 3 年以上勤務した者は，その勤務する学校で保健の教科を担当できる。	学校教育法第 37 条 学校教育法施行規則第 45 条 教育職員免許法 附則 15
保健体育教科担当者	教科の保健を担当する。	
学校医	・学校保健計画・学校安全計画立案への参画。 ・学校環境衛生の維持・改善への指導・助言。 ・保健指導・健康相談・健康診断への従事。 ・疾病の予防措置，感染症・食中毒の予防への従事。	学校保健安全法第 23 条 学校保健法施行規則第 22 条
学校歯科医	・学校保健計画・学校安全計画立案への参画。 ・保健指導・健康相談および歯の健康診断に従事。	学校保健安全法第 23 条 学校保健法施行規則第 23 条
学校薬剤師	・学校保健計画・学校安全計画立案への参画。 ・環境衛生検査への従事。 ・学校環境衛生の維持・改善への指導・助言。 ・健康相談・保健指導への従事。 ・医薬品などの管理についての指導・助言。	学校保健安全法第 23 条 学校保健安全法施行規則第 24 条
学校保健技師	・都道府県教育委員会の事務局に学校保健技師をおく。 ・学校保健技師は，学校における保健管理に関する専門的事項について学識経験がある者でなければならない。 ・学校における保健管理に関し，専門的技術的指導および技術に従事する。 ・学校医・学校歯科医・学校薬剤師の資格をもつ者が好ましいとされ，1 人をおく場合には医師の資格をもつ者が望ましいとされている。	学校保健安全法第 22 条 文部事務次官通達「学校保健法および同法施行令等の施行について」昭和 33 年 6 月 16 日文体保第 54 号
学校給食栄養管理者	・義務教育諸学校・共同調理場において学校給食の栄養に関する専門的事項をつかさどる。	学校給食法第 7 条
栄養教諭	・学校給食で摂取する食品と健康の保持・増進との関連性の指導，食に関して特別な配慮を必要とする児童・生徒への個別的な指導など学校給食を活用した食に関する実践的な指導を行う。	学校給食法第 10 条
スクールカウンセラー[+]	・心理に関する支援に従事する。 ・児童・生徒・保護者への面接相談。 ・いじめ・暴力行為などの問題行動や不登校に対応。 ・事件・事故・災害の被害者児童・生徒の心のケア。	学校教育法施行規則第 65 条の 3 スクールカウンセラー活用事業
スクールソーシャルワーカー	・福祉に関する支援に従事し，福祉的な援助が必要とされる児童・生徒・家庭について次の対応をする。 ①福祉生活相談の実施。 ②社会保障・生活保護などの自立への支援相談。 ③家庭環境・状況などのヒアリング。	学校教育法施行規則第 65 条の 4 スクールソーシャルワーカー活用事業（2008 年～） スクール（学校）ソーシャルワーク教育課程認定事業（2009 年～）
医療的ケア看護職員	・医療的ケア児のアセスメント。 ・医師の指示のもと，必要に応じた医療的ケアの実施。 ・医療的ケア児の健康管理。 ・認定特定行為業務従事者である教職員への指導・助言。	学校教育法施行規則第 65 条の 2

①児童・生徒職員の健康診断，環境衛生検査などの保健管理，②児童・生徒に対する保健教育，③組織活動に関する事項を含むものである。

学校環境の安全の確保のためには，校長は学校の施設・設備について，児童・生徒の安全の確保に支障となる事項の改善をはかるために必要な措置を遅滞なく行うことや，もし学校でその措置を行うことが困難であるときは，当該学校の設置者に対し，その旨を申し出ることなどが規定されている（学校保健安全法第 28 条）。

学校における児童・生徒などの安全の確保をはかるための計画として，学校安全計画を策定することが学校保健安全法で規定されている。学校安全計画は，学校の施設・設備の安全点検や安全に関する指導，職員の研修などの安全に関する年間計画である。

学校安全計画を策定する際には，①安全管理，②安全教育に関する事項，③組織活動に関する事項を入れる必要がある。

e 学校安全・危機管理

1 死亡

■学校管理下の事故

独立行政法人日本スポーツ振興センター✚の災害共済給付件数でみると，2023（令和 5）年度における学校の管理下✚における死亡要因は，第 1 位「突然死」，第 2 位「頭部外傷」，第 3 位「全身打撲」である。また，同じ年度における，突然死の死因をみると，心臓系の疾患が 46％を占める。中学生・高校生の突然死のうち，7 割が運動中または運動後におきている。

■学齢期の死因

2023（令和 5）年の人口動態統計により，学齢期における死因について各年齢階級の上位を表 9-2 に示した。とくに近年 10〜19 歳の死因の上位に自殺があり，文部科学省では，児童・生徒の自殺予防について，自殺対策基本法などの趣旨をふまえ 2009（平成 21）年 3 月に「教師が知っておきたい子どもの自殺予防」のマニュアルとリーフレットを作成し，自殺予防対策を進めている。

2 危機管理体制・救急処置

危機管理は，事前に危機を予測し，事故を未然に防ぐための予防的対応としてのリスクマネジメント（事前の危機管理）と事故後のクライシスマネジメント（事後の危機管理）に分け，危機管理体制をつくることが大切である。危機管理は，学校の全職員がかかわるものであるが，唯一の医学的素養をもつ職種として養護教諭が果たす役割は大きい。

✚ プラス・ワン

スクールカウンセラーの職務
①相談面接（児童・生徒・保護者・教職員へのカウンセリング），②教職員へのコンサルテーション，③協議・カンファレンス，④研修・講話，⑤査定・診断（アセスメント）・調査のほか，症状や問題行動が発現することを防ぐための⑥予防的対応や，学校で災害・事件・事故などの危機的状況が発生したときの⑦緊急危機対応を行うことが求められている。

独立行政法人日本スポーツ振興センター
独立行政法人として，スポーツの振興および児童・生徒・学生・幼児（以下，児童・生徒など）の健康の保持・増進をはかっている。同センターの業務には，学校（小学校・中学校・高校・中等教育学校・高等専門学校・特別支援学校・幼稚園）の管理下における児童・生徒などの災害（負傷・疾病・障害・死亡をいう）に関する災害共済給付（医療費・障害見舞金・死亡見舞い金）の支給，スポーツおよび児童・生徒などの健康の保持・増進に関する調査・研究，資料の収集・提供がある。

学校の管理下の範囲
学校の管理下としては，次のような場合がある。
- 学校が編成した教育課程に基づく授業を受けている場合：①各教科（科目），道徳，総合的な学習の時間など，②特別活動中（児童・生徒会活動，学級活動，ホームルーム，儀式，学校祭，遠足，修学旅行，林間学校，大掃除など）
- 学校の教育計画に基づく課外指導を受けている場合：クラブ活動，部活動，生活指導，進路指導など
- 休憩時間，その他校長の指示または承認に基づいて学校にいる場合：始業前，業間休み，昼休み，放課後
- 通常の経路・方法により通学する場合：登校中，下校中

> **プラス・ワン**
>
> **アナフィラキシーへの対応**
>
> アドレナリン自己注射薬の注射は法的には「医療行為」であり，児童・生徒本人または保護者が行うことが原則である。医師でない者が医療行為を反復して行えば医師法（第17条）に違反する。しかし，アナフィラキシーショックで生命が危険な状態にある児童・生徒が自身で注射を打てない場合に，その場に居合わせた教職員がかわって注射することは，反復，継続する意図がないものとみとめられ，医師法違反にはならない。

表9-2　学齢期（5～19歳）の死因順位別死亡率（人口10万対）

年齢階級	死亡率（人口10万対）	死因順位		
		1位	2位	3位
5～9歳	7.2	悪性新生物(1.7)	不慮の事故(1.0)	先天性奇形(0.8)
10～14歳	9.1	自殺(2.3)	悪性新生物(1.6)	不慮の事故(1.0)
15～19歳	24.1	自殺(12.1)	不慮の事故(3.2)	悪性新生物(2.2)

（2023〔令和5〕年人口動態統計〔概数〕）

■事前準備

学校における事前の危機管理は，日常の健康状態の把握，予防教育，教職員へのトレーニング，研修および体制づくりである。具体的な内容としては次のものがある。

①日常的に児童・生徒の健康観察を通し心身の状態を把握しておくとともに，健康相談・保健指導・保健教育を通じて予防教育を実施する。

②教職員が心肺蘇生法やAEDの取り扱いのほかアナフィラキシーへの対応✚などの講習会を開催したり，不審者対応などの防犯訓練や災害発生時の避難訓練などシミュレーショントレーニングを実施したりするなど，教職員の危機管理意識の向上をはかるようはたらきかける。

③危機管理マニュアルの作成に参画する。

④学校安全計画の立案に参画する。

■養護教諭が実施する救急時の対応

養護教諭が行う処置は，医療の対象とはならない軽度の疾病や傷病に対する手当や医療につなぐまでの救急処置・応急手当とされている。

●救急処置体制の整備

養護教諭は日常から，学校行事や緊急時における救急処置の対応，医療機関への搬送方法，保護者への連絡など，緊急場面で教職員がどのように対応し行動すべきかを整理し，学校内の安全にかかわる教職員とともに救急処置マニュアルを作成する。必要とされる医薬材料，資材などを管理・整備する。これらのことについて教職員全体に共通理解を促すことが必要である。

●事故後の保健指導

教育職である養護教諭による事故後の保健指導は重要であり，同じような事故がおきないように教育的にかかわる。

●家庭および医療機関などとの連携

事故によっては継続的な支援が必要になる場合がある。家庭および医療機関との連携をとりながら，児童・生徒の学校生活が円滑にできるように環境整備を実施しなくてはならない。

実践場面から学ぶ：学校における危機管理

■事例紹介

梅雨明け直後の7月15日，気温は昼すぎには30℃をこえていた。S中学校では，体育教師Bが5時間目の中学1年生の体育授業で50メートル走を実施していた。授業開始から20分が経過したころ，女子生徒の1人が気分がわるいと訴えた。その生徒の顔色はわるくないため，少し休めば問題ないと教師Bは判断し，木陰で休むよう指示した。数分後，4人の生徒が「頭が痛い」「吐けがする」と不調を訴えた。そのうち1人は「先生，目がへんです」と言ってしゃがみこんでしまった。

あわてた教師Bは，近くにいた生徒に養護教諭を呼ぶように頼み，数人の生徒が校舎に向かった。運動場は校舎から60メートルほどのなだらかな坂を下がったところにある。7～8分が過ぎ，校舎に向かった男子生徒Dが戻ってきた。「B先生，養護教諭の先生は保健室にいないよ！『校内巡視中』の札が出ていた」

教師Bはあせり，「誰でもいいから，急いで呼んで来てくれ！」と再度指示を出した。そこで生徒Dは職員室に行ったが，誰もいない。職員室にいるはずの教頭は，事務室の事務職員から聞いたところ，「正門に不審者がいると通報があったので，校舎外を巡回している」とのことであった。生徒がしゃがみこんでから15分以上経過していた。

●ポイント：緊急時を想定して事前準備をしておくことの重要性

集団の熱中症の発生や死亡事故がおこる可能性がある事例である。次に示す救急処置と危機管理体制が整っていれば迅速な対応が可能であった。

①**救急処置**：運動場での熱中症やけがの発生を想定し，運動場用の応急処置セット（熱中症対応など）を準備しておく必要がある。これまでの傷病者の実態や想定される傷病を推測し，養護教諭はそれらを吟味し準備する。

②**教科指導の内容の変更**：当日の湿度や気温，生徒の活動などを考慮して，場合によっては指導内容の変更を行う。これらについては養護教諭の立場から適切な助言や指示をすることも大切である。

③**危機管理体制**：事故や急な傷病が発生した場合，誰がどこに連絡すれば迅速に情報が伝わるのか，さまざまな場合を想定し，事前にいくつかのパターンをフローチャートにして作成しておく。また事前に応急処置の方法なども含めて，職員研修などでシミュレーショントレーニングを実施しておく。事例のように，運動場と校舎が離れている立地条件であれば，運動場に電話を設置したり公用の携帯電話や無線を携帯したりするなどの措置が必要である。学校での設置が困難であれば，学校保健安全法の規定にあるように，教育委員会が必要な措置を講ずるように努めることが重要である。

④**予防教育**：学校は教育の場である。熱中症対策など生徒自身に自己の健康管理ができるように，事前の保健学習や保健指導を通じて，予防

教育を実施する。

⑤学校安全計画の作成：すべての教育活動のなかで安全教育が実施されるには，上記①〜④の措置・対策を網羅した計画を作成し，それが教職員全体に周知されている必要がある。

f 学校環境衛生

1 学校環境衛生の法的根拠と学校環境衛生基準

学校保健安全法（第6条）および同法施行規則により，学校においては，換気・採光・照明・保温・清潔に関する環境の維持・改善をはからなければならないことが定められている。

2009（平成21）年に文部科学省は，学校における環境衛生管理の基準として「**学校環境衛生基準**」を公布・施行した。この基準は学校環境衛生および検査の項目・方法・基準などについて定めている。学校保健に携わる養護教諭をはじめとする関係職種は，定められた項目についての点検を日常・定期的に実施し，児童・生徒の安全な生活環境の維持と危険防止を行っている。

2 学校環境衛生基準における日常・定期の検査

「学校環境衛生基準」が規定する学校環境衛生検査には日常・定期の検査および臨時検査がある。日常検査は学校医や学校薬剤師の指導や連携のもとに，養護教諭がおもに行うものである。同基準における日常および定期検査の項目としては，①教室などの環境，②飲料水などの水質および施設・設備，③学校の清潔およびネズミ・衛生害虫などおよび教室などの備品の管理，④水泳プールの管理，⑤日常における環境衛生基準に分けて規定されている。そのほか感染症または食中毒の発生のおそれのあるときや，新築・改築などにより揮発性有機化合物の発生のおそれがあるときなどには，必要に応じて学校薬剤師が臨時検査を行う。

一方，定期検査や臨時検査はおもに学校薬剤師によって実施されており，検査の結果は市町村の教育委員会に報告されている。

g 学校給食・食育・衛生管理

1 法的根拠と衛生管理

学校給食は，**学校給食法**第1条にあるように，児童・生徒の心身の健全な発達に資するものであり，児童・生徒の食に関する正しい理解と適切な判断力を養ううえで重要な役割を果たすものとして，実施されてい

る。

　学校給食法の改正により，2009（平成21）年4月より「**学校給食衛生管理基準**」が示され，学校給食の施設・設備や調理の過程，衛生管理体制などについての衛生管理基準を定め，食中毒発生防止措置などの検査・点検が実施されるようになった。

2 学校給食の実施状況

　2021（令和3）年度の学校給食実施状況等調査によると，国公私立学校で学校給食を実施している学校は全国で2万9614校（実施率95.6％）である。内訳は，小学校99.0％，中学校89.1％，義務教育学校98.7％，中等教育学校（前期課程）55.6％，特別支援学校88.4％，夜間定時制高校51.9％である。

3 食に関する現代的課題と食育推進

　近年，子どもを取り巻く食の問題として，肥満傾向や瘦身傾向，高血圧・糖尿病などの生活習慣病の若年化，かたよった栄養摂取，朝食の欠食，家族の人間関係の希薄化による孤食などが顕在化している。国民の食生活をめぐるさまざまな問題を解決し，「生涯にわたって健全な心身を培う」ことや「豊かな人間性をはぐくむ」ことを通して，「現在および将来にわたる健康で文化的な国民の生活と豊かで活力ある社会の実現に寄与すること」を目的として，2005（平成17）年に**食育基本法**が制定された。

　食育基本法第16条では，食育の推進に関する施策の総合的かつ計画的な推進をはかるため，**食育推進基本計画**を作成することが示されている。**第4次食育推進基本計画**（運動期間：2021年度〜2025年度）では，とくに重点的にとりくむべき事項として次の3つが示された。

①生涯を通じた心身の健康を支える食育の推進
②持続可能な食を支える食育の推進
③「新たな日常」やデジタル化に対応した食育

プラス・ワン
第4次食育推進基本計画
第4次計画の基本的な取り組み方針は次の7項目に整理された（厚生労働省，2021）。
①国民の心身の健康の増進と豊かな人間形成
②食に関する感謝の念と理解
③食育推進運動の展開
④子どもの食育における保護者，教育関係者などの役割
⑤食に関する体験活動と食育推進活動の実践
⑥わが国の伝統的な食文化，環境と調和した生産などへの配慮および農山漁村の活性化と食料自給率の向上への貢献
⑦食品の安全性の確保などにおける食育の役割

●引用文献
1）中央教育審議会：答申「子どもの心身の健康を守り，安全・安心を確保するために学校全体としての取組を進めるための方策について」．2008.
2）文部科学省初等中等教育分科会：共生社会の形成に向けたインクルーシブ教育システム構築のための特別支援教育の推進．2012.
3）文部科学省：答申「チームとしての学校の在り方と今後の改善方策について．2015.

B 学校保健における健康課題への対策

POINT
- 定期健康診断の結果において，被患率の多いものについて理解する。
- 児童・生徒の現代的な健康課題について理解する。
- 不登校および，いじめの現状，これらの課題への学校の取り組みや制度について理解する。
- 特別支援教育の種類と方法について理解する。
- 養護教諭の職務と役割および保健室の機能について理解する。
- 健康診断の意義や，健康診断の事前・事後措置を理解する。
- 感染症の予防および学校環境衛生について理解する。

1 発達段階別にみる対象の特徴と健康課題への対策と支援

1 幼児期

　幼児期は，神経・運動機能が急激に発達すると同時に基本的生活習慣が形成され，自律性や主体性が発達する時期である。そのため排泄，食行動，着脱衣，睡眠，清潔行動といった日常生活習慣の定着，齲歯予防などの適切な支援が重要である。近年，夜型のライフスタイルによる幼児の生活リズムの乱れや，外遊びの減少による体力・運動能力の低下が健康課題としてあげられている。

2 学童期

　学童期は，小児のほかの年齢層と比較して罹病率が低く，心身ともに安定した時期である。学校生活への適応や友人との交流など，社会性が発達する時期でもある。そのため，対人関係や集団生活に伴うストレスを軽減させる支援が重要となる。またこの時期は，偏食や間食などの食生活の乱れや運動不足，夜型生活など，不健康な生活習慣の定着を防ぎ，生活習慣病の予防に向けた支援も必要である。学童期の子どもの生活習慣は，家族の生活習慣の影響を受けているため，家族が正しい知識をもつことも重要である。さらに，学童期は自我および自立性がめばえる時期であり，自尊感情や自己肯定感が低下しがちなため，心の健康にも注意が必要である。

3 青年期

青年期は心身ともに子どもから成人へと移行する時期である。青年期前・中期(12〜18歳ごろ)は思春期ともよばれ，第二次性徴があらわれ，親から心理的に離乳し，情緒が不安定になりやすい時期である。健康課題としては，生活習慣の乱れ，運動不足，痩身・肥満，喫煙・飲酒・薬物乱用，性の問題などがあげられる。

2 幼児・児童および生徒の健康課題への対策と支援

a 現代的な健康課題

近年，子どもたちを取り巻く社会環境や生活様式は，都市化・少子高齢化・情報化などにより急激に変化している。そのため，現代を生きる子どもたちは，いじめ，不登校，喫煙・飲酒・薬物乱用，性の問題行動，自殺，摂食障害，心の問題，発達障害，生活習慣の乱れ，アレルギー疾患の増加など，さまざまな心身の健康問題に直面している。また医療技術の進歩により，慢性疾患や障害のある子どもたちの入院期間が短くなり，在宅で過ごすようになっており，学校においても医療的ケア✚を要する児童・生徒の増加が予測され，医療ニーズの高い子どもの生命の安全を確保した適切な教育のあり方や支援方法の検討が求められる。

1 喫煙・飲酒・薬物乱用

中学生の薬物乱用の生涯経験率は，2016年から2018年にかけて，有機溶剤は0.4%から0.5%に，危険ドラッグは0.2%から0.3%に増加し，大麻および覚醒剤は0.3%のまま横ばいで推移していた[1]。政府は「第五次薬物乱用防止五か年戦略」において，広報・啓発を通じ青少年を中心に国民全体の規範意識の向上による薬物乱用未然防止のための活動を行っている。

「健康日本21(第二次)」最終評価によると，未成年者の飲酒率(2021年)✚は，中学3年生が男子1.7%，女子2.7%，高校3年生が男子4.3%，女子2.9%であった[2]。喫煙率(2021年)は，中学1年生が男子0.1%，女子0.1%，高校3年生が男子1.0%，女子0.6%であった[2]。「健康日本21(第二次)」では，第二次に引きつづき未成年者の飲酒率・喫煙率の目標値を0%(2032年)としている。

2 性の問題行動

性の問題行動には，**若年妊娠**と**性感染症(STD)**の課題がある。人口動態統計によると，母の年齢が14歳以下の出生数は，2023(令和5)年は27人であった[4]。15歳未満の人工妊娠中絶は2023(令和5)年は153件であっ

プラス・ワン

医療的ケア
文部科学省によると，医療的ケアとは，学校や在宅などで日常的に行われている医行為として，痰の吸引・経管栄養・気管切開部の衛生管理などをさす。
2012(平成24)年度より痰の吸引行為についての制度改正が行われ，看護師などの免許を有しない者であっても，医行為のうち，口腔内の喀痰吸引，鼻腔内の喀痰吸引，気管カニューレ内の喀痰吸引，胃瘻・腸瘻による経管栄養，経鼻経管栄養などの特定行為については，研修を修了し，都道府県知事に認定された場合，「認定特定行為業務従事者」として，一定の条件のもとで実施できることとなった。
認定特定行為業務従事者には，ホームヘルパーなどの介護職員・介護福祉士のほかに特別支援学校教員などが想定されている。
2023(令和5)年度の文部科学省の調査によると，幼稚園・小学校・中学校・高校・特別支援学校(専攻科は除く)に在籍する医療的ケアを必要とする幼児・児童・生徒の数は10,764人であった(幼稚園，小学校・中学校・高校は2,199人，特別支援学校は8,565人)[3]。

2021(令和3)年調査
未成年者の飲酒・喫煙についての2021(令和3)年の調査は，新型コロナウイルス感染症の影響や，アンケートを対面式アンケートから対面式とWebアンケートを組み合わせた調査に変更したため，参考値とされている[2]。

た[5]。性感染症は，2011(平成23)年ごろから梅毒の罹患者が増加傾向にあり，10代の梅毒感染者数も男女とも増加傾向である[6]。

3 自殺

児童・生徒の自殺も大きな問題である。文部科学省の2013(平成25)年の調査では，児童・生徒の自殺の原因として「学業不振(9.9%)」「その他進路に関する悩み(9.9%)」「その他学友との不和(8.9%)」「家族からのしつけ・叱責(7.4%)」が上位を占めていた[7]。警察庁によると，2023(令和5)年中の小学生の自殺者数は13人，中学生153人，高校生347人で合計513人であった[8]。児童・生徒の自殺数は年間300人前後で推移していたが，2020(令和2)年より400人をこえている。早い段階で専門家につなぎ自殺防止をはかるよう，自殺の危険因子を理解することが大切である。

4 摂食障害

摂食障害は，思春期前後の女子の健康課題である。単なる食欲や食行動の異常ではなく，①体重に対する過度のこだわり，②自己評価への体重・体形の過剰な影響といった心理的要因に基づく食行動の重篤な障害である。**神経性食欲不振症(思春期やせ症)** と**神経性過食症**に大別され，前者は10代，後者は20代が多い。10代で発症する割合が年々増加しており，9歳の発症もまれではない。痩身をもてはやす風潮などの社会文化的要因，低い自尊心や抑うつなどの心理的要因，家庭環境や遺伝的要因など，さまざまな要因が複雑にからみ合って発症するとされる。

5 心の問題

心の問題には，パニック障害や急性ストレス障害・外傷後ストレス障害などがある。不安を主症状とする精神疾患群をまとめたものを**不安障害**といい，そのうち不安が典型的なかたちであらわれるものを**パニック障害**という。この障害には，突然の激しい動悸や胸苦しさ，めまいなどの身体症状を伴った強い不安におそわれる**パニック発作**，「また発作がおこるのでは」という心配が続く**予期不安**，パニック発作やそれに似た症状がおきたとき，すぐに逃れられない，あるいはたすけが得られないような場所や状況をおそれ避ける**広場恐怖**などの症状がある。18歳以降の発症が多いが，10代前半で生じることもあり，不安感や抑うつ感などの精神症状を呈し，不登校や引きこもり，家庭内暴力などの問題をおこすこともある。**急性ストレス障害(ASD)** は自然災害や人的災害，事件・事故や児童虐待✛などに伴う強い恐怖を体験したあとに精神的・身体的症状を引きおこしたもので，心的外傷を受けたのち4週間以上症状が持続するものを**心的外傷後ストレス障害(PTSD)** という。

これらの現代的な健康課題に対応するためには，学校内の組織体制が充実しているだけではむずかしい。学校，家庭，地域社会(地域の児童委

✛ プラス・ワン

児童虐待
全国の児童相談所が児童虐待相談として対応した件数は年々増加しており，2022(令和4)年度には21万4843件[9]と，これまでで最多の件数となっている。全種類の虐待件数が増えているが，とくに心理的虐待の増加が著しい。

b 学校保健統計の動向：定期健康診断の結果

2022（令和4）年度は2021（令和3）年度に引きつづき，新型コロナウイルス感染症の影響により，健康診断および学校保健統計調査✚の期間が当該年度末までの実施に変更となった。そのため，同年度の数値は成長の著しい時期においての測定時期を異にしたデータとなり，過去の数値と単純に比較することはできない。

1 発育状態調査

2022（令和4）年度の学校保健統計調査の結果をみると，身長の平均値は，男女ともに1994（平成6）年〜2001（平成13）年度をピークに，その後はおおむね横ばい傾向である[10]。体重の平均値は，男女ともに1998（平成10）年〜2006（平成18）年度をピークに横ばい傾向である[10]。肥満傾向児の割合は，男女ともに小学校高学年が最も高く，とくに男子は8歳以降で1割をこえている。痩身傾向児の割合は，男女とも10歳以降で約2〜3％台となっている[10]。

2 健康状態調査

2022（令和4）年度学校保健統計の調査結果[10]によると，「裸眼視力1.0未満の者」の割合は，学校段階が進むにつれて高くなっており，小学校で3割をこえて，中学校では約6割，高等学校では約7割となっている。「むし歯（う歯）」の割合は，小学校・高等学校で4割以下，幼稚園・中学校では3割以下であり，「鼻・副鼻腔疾患の者」の割合は，小学校・中学校・高校で1割程度であった。

おもな疾病・異常などの推移は，近年大きな変化はみられないが，齲蝕に関しては改善傾向が続き，2022（令和4）年度は幼稚園，すべての校種で過去最低となった。一方で，「裸眼視力1.0未満の者」の割合は幼稚園，すべての校種で増加傾向にあり，同年度に過去最高となった。

c 不登校✚

1 不登校の現状

文部科学省の「令和4年度『児童生徒の問題行動・不登校等生徒指導上の諸問題に関する調査』について」[11]によると，不登校児童・生徒は29万9048人（小学生10万5112人，中学生19万3936人）であった✚。

✚ プラス・ワン

学校保健統計調査
学校における定期健康診断の結果についての標本調査である。学校における幼児・児童・生徒の発育および健康の状態を明らかにすることを目的に実施している。

不登校の定義
文部科学省によると，不登校とは，年間30日以上欠席した児童・生徒のうち，病気や経済的な理由を除き，なんらかの心理的・情緒的・身体的あるいは社会的要因・背景により，児童・生徒が登校しないあるいはしたくともできない状況にあることをいう，としている。

不登校の要因
不登校の要因をみると，小学校の主たる要因は「無気力・不安（50.9％）」が最多で，ついで「生活リズムの乱れ・遊び・非行（12.6％）」，「親子のかかわり方（12.1％）」，「いじめを除く友人関係をめぐる問題（6.6％）」の順に多かった[11]。
中学校のおもな要因は「無気力・不安（52.2％）」が最多で，ついで「生活リズムの乱れ・遊び・非行（10.7％）」，「いじめを除く友人関係をめぐる問題（10.6％）」，「学業の不振（5.8％）」の順に多かった[11]。

表 9-3　おもな疾病・異常などの推移（2018～2022年度）　　　　　　　　　　　　　　　　　単位：％

区分		裸眼視力1.0未満の者	眼の疾病・異常	耳疾患	鼻・副鼻腔疾患	むし歯（齲歯）	せき柱・胸郭・四肢の状態*1	アトピー性皮膚炎	ぜん息	心電図異常*1	蛋白検出の者
幼稚園	2018年度	26.68	1.55	2.31	2.91	35.10	0.23	2.04	1.56	…	1.03
	2019年度	26.06	1.92	2.57	3.21	31.16	0.16	2.31	1.83	…	1.02
	2020年度	27.90	1.36	1.97	2.38	30.34	0.35	1.90	1.64	…	1.00
	2021年度	24.81	1.48	2.00	2.96	26.49	0.17	1.75	1.48	…	0.66
	2022年度	24.95	1.27	2.36	3.03	24.93	0.24	1.62	1.11	…	0.87
小学校	2018年度	34.10	5.70	6.47	13.04	45.30	1.14	3.40	3.51	2.40	0.80
	2019年度	34.57	5.60	6.32	11.81	44.82	1.13	3.33	3.37	2.42	1.03
	2020年度	37.52	4.78	6.14	11.02	40.21	0.94	3.18	3.31	2.52	0.93
	2021年度	36.87	5.13	6.76	11.87	39.04	0.79	3.20	3.27	2.50	0.87
	2022年度	37.88	5.28	6.60	11.44	37.02	0.84	3.14	2.85	2.55	0.98
中学校	2018年度	56.04	4.87	4.72	10.99	35.41	2.40	2.85	2.71	3.27	2.91
	2019年度	57.47	5.38	4.71	12.10	34.00	2.12	2.87	2.60	3.27	3.35
	2020年度	58.29	4.66	5.01	10.21	32.16	1.65	2.86	2.59	3.33	3.25
	2021年度	60.66	4.84	4.89	10.06	30.38	1.72	2.95	2.31	3.07	2.80
	2022年度	61.23	4.95	4.76	10.70	28.24	1.54	2.96	2.23	3.15	2.90
高校	2018年度	67.23	3.94	2.45	9.85	45.36	1.40	2.58	1.78	3.34	2.94
	2019年度	67.64	3.69	2.87	9.92	43.68	1.69	2.44	1.79	3.27	3.40
	2020年度	63.17	3.56	2.47	6.88	41.66	1.19	2.44	1.75	3.30	3.19
	2021年度	70.81	3.35	2.51	8.81	39.77	1.22	2.58	1.70	3.16	2.80
	2022年度	71.56	3.58	2.25	8.51	38.30	1.12	2.68	1.71	3.03	2.83

*1：「心電図異常」については，6歳・12歳および15歳のみ調査を実施している。
※新型コロナウイルス感染症の影響により，例年4月1日から6月30日に実施される健康診断について当該年度末までに実施することとなったため，学校保健統計調査においても調査期間を年度末まで延長した。いずれの項目も調査時期の影響が含まれるため，2020年度，2021年度に引き続き2022年度の数値についても，2019年度までの数値と単純な比較はできない。
▨：過去最大（2019年度までの値の比較）
▨：過去最小（2019年度までの値の比較）

2　不登校児童・生徒への対応

　不登校には，児童・生徒の将来の社会的自立に向けた支援が必要である。すなわち，「心の問題」としてとらえるだけではなく，「進路の問題」として，本人の進路形成に資するような指導・相談や学習支援・情報提供などの対応をする必要がある。また，学校・家庭・地域がネットワークをつくって連携し，不登校の児童・生徒がどのような状態にあり，どのような支援を必要としているのかを正しく見きわめ，相互に協力し合って支援することが大切である。適切な機関（公的機関のみならず，民間施設やNPOなど）による支援と多様な学習の機会の提供が重要である。

　児童・生徒が不登校とならないためには，安心して通える学校，児童・生徒の発達段階に応じたきめ細かい配慮，学ぶ意欲を育む指導の充実など，魅力あるよりよい学校づくりが求められる。そのためには養護教諭やスクールカウンセラーなどと全教職員が情報を共有し，連携・協働することが必要である。養護教諭が果たす役割は大きく，情緒の安定をはかるなどの対応や予防のための健康相談活動が期待されている。

d いじめ

1 いじめの現状

文部科学省の「児童生徒の問題行動・不登校等生徒指導上の諸問題に関する調査」では、「個々の行為が『いじめ』にあたるか否かの判断は、表面的・形式的に行うことなく、いじめられた児童生徒の立場にたって行うものとする」として、いじめとは「児童生徒に対して、当該児童生徒が在籍する学校に在籍している等当該児童生徒と一定の人的関係のある他の児童生徒が行う心理的又は物理的な影響を与える行為（インターネットを通じて行われるものも含む。）であって、当該行為の対象となった児童生徒が心身の苦痛を感じているもの」と定義づけ、いじめがなされた場所は「学校の内外を問わない」としている。

2022（令和4）年度の同調査の結果によると、いじめ➕の認知件数は合計68万1948件（前年度より6万6597件〔10.8％〕増加）であった[11]。校種別にみると、小学校では55万1944件（対前年度10.3％増加）、中学校では11万1404件（同13.8％増加）、高校では1万5568件（同10％増加）、特別支援学校では3032件（同12.5％増加）であった。

いじめの発見のきっかけは、「アンケート調査など学校の取り組みにより発見」が51.4％と最も多く、「本人からの訴え」は19.2％、「当該児童生徒（本人）の保護者からの訴え」は11.8％、「学級担任が発見」は9.6％であった[11]。

2 いじめに関する学校の取り組み

いじめに関する学校の取り組みのポイントとして、文部科学省は、大別すると、①実効性ある指導体制の確立、②適切な教育指導、③いじめの早期発見・早期対応、④いじめを受けた児童・生徒へのケアと弾力的な対応、⑤家庭・地域社会との連携をあげている[12]。

■**実効性ある指導体制の確立**

いじめの訴えなどを学級担任が1人でかかえ込むことがないように、校長のリーダーシップのもとに、それぞれの教職員の役割分担や責任の明確化をはかり、密接な情報交換により全教職員が協力し合って指導に取り組む体制を確立するなど、学校をあげて対応する。また、いじめの問題についての教職員の共通理解と指導力の向上をはかるために、校内研修を積極的に実施する。

■**適切な教育指導**

いじめる児童・生徒への指導や措置だけではなく、「いじめは人間として絶対に許されない」という意識を、学校教育活動全体を通して、1人ひとりの児童・生徒に徹底させる。さらに、いじめを許さない学級経営などを目ざして指導を行うことが求められる。

➕ **プラス・ワン**

いじめの態様

2022（令和4）年度の調査結果によると[11]、いじめの態様（複数回答可）は、「冷やかしやからかい、悪口やおどし文句、嫌なことを言われる」が57.4％（2021年度57.8％）で最も多い。ついで「軽くぶつかられたり、遊ぶふりをして叩かれたり、蹴られたりする」23.4％、「仲間はずれ、集団による無視をされる」11.7％、「嫌なことや恥ずかしいこと、危険なことをされたり、させられたりする」10.0％などが多い。

■いじめの早期発見・早期対応

まず問題兆候の把握が重要であり，児童・生徒の生活実態などのきめ細かい把握には，日ごろからの児童・生徒との深い信頼関係が不可欠である。定期的に児童・生徒から直接状況を聞く手法には，個別面談，個人ノートや生活ノートの活用などがある。また，いじめの把握にあたり，スクールカウンセラーや養護教諭など学校内の専門家との連携が重要であり，得た情報はどんなささいなことでも真剣に受けとめ，すみやかに教職員相互の情報交換などにより，適切かつ迅速な対応をはかる。

必要に応じて教育センター・児童相談所・警察などの地域の関係機関と連携をはかる。当事者だけでなくその友人関係などから情報を収集して事実関係を把握することを正確かつ迅速に行う。

■いじめを受けた児童・生徒へのケアと弾力的な対応

スクールカウンセラーなどの活用や，養護教諭などとの連携を積極的にはかるなど，教育相談をより充実させた心のケアなどが重要である。いじめを継続させないための弾力的な対応として，緊急避難としての欠席，グループがえや座席がえ，さらに学級がえを行うことや，保護者の希望により，関係学校の校長などの関係者の意見も十分にふまえて，就学すべき学校の指定の変更や区域外就学をみとめる措置について配慮することなども必要である。いじめられる児童・生徒の立場にたち，いじめからまもり通すために必要があれば弾力的に対応すべきである。これらの措置を講ずることについて，学校・教育委員会・保護者は，日ごろから十分な共通理解をもっておく。

■家庭・地域社会との連携

個人情報の取り扱いに留意しつつ，正確な情報提供が求められる。いじめの問題については，学校のみで解決することに固執してはならない。家庭・学校・地域社会などすべての関係者がそれぞれの役割を果たし，一体となって真剣に取り組むことが必要である。

e がん教育

日本人の約2人に1人が生涯のうちにがんにかかるとされるほど，がんは重要な課題であり，子どものうちから，がんについての基礎的な知識を習得しておくことが必要といわれている。文部科学省✚はがん教育について，「健康教育の一環として，がんについての正しい理解と，がん患者や家族などのがんと向き合う人々に対する共感的な理解を深めることを通して，自他の健康と命の大切さについて学び，共に生きる社会づくりに寄与する資質や能力の育成を図る教育」と定義している[13]。

がん教育を実施するにあたり，次の留意点が示されている。すなわち，①学校の実情にあわせた教育とするとともに家庭や地域社会と連携し生涯にわたり健康な生活を送るための基礎をつちかうこと。②外部講師

✚ プラス・ワン

文部科学省のがん教育

●がん教育の目標
文部科学省が設けたがん教育の目標は次の2つである[13]。
①がんについて正しい知識を身につけ，適切に対処できる実践力を育成する。また，がんの理解のうえに，がん以外の病気の理解も深め，健康の保持・増進につなげる。
②がんについての学びや，がんと向き合う人々とのふれあいから，健康と命の大切さに気づき，生き方を考え，ともに生きる社会づくりを目ざす態度を育成する。

●がん教育の内容
こうした教育目標に則したがん教育の内容として，次の9つが示されている[13]。
①がんとは（がんの要因など）
②がんの種類とその経過
③わが国のがんの状況
④がんの予防
⑤がんの早期発見・がん検診
⑥がんの治療法
⑦がん治療における緩和ケア
⑧がん患者の生活の質
⑨がん患者への理解と共生

(学校医，がんの専門医，がん経験者など)や関係諸機関との連携を大切にすること。③授業を展開する前に，児童・生徒が小児がんの当事者ではないか，家族をがんで亡くした児童・生徒などがいないかなどを把握し，このような児童・生徒には授業を展開するうえで十分に配慮する。

3 特別支援教育と特別な支援を要する子どもへの対策と支援

a 特別支援教育

特別支援教育とは，障害のある幼児・児童・生徒の自立や社会参加に向けた主体的な取り組みを支援するという視点にたち，幼児・児童・生徒1人ひとりの教育的ニーズを把握し，彼らがもてる力を高め，生活や学習上の困難を改善・克服するため，適切な指導および必要な支援を行うものである。2007(平成19)年4月から，「特別支援教育」が学校教育法に位置づけられ，従来の盲学校(視覚障害)，聾学校(聴覚障害)，養護学校(知的障害，肢体不自由，病弱・身体虚弱)が特別支援学校に改名され，すべての学校において，障害のある幼児・児童・生徒の支援をさらに充実していくことになった。

特別支援教育では，1人ひとりの教育的ニーズに応じた支援を効果的に実施することができるように，学校が中心となって「個別の教育支援計画」を作成している。作成にあたっては，教育(大学・教育委員会・教育センターなど)，医療(地域の病院・障害者専門医療機関など)，保健(保健所・保健センターなど)，福祉(児童相談所・障害者福祉センターなど)，労働(ハローワーク・生活支援センターなど)などの関係機関と連携するとともに，保護者の参画が求められる。特別支援教育を推進するため，学校と関係機関などとの調整を担当する教員として特別支援教育コーディネーターが位置づけられている。

1 特別支援教育の種類(図9-2)

■特別支援学校

特別支援学校とは，障害の程度が比較的重い子どもを対象として専門性の高い教育を行う学校である。幼稚園から高校に相当する年齢段階の教育を，特別支援学校のそれぞれ幼稚部・小学部・中学部・高等部で行う。対象は，視覚障害，聴覚障害，知的障害，肢体不自由，病弱・身体虚弱である。2023(令和5)年では知的障害(約13万1100人)が最も多く，ついで肢体不自由(約3万200人)が多かった[14]。

■小学校・中学校の特別支援学級

特別支援学級とは，障害の種別ごとの少人数学級で，障害のある子ども1人ひとりに応じた教育を行う。対象は，知的障害，肢体不自由，病弱・身体虚弱，弱視，難聴，言語障害，自閉症・情緒障害である。2023

プラス・ワン

特別支援教育の特徴
①自立活動：障害による学習・生活上の困難を改善・克服する。
②1人ひとりに応じた指導：障害の状態などに応じて弾力的な教育課程を編成する。
③専門性の高いスタッフと充実した施設：1人ひとりの障害に配慮した施設環境で，専門性の高い教員が少人数の学級で指導する。
④就職・進学などのサポート：卒業後の自立を促進するため，障害の状態などに応じた多様な職業教育や進路指導を行う。
⑤教育相談・巡回指導：専門性をいかした小学校・中学校に対する相談・助言を行う。

特別支援教育コーディネーター
小学校・中学校の特別支援教育コーディネーターは，①学校内の関係者や関係機関との連絡・調整，②保護者に対する学校の窓口として機能することが期待される。
特別支援学校の特別支援教育コーディネーターは，上記①②に加えて，地域支援の機能として，③小学校・中学校などへの支援，④地域内の特別支援教育の核として関係機関とのより密接な連絡・調整が期待される。

図9-2 特別支援学校等の児童・生徒の増加の状況(2013年→2023年)

		(2013年度)	(2023年度)
義務教育段階の全児童・生徒数		1030万人 → 0.9倍 →	941万人
特別支援教育を受ける児童・生徒数		32万人 3.1% → 2.0倍 →	64万人 6.8%
特別支援学校	視覚障害 聴覚障害 知的障害 肢体不自由 病弱・身体虚弱	6.7万人 0.7% → 1.1倍 →	8.5万人 0.9%
小学校・中学校 特別支援学級	知的障害 肢体不自由 身体虚弱 弱視 難聴 言語障害 自閉症・情緒障害	17.5万人 2.0% → 2.1倍 →	37.3万人 4.0%
小学校・中学校 通常の学級(通級による指導)*	言語障害 自閉症 情緒障害 弱視 難聴 学習障害 注意欠陥多動性障害 肢体不自由 病弱・身体虚弱	7.8万人 1.0% → 2.3倍 →	18.2万人 1.9%

※2012年度は公立のみ

○直近10年間で義務教育段階の児童・生徒数は1割減少する一方で、特別支援教育を受ける児童・生徒数はほぼ倍増。
○特別支援学級(2.1倍)、通級による指導(2.3倍)の増加が顕著。
＊通級による指導を受ける児童・生徒数(18.2万人)は、2021年度の値。2013年度は5月1日時点の値。

(文部科学省初等中等教育局特別支援教育課:特別支援教育の充実について、による、一部改変)

(令和5)年では自閉症・情緒障害(約19万6500人)が最も多く、ついで知的障害(約16万4000人)が多かった[14]。

■**通級における指導**
通常の学級に在籍しながら、特別な指導の場(通級指導教室)で、障害の状態に応じた特別な指導を行う。対象は、言語障害、自閉症、情緒障害、弱視、難聴、学習障害、注意欠陥多動性障害、肢体不自由、病弱・身体虚弱である。2023(令和5)年では言語障害(約4万7200人)が最も多く、ついで注意欠陥多動性障害(約3万8700人)が多かった[14]。

b 特別な支援を必要とする子どもへの対策と支援

視覚障害、聴覚障害、知的障害、肢体不自由、病弱・身体虚弱がある子どもへの対策と支援が文部科学省により進められている。

特別支援学校においては、就学に必要な経費の補助制度や、通学が困難な子どもにスクールバスや訪問教育✚を提供するなどの支援体制も整備されている。乳幼児期から学校卒業までの一貫した長期計画としての

> **プラス・ワン**
> **訪問教育**
> 訪問教育とは病気や障害のために、通学して教育を受けることが困難な児童・生徒に対して、教員が家庭や児童福祉施設、医療機関などを訪問して教育を行うことである。

プラス・ワン

発達障害

学習障害（LD），注意欠陥多動性障害（ADHD），自閉症スペクトラム障害（ASD），などのような障害を総称して，発達障害という。

LDは，知的発達に遅れはないが，聞く・話す・読む・書く・計算するなどの能力のうち，特定の分野に極端に苦手な側面が見受けられる。

ADHDは，注意力や衝動性，多動性などが年齢や発達に不釣り合いで，社会的な活動や学業に支障をきたすことがある。

ASDは，相手の気持ちを察することやまわりの状況に合わせたりする行動が苦手だったり，特定のものにこだわる傾向がみられる。

発達障害のある子どもは，個人差もあり，さまざまな障害による困難をかかえているが，すぐれた能力を発揮することもあるので，早期からの適切な支援を受けることにより，状態が改善することも期待される。

「個別の教育支援計画」や，障害のある子どもの個別の教育ニーズに対応して学校での指導計画や指導内容・方法を盛り込んだ「個別の指導計画」が，子ども1人ひとりに合わせて作成される。

近年では，医療的ケアを必要とする子ども，発達障害✚がある子ども，アレルギー疾患がある子ども，性同一性障害がある子ども，なども特別な支援を要する子どもとして学校保健における対策と支援の幅が広げられている（表9-4）。また若年妊娠に対しても市町村保健センターなどによる若年妊婦に対する特別な支援や配慮が望まれるところである。

保護者がいない児童や，養護が必要な被虐待児などの児童を対象にして公的責任により社会的に保護・養育することや，養育が困難な家庭への支援を行うことを社会的養護という。社会的養護の基本理念は「子どもの最善の利益のために」「すべての子どもを社会全体で育む」である[15]。

社会的養護の対象児童は，約4万2千人である。社会的養護が必要な児童は障害をもつ者が増加しており，里親では24.9%が，児童養護施設では36.7%が障害をもつ児童となっている（2018〔平成30〕年）[16]。

また，児童虐待件数の増加に伴い，虐待を受けた子どもを保護養育する支援の拡充が求められる。

表9-4 支援を必要とする子どもへの対策・支援の拡大

支援の対象	対策・支援
医療的ケアを必要とする子ども	2019（平成31）年3月に文部科学省は，特定行為以外の医療的ケアを含め，小・中学校等を含むすべての学校における医療的ケアの基本的な考え方や医療的ケアを実施する際に留意すべき点などについて整理した[1]。
発達障害がある子ども	「発達障害の可能性のある児童生徒に対する早期支援研究事業」や「発達障害理解推進拠点事業」（発達障害に関する校内研修など），「発達障害に関する教職員育成プログラム開発事業」が文部科学省の事業として実施されている[2]。
アレルギー疾患がある子ども	「学校のアレルギー疾患に対する取り組みガイドライン」[3]に掲載されている「学校生活管理指導表（医師の診断）」を活用し，①アレルギー疾患の理解と正確な情報を把握すること，②同指導表の「学校生活上の留意点」をふまえた日常の取り組みや組織対応による事故予防を実施すること，③緊急時の対応のため，研修会・訓練などの実施，体制の整備などが示されている。
性同一性障害の子ども	文部科学省は教員向けに「性同一性障害や性的指向・性自認に係る，児童生徒に対するきめ細かな対応等の実施について」で，性同一性障害の子どもへの対応についてまとめている[4]。この資料のなかでは，学校内外に対象者へのサポートチームをつくり，支援委員会（校内）やケース会議（校外）などを適時開催し，医療機関と連携をはかりながら，組織的に支援を進めていくことをすすめている。また，職員トイレ・多目的トイレの利用や，修学旅行などでは1人部屋の使用をみとめることなど，学校生活の各場面における具体的な支援についても示されている。
若年妊娠	「思春期から性に関する正確な知識を伝えるとともに，妊娠や出産に関して責任ある自己決定能力を身につけさせる教育を，家庭，学校，社会が連携をとりながら展開」する必要があるとともに，若年妊婦に対して，「妊娠初期から育児までの期間に渡り，社会的・経済的状況に応じた支援，住居場所の確保，きめ細かい育児指導なども重要」であると指摘されている[5]。

1）文部科学省：学校における医療的ケアの今後の対応について．2019．
2）文部科学省：発達障害の可能性のある児童生徒に対する早期支援・教職員の専門性向上事業の概要図．2014．
3）文部科学省，公益財団法人日本学校保健会：学校のアレルギー疾患に対する取り組みガイドライン（令和元年度改訂）．2020．
4）文部科学省：性同一性障害や性的指向・性自認に係る，児童生徒に対するきめ細かな対応等の実施について（教職員向け）．2016．
5）定月みゆき：若年妊娠・出産・育児への対応（特集 思春期）．母子保健情報 第60号，pp.53-58，2009．

4 学校保健活動の展開と養護教諭の職務

> **プラス・ワン**
>
> **養護教諭の配置**
>
> 養護教諭の配置は，次のように法令で規定されている。
> - 小学校・中学校：養護教諭をおかなければならない（学校教育法第37条）。
> - 高校：養護教諭をおくことができる（学校教育法第60条）。
> - 幼稚園：養護をつかさどる主幹教諭・養護教諭・養護助教諭・事務職員をおくように努めなければならない（幼稚園設置基準第6条）。

a 養護教諭の職務・役割

養護教諭は学校教育法第37条第12項に定められた教育職員であり，その職務は児童の養護をつかさどる と規定されている。

養護教諭には，①保健管理，②保健教育，③健康相談，④保健室経営，⑤保健組織活動の5つの役割がある。

1 保健管理

■学校保健情報の把握

養護教諭が把握しておくべき保健情報としては，児童・生徒の発育・発達・体力・疾病・栄養状態の実態，保健室の利用状況，毎日の健康観察および保健室で把握した健康課題，健康診断の結果および治療状況，日本スポーツ振興センター法による給付に関する学校災害の実態と安全環境，学校環境衛生の実態，などである。また，身体的な側面だけでなく，不安や悩みなどの心の健康や性に関する実態など，児童・生徒の心身両面の健康に関する情報の把握に努めることが重要である。

情報の扱い方については，個人情報保護法に基づき十分なプライバシーへの配慮が必要である。とくに保健調査などで保護者や児童・生徒から情報を得る場合は，事前に調査の目的を明らかにし，回収方法や調査後の処理方法について「保健便り」などで説明する必要がある。

■救急処置・救急体制

養護教諭が実施する救急処置および救急体制の整備については，本章Aの「危機管理体制・救急処置」（255ページ）を参照されたい。

■感染症の予防

感染症予防のため，日ごろから児童・生徒への保健指導や家庭への啓発に努め，感染症が発症した場合はすみやかに蔓延防止の対応を行う。

■学校環境衛生

教職員による日常の学校環境衛生活動に協力し，養護教諭の視点から助言を行う。また学校薬剤師が環境衛生検査を実施する際に，その準備・実施・事後措置に協力する。

■健康診断

養護教諭は学校内における健康診断の運営を担当し，定期・臨時の健康診断の計画立案・準備・指導・事後措置・評価などを行う。

2 保健教育

保健教育は，教科で行われる「保健」と，特別活動領域の「健康に関する指導」などからなる。

プラス・ワン

兼職発令

教育職員免許法（附則第15項）の規定で，3年以上養護教諭として勤務している者は教諭または講師として保健の教科の領域にかかわる事項の学習指導を行うことができる。

小学校または特別支援学校の小学部の場合は，体育の教科の領域の一部にかかわる事項で文部科学省で定めるものについての学習指導を行うことができる。

健康相談活動

教育職員免許法施行規則（昭和24年文部省令第38号）による養護に関する科目「健康相談活動の理論・健康相談活動の方法」に規定されている養護教諭免許状取得のための必須科目である。

■保健

教科としての保健などの保健教育については学習指導要領をもとに，ティーム・ティーチング（複数の教員で行う授業）の一員として専門的立場から参画する。3年以上養護教諭として勤務している者は，「兼職発令」によって教諭または講師として保健の教科の領域にかかわる事項の学習指導を担任する教諭・講師となることができる。

■健康に関する指導

個人を対象とした保健指導は，保健室の来室状況や保健調査などの保健情報から心身の健康や生活に課題をかかえている児童・生徒を見つけ実施する。集団を対象とした「健康に関する指導」は，学級活動・ホームルーム活動や学校行事などにおいて実施する。

■啓発活動

児童・生徒・保護者および教職員に対する保健教育，学校保健活動への理解を促すなどの啓発活動として，広報誌（保健便りなど），掲示物，保健室からのホームページなどを活用して行う。

3 健康相談

定期健康診断の結果や保健室来室者の状況から，必要に応じて健康相談・健康相談活動を実施する。健康相談は学校保健安全法第9条に定められており，養護教諭その他の職員は健康相談を実施する際は，関係職種（学校医，学校歯科医，学校薬剤師，学校内外の専門職，学級担任など，児童・生徒にかかわる教職員や校内組織）と相互に連係し遅滞なく当該児童生徒に必要な指導を行うとともに保護者に必要な助言を行う。健康相談活動は養護教諭の専門性をいかした固有の活動である。

4 保健室経営

学校の経営方針や年間指導計画および学校保健計画・学校安全計画と連動させた保健室経営計画を立案する。この計画をPDCAサイクルにそって，養護教諭の特質および保健室の機能をいかした保健室運営を行う。

5 保健組織活動

学校保健に関する各種計画・活動・運営へ参画する。具体的には，一般教員の行う保健活動へ協力するほか，児童・生徒・教職員・学校医および家庭・地域関係者などから構成される学校保健委員会などの企画運営，学校保健計画・学校安全計画の策定，事故・災害時における危機管理体制づくりなどへ参画する。

6 新たに求められる役割

1997（平成9）年度の保健体育審議会答申において，養護教諭は，いじめなどの心の健康問題に早く気づくことのできる立場にあり，養護教諭

> **プラス・ワン**
> **心の問題に対応する保健室機能**
> 1997（平成9）年の保健体育審議会答申において，養護教諭がいじめなどの心の問題への対応のために重要な役割を果たしていることが言及された。いじめ・虐待・保健室登校など心の問題に対応する機能を発揮するためにも，プライバシーや個人情報を十分にまもることができるよう配慮した保健室のレイアウトや構造が必要である。

のヘルスカウンセリング（健康相談活動）がより一層重要な役割であることが示され，心の健康問題にも対応した健康の保持・増進を実践できる資質の向上をはかることが求められた。

2008（平成20）年度の中央教育審議会答申では，養護教諭に対して，学校保健活動推進の中核的な役割，関係職員のコーディネーターとしての役割を求め，保健室には学校保健活動のセンター的役割を担うことを求めている。このように，養護教諭には，学校内外の連携体制づくりが重要な役割として求められるようになった。

b 保健室の機能と法的位置づけ

学校保健安全法第7条により，学校には健康診断・健康相談・保健指導・救急処置その他の保健に関する措置を行うために保健室を設けることが規定されている。保健室は養護教諭が職務と役割を遂行する場であるとともに，学校における教育施設として児童・生徒・教職員・保護者が利用しやすいものでなくてはならない。そのためには利用者にわかりやすい場所にあり，傷病者が発生する可能性の高い運動場や体育館に近く，救急車への搬送が容易であることも考慮して配置する必要がある。

保健室には，表9-5に示した機能が求められる。すなわち，けがや急病の救急処置・休養や，健康相談・健康教育，身体計測など，養護教諭の職務や役割を果たすための設備や備品を準備し，適切な広さ・明るさ・構造などの充実が保健室には求められている。

c 健康診断の意義と事前・事後の措置

学校における健康診断には定期健康診断，臨時の健康診断，就学時健康診断がある。

表9-5 保健室に求められる機能

①健康診断・発育測定などを行う場としての機能
②個人および集団の健康課題を把握する場としての機能
③健康情報センター的機能
④健康教育推進のための調査および資料などの活用・保管の場としての機能
⑤疾病や感染症の予防と管理を行う場としての機能
⑥児童・生徒が委員会活動などを行う場としての機能
⑦心身の健康に問題のある児童・生徒などの保健指導・健康相談・健康相談活動を行う場としての機能
⑧けがや病気などの児童・生徒などの救急処置や休養の場としての機能
⑨組織活動のセンター的機能など

（財団法人日本学校保健会：養護教諭の専門性と保健室機能を生かした保健室経営の進め方．p.11, 2004による，一部改変）

1 定期健康診断

■定期健康診断の意義と法的位置づけ

学校における児童・生徒の健康診断は，毎学年定期（6月30日まで）に行わなくてはならない（学校保健安全法第13条第1項）。養護教諭は，健康診断の立案・実施，事後措置を行い，必要に応じて健康相談・保健指導を計画的に実施する。健康診断は児童・生徒の疾病✚などの早期発見・早期対応や発育状態を把握するためにも重要な意義がある。

■健康診断の事前準備：学校保健情報の把握

健康診断を円滑かつ的確に進めるためには，学校医・学校歯科医との連携をはかりながら，事前に児童・生徒などの発育，健康状態などに関する調査を行うなどの保健情報を把握することが大切である（学校保健安全法施行規則第11条）。

■健康診断の事後措置

健康診断の結果に基づいて，予防措置，治療，運動・作業の軽減などの適切な事後措置をとらなければならない（学校保健安全法第14条）。健康診断から21日以内にその結果を幼児・児童・生徒とその保護者に対して通知し，学生にあっては当該学生に通知，適切な事後措置✚をとらなければならない（学校保健安全法施行規則第9条）。

2 臨時健康診断・就学時健康診断および教職員の健康診断

■臨時健康診断

臨時の健康診断は，感染症・食中毒が発生したとき，風水害などにより感染症の発生のおそれのあるとき，夏季における休業日の直前・直後，結核・寄生虫病その他の疾病の有無について検査を行う必要のあるとき，臨時に必要な検査を行う（学校保健安全法施行規則第10条）。

■就学児健康診断

市町村の教育委員会は，当該市町村の区域内に住所を有する者が就学するにあたって健康診断を行わなければならない（学校保健安全法第11条）。就学時健康診断の検査項目については**表9-6**に示した。

■教職員の健康診断

教職員の健康診断は，労働安全衛生規則第44条に基づき行われている✚。事業者は1年以内ごとに1回，定期に健康診断を実施しなくてはならない。

d 健康相談と保健指導

1 健康相談・保健指導の法的根拠

学校保健安全法第8条で，学校においては児童・生徒の心身の健康に

プラス・ワン

運動器検診

2014（平成26）年に「学校保健安全法施行規則の一部を改正する省令（平成26年文部科学省令第21号）」の公布により，「四肢の状態」が毎学年定期に実施する健康診断の必須項目として加えられ，「四肢の状態を検査する際は，四肢の形態及び発育並びに運動器の機能の状態に注意することを規定すること」となり，2016（平成28）年4月1日より施行された。改正の背景には，運動不足による体力・運動能力の低下または運動過多による骨・軟骨障害などスポーツ障害が多発しているなど二極化した問題が深刻化していることがあげられる。またこれらの異常を早期発見することで，健全な運動器の発育・発達を促し，体力・運動力の向上にも結びつけることができるためである。

定期健康診断後の事後措置

学校保健安全法施行規則第9条により，次の基準に基づいて事後措置をとる。
・疾病の予防措置を行う。
・必要な治療を受けるよう指示する。
・必要な検査・予防接種などを受けるよう指示する。
・療養のため必要な期間は学校において学習しないように指導する。
・特別支援学級への編入についての指導および助言を行う。
・学習・運動・作業の軽減，停止，変更などを行う。
・修学旅行・対外運動競技などへの参加を制限する。
・机・腰掛の調整，座席の変更および学級の編成の適性をはかる。
・発育・健康状態などに応じた保健指導を行う。

教職員の健康診断項目

①身長，②体重・腹囲，③視力・聴力，④結核の有無，⑤血圧・尿・胃の疾病・異常の有無，⑥貧血検査，⑦肝機能検査，⑧血中脂質検査，⑨血糖検査，⑩心電図検査，⑪その他の疾病・異常の有無

表 9-6 就学時健康診断および定期健康診断の実施検査項目（2016年4月1日より施行）

項目 検査項目	検査・診察方法		就学時 就学の4か月前までに実施	定期健康診断 幼稚園	小学校 1年	2年	3年	4年	5年	6年	中学校 1年	2年	3年	高校 1年	2年	3年	大学
保健調査	アンケート			◎	◎	◎	◎	◎	◎	◎	◎	◎	◎	◎	◎	◎	○
身長				◎	◎	◎	◎	◎	◎	◎	◎	◎	◎	◎	◎	◎	◎
体重				◎	◎	◎	◎	◎	◎	◎	◎	◎	◎	◎	◎	◎	◎
栄養状態			◎	◎	◎	◎	◎	◎	◎	◎	◎	◎	◎	◎	◎	◎	◎
脊柱・胸郭・四肢・骨・関節			◎	◎	◎	◎	◎	◎	◎	◎	◎	◎	◎	◎	◎	◎	△
視力	視力表	裸眼の者 裸眼視力	◎	◎	◎	◎	◎	◎	◎	◎	◎	◎	◎	◎	◎	◎	△
		眼鏡等を使用している者 矯正視力	◎	◎	◎	◎	◎	◎	◎	◎	◎	◎	◎	◎	◎	◎	△
		裸眼視力	◎	△	△	△	△	△	△	△	△	△	△	△	△	△	△
聴力	オージオメータ		◎	◎	◎	◎	◎	○	◎	○	◎	○	◎	◎	○	◎	○
眼の疾病・異常			◎	◎	◎	◎	◎	◎	◎	◎	◎	◎	◎	◎	◎	◎	○
耳鼻咽喉疾患			◎	◎	◎	◎	◎	◎	◎	◎	◎	◎	◎	◎	◎	◎	○
皮膚疾患			◎	◎	◎	◎	◎	◎	◎	◎	◎	◎	◎	◎	◎	◎	○
歯・口腔の疾病・異常			◎	◎	◎	◎	◎	◎	◎	◎	◎	◎	◎	◎	◎	◎	△
結核	問診，学校医による診察		BCG接種状況の把握		◎	◎	◎	◎	◎	◎	◎	◎	◎				
	X線撮影													◎			◎ 1学年（入学時）
	X線撮影・ツベルクリン反応検査・喀痰検査				○	○	○	○	○	○	○	○	○				
	X線撮影・喀痰検査・聴診・打診													○			○
心臓の疾病・異常	臨床医学的検査・その他の検査			◎	◎	◎	◎	◎	◎	◎	◎	◎	◎	◎	◎	◎	◎
	心電図検査			△	◎	△	△	△	△	△	◎	△	△	◎	△	△	△
尿	試験紙法	タンパクなど	◎	◎	◎	◎	◎	◎	◎	◎	◎	◎	◎	◎	◎	◎	△
		糖		◎	◎	◎	◎	◎	◎	◎	◎	◎	◎	◎	◎	◎	△
その他の疾病・異常	臨床医学的検査・その他の検査		◎	◎	◎	◎	◎	◎	◎	◎	◎	◎	◎	◎	◎	◎	◎

◎：ほぼ全員に実施されるもの，○：必要時また必要者に実施されるもの，△：検査項目から除くことができるもの

関する健康相談を行うことが定められている[＋]。保健指導については学校保健安全法第9条で，養護教諭その他の職員は連携して児童・生徒の健康状態を把握し，健康上の問題がある児童・生徒に実施すること，必要に応じてその保護者に対して必要な助言を行うことが規定されている[＋]。学校において救急処置・健康相談・保健指導を行うにあたっては，学校の所在する地域の医療機関の連携をはかるよう努めることが，学校保健安全法第10条で示されている。

2 学校医・学校歯科医・学校薬剤師による健康相談

学校医・学校歯科医・学校薬剤師は学校保健安全法施行規則第22, 23, 24条において健康相談に従事することが定められている。学校の教職員のみでは解決できない健康問題などについて専門的な立場から助言をしたり、また直接、児童・生徒やその保護者への健康相談を実施する。

e 感染症予防と対策

1 学校における予防対象の感染症

学校における予防対象の感染症は表9-7に示したように、第1, 2, 3種の3種類に分類されている(学校保健安全法施行規則第18条)。第3種の「その他の感染症」とは、学校で流行がおこった場合、流行を防ぐため、学校長が学校医の意見を聞き、学校や地域による状況を考慮し必要とされれば第3種の感染症として措置を講ずることができる感染症として分類されている。

2 感染症予防のための措置

■出席停止
校長は、感染症にかかっている、もしくはかかっている疑い、かかるおそれがある児童・生徒がある場合は、出席を停止させることができる(学校保健安全法第19条)。

■臨時休業
学校の設置者は感染予防のために必要な場合は、臨時に学校の全体または一部の休業の措置を行うことができる(学校保健安全法第20条)。「学級閉鎖」「学校閉鎖」がこの例である。臨時休業を行う場合は、学校医・教育委員会・保健所への連絡を迅速に行い、その助言を受け対策をたてる。

プラス・ワン

健康相談の対象者
- 健康診断の結果、継続的な観察や指導、管理を必要とする者
- 保健室などでの対応から健康相談の必要性があると判断された者
- 日常の健康観察の結果、継続的な観察を必要とする者(欠席・遅刻・早退の多い者、体調不良が続く者、心身の健康観察から健康相談が必要と判断された者)
- みずから健康相談を希望する者
- 保護者などの依頼による者
- 学校行事に参加させる場合に必要とみとめた児童・生徒

(文部科学省:教職員のための子どもの健康相談及び保健指導の手引. p.5, 2011による、一部改変)

学校保健における保健指導
学校保健における保健指導は、①特別活動などで行われる集団への保健教育と、②個別の保健指導、に大別される。

実践場面から学ぶ:感染予防のための措置

■事例紹介
5年生の林間学校を1週間後に控えた6月下旬、A小学校(1学年5学級全校児童670名)の養護教諭は、のどや耳の痛みや倦怠感を訴えて朝から保健室にきた児童5人(5年1組3人、2組1人)の熱をはかっていた。そのうちの1人(1組の児童)に37℃の熱があったため、養護教諭が早退の連絡をしようとしていたところ、3日前に早退した5年2組の児童Eの母親から電話があり、病院で溶血性レンサ球菌感染症の診断を受け、体調がよくなれば明日には登校させるとの連絡を受けた。

表9-7 学校における予防対象の感染症

分類およびその特徴	感染症の種類		出席停止の期間の基準
【第1種】 感染症法の1類感染症・2類感染症（結核は除く）	エボラ出血熱 クリミア-コンゴ出血熱 痘そう 南米出血熱 ペスト マールブルグ病 ラッサ熱 急性灰白髄炎 ジフテリア 重症急性呼吸器症候群（SARS） 鳥インフルエンザ（H5N1・H7N9） 新型インフルエンザ等感染症・指定感染症・新感染症[*1]		治癒するまで
【第2種】 飛沫感染する感染症で，学校で流行を防ぐことによって感染拡大しないもの	インフルエンザ（特定鳥インフルエンザを除く）		発症後5日を経過し，かつ解熱したのち2日（幼児は3日）を経過するまで[*2]
	百日咳		特有の咳が消失するまで，または5日間の適正な抗菌性物質製剤による治療が終了するまで[*2]
	麻疹		解熱したのち3日を経過するまで[*2]
	流行性耳下腺炎		耳下腺・顎下腺・舌下腺の腫脹が発現したのち5日を経過し，かつ全身状態が良好になるまで[*2]
	風疹		発疹が消失するまで[*2]
	水痘		すべての発疹が痂皮化するまで[*2]
	咽頭結膜熱		主要症状が消退したのち2日を経過するまで[*2]
	新型コロナウイルス感染症		発症したのち5日を経過し，かつ，症状が軽快したのち1日を経過するまで
	結核 髄膜炎菌性髄膜炎		病状により学校医その他の医師が，感染のおそれがないと認めるまで
【第3種】 学校教育活動において感染拡大する可能性があるもの	コレラ 細菌性赤痢 腸管出血性大腸菌感染症 腸チフス パラチフス 流行性角結膜炎 急性出血性結膜炎		症状により学校医その他の医師が，感染のおそれがないと認めるまで
	その他の感染症①[*3]	溶血性レンサ球菌感染症	全身状態がよければ登校は可能
		ウイルス性肝炎	肝機能が正常に戻ってから
		手足口病	全身状態がよければ登校は可能
		伝染性紅斑	
		ヘルパンギーナ	
		マイコプラズマ肺炎	症状が改善し，全身状態がよければ登校は可能
		流行性嘔吐下痢症	下痢，嘔吐症状が消失したあと，全身状態がよければ登校は可能
	その他の感染症②[*4]	アタマジラミ	出席停止の必要はない
		伝染性軟属腫	出席停止の必要はない。プール水に注意する
		伝染性膿痂疹	出席停止の必要はない。傷に直接触れないようにする

[*1] 新型インフルエンザ等感染症，指定感染症および新感染症は第1種の感染症とみなす。
[*2] 結核，髄膜炎菌性髄膜炎を除く第2種の感染症については，病状により医師において感染のおそれがないと認めたときは，この限りではない。
[*3] 条件によって出席停止の措置が必要となる感染症
[*4] 通常，出席停止の措置は必要ないと考えられる感染症

（学校保健安全法施行規則の一部改正〔2023年5月8日施行〕を参考に作成）

養護教諭は，発熱した児童の早退の手配を終えると，すぐに児童Eの母親から連絡があったことを学校長に報告した。学校長は養護教諭に溶血性レンサ球菌感染症は出席停止になる感染症なのかを確認した。養護教諭が「学校長の判断による」ことを説明したところ，児童Eはすでに3日も休んでおり，明日から登校できるようなので，学校長は出席停止の措置をとらなかった。

● ポイント①：学校医への相談

溶血性レンサ球菌感染症は，学校において予防すべき感染症の第3種の「その他の感染症」に属し，出席停止の措置が必要と学校長が判断すれば出席停止の措置をとることができる。つまり学校での感染拡大の可能性があると学校長が判断した場合は出席停止の措置を講じる必要がある。

その場合，学校長は，学校の児童・生徒の様子や状況を学校医に相談して助言を受け，疾病の特質や感染様式を十分に考慮したうえで判断する。学校長に学校医への相談を促すことも養護教諭の重要な役割である。

● ポイント②：養護教諭の学校長への状況説明

本事例で養護教諭は，学校長への報告の際に他の児童の様子を詳細に説明していない。現在のところ発熱している児童は1人であるが，ほかの児童も今後体調が悪化する可能性がある。また，溶血性レンサ球菌感染症はのどの痛みに特徴があることや中耳炎をおこすこともあるので，十分に観察し状態を把握する必要があった。養護教諭の情報によって学校長は判断するため，養護教諭はほかの児童の様子も含めて説明しなければならない。校内において唯一医学的素養をもった教育職であることを自覚し，疾病の特質など専門職として的確な情報を発信することが求められる。

● ポイント③：学年全体の健康観察を再度一斉に行う

養護教諭は来室者が多い学級や，感染症が発生した児童・生徒の学級・学年，そのきょうだいが在籍している学年について，迅速に朝の健康観察の結果を分析すること，またその分析の結果によっては再度ていねいに健康観察をやり直す必要もある。本事例の場合は，林間学校も控えているため，学校行事など，現在の状況も判断の基準とすることも念頭におき，適切な情報収集，対応を行わなくてはならない。

f 学校管理下の事故の防止と救急処置

学校管理下の事故防止のためには，学校保健安全法第27条で定められている学校安全計画を策定することが重要である。策定にあたり，前年度の事故の分析を十分に行い，学校安全主任などとともに事故を未然に防ぐためのリスクマネジメントと，事故がおこってからの対処や事故後の処理などのクライシスマネジメントの2つの観点から，学校の実態に即した危機管理体制および救急処置体制を組織的に構築する。また学校

において行われる救急処置は医療機関につないだり,悪化を防止することや苦痛の緩和を目的に行う。養護教諭は児童・生徒の健康状態や身体に何がおきているかできるだけ早く判断し対応する。学校での救急処置活動は救急処置を実施することだけでなく,発達段階に応じた保健指導も必要である。

g 健康教育

児童・生徒の大半は健康な子どもであり,健康教育として心身の健康問題が発生する前の予防教育を実施することや,健康問題がおこったときの適切な解決方法や対処方法を学ぶことは大切である。学校において実施する健康教育のテーマには,生活習慣病予防や薬物乱用防止教育,性に関する指導,心の健康教育などが望まれている。

とくに学校における薬物乱用防止教育✚は,学校薬剤師の教育活動でもある。学校薬剤師や警察官などの専門家を活用した指導や教科の「保健」や「道徳」,特別活動における学級活動のなかでの指導,薬物乱用防止教育を通じた健康教育の充実などが望まれる。

h 学校保健組織活動

学校において発生するさまざまな健康問題の解決のためには,地域社会全体を巻き込んだ対策が必要である。そのための組織活動として学校保健委員会✚がある。学校保健委員会は,学校内の児童・生徒の実態や健康問題を把握し,解決のために協議する場である。その企画立案は保健主事が中心となって行う。

i ヘルス・プロモーティング・スクール

ヘルス・プロモーティング・スクール(HPS)とは,「学校を中核として地域社会や家庭のもとに包括的に進める総合的な健康づくり」のことである。WHOがこの概念を提唱して以後,健康を学校全体の取り組みとして推進していく有効な方法として,近年,世界各国で精力的に取り組まれている。

アジアにおいては,1996年以降,中国香港特別行政区や台湾が国家事業としてHPSを開始し,発展させている。日本においては,日本学校保健会が主催している健康教育推進学校表彰事業にみられるように国家事業というよりも,現場主導型で進められており,他国と発展過程が異なっている。日本のHPSにおいてはその職域,資質能力からも養護教諭が中核的な役割を担うことが期待されている。

✚ プラス・ワン

児童・生徒の薬物乱用防止
近年,中学生・高校生の覚醒剤事犯検挙者は減少傾向であるが,大麻やメチレンジオキシメタンフェタミン(MDMA)などの合成麻薬事犯の検挙者の6~7割が未成年および20歳代の若者であると報告されている。
これまで国の施策においては,「薬物乱用防止五か年戦略」(1998〔平成10〕年),「薬物乱用防止新五か年戦略」(2003〔平成15〕年)を経て,「第三次薬物乱用防止五か年戦略」(2008〔平成20〕年),「薬物乱用防止戦略加速化プラン」(2012〔平成22〕年)により,薬物乱用防止の教育・予防・啓発の充実と強化が進められている。

学校保健委員会のメンバー
校長,副校長,教頭,養護教諭,保健主事,健康教育代表教員,栄養職員栄養教諭,スクールカウンセラー,スクールソーシャルワーカー,学校医,学校歯科医,学校薬剤師,PTA,児童生徒の代表など。
●児童生徒保健委員会
児童・生徒により構成され,児童・生徒が主体的に学校保健委員会への参画,救護,環境衛生,広報活動,保健発表などの活動を行うものである。児童生徒保健委員会への指導も養護教諭の役割の1つである。児童生徒保健委員会は,学習指導要領の「特別活動」に位置づけられている。

J 地域の関係機関・ボランティアとの連携・協働

　文部科学省では，新学習指導要領において，学校がその目的を達成するために，家庭・地域社会などとの連携・協働の推進を掲げている．また，中央教育審議会の答申「チームとしての学校の在り方と今後の改善方策について」において，子どもを取り巻く状況の変化や複雑化・困難化した課題に向き合うため，教職員に加え，多様な背景を有する人材がおのおのの専門性に応じて，学校運営に参画する「チーム学校」を推進している．このように，児童・生徒の心身の健康課題の解決には，地域社会の連携・協働が不可欠である．養護教諭などの学校保健担当者には，市町村の福祉課などをはじめ，福祉・医療関連の機関と連携するとともに，学校ボランティアを積極的に活用し，障害や外国籍など特別な教育的ニーズのある子どもたちなどの生活・学習支援を行っている NGO などと連携・協働していくことが求められている．

●引用文献

1) 嶋根卓也ほか：飲酒・喫煙・薬物乱用についての全国中学生意識・実態調査．2018．（https://www.ncnp.go.jp/nimh/yakubutsu/report/pdf/J_NJHS_2018.pdf）（参照 2023-09-21）
2) 厚生科学審議会地域保健健康増進栄養部会・健康日本21（第二次）推進専門委員会：第3章Ⅱ5「栄養・食生活，身体活動・運動，休養，飲酒，喫煙及び歯・口腔の健康に関する生活習慣及び社会環境の改善」．健康日本21（第二次）最終評価報告書，pp.318, 319, 332-334, 2022.（https://www.mhlw.go.jp/content/001077185.pdf）（参照 2023-10-17）
3) 文部科学省初等中等教育局特別支援教育課：令和5年度学校における医療的ケアに関する実態調査結果（概要）．2024．（https://www.mext.go.jp/content/20240623-mxt_tokubetu01-000032436_2.pdf）（参照 2024-09-10）
4) 厚生労働省：令和5年（2023）人口動態統計（確定数）の概況．2024．（https://www.mhlw.go.jp/toukei/saikin/hw/jinkou/kakutei23/index.html）（参照 2025-01-14）
5) 厚生労働省：令和5年度衛生行政報告例の概況．2023．（https://www.mhlw.go.jp/toukei/saikin/hw/eisei_houkoku/23/）（参照 2025-01-14）
6) 厚生労働省：年齢（5歳階級）別にみた性感染症（STD）報告数の年次推移．（https://www.mhlw.go.jp/topics/2005/04/tp0411-1.html）（参照 2024-09-10）
7) 文部科学省：子供の自殺等の実態分析．2014．（https://www.mext.go.jp/content/1422639_004.pdf）（参照 2023-09-21）
8) 厚生労働省自殺対策推進室，警察庁生活安全局生活安全企画課：令和5年中における自殺の状況．2024．（https://www.npa.go.jp/safetylife/seianki/jisatsu/R06/R5jisatsunojoukyou.pdf）（参照 2024-09-10）
9) こども家庭庁：令和4年度児童相談所における児童虐待相談対応件数．2024．（https://www.cfa.go.jp/assets/contents/node/basic_page/field_ref_resources/a176de99-390e-4065-a7fb-fe569ab2450c/b45f9c53/20240926_policies_jidougyakutai_26.pdf））（参照 2025-01-14）
10) 文部科学省：学校保健統計調査―令和4年度（確定値）の結果の概要．2023．（https://www.mext.go.jp/b_menu/toukei/chousa05/hoken/kekka/k_detail/1411711_00007.htm）（参照 2024-09-10）
11) 文部科学省初等中等教育局児童生徒課：令和4年度児童生徒の問題行動・不登校等生徒指導上の諸課題に関する調査結果について．（https://www.mext.go.jp/content/20231004-mxt_jidou01-100002753_1.pdf）（参照 2024-09-10）
12) 文部科学省：学校におけるいじめ問題に関する基本的認識と取組のポイント．（http://www.mext.go.jp/a_menu/shotou/seitoshidou/06102402/002.htm）（参照 2023-09-21）
13) 「がん教育」の在り方に関する検討会：学校におけるがん教育の在り方について報告．2015．（https://www.mext.go.jp/a_menu/kenko/hoken/__icsFiles/afieldfile/2016/04/22/1369993_1_1.pdf）（参照 2023-09-21）

14) 文部科学省初等中等教育局特別支援教育課：特別支援教育の充実について．(https://www.mhlw.go.jp/content/001231516.pdf))(参照 2025-01-14)
15) 厚生労働省雇用均等・児童家庭局長：通知「児童養護施設運営指針」．2012．(https://www.mhlw.go.jp/stf/shingi/2r98520000026rqp-att/2r98520000026rwn.pdf)(参照 2023-09-21)
16) こども家庭庁支援局家庭福祉課：社会的養育の推進に向けて．2023.
(https://www.cfa.go.jp/assets/contents/node/basic_page/field_ref_resources/8aba23f3-abb8-4f95-8202-f0fd487fbe16/e979bd1e/20230401_policies_shakaiteki_yougo_67.pdf)(参照 2023-09-21)

●参考文献
・千葉大学教育学部ヘルス・プロモーティング・スクール・プロジェクト：ヘルス・プロモーティング・スクール(健康的な学校づくり)を推進する教員養成プログラム報告書——教員研修モデルカリキュラム開発プログラム 平成 23 年度．2012．
・林典子ほか：スキルアップ養護教諭の実践力——レッツ・チェック「養護教諭の活動」．東山書房，2014．

10章

産業保健

10章 産業保健

A 産業保健の基本

POINT

- 産業保健の目的は，①労働者の健康と作業能力を維持・増進すること，②安全と健康をもたらすように作業環境と作業を改善すること，③作業における健康と安全を支援することで，よい社会的雰囲気づくりと円滑な作業行動を促進し，事業の生産性を高める方向に作業組織と作業文化を発展させることである。
- 産業保健活動は，事業者が労働者と協力して産業保健の目的を達成できるように，産業保健専門職が行う支援活動である。
- 産業保健活動の対象は，個々の労働者だけでなく労働者が所属する組織から地域までを含む。
- 産業構造の変化により，第三次産業の割合が増加している。また，少子高齢化や産業のグローバル化などにより，労働人口の高齢化や，女性労働者・海外派遣労働者・外国人労働者の増加などによる労働者の多様化が進み，それぞれに応じた健康支援対策が必要である。
- 日本では，働く人々の健康の保持・増進や快適な職場づくりを目的に，労働基準法や労働安全衛生法をはじめとしたさまざまな法規に基づいて，産業保健活動が行われている。
- 労働安全衛生法では，事業場における安全衛生管理体制として，安全衛生を担う組織と人材を規定している。
- 産業保健活動は，従来の「法令準拠型」から「自主対応型」に変化し，労働安全衛生マネジメントシステムの導入が進められている。

1 産業保健の目的と産業保健活動

a 産業保健の目的

プラス・ワン

産業保健と労働衛生
産業保健(occupational healthまたはindustrial health)は，法律用語で用いられる「労働衛生」と同義語とみなされている。

ILO
スイスのジュネーブに本部をおく国際機関で，労働条件の改善を通じて，社会正義を基礎とする世界の恒久平和の確立に寄与すること，完全雇用，労使協調，社会保障などの推進を目的とする。日本はILO加盟国として，政労使(政府・労働者団体・使用者団体)とともに各種会合に積極的に参加している。

産業保健⊕の目ざす方向性や考え方および目的は，1995年に国際労働機関(International Labour Organization：ILO)⊕と世界保健機関(WHO：World Health Organization)の合同委員会が採択した定義に示されている(**表10-1**)。産業保健は働く人の健康の保持・増進が目的ではあるが，その活動は人だけを対象とするものではない。作業環境や作業そのもの，ひいては作業組織や作業文化の発展にまで着目し，企業の生産性向上に貢献するという目的まで含まれている広い概念である。

b 産業保健活動とは

産業保健活動は，事業主が産業保健の目的を達成するために，労働者の協力を得て主体的に推進するものである。そこには産業医学・公衆衛

表 10-1　産業保健の定義

● **産業保健の目ざすべき方向性**
・すべての職業における労働者の身体的・精神的・社会的健康を最高度に維持・増進させること
・労働者のうちで労働条件に起因する健康からの逸脱を予防すること
・雇用中の労働者を健康に不利な条件に起因する危険から保護すること
・労働者の生理学的・心理学的能力に適合する職業環境に労働者を配置し，維持すること
以上を要約すると，作業を人に適合させ，人をその仕事に適合させることとなる。

● **産業保健の主要な目的**
・①労働者の健康と作業能力の維持・増進，②安全と健康をもたらすように作業環境と作業の改善，③作業における健康と安全を支援すること
・上の①〜③により，よい社会的雰囲気づくりと円滑な作業行動を促進し，事業の生産性を高める方向に，作業組織・作業文化を発展させること
・作業文化という概念は，当該企業が採択した不可欠の価値体系を反映することを意味する。実際面で作業文化は，企業の経営システム・人事方針・品質管理に反映される。

(公益財団法人産業医学振興財団：産業医学とは，をもとに作表)

生学・心理学・看護学・人間工学・労働衛生工学・中毒学・社会医学・臨床医学など，さまざまな学問的背景をもつ多職種が協働し，事業者と労働者を支援することが不可欠である。

2000(平成12)年に日本産業衛生学会が，「産業保健専門職の倫理指針」[1]で示した内容をまとめると，産業保健活動とは，事業者が労働者と協力して産業保健の目的を達成できるように，学際的な産業保健チームが協働して推進する支援活動であるといえる。

2 産業保健における保健師の役割・機能

a 産業看護とは

産業保健において，看護職がその専門性に基づいて行う活動が産業看護である。

日本産業衛生学会産業保健看護部会では，2022(令和4)年に「産業看護の定義」を「産業保健看護の定義」として次のように改訂した。「産業保健看護の対象は，すべての労働者および事業者であり，個人のみならず集団・組織をも含む。その目的は，健康と労働の調和を保つことであり，ひいては労働生産性の向上および持続可能な社会を実現することである。これらの目的達成に向けて，看護学を基盤として，経営的視点を念頭に置き，かつ公平・公正な立場から事業者と労働者の自主的な取り組みを支援する。産業保健看護専門職は，系統的な情報収集およびアセスメントにより抽出された個人・集団・組織の健康課題を連動させながら，課題解決に向けて事業場内外と連携を図り，協働および仕組みづくりを行う。これらを通して，労働に関連する健康障害の予防，労働者の生涯にわたる自律的な健康行動の確立，労働者が健康で安全に働き続けること

> プラス・ワン
>
> **公衆衛生活動**
>
> 公衆衛生の定義としては，アメリカのウィンスロー（Winslow, C. E. A）のものが WHO によって認められ，広く通用している。すなわち，公衆衛生とは，環境衛生の改善，伝染病の予防，個人衛生の原理に基づく衛生教育，疾病の早期診断と予防的治療のための医療および看護業務の組織化，さらに地域社会のすべての住民が健康を保持するにたる生活水準を保障するような社会機構の発展を目ざして行われる地域社会の努力を通じて，疾病を予防し，生命を延長し，健康と人間的能率の増進をはかる科学であり，技術であると定義されている。

ができる職場環境づくり，さらには職場風土の醸成に寄与するものである。」[2]

b 産業保健における保健師の役割

　前述したように産業保健活動とは学際的な産業保健チームが協働して推進する支援活動であり，看護職もチームの一員として，看護の専門性を十分に発揮した活動を行うことが重要である。

　なかでも公衆衛生活動✚の担い手である保健師は，集団の健康を保持・増進するために，環境衛生の改善，疾病の予防と早期発見・治療，健康教育，各種制度の確立などを行う役割をもつ。個人への支援としては，個人の健康状態だけでなく，価値観や生きがい，働きがい，生活背景，生活環境，労働環境など対象を取り巻くすべてのことがらを考慮することが大切である。

　また，環境の調整として，作業環境や作業条件，安全や健康を確保するための組織体制，健康や安全を大切にする職場風土の醸成などについて，必要な改善や新しい取り組みを促進する必要もある。そのためには，個別の訴えや健康問題のなかに，集団や組織としての問題がひそんでいないかをつねに意識しなければならない。

　逆に，集団としての健康問題を把握することから，職場の改善や個人への支援につなげていくことも重要である。さらに，必要に応じて社会資源との連携もはかる必要があるため，日ごろから情報収集やネットワークづくりなどを行い，ケースに応じて資源を有効に活用する，あるいは活用を促すことも保健師の重要な役割である。

3 日本における産業保健の歴史

a 日本における産業保健の変遷と社会背景

　日本における産業保健の変遷を，主要な法規の制定にそって概観する。

1 工場法の成立

　明治中期に紡績業を中心に始まった日本の産業革命では，女性や年少の労働者が増加し，不衛生な生活環境や過酷な労働条件により健康障害や結核が蔓延し，労働力が大きく消耗されていた。このような情勢を受け，1916（大正 5）年，日本の産業保健の歴史において大きな節目となる**工場法**が施行された。その後，昭和初期には戦時色が濃くなり，重工業や化学工業が重視され新しい職業病が発生するとともに，結核の罹患もますます増加した。1942（昭和 17）年には工場法施行規則が改正され，ツベルクリン反応の全員実施などの結核対策が企業で広く行われた。

2 労働基準法などの制定

　第二次世界大戦後，労働者を労働条件の面から保護するための法律として，1947(昭和22)年に**労働基準法**が定められた。同法により，賃金・労働時間・休日・安全衛生・災害補償などの最低基準が保証された。この時代も依然として結核が大きな問題であったが，1951(昭和26)年に結核予防法が制定され，健康診断による早期発見・早期治療，要観察者のフォロー，患者管理などにより，1950年代後半から結核患者は急速に減少した。

　患者が減少を始めた結核にかわり，職業病としては，鉱山労働者の粉塵による健康障害であるけい肺(塵肺の一種)が問題となった。これを受けて1958(昭和33)年に，**けい肺および外傷性脊髄障害の治療に関する特別措置法**が制定され，1960(昭和35)年にはじん肺健康診断の実施やじん肺管理区分の決定に加え，健康管理のための措置などを定めた**じん肺法**が制定された。

3 労働安全衛生法の制定

　1950年代後半〜1970年代初頭は，日本が高度経済成長をとげた時代であり，新資材や新技術の導入が進んだ。1960年代後半〜1970年代には，第一次ベビーブーム時代に生まれた人々が就業年齢に到達し，産業が飛躍的に発展するとともに，さまざまな職業性疾病の顕在化や労働災害が問題となった。これらの防止対策を強化する法令として，1972(昭和47)年，**労働安全衛生法**が制定された。その後1975(昭和50)年には**作業環境測定法**，1979(昭和54)年には「**粉じん障害防止規則**」など作業環境や作業方法のあり方に重点をおく法令も定められ，産業保健対策が進んだ。

　1970年代後半以降，技術革新やサービス産業化，高齢化の進行により生活習慣病の予防やストレス対策が課題となり，労働者の心身の健康の保持・増進を一層推進することが求められた。そのため1988(昭和63)年，労働安全衛生法の改正が行われ，労働者の健康の保持・増進対策を行うことが事業者の努力義務とされた。その具体的な方法として労働大臣公示「**事業場における労働者の健康保持増進のための指針**」が出され，心と身体の健康増進を目ざす**トータルヘルスプロモーションプラン**(total health promotion plan；**THP**)が進められることになった。

　その後1992(平成4)年の労働安全法改正では，疲労やストレスを感じることの少ない快適な職場環境の形成のための措置，1996(平成8)年の改正では健康診断の結果に基づく保健指導の実施などが規定された。さらに1999(平成11)年の改正では，深夜業に従事する労働者の健康管理対策の充実や化学物質による労働者の健康障害防止をはかるため，化学物質の有害性に関する情報などを記載した安全データシート(SDS)の交付義務が同物質の譲渡・提供者に課された。

プラス・ワン

自主対応型産業保健活動への転換

1972年，イギリスでは安全衛生を所掌する労働大臣に任命された7名の委員からなる委員会（ローベンス委員会）が，当時の安全衛生問題（主として行政面）についての報告書（「ローベンス報告」）を提出した。報告書では法律・監督中心から「自主対応型」への移行が提言された。
この報告を受けて，1974年に「職場における保健安全等に関する法律」が制定され，法規準拠型から自主対応型の安全衛生活動への改革が行われた。

国際動向を受けた対応

国際的な基準として ILO においても OSHMS に関するガイドラインが策定されており，厚生労働省の指針はILOのガイドラインに準拠している。

「労働施策基本方針」における基本的な事項

「労働施策基本方針」の7つの基本的な事項は次のとおり。
①労働時間の短縮などの労働環境の整備
②雇用形態または就業形態の異なる労働者の間の均衡のとれた待遇確保，多様な働き方の整備
③多様な人材の活躍促進
④育児・介護・治療と仕事との両立支援
⑤人的資本の質の向上，職業能力評価の充実
⑥転職・再就職支援，職業紹介などの充実
⑦働き方改革の円滑な実施に向けた連携体制の整備

2005（平成17）年の改正では，長時間労働者への医師による面接指導の実施義務化，労働安全衛生マネジメントシステム（OSHMS）の導入促進などが行われた。さらに，2014（平成26）年，ストレスチェックおよび面接制度を義務化する**ストレスチェック制度**の創設や**受動喫煙防止**のための適切な措置の努力義務化などを含む改正が行われた。

4 「労働安全衛生マネジメントシステムに関する指針」の公表

1970年代以降，イギリスをはじめとするヨーロッパ諸国の産業保健活動では，従来の法規遵守型の安全衛生管理から，みずからが自主的に個々のリスクを評価し，その結果に基づいて労働災害防止のために適切な措置を講ずるという自主対応型産業保健活動が推進されてきた。

このような国際動向を受けて，日本でも1999（平成11）年に「労働安全衛生マネジメントシステムに関する指針」が公表された。この指針により，事業者が労働者の協力のもとに一連の過程を定めて継続的に行う自主的な安全衛生活動が促進されている。

5 労働施策総合推進法

労働施策の総合的な推進並びに労働者の雇用の安定及び職業生活の充実等に関する法律（労働施策総合推進法）は，1966（昭和41）年に雇用対策法として制定された法律を，2018（平成30）年に改正したものである。働き方や働く人々の多様化が進むなか，労働者がそれぞれの事情に応じて労働能力を有効に発揮し，生きがいをもって働くことができるよう，労働者の職業の安定と経済的・社会的地位の向上をはかり，経済・社会の発展や完全雇用の達成に資することを目的とするものである。

この法律に基づき，厚生労働大臣によって「**労働施策基本方針**」が定められ，具体的な対策が示されている。対策を通じて，「誰もが生きがいを持って，その能力を有効に発揮することができる社会」「多様な働き方を可能とし，自分の未来を自ら創ることができる社会」「意欲ある人々に多様なチャンスを生み出し，企業の生産性・収益力の向上が図られる社会」が目ざされている。

b 産業における看護職の活動の歴史

1 明治時代～第二次世界大戦

日本において産業現場での看護職の活動は19世紀末，明治の中ごろからとされているが，その業務は診療における医師の介助中心であった。本来の産業看護活動として公衆衛生を専攻した当時の「看護師」が企業に採用されるようになったのは，昭和のはじめごろとされている。

明治の終わりごろから昭和初期は，工場における結核の蔓延が大きな

問題となっていた。1933(昭和8)年，内務大臣管轄下社会局の長官からの，労働者の肺結核予防についての諮問に対し，**日本産業衛生協会**(現日本産業衛生学会)は答申で，健康診断の励行や工場医・鉱山医の設置，過労の防止などいくつかの項目をあげ，その1つとして「**保健看護婦**」(現在の保健師)の設置を勧告した。そのころから，多くの企業で保健看護婦が採用されるようになり，健康相談・保健指導・家庭訪問などにより結核対策に尽力するとともに，職場内や寮・社宅などの伝染病や食中毒の予防対策，衛生教育にもあたり，成果を上げた。

1937(昭和12)年には**保健所法**が制定され，「**保健婦**」という名称が用いられるようになった。日中戦争が始まり第二次世界大戦へという時局のなか，多くの企業は軍需工場にかわり，女性や年少者が職場に著しく増え，結核の蔓延だけでなく，重筋作業による健康障害，二硫化炭素中毒などの健康問題も課題となった。企業はますます多くの保健婦を採用し，保健婦は，工場の巡視をはじめ幅広い活動を行った。

2 第二次世界大戦後～1970年代

第二次世界大戦後，保健医療制度の抜本的な改革が推進され，1947(昭和22)年，**保健所法**の改正や**労働基準法**の制定があり，1948(昭和23)年には**保健婦助産婦看護婦法**が成立した。このころからさまざまな企業が産業保健に取り組み，製造業のみならず建設業・貨物取扱業・商業・金融広告業などに幅広く保健婦が採用され活躍の場を広げた。1954(昭和29)年には日本看護協会保健婦会が産業保健婦研究会(1955年，事業所保健婦委員会に改称)を発足させ，「保健婦業務便覧」に事業所保健婦の活動指針をのせるなど，産業保健婦活動の方向づけがなされた。

1972(昭和47)年，**労働安全衛生法**が制定され，産業保健の水準を向上させる基盤が整った。同年9月18日に出された労働省通達「労働安全衛生規則の施行について」では，衛生管理者✚の免許を有する保健婦の積極的な活用が示された。さらに，翌1973(昭和48)年6月26日付けの労働省通達「**衛生管理者としての保健婦の活用**」✚では，保健婦の配置や業務内容，処遇の改善などが示された。

3 1980年代以降

1980年代以降，産業構造の変化が続き，1990年代にはサービス業などの第三次産業の就業者割合が全産業の60%をこえた。またME・OA化などの技術革新が進み，労働者の健康問題もVDT作業者の眼精疲労や精神神経障害，頸肩腕障害などがクローズアップされ，1985(昭和60)年の労働省通達「**VDT作業のための労働衛生上の指針について**」に，VDT作業にかかわる健康管理を保健婦・看護婦との連携を強化することで，より効果的に運営されることが望まれると記された。

その後も技術革新やサービス産業化が進み，さらには高齢化の進行も

✚ プラス・ワン

衛生管理者

常時50人以上の労働者を使用する事業場は，当該事業場専属の衛生管理者を選任する義務がある。衛生管理者資格を有する者は，衛生管理者免許試験に合格した者，医師，歯科医師，労働衛生コンサルタントなどである。「保健師助産師看護師法第7条の規定に基づいて保健師免許を受けた者」は，申請により第一種衛生管理者免許が得られる。このことから，企業では保健師が衛生管理者を兼任している場合も多い。

労働省通達「衛生管理者としての保健婦の活用」

1. たとえば常時使用する労働者が1,000人をこえる事業場，有害な業務を行う事業場などにおいては，保健婦を活用し，有所見者，有害業務従事者などの健康様態の常態的把握や，日常の健康相談，指導にあたらせるようにすること。
2. 上記以外の事業場であっても保健室，健康管理室などを設置する事業場においては保健婦を配置し，労働者の保健指導，健康相談などにあたらせるようにすること。
3. 保健婦は，産業医の協力者として疾病の予防対策，健康診断の事後措置の指導，現場衛生担当者の指導にあたらせること。
4. 保健婦が選任されている事業場に対しては，保健婦の知識，技術が十分に活用されるよう指導し，あわせて，その処遇の改善を通じてその能力が十分に発揮されるよう指導すること。

(労働省：通達「衛生管理者としての保健婦の活用」．1973．による，一部改変)

加わり，労働者の健康問題では生活習慣病の予防やストレス対策が課題となった。労働安全衛生法が改正され，1988（昭和63）年の改正でTHPが導入され，産業看護職が保健指導者として活躍するようになり，1996（平成8）年の改正では，保健婦が健康診断の事後措置としての保健指導を実施する人材として位置づけられた。また，1993（平成5）年に示された労働省の事務連絡「**地域産業保健推進センター事業の運営について**」でも，保健婦・看護婦の役割が規定された。

　2006（平成18）年に厚生労働省が策定した「**労働者の心の健康の保持増進のための指針**」では保健師の役割が示された。

4 産業構造の変遷

a 産業別就業者数の推移

　日本の産業構造は，第一次産業から第二次産業，第三次産業へシフトしてきた（図10-1）。総務省の統計によると，1950（昭和25）年の産業別就業者構成割合では，農林漁業（48.5％）が最多で，ついで製造業（15.8％），卸売・小売業（11.1％）で，サービス業は9.2％であった。高度経済成長期になると農林漁業の割合が大きく低下した一方，1970年には，製造業が

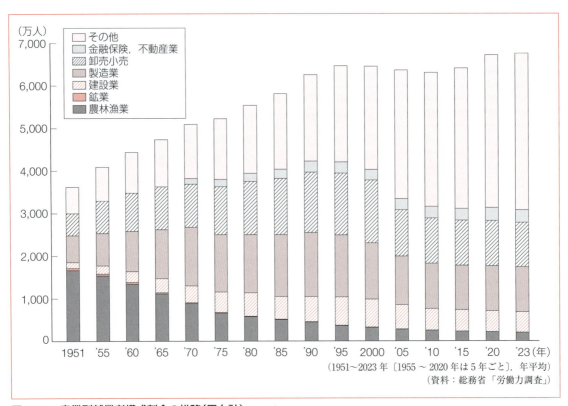

図10-1　産業別就業者構成割合の推移（男女計）

プラス・ワン

就業者構成と労働災害状況の変化

労働者が第三次産業へとシフトしたことにより，年を追うごとに卸売・小売業，飲食店，保健衛生業などの第三次産業の労働災害に占める割合が増加を続けている。これらの業種では，労働者が滑ったり，つまずいたりすることによる転倒災害，重い物を運ぶことなどによる腰痛災害が多くを占めており，こうした災害を防ぐ対策が進められている。

26.1％に，卸売・小売業が19.3％に，サービス業が14.6％に上昇した。

その後，農林漁業と製造業の割合がさらに低下を続けたのに対し，サービス業は拡大を続け，1990年代に卸売・小売業の割合をこえて最も構成比の高い産業となった。2010（平成22）年には第三次産業の就業者割合が7割をこえ，現在も増加傾向にある。

このように，日本の産業別就業者構成は，農林漁業中心の構造から，製造業の拡大を経て，サービス業の拡大が続き，産業構造の変化に応じて変化している。また，多くの産業においてICT化・グローバル化・サービス経済化が進展し，夜勤や長時間労働，交代勤務などが増加するなど，労働形態は多様化・複雑化している。

b 女性労働者の増加

2023（令和5）年の女性就業者数は3051万人で，前年に比べ27万人増加した。年齢階級別労働力率（2023〔令和5〕年）は，「25～29歳」（88.2％）と「45～49歳」（83.2％）を左右のピークにして，「35～39歳」（80.1％）を底とするゆるやかなM字カーブを描いている（図10-2）。出産・育児期にあたる20歳代後半～30歳代で就業率が落ち込み，子育てがひと段落したあとに再就職する人が多いことからM字カーブとなるのは，日本の特徴的な傾向である。近年は，晩婚化，少子化，女性の社会進出意欲の増大，労働形態の変化などの影響により，2005（平成17）年までは「30～34歳」にあったM字カーブの底が2010（平成22）年より「35～39歳」にかわり，M字カーブの谷の部分の年齢（とくに「30～34歳」）が上昇した。

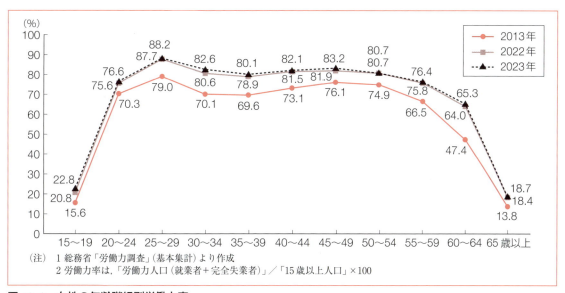

図10-2　女性の年齢階級別労働力率

プラス・ワン

海外派遣労働者に対する健康管理対策

労働安全衛生規則第45条の2により、海外勤務が6か月以上となる者には、赴任前および帰国後の健康診断の実施が義務づけられている。派遣前・滞在中・帰国後において、それぞれ必要な対策がある。

●派遣前
①健康診断、②慢性疾患の管理、③医療保険への加入、④現地の医療情報収集と情報提供、⑤予防接種、⑥健康教育

●滞在中
①現地医療機関の受診支援や緊急搬送、②医療相談体制の構築、③健康診断、④メンタルヘルスケア、⑤生活習慣病対策

●帰国後
①健康診断、②メンタルヘルスケア

高度外国人材

高度な専門的な技術や知識をもつ外国人の人材をさす用語である。日本の経済成長と技術革新を進めるための国家戦略として、海外の技術者やスペシャリストの獲得に向けた施策の検討・導入が進められている。

c 海外派遣労働者

製造業の海外生産移転や海外アウトソーシング、輸出や海外直接投資など、企業活動のグローバル化により海外で勤務する労働者は増加していたが、2019年をピークにその後は減少している。海外在留邦人数調査統計(外務省、2023年)によると、2023(令和5)年10月1日現在、海外在留の日本人の総数は129万3565人で、前年より1万4950人減少していた。このうち「長期滞在者」(3か月以上の海外在留者のうち、海外での生活は一時的なもので、いずれ帰国する予定の日本人)は71万8838人で在留日本人の約56%を占め、「永住者」は55万4727人となっている。内訳としては「民間企業関係者」が多く、海外勤務者への健康管理は重要性を増している。海外長期滞在者の健康問題には、赴任先の気候や大気汚染など環境変化に伴う健康障害、感染症、生活習慣病、メンタルヘルス不調、歯の健康、医療機関の問題などがあり、健康管理対策が進められている。

d 外国人労働者

外国人労働者は年々増加傾向にある。厚生労働省の「外国人雇用状況」の届出状況によると2023(令和5)年10月末現在の外国人労働者数は約205万人と、2022(令和4)年より12.4%増加し、過去最多を更新している。外国人労働者の増加の背景には、政府が高度外国人材や留学生の受入を進めていることに加え、雇用情勢の改善が着実に進んでいることが考えられる。国籍別では、ベトナムが51万8364人(外国人労働者全体の25.3%)で最多であり、ついで中国39万7918人(同19.4%)、フィリピン22万6846人(同11.1%)の順に多い。在留資格別では、永住者などの「身分に基づく在留資格」が最も多く、ついで、「専門的・技術的分野の在留資格」技能実習が続く。

言葉の問題や自国との労働慣行の違いなどから、就労にあたり適正な雇用・労働条件、保険などが確保されていない外国人労働者がみられる。厚生労働省は、事業主・事業主団体をはじめ、広く国民一般を対象に外国人労働者の問題の周知・啓発・指導などを行っている。

5 産業保健の制度とシステム

a 労働安全衛生に関する法体系

産業保健では、産業保健専門職の職務や名称、職場内での健康管理体制、労働災害を防止するための職場環境基準、健康診断などさまざまな活動内容が、法規によって細かく規定されている。産業保健活動は「事業

A. 産業保健の基本

者(雇用主)の責任で労働者に対して実施される活動」であり，当然，企業は法をまもらなければならない。実際の活動を担う産業保健専門職もこれらの法規にそって活動を行う必要がある。ここでは，労働安全衛生に関する主要な法規の枠組みと，とくに重要な項目を解説する。

1 労働安全衛生に関する主要な法律

■日本国憲法と労働5法

日本の労働安全衛生に関する法体系は，**日本国憲法**の第25条(**生存権**)，その一環としての第27条(**労働基本権**)に基づいている。憲法第27条第2項を受けて，1947(昭和22)年に**労働基準法**が定められたのち，**労働者災害補償保険法**(1947〔昭和22〕年)，**じん肺法**(1960〔昭和35〕年)，**労働安全衛生法**(1972〔昭和47〕年)，**作業環境測定法**(1975〔昭和50〕年)が制定されてきた。これらは**労働5法**とよばれ，労働安全衛生においてとくに重要な法律であり，日本の産業保健の水準を維持・向上するための基盤となっている。

■労働者の保護のための法令

労働5法の施行以降は，女性労働者の増加や少子高齢化，雇用形態の多様化など社会の変化に対応して，労働者を保護する法律が制定されている✛。産業保健従事者がこれらの法律に関与することは必須である。

2002(平成14)年に制定された**健康増進法**では，国民および国・地方公共団体などとならび，事業者にも健康の増進を積極的に推進する責務があるとされている。2008(平成20)年から施行された**高齢者の医療の確保に関する法律**に基づく**特定健康診査**✛・**特定保健指導**は，対象となる40歳以上の成人が多数を占める職域とは大きなかかわりがある。

2 労働安全衛生法を中心とした法体系

労働安全衛生を推進するための中心となる法律は労働安全衛生法であるが，この法律を読んだだけで実際の活動を行うことは困難である。なぜなら具体的なことは労働安全衛生法施行令や労働安全衛生規則などの政令や省令に記載されているからである。

これらの法律・政令・省令までをいわゆる「法令」といい，強制力があるため，違反した場合には罰則が科せられるものもある。さらに，法に追加するかたちで告示や公示が公表され，実際の運用などに関しては，通達によって行政指導が行われる。これらには法令を実施するためのさらに具体的な基準や方法が記載されているため，公表された際には記載内容を確認し，それにそった活動を進めていく必要がある。**表10-2**に法体系の概要について，労働安全衛生法を例として示す。また，労働安全衛生に関する法体系の全体像は**図10-3**に示す。

✛ プラス・ワン

労働者保護のための法律(労働5法以降)

・雇用の分野における男女の均等な機会及び待遇の確保等に関する法律(男女雇用機会均等法)
・労働者派遣事業の適正な運営の確保及び派遣労働者の保護等に関する法律(労働者派遣法)
・短時間労働者の雇用管理の改善等に関する法律(パートタイム労働法)
・育児休業，介護休業等育児又は家族介護を行う労働者の福祉に関する法律(育児・介護休業法)
・労働施策の総合的な推進並びに労働者の雇用の安定及び職業生活の充実等に関する法律(労働施策総合推進法)

特定健康診査と労働安全衛生法に基づく定期健康診断

特定健康診査・特定保健指導の実施義務は保険者にあり，労働安全衛生法に基づく定期健康診断の実施義務は事業者にある。
40歳以上の雇用労働者は，特定健康診査と労働安全衛生法に基づく定期健康診断のどちらも受診の対象となるが，特定健康診査は他法優先であるため，この場合，定期健康診断が優先される。保険者は，事業者に定期健康診断結果のデータ提供を求めることができ，その結果をもって特定保健指導を行うことができる。

表 10-2 法体系の概要（例：労働安全衛生法）

法体系	制定する主体	性格・表示	例
法律	国における唯一の立法機関である国会で議決された法令		「労働安全衛生法」
政令	行政権の主体である内閣が定める命令	法律を実施するための細目を定める。「○○令」と表示される	「労働安全衛生法施行令」など
省令	各省大臣・内閣府による命令（厚生労働省令の場合、厚生労働大臣が定める）	法律や政令の委任を受けて、法律を実施するためのさらに細かい内容を定める。「○○規則」と表記される	「労働安全衛生規則」など
告示	各省大臣がその所掌事務についての決定事項を公表（厚生労働省告示の場合、厚生労働大臣が公表）	「公示」よりも権威がある。「○○指針」などで表記される	「事業者が講ずべき快適な職場環境のための措置に関する指針」など
公示	各省大臣がその所掌事務についての決定事項を公表（厚生労働省公示の場合、厚生労働大臣が公表）	「○○指針」などと表記されることが多い	「事業場における労働者の健康保持増進のための指針」など
通達	上級機関が下級機関に対して、その機関の所掌事務や法令の解釈などを示す文書（産業保健では、厚生労働省労働基準局長から各都道府県労働局長宛に通達される）	「基発○○号」などと表記される	「VDT作業における労働衛生管理のためのガイドライン」など

➌ 産業保健に関するおもな法令の概要

■労働基準法

本法は、労働者が人であることにあたいする生活を営むために必要な労働条件を満たすための最低条件を定めたものである。労働時間、休憩、休日、時間外・休日労働、年次有給休暇、年少者、女性労働者、療養補償、休業補償などの項目がある。安全衛生に関する内容では、女性労働者保護として、坑内業務の就業制限✚、妊産婦の危険有害業務の就業制限、産前産後の休業✚、育児時間✚、生理休暇について定めている。

■労働安全衛生法

労働安全衛生活動の中心となる法律で、職場における労働者の安全と健康の確保および快適な職場環境の形成を促進するために、事業者や労働者が講ずべき措置や対策を定めている。労働安全衛生法のうち、産業保健活動の実践者にとってとくに重要な項目を表10-3に示す。

●労働災害防止計画

労働安全衛生法（第6条）に基づいて、厚生労働大臣により定められる、労働災害を減少させるための5か年計画である。労働災害の動向をふまえた目標と、その目標を達するために国や事業者などの関係者が取り組むべき具体的な項目が示されたものである。

プラス・ワン

坑内業務の就業制限（労働基準法第64条の2）

使用者は、以下の条件の女性を坑内業務につかせてはならない旨が定められている。
①妊娠中の女性および坑内で行われる業務に従事しない旨を使用者に申し出た産後1年を経過しない女性は、坑内で行われるすべての業務
②前号に掲げる女性以外の満18歳以上の女性は、坑内で行われる業務のうち人力により行われる掘削の業務その他の女性に有害な業務として厚生労働省令で定めるもの

産前産後の休業（労働基準法第65条第1・2項）

6週間（多胎妊娠の場合には14週間）以内に出産する予定の女性が休業（産前休業）を請求した場合、使用者はこの労働者を働かせることはできない。
また、産後8週間を経過しない女性は、請求の有無を問わず働かせることはできない（産後休業）。ただし、産後6週間を過ぎた女性が請求した場合であって医師が働くことに支障がないと認めた業務につかせることは、問題ない。

育児時間（労働基準法第67条）

生後満1歳未満の子を育てる女性は、通常の休憩時間のほかに、1日2回それぞれ少なくとも30分の育児時間を請求することができる。請求された場合、使用者はその育児時間中の女性を働かせることはできない。

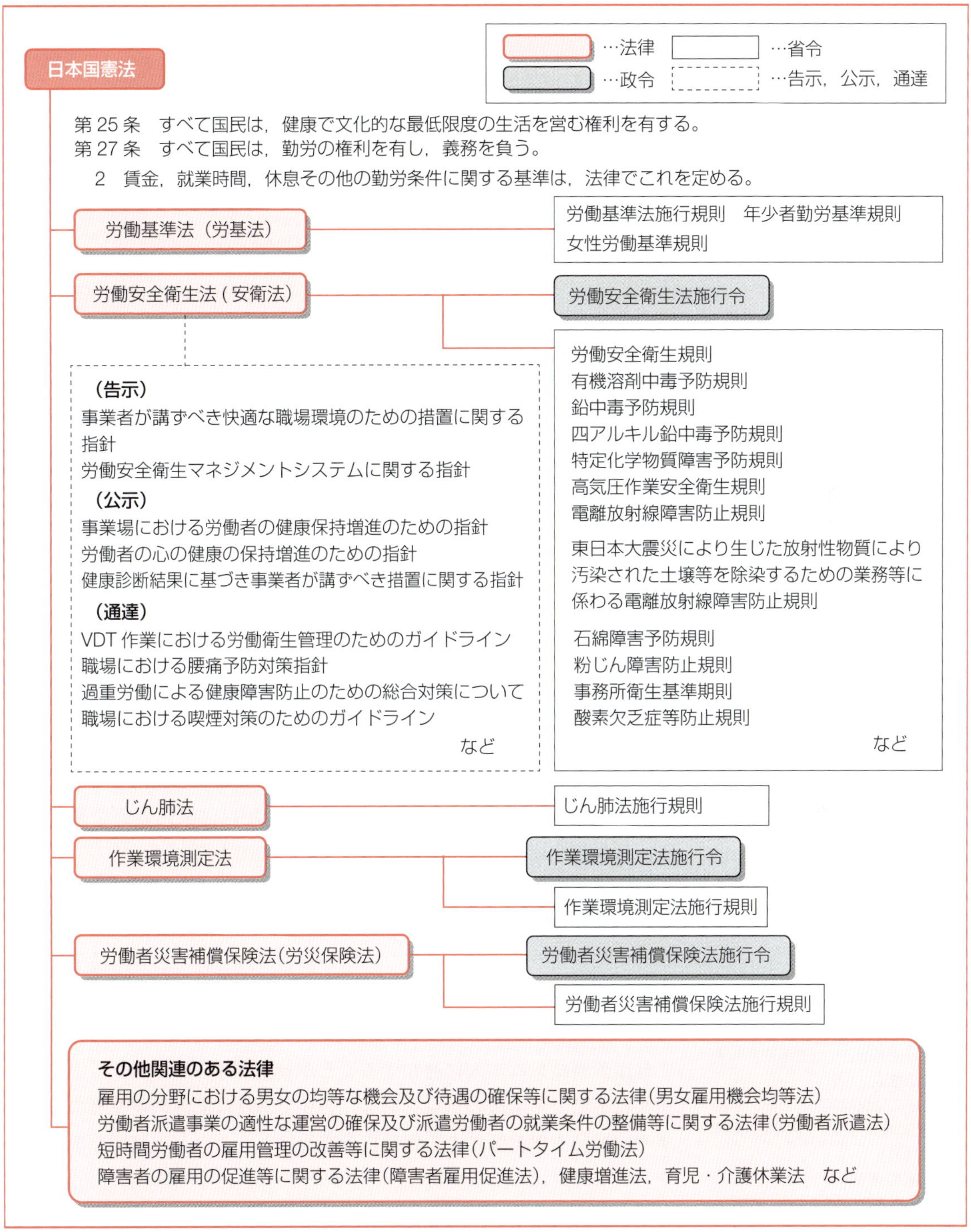

A. 産業保健の基本

```
                                    ▢ …法律    ▢ …省令
日本国憲法                            ▢ …政令    ▢ …告示, 公示, 通達
```

第25条　すべて国民は，健康で文化的な最低限度の生活を営む権利を有する。
第27条　すべて国民は，勤労の権利を有し，義務を負う。
　　2　賃金，就業時間，休息その他の勤労条件に関する基準は，法律でこれを定める。

- **労働基準法（労基法）** ── 労働基準法施行規則　年少者勤労基準規則
　　　　　　　　　　　　　　　女性労働基準規則

- **労働安全衛生法（安衛法）** ── 労働安全衛生法施行令
　　　　　　　　　　　　　　　
　　　　　　　　　　　　　　　労働安全衛生規則
　　　　　　　　　　　　　　　有機溶剤中毒予防規則
　　　　　　　　　　　　　　　鉛中毒予防規則
　　　　　　　　　　　　　　　四アルキル鉛中毒予防規則
　　　　　　　　　　　　　　　特定化学物質障害予防規則
　　　　　　　　　　　　　　　高気圧作業安全衛生規則
　　　　　　　　　　　　　　　電離放射線障害防止規則
　　　　　　　　　　　　　　　
　　　　　　　　　　　　　　　東日本大震災により生じた放射性物質により
　　　　　　　　　　　　　　　汚染された土壌等を除染するための業務等に
　　　　　　　　　　　　　　　係わる電離放射線障害防止規則
　　　　　　　　　　　　　　　
　　　　　　　　　　　　　　　石綿障害予防規則
　　　　　　　　　　　　　　　粉じん障害防止規則
　　　　　　　　　　　　　　　事務所衛生基準規則
　　　　　　　　　　　　　　　酸素欠乏症等防止規則
　　　　　　　　　　　　　　　　　　　　　　　　　　　　　など

（告示）
事業者が講ずべき快適な職場環境のための措置に関する指針
労働安全衛生マネジメントシステムに関する指針

（公示）
事業場における労働者の健康保持増進のための指針
労働者の心の健康の保持増進のための指針
健康診断結果に基づき事業者が講ずべき措置に関する指針

（通達）
VDT作業における労働衛生管理のためのガイドライン
職場における腰痛予防対策指針
過重労働による健康障害防止のための総合対策について
職場における喫煙対策のためのガイドライン
　　　　　　　　　　　　　　　　　　　　　　　など

- **じん肺法** ── じん肺法施行規則

- **作業環境測定法** ── 作業環境測定法施行令
　　　　　　　　　　　作業環境測定法施行規則

- **労働者災害補償保険法（労災保険法）** ── 労働者災害補償保険法施行令
　　　　　　　　　　　　　　　　　　　　　　労働者災害補償保険法施行規則

- **その他関連のある法律**
　雇用の分野における男女の均等な機会及び待遇の確保等に関する法律（男女雇用機会均等法）
　労働者派遣事業の適正な運営の確保及び派遣労働者の就業条件の整備等に関する法律（労働者派遣法）
　短時間労働者の雇用管理の改善等に関する法律（パートタイム労働法）
　障害者の雇用の促進等に関する法律（障害者雇用促進法），健康増進法，育児・介護休業法　　など

図10-3　労働安全衛生に関するおもな法令の体系

　　第14次労働災害防止計画は，2023（令和5）年～2027年の5か年計画として，死亡災害を5％以上減少させること，死傷災害の増加に歯止めをかけ2027年までに減少に転じることを目標に，8つの重点対策✚が掲げられている。これらの対策に，国，事業者，労働者などの関係者は協力

表 10-3　労働安全衛生法の重要項目

章・条	内容
第1章　総則(第1〜5条)	事業者の責務 職場における労働者の安全と健康を確保することは事業者の義務。
第3章　安全衛生管理体制 　　　　(第10〜19条の3)	人材についての規定 ①総括安全衛生管理者，②安全管理者，③衛生管理者，④安全衛生推進者・衛生推進者，⑤産業医，⑥作業主任者，⑦統括安全衛生責任者，⑧元方安全衛生管理者，⑨安全衛生責任者 委員会についての規定 ①安全委員会，②衛生委員会，③安全衛生委員会
第4章　労働者の危険または健康障害を防止するための措置(第20〜36条)	事業者は，機械や有害物，有害業務などによる労働者の危険または健康障害を防止するための措置を講じなければならない。
第5章　機械等および有害物に関する危険 　　　　(第37〜58条)	機械の製造許可や検査についての規制，また，有害物の「製造禁止物質」「製造に許可が必要な物質」の規制など。
第6章　労働者の就業にあたっての措置 　　　　(第59〜63条)	雇い入れ時や作業内容変更時，危険有害業務就業時における安全衛生教育の実施義務。
第7章　健康の保持増進のための措置 　　　　(第64〜71条)	作業環境測定，作業管理，健康診断，健診結果の医師などからの意見聴取，健康診断実施後の措置，保健指導，健康教育，健康相談などについての定めなど。
第7章の2　快適な職場環境の形成のための措置(第71条の2〜71条の4)	快適な職場環境形成のために事業者の講ずる措置，指針の公表についてなど。

> **プラス・ワン**
>
> **第14次労働災害防止計画の重点対策**
> ①自発的に安全衛生対策に取り組むための意識啓発(社会的に評価される環境整備，災害情報の分析強化，DXの推進)
> ②労働者(中高年齢女性を中心に)の作業行動に起因する労働災害防止対策の推進
> ③高年齢労働者の労働災害防止対策の推進
> ④多様な働き方への対応や外国人労働者などの労働災害防止対策の推進
> ⑤個人事業者などに対する安全衛生対策の推進
> ⑥業種別の労働災害防止計画の推進(陸上貨物運送事業，建設業，製造業，林業)
> ⑦労働者の健康確保対策の推進(メンタルヘルス，過重労働，産業保健活動)
> ⑧化学物質などによる健康障害防止対策の推進(化学物質，石綿，粉じん，熱中症，騒音，電離放射線)

して取り組み，産業保健専門職にはその推進者としての役割を果たす。

● 健康診断の実施と事後措置

労働安全衛生法では，事業者が労働者に対して健康診断を実施することを定めている。事業場での健康診断は，その結果を利用して，①事業者が安全配慮義務を果たすこと，②労働者が自己保健義務を果たすこと，の双方を達成するための基本となるものである。

健康診断には，**一般健康診断**と**特殊健康診断**があり，目的に応じて検査項目が決まっている(**表10-4，10-5**)。特殊健康診断は，とくに有害な因子にさらされる業務に対し実施が義務づけられており，法令による健康診断は有機溶剤や鉛中毒など8種類，通達によるものは29種類にのぼる。粉塵作業におけるじん肺健康診断は，じん肺法に定められている。

健康診断結果は本人に通知することが義務づけられており，事業者は結果に応じて産業医の意見を聞き，必要であれば配置転換などの就業配慮や，医師や保健師による保健指導を受けさせるなど，適切な事後措置を行わなければならない。

● 事業者の安全配慮義務と労働者の自己保健義務

労働安全衛生法第3条第1項には，事業者の責務として，「職場における労働者の安全と健康を確保する」ことが定められている。安全配慮義務とは，労働者の生命や健康がそこなわれないように，安全を確保する措置を講ずべき義務であり，危険予知と結果回避の義務が含まれる。たとえば健康診断の結果で有所見であった場合に，このまま現在の業務を続ければ悪化する可能性が高いかどうかを知る必要(危険予知義務)があ

A. 産業保健の基本

表 10-4 労働安全衛生規則で定められている一般健康診断

第 43 条	雇入時の健康診断
第 44 条	定期健康診断
第 45 条	特定業務従事者の健康診断
第 45 条の 2	海外派遣労働者の健康診断
第 47 条	給食従業員の検便
第 66 条の 2	自発的健康診断

表 10-5 法律により特殊健康診断が定められている業務

1	粉塵作業(じん肺法)
2	有機溶剤取り扱い業務(有機溶剤中毒予防規則)
3	鉛などの取り扱い業務(鉛中毒予防規則)
4	四アルキル鉛取り扱い業務(四アルキル鉛中毒予防規則)
5	特定化学物質取り扱い業務(特定化学物質障害予防規則)
6	高圧室内業務または潜水業務(高気圧作業安全衛生規則)
7	X 線その他の有害放射線業務(電離放射線障害防止規則)
8	石綿などの取り扱い業務(石綿障害予防規則)
9	塩酸・硫酸などのガス、蒸気、粉塵発散場所における業務(労働安全衛生規則・歯科医師による健康診断)

✚ プラス・ワン

労働災害(労災)
労働者が業務中あるいは通勤中に負傷、疾病、障害、死亡する災害をそれぞれ**業務災害**、**通勤災害**という。両者をあわせて**労働災害**とよぶ。

労災保険の二次健康診断給付
業務によるストレスや過重な負荷によって脳血管疾患・心臓疾患などを発症し、死亡や障害状態になったとして、労災認定されるケースがあとをたたず、過労死としても社会問題となっている。そのため脳・心臓疾患を予防するための制度として開始された。

り、可能性が高い場合は治療を受けさせたり別の業務にかえたりするなどの対応が必要(結果回避義務)になる。

同時に、労働者は「労働に適するように、自身を健康に保つよう努める」という努力義務としての自己保健義務を負う。そのためには、自身の健康状態を把握し、健康の保持・増進または改善のための方法を知る必要がある。健康診断結果の通知と保健指導の実施は、労働者の健康保持努力(自己保健義務)を引き出すための重要な手段である。

■労働者災害補償保険法

労働災害(労災)✚が発生した場合、事業者はたとえその責任が証明されなくても補償責任を負わなければならない。事業者の補償能力の有無にかかわらず最低限度の補償がなされるように、**労働者災害補償保険法**(労災保険法)が制定され、保険の適用や補償給付の内容などが規定されている。労災保険は政府が管掌し、労働者が 1 人でもいる企業には強制的に適用され、保険料は事業者の全額負担である。補償内容は、療養補償給付、休業補償給付、障害補償給付などがあり、休業については休業4 日以上で給付を受けられる。

労災保険法は基本的に災害に対する補償を規定するものであるが、2001(平成 13)年度から予防給付も開始された。これは、労働安全衛生法に基づいて事業者が行う健康診断の結果、脳血管疾患・虚血性心疾患のハイリスクである「肥満」「高血圧」「高血糖」「高脂質血症」すべての所見がある労働者は、二次健康診断を自己負担なく受診し、保健指導を受けられるものである✚。

■じん肺法

じん肺健康診断の実施、じん肺管理区分の決定など、健康管理のための措置などの健康管理に関すること、じん肺審議会、政府の支援などが定められている。事業者は、胸部 X 線写真と塵肺による肺機能障害の有無や程度の組み合わせで決定される管理区分(管理 1〜4)に応じ、適切な措置を講ずる必要がある。なお、塵肺の原因となる粉塵作業については、「粉じん障害防止規則」で作業環境や作業方法のあり方が定められている。

図10-4　労働基準・労働安全衛生を担う国の機関

b 労働安全衛生にかかわる行政の体系

　日本の労働安全衛生を推進する行政機関は厚生労働省である。その内部に，労働者の権利保護や労働安全衛生法の目的を達成するための**労働基準局**がおかれ，さらに都道府県単位で**労働局**が，労働局の出先機関として全国に321か所の**労働基準監督署**がおかれている（図10-4）。

　厚生労働省，都道府県労働局，労働基準監督署には**労働基準監督官**が配置され，労働基準法や労働安全衛生法など，労働安全衛生に関する法令の施行にあたっている。労働基準監督官は，必要時に事業場を訪問し，職場の検査や関係者への質問，帳簿の確認などを行い，法律違反などがみとめられた場合には是正勧告を行い，まもられなかった場合や重大・悪質な事案であった場合は，検察庁への送検を行うことができる。

　そのほかに，厚生労働省が所轄する独立行政法人として**労働者健康安全機構**があり，**産業保健総合支援センター**（47都道府県）や**治療就労両立支援センター**（9か所の労災病院内に設置）などを設置し，事業主や産業保健スタッフ，労働者の支援を行っている。

c 産業保健における関係機関・社会資源

1 企業外労働衛生機関

　労働安全衛生の法規では，各種健康診断や作業環境測定，労働者の健康の保持・増進のための措置の実施が定められているが，マンパワーや設備などの不足により自社で実施することが困難な事業場は多い。そこで，これら事業場からの委託を受けて健康診断を実施する**健康診断機関**，作業環境測定を行う**作業環境測定機関**，健康保持増進措置を実施する**労働者健康保持増進サービス機関・労働者健康保持増進指導機関**がある。そして，これら3つの機能をすべて提供できる機関が**企業外労働衛生機関**である。

　企業外労働衛生機関には産業医や保健師も在籍しており，産業保健専門職を雇用していない中小規模の事業場を中心に，総合的な産業保健サービスを提供している。日本では中小企業✛が全企業の約98％を占めている。これら中小企業における産業保健活動の担い手として，企業外労働衛生機関は重要な役割をもっている。

プラス・ワン

中小企業
中小企業基本法により，業種・従業員規模・資本金規模から以下のように定義されている。
- 製造業・建設業・運輸業など：300人以下または3億円以下
- 卸売業：100人以下または1億円以下
- 小売業：50人以下または5000万円以下
- サービス業：100人以下または5000万円以下

2 産業保健における社会資源

■産業保健総合支援センター

労働者健康安全機構によって都道府県ごとに設置され(47か所)、「地域窓口(地域産業保健センター)」の活動の支援や産業保健の問題解決のために、産業医や産業看護職、衛生管理者などの専門スタッフが相談窓口を設けて専門的なアドバイスを行ったり、情報提供や研修会などを開催したりする。事業者に対しても、職場の健康管理への啓発のための情報提供や研修を実施している。

■地域窓口(地域産業保健センター)

産業保健総合支援センター事業の1つとして、労働者数50人未満の小規模事業場に対して、医師や保健師による保健指導や健康教育などの産業保健サービスを無料で提供している。

■地域障害者職業センター(リワーク支援)

高齢・障害者雇用支援機構の施設の1つで、47都道府県に設置されている。うつ病などによる休職者で、主治医が職場復帰のための活動を開始することを了承している人を対象に、無料で復職支援を行っている。具体的には、障害者職業カウンセラーにより、本人への直接的な支援(生活リズムの立て直し、ストレス対処方法など)や、本人・主治医・会社担当者間のコーディネートが行われる。

d 産業保健を担う職種・組織

労働安全衛生法では事業場における安全衛生管理体制として、安全衛生を担う組織と人材を規定している(図10-5)。

■総括安全衛生管理者(第10条)

事業場における安全衛生管理体制の最高責任者として、一定規模の事業場ごとに、安全衛生にかかわる業務を統括管理する権限をもつ者(工場長・支店長・支配人など)を選任する。

■衛生管理者(第12条)

常時50人以上の労働者を使用する事業場では業種を問わず選任し、衛生にかかわる技術的事項を管理する。

■安全管理者(第11条)

常時50人以上の労働者を使用する事業場のうち一定の業種において選任し、安全にかかわる技術的事項を管理する。

■安全衛生推進者・衛生推進者(第12条の2)

衛生管理者・安全管理者の選任義務のない小規模事業場において、事業場の安全衛生活動の担当者として選任する。

■産業医(第13条)

常時50人以上の労働者を使用する事業場において選任が義務づけら

プラス・ワン

事業場規模による衛生管理者選任の基準
・50～200人以下:1人以上
・201～500人:2人以上
・501～1,000人:3人以上
・1,001～2,000人:4人以上
・2,001～3,000人:5人以上
・3,001人以上:6人以上

産業医選任の基準
・50～3,000人:1人以上
・3,001人以上:2人以上

専属産業医の選任
①1,000人以上の事業場
②一定の有害な業務従事者500人以上の事業場
＊上記①②以外で50人以上の事業場では、嘱託産業医で可。

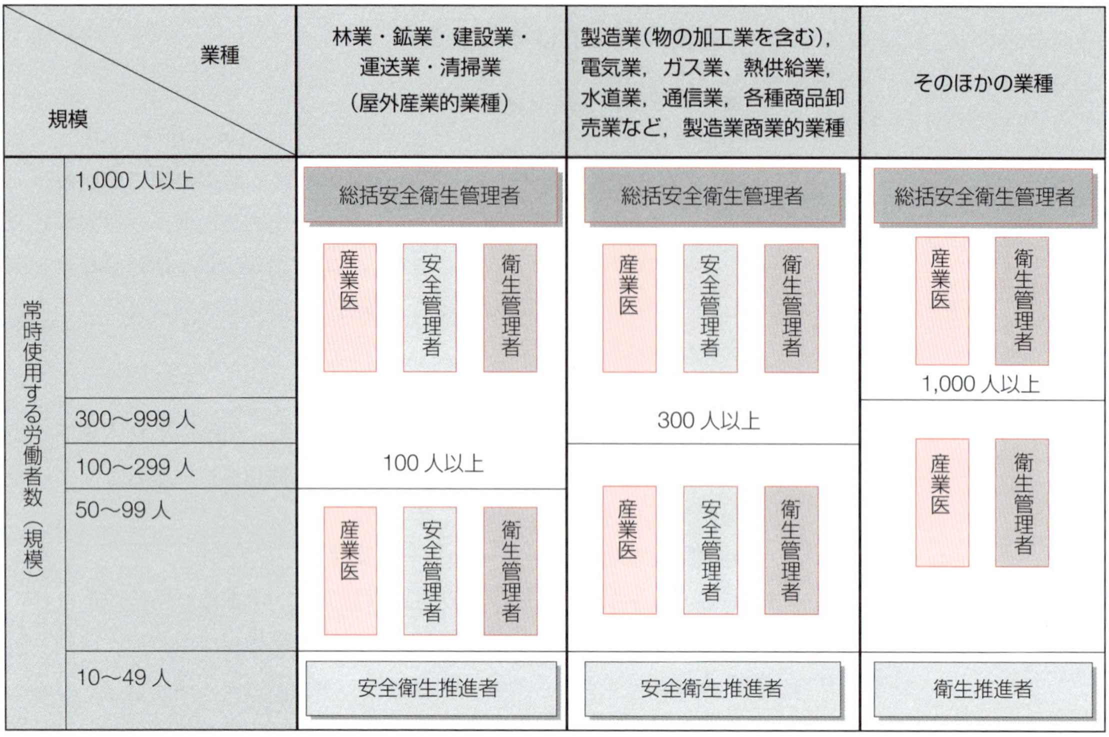

規模＼業種	林業・鉱業・建設業・運送業・清掃業（屋外産業的業種）	製造業（物の加工業を含む），電気業，ガス業，熱供給業，水道業，通信業，各種商品卸売業など，製造業商業的業種	そのほかの業種
1,000人以上（常時使用する労働者数（規模））	総括安全衛生管理者／産業医／安全管理者／衛生管理者	総括安全衛生管理者／産業医／安全管理者／衛生管理者	総括安全衛生管理者／産業医／衛生管理者（1,000人以上）
300〜999人	100人以上：産業医／安全管理者／衛生管理者	300人以上：産業医／安全管理者／衛生管理者	産業医／衛生管理者
100〜299人			
50〜99人	産業医／安全管理者／衛生管理者	産業医／安全管理者／衛生管理者	産業医／衛生管理者
10〜49人	安全衛生推進者	安全衛生推進者	衛生推進者

図10-5　安全衛生管理体制の事業場規模・業種別区分

れている。産業医の職務は幅広く，事業場における産業保健活動の実務者として中心的な役割をもつ。

■**衛生委員会**（第18条）

常時50人以上の労働者を使用する事業場では，事業場の衛生上の問題について調査・審議する場として月1回の衛生委員会の開催が義務づけられている。また，安全管理者の選任義務がある事業場では，安全委員会とあわせて「安全衛生委員会」✚としての開催も可能である。

> **プラス・ワン**
> **（安全）衛生委員会の構成メンバー**
> ①総括安全衛生管理者（またはこれに準ずる者）
> ②衛生管理者
> （③安全管理者）
> ④産業医
> ⑤労働者で安全および衛生に関する経験のある者
> 看護職は法制化されていないため，衛生管理者として指名を受けることが多い。作業環境測定士を委員として指名してもよい。
> 総括安全衛生管理者以外の委員の半数は，労働組合の推薦に基づき指名される。

e 労働安全衛生マネジメントシステム（OSHMS）

近年は減少傾向にあった労働災害が下げどまり，生産工程などが多様化し，法令上の規制のない危険性または有害性が増加して，より進んだ労働災害防止対策が必要となった。そこで多くの事業場で導入が進められたのが**労働安全衛生マネジメントシステム（OSHMS）**である。

OSHMSは，事業者が労働者の協力のもとに「計画（plan）-実施（do）-評価（check）-改善（act）」というPDCAサイクルの過程を定めて，継続的な安全衛生管理を自主的に進め，事業場の安全衛生水準の向上をはかるものである。①事業者による「安全衛生方針」の表明，②リスクアセスメント✚の確実な実施，③システムを確実に実施するための各担当者の責任と権限の明文化および体制整備，④システムがまわっているかを評価す

プラス・ワン

リスクアセスメント

労働安全衛生法の改正により，2006（平成 18）年 4 月からリスクアセスメントおよびその結果に基づく措置が事業者の努力義務となっている。具体的には，事業場の建設物や原材料，作業行動などによる危険・有害要因を洗い出し，それぞれの要因によって生じるおそれのある負傷や疾病の重篤性や発生する可能性の度合いなどを考慮してリスク低減の優先度を決定（リスクの見積もり）し，継続的なリスクの除去・低減措置を行うものである。これら一連の過程を**リスクマネジメント**という。

労働衛生の 3 管理

作業環境管理，作業管理，健康管理を合わせて「労働衛生の 3 管理」とよばれる。また，労働衛生教育，総括管理を加えて「労働衛生の 5 管理（分野）」とよばれる場合もある。

るための定期的な監査の実施，が OSHMS のポイントである。

厚生労働省は，「**労働安全衛生マネジメントシステムに関する指針**」（1999〔平成 11〕年労働省告示，改正 2019〔令和元〕年厚生労働省告示）により，OSHMS を構築・整備・実施する手順を示している。また，2018（平成 30）年には，OSHMS の国際規格である JSO45001 が発行され，その日本語翻訳版である日本産業規格 JISQ45001，さらに ISO45001 に日本独自の要求を加えた JISQ45100 が出された。

f 労働衛生管理

職業に起因する健康障害を予防するための対策は，従来から，**作業環境管理，作業管理，健康管理**を 3 つの柱として行われていた。さらに，労働者がみずから健康障害防止行動をとれるようにするための**労働衛生教育**，労働衛生管理が企業内で効果的に展開されるようにするための**総括管理**を加えた 5 つの枠組みで行われている（本章 B を参照）。

1 作業環境管理

作業環境中の有害要因を除去し，良好な作業環境を得るための管理である。原材料の管理や作業環境測定，発散源の密閉や排気装置の設置，点検整備などがあげられる。

2 作業管理

作業強度や姿勢などの作業方法・労働時間・作業手順の適正化，保護具（マスクや保護メガネなど）の装着や点検などにより，労働者への悪影響を少なくする。

3 健康管理

労働者の健康状態を健康診断により継続的に観察し，労働による健康への影響の評価，異常の早期発見，健康診断結果に基づく事後措置などを実施し，労働者の健康の保持増進をはかる。

●引用文献
1）日本産業衛生学会：産業保健専門職の倫理指針．（https://www.sanei.or.jp/oh/guideline/index.html）（参照 2024-09-12）
2）日本産業衛生学会産業保健看護部会：産業看護の定義について．2022．（http://sangyo-kango.org/wp/?page_id=23）（参照 2024-09-12）

●参考文献
・外務省：海外在留邦人数調査統計，令和 5 年版．（https://www.mofa.go.jp/mofaj/files/100043637.pdf）
・厚生労働省：外国人雇用状況　届出状況まとめ（令和 5 年 10 月末現在）．（https://www.mhlw.go.jp/stf/newpage_37084.html）（参照 2024-09-12）

- 公益財団法人産業医学振興財団：産業医学とは．(http://www.zsisz.or.jp/insurance/2010-03-27-06-05-14.html)（参照 2024-09-12）
- 厚生労働省：令和 4 年　労働安全衛生調査．(https://www.mhlw.go.jp/toukei/list/r05-46-50b.html)（参照 2024-09-12）
- 河野啓子：産業看護学．日本看護協会出版会．2022．
- 産業医学推進研究会編：健康診断ストラテジー，バイオコミュニケーションズ，2014．
- 総務省：労働力調査 2023．2024．
- 東京医科大学病院渡航者医療センター：海外勤務者の健康管理ハンドブック．(http://www.bis-heal.org/common/data/handbook.pdf)（参照 2024-09-12）
- 深沢くにへ：産業看護の歩み——人と人のふれあいを通して．労働調査会．2000．
- 森晃爾総編集：産業保健マニュアル，改訂第 8 版．南山堂．2021．
- 労働省労働基準局：労働衛生のしおり，令和 6 年度．中央労働災害防止協会，2024．

B 産業保健における健康課題への対策と支援

POINT
- 近年, 過重な仕事が原因で発症する脳・心臓疾患や仕事のストレスによる精神障害による労災補償が増加している。
- 経済のグローバル化や技術革新, 不況による不安定な雇用形態など, 働く人々のストレス要因が複雑・多様化し, 心の健康がおかされやすい状況にある。職場におけるメンタルヘルス対策は喫緊の課題である。
- 多様化する労働者や雇用形態に対応した産業保健活動の推進が求められている。
- 産業看護職は,「総括管理」「作業環境管理」「作業管理」「健康管理」「労働衛生教育」のすべての活動について, 参画・協力・提言のいずれかのかたちでかかわる。
- 労働者の健康問題は, 家庭や地域生活における要因もからんでいること, 自営業者や農水産業, 小規模事業場の労働者は産業保健サービスを受けにくい状況にあることなどから, 産業保健と地域保健の連携が必要である。

働く人々を業務に起因する死傷や疾病からまもり, さらなる健康の保持・増進に向けた効果的な支援を行うためには, まずは現在の労働衛生上の課題を知り, 実効性の高い活動をする必要がある。本項では, 日本における労働衛生の現状について, 労働災害や業務上疾病, 労働者の健康状態の実態を概観し, 課題について述べる。

1 労働衛生の現状

a 労働災害発生状況

1 発生状況の推移

日本の労働災害による死傷者数(死亡・休業4日以上)は, 1961(昭和36)年の約48万人をピークに減少し, 労働安全衛生法が制定された翌年の1973(昭和48)年からさらに大幅に減少し, 1993(平成5)年には10万人台となった。2009(平成21)年以降は2013(平成25)年に4年ぶりに減少するまで微増したが横ばい傾向にある。2023(令和5)年は13万5371人と, 2022(令和4)年の13万2355人と比べ, 3016人増加した。ここには, 新型コロナウイルス感染症の罹患によるものは含まれない。

労働災害による死亡者数も1961(昭和36)年の6,712人をピークに減少を続けていた。近年では, 2015(平成27)年に972人と1,000人を下まわ

プラス・ワン
休業4日以上の死傷者数
労働災害によって休業した場合, 休業4日目からは労働基準監督署長に請求することで, 労災保険から休業補償給付を受けられる。現在業務上疾病の発生状況として公表されている労働災害統計は, この「休業4日以上」の認定数だけである。休業4日未満の件数は把握されておらず, 疾病によっては実態統計上の数値と大きくかけ離れているといわれる。なお, 休業4日未満の労働災害については, 使用者が労働者に対し休業補償を行わなければならない。

プラス・ワン
新型コロナウイルス感染症の罹患者

新型コロナウイルス感染症への罹患者による労働災害による死亡者数は4人(前年比13人減)、死傷者数は3万3637人(前年比12万2352人減)であった。

り、以降、新型コロナウイルス感染症への罹患によるものを除いた人数では2023(令和5)年は755人と、減少傾向である(図10-6)。

1970年代から比べると死傷者数はかなり減少しているとはいえ、2022(令和4)年の新規労災保険受給者(業務災害)は約69万人であり、その社会的・経済的損失は依然として膨大である。

2 業種別および事故の型別の死傷災害発生状況

■死亡災害発生状況

2023(令和5)年の労働災害における死亡災害の発生状況を型別にみると、「墜落・転落」が204人で全体(755人)の27%を占め、次に「交通事故(道路)」が148人(全体19%)、「はさまれ、巻き込まれ」が108人(全体14%)となっている。

死亡者数が多い業種をみると、①建設業(223人〔29.5%〕)、②製造業(138人〔18.3%〕)、③陸上貨物運送業(110人〔14.6%〕)の順に多く、この3業種が全体の約6割を占める(図10-7)。なかでも建設業における「墜落・転落」は、同業種の死亡事故の38.6%を占めている。

■死傷災害発生状況

2023(令和5)年における労働災害による死傷者数(休業4日以上)が多い業種は、製造業(2万7194人)が全体(13万5371人)の20.1%を占め、次に陸上貨物運送事業(1万6215人〔12%〕)などである(図10-7)。

これら死傷災害の原因となった事故の型をみると、製造業では「はさまれ・巻き込まれ」(23.5%)が最も多く、ついで「転倒」(21.4%)の順に多い。建設業では、「墜落・転落」(31.6%)が最多であり、「はさまれ・巻き込まれ」(11.8%)、「転倒」(11.1%)と続く。

図10-6 労働災害における死亡者数・死傷者数の推移(全産業)

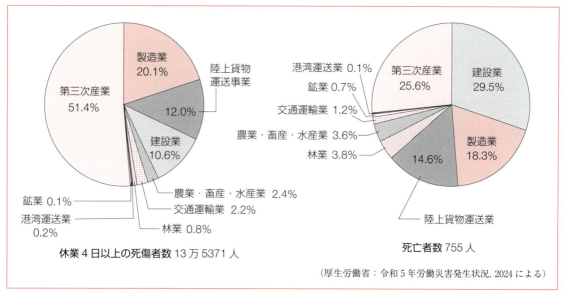

図 10-7　労働災害発生状況（業種別，2023年）

近年では，第三次産業✚での労働災害が増加し，死傷者の約5割以上を占めるようになっている。2023（令和5）年の第三次産業（小売業，社会福祉施設，飲食店）における事故の型をみると，いずれの業種でも「転倒」および「動作の反動，無理な動作」といった比較的重篤度の高くない災害が多く，逆にこのことが労働災害防止への関心を低くしていることも考えられる。現在，第三次産業における労働災害防止対策の普及が進められている✚。

3　事業場規模別の死傷災害発生状況

2023（令和5）年における労働災害による死傷者数（死亡・休業4日以上）を事業場の規模別にみると，規模100人未満の事業場で全体の約74%の災害が発生しており，10人以上29人未満の規模の事業場で災害発生が最多（26.5%）である。安全衛生にかかわる人材や経済基盤が大企業と比べて脆弱である中小規模事業場の安全衛生管理は，日本の労働災害対策の課題である。

4　年齢別死傷災害発生状況

2023（令和5）年における高年齢労働者の労働災害の全体に占める割合を休業4日以上の死傷災害でみると，60歳以上が全体の29.3%を占めている。

b　業務上疾病✚

休業4日以上の業務上疾病者数は，1997（平成9）年に9,000人を下まわ

プラス・ワン

第一次〜第三次産業
イギリス出身の経済学者クラーク（Clark, C. G）がその著書『経済的進歩の諸条件』（1941）において，産業を第一次・第二次・第三次産業に3分類した。
●第一次産業
人間が自然にはたらきかけて営む産業。農業・牧畜業・水産業・狩猟業などの採取産業。
●第二次産業
鉱業・製造業などのいわゆる鉱工業のほか，建設業・電力・ガス・水道業なども含まれるとしている。しかし，現在の日本では，電力・ガス・水道業は第三次産業に分類される。
●第三次産業
商業・金融業・運輸通信業・サービス業・自由業など，第一次・第二次産業以外全部の産業。

4S および 5S
第三次産業における労働災害防止の取り組みとして，「4S」の普及が進められている。4Sとは「整理」「整頓」「清掃」「清潔」で，「しつけ」を加えて5Sとされる。製造業の品質管理のために始まったが，現在はさまざまな産業で取り入れられている。近年は「作法」や「整備」を加え6Sとして取り組む事業場も増えている。
●整理：必要な物と不要な物を分け，不要な物を捨てる。

プラス・ワン

4Sおよび5S(続き)
- 整頓：必要な物がすぐに取り出せるように置き場所，置き方を決め，表示を確実に行う。
- 清掃：掃除をしてゴミ，汚れのないきれいな状態にすると同時に細部まで点検する。
- 清潔：整理・整頓・清掃を徹底して実行し，汚れのないきれいな状態を維持する。
- しつけ：決められたことを，決められたとおりに実行できるよう習慣づける。

業務上疾病
業務上疾病とは，労働基準法に基づき事業者に療養補償義務が課せられている疾病である。具体的には「労働基準法施行規則別表1の2」に示されている。いわば法律用語であり，医学用語として用いられる職業性疾病と重なる部分が多いが，イコールではない。業務上疾病の認定は労働基準監督署長によって行われる。

定期健康診断・特殊健康診断
定期健康診断は，労働安全衛生法第66条の規定により，年に1回労働者全員が受診することになっている。
特殊健康診断は，有害な業務に従事する労働者に対して，有害業務によって生じるおそれのある健康障害の早期発見のために行われる特別の健康診断であり，労働安全衛生法によって実施が定められている。

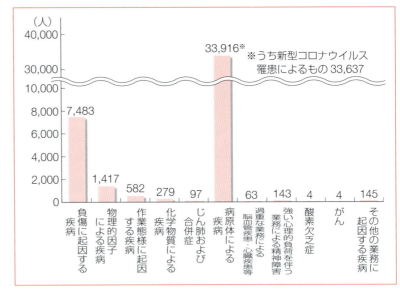

図 10-8 疾病分類別の業務上疾病者数（2023年）

り，以降は横ばいである（2020〔令和2〕年より，業務上疾病者数に新型コロナウイルス感染症の罹患者が含まれるようになり，2023〔令和5〕年の総数は4万4133人となったが，総数から新型コロナウイルス感染症の罹患者数3万3637人を除いた業務上疾病者数は1万496人である）。2023（令和5）年における業務上疾病を疾病分類別にみると（図10-8），「新型コロナウイルス感染症の罹患」が最多で，ついで「負傷に起因する疾病」が多い。

c 脳・心臓疾患および精神障害などに関する労災補償

脳血管疾患や心臓疾患は，過重な仕事が原因で発症し死亡する場合があり，このような死亡は「過労死」ともよばれている。2002（平成14）年から厚生労働省では，過労死や仕事のストレスによる精神障害の状況について，労災請求件数および，「業務上疾病」と認定し労災保険給付を決定した「支給決定件数」などを年1回取りまとめている。2023（令和5）年度は，脳・心臓疾患の支給決定件数が216件で前年より22件増加した。精神障害に関するものの支給決定件数は883件で，前年度比173件の増加となった（図10-9）。

d 健康診断結果

2023（令和5）年における定期健康診断の有所見率は58.9％で，近年横ばいである。検査項目別にみると，血中脂質の有所見率が31.2％，血圧18.3％，肝機能検査が15.9％，血糖検査13.1％と，生活習慣病の増加が

図10-9 脳・心臓疾患および精神障害等にかかわる労災補償支給決定件数の推移

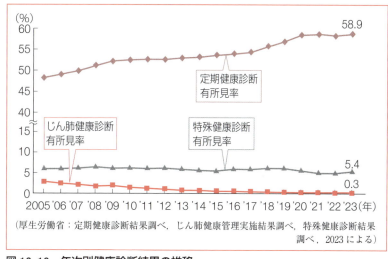

図10-10 年次別健康診断結果の推移

原因と考えられるものが多い。2023(令和5)年における特殊健康診断の有所見率は5.4％で，ここ数年は横ばいである。2023(令和5)年におけるじん肺健康診断の有所見率は0.3％で，横ばいで推移している(図10-10)。

❷ 産業保健における健康課題への対策と支援

　従来，産業保健では職業がんや塵肺などのいわゆる職業病が問題となり，その予防が最大の課題であった。近年は，産業構造の変化や，急速な技術革新，経済のグローバル化，労働人口の高齢化などにより，産業保健における健康課題はより複雑・多様化し，従来の職業病対策に加え，作業関連疾患やメンタルヘルスへの対応が重要な課題となっている。

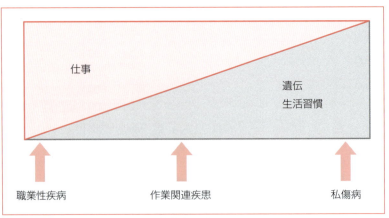

図10-11 職業性疾病と作業関連疾患の違い

プラス・ワン

職業性疾病
職業性疾病は次のように分けられる。
- 化学的因子による疾病：特定化学物質などの重金属による中毒など
- 物理的因子による疾病：異常温・湿度，異常気圧，騒音，電離放射線などによるもの
- 生物学的因子および伝染性または寄生虫性疾病：カビや細菌やウイルスによるもの
- 作業態様による疾病：重量物取り扱い，振動，上肢に過度に負担をかける業務によるもの
- 粉塵の飛散する業務による疾病：塵肺症
- がん原性物質を取り扱う業務による疾病：尿路系腫瘍・肺がん・皮膚がん・白血病など

作業関連疾患
作業関連疾患には次のものがある。
①循環器疾患（高血圧・虚血性心疾患）
②脳血管疾患
③脂質異常症（高脂血症）
④肝疾患
⑤慢性非特異性呼吸器疾患
⑥糖尿病
⑦ストレス関連疾患（うつ病・神経症・職場不適応・胃潰瘍・過敏性腸症候群（IBS））
⑧筋骨格系疾患（腰痛・頸肩腕症・手根管症候群）
⑨突然死（過労死）

がん対策
労働人口の高齢化に伴い，がんに罹患する労働者も増加しており，労働者の離職の要因となっているほか，身体の変化に伴う作業能率の低下や抑うつなどの精神・心理的問題，認知機能の低下を伴うことなどの問題を引きおこすことから，職場におけるがん対策（健康教育，早期発見，仕事と治療の両立支援，復職支援など）は重要な課題になっている。
職場でのがん検診は，企業や健康保険組合が従業員の福利厚生の一環として任意で行っている場合が多いが，厚生労働省では，がんによる死者を減らすために職場で実施すべき検査や手順を定め，「職域におけるがん検診に関するマニュアル」を2018（平成30）年に公表した。

a 職業性疾病

職業性疾病とは，一定の職業に従事することによりおこる疾病で，その職業に従事するすべての労働者が罹患する可能性があるものである。職業性疾病は数多くある✚。

b 作業関連疾患

作業関連疾患（work-related disease）✚とは，1976年にWHOによって提唱された概念で，遺伝や生活習慣などによりその人にもともと内在していた疾患が，心身の負荷の大きい仕事をすることによって，発症したり増悪したりする疾患である。

作業関連疾患は労働人口の高齢化に伴い増加しており，作業による負担の軽減に加え，労働者自身がこれらの慢性疾患を予防できるような健康づくりへの支援も重要な課題となっている（図10-11）。

c 生活習慣病対策

交替勤務や深夜勤務の増加，IT化や自動化による業務上の身体活動の低下などにより，かたよった生活習慣を送る人が増加していることに加え，労働人口の高齢化も加わり，生活習慣病は増加の一途をたどっている。生活習慣病の悪化から休業や業務中の事故，ひいては在職死にまで発展する場合もあるため，対策は重要な課題となっている✚。ハイリスク者への保健指導はもとより，健康づくり活動や，職場の運動環境整備，食堂メニューの改善など，職場全体としての取り組みも推進されている。

d 過重労働対策

近年，企業間競争の激化や，企業経営のスピード化およびリストラクチャリングなどにより，労働者1人ひとりにかかる業務負担が増し，時間外勤務や休日勤務などを余儀なくされるケースが増加している。高密度・高速度・長時間の労働によって心身への負担が増大し，脳・血管疾患や精神疾患を発症して休業や在職死にいたる労働者があとを絶たず，対策が急がれている。

「**過重労働による健康障害防止のための総合対策**」(厚生労働省，2020〔令和2〕年最終改正)では，一定の長時間勤務者に対する産業医の面接が義務づけられ，時間外・休日労働時間の削減，年次有給休暇の取得促進，労働時間などの設定の改善を行うこととされている。これらの措置は，日本において近年とくに提唱されている**ワークライフバランス（WLB）**➕を推進するうえでも重要であり，各事業場における積極的な取り組みが求められている。

e VDT作業による健康影響への対策

近年，技術革新によりIT（情報技術）化が急速に進められ，パソコンなどの情報機器を使用して行う作業が急速に拡大している。情報機器作業は，目や首，肩，腕，腰などに負担をかけ，また緊張感や単調感，長時間労働の傾向が重なってストレスが加わりやすく，これらの作業に従事する労働者の健康障害の予防が課題となっている。

2002（平成14）年4月に厚生労働省により「VDT作業における労働衛生管理のためのガイドライン」が出され，職場における対策が進められてきた。2019（令和元）年には情報機器作業従事者の拡大や情報機器，作業形態の多様化により上記ガイドラインにかわり，「**情報機器作業における労働衛生管理のためのガイドラインについて**」➕が新たに発出された（2021〔令和3〕年，一部改正）。

f 心身症とメンタルヘルスの不調

1 心身症，メンタルヘルス不調の状況

産業保健においてとくに喫緊の健康課題が心身症を含むメンタルヘルス対策である。ストレスなどの「心理・社会的因子」が大きく影響する身体疾病は，「心身症」あるいは「ストレス関連疾患」といわれ，現代社会では増加傾向にある。心身症には，**表10-6**のような疾患や症状があげられている。

一方，メンタルヘルスの不調は，「精神および行動の障害に分類される

➕ プラス・ワン
ワークライフバランス

ワークライフバランスとは，「仕事と生活の調和」を意味し，国民1人ひとりが充実した仕事をしながらも，家庭，地域生活，個人の自己啓発などさまざま活動についてみずからが望むバランスで生活することができる状態である。ワークライフバランスを実現するために，政府・経済界・労働界・地方自治体などがさまざまな取り組みを行っている。経済界・労働界では，とくに時間外労働の削減，有給休暇取得促進，女性の仕事と結婚・出産・育児との両立支援，男性の育児休暇取得の促進などの取り組みが必要とされているが，十分とはいえない現状にある。

「情報機器作業における労働衛生管理のためのガイドラインについて」

パソコンなどの情報機器作業による労働者の心身の負担を軽くし，支障なく働けるようにするため，事業者が講ずべき措置を作業環境管理，作業管理，健康管理などの枠組みでまとめている。
- 作業環境管理：情報機器作業を行う環境の整備方法（例：ディスプレイの明るさ，情報機器や机・椅子の選び方）
- 作業管理：情報機器作業の方法（例：1日の作業時間，休憩の取り方，望ましい姿勢）
- 健康管理：情報機器作業者の健康をまもるための措置（例：健康診断，職場体操）
- 労働衛生教育：上記の対策の目的や方法について，作業者や管理者に理解してもらうための教育

以上のほかに，作業区分を「拘束性のある作業」と「それ以外」とに分け，それぞれに応じた対策が記され，タブレットやスマートフォンに関する事項も盛り込まれている。

表 10-6　心身症のおもな疾患・症状

部位	おもな症状
呼吸器系	気管支喘息，過換気症候群
循環器系	本態性高血圧症，冠動脈疾患（狭心症，心筋梗塞）
消化器系	胃・十二指腸潰瘍，過敏性腸症候群，潰瘍性大腸炎，心因性嘔吐
内分泌・代謝系	単純性肥満症，糖尿病
神経・筋肉系	筋収縮性頭痛，痙性斜頸，書痙
皮膚科領域	慢性蕁麻疹，アトピー性皮膚炎，円形脱毛症
整形外科領域	関節リウマチ，腰痛症
泌尿・生殖器系	夜尿症，心因性インポテンス
眼科領域	眼精疲労，本態性眼瞼痙攣
耳鼻咽喉科領域	メニエール病
歯科・口腔外科領域	顎関節症

図 10-12　現在の仕事や職業生活に関することでの強いストレスとなっていると感じる事柄がある労働者の割合の年次推移

プラス・ワン

自殺対策

国による自殺対策としては，次のような施策が定められ，地方公共団体，医療機関，民間団体などが連携をはかりながら自殺対策を推進している。

・2006（平成18）年　自殺予防総合対策センターの設置
・同年　自殺対策基本法の制定
・2007（平成19）年　「自殺総合対策大綱」の策定
・2012（平成24）年　上記の大綱を全面的に見直し，「自殺総合対策大綱～誰も自殺に追い込まれることのない社会の実現を目指して」を閣議決定
・2017（平成29）年　2016（平成28）年の自殺対策基本法改正や自殺の実態をふまえて抜本的に見直した「自殺総合対策大綱～誰も自殺に追い込まれることのない社会の実現を目指して」を閣議決定した。

精神障害や自殺のみならず，ストレスや強い悩み，不安など，労働者の心身の健康，社会生活および生活の質に影響を与える可能性のある精神的および行動上の問題を幅広く含むものをいう」[1)]とされており，精神障害（心身症を含む）またはこれに陥りそうな状態をいう。厚生労働省の調査によると，「仕事上，職業生活に関することで強い不安・悩み・ストレスがある」人の割合は約8割にのぼる（図10-12）。その内容は，「仕事の質」「仕事の量」「職場の人間関係」が高い割合を占めている。

自殺者数は，金融機関の破綻が相ついだあとの1998（平成10）年に急増して以後14年連続で3万人をこえた。2012（平成24）年の自殺者総数は2万7858人と，15年ぶりに3万人を下まわり，2019（令和元）年の2万169人まで減少を続けたが，2020（令和2）年から再び増加に転じ，2023（令和5）年は2万1837人（そのうち有職者は8,858人）となった。自殺者の減少へ向けて，より一層の対策が求められている。

2 メンタルヘルス対策

■労働者の心の健康の保持増進のための指針

働く人々のメンタルヘルスが問題となるなかで，厚生労働省は2000（平成12）年8月に「事業場における労働者の心の健康づくりのための指針」を策定した。2006（平成18）年3月には，この内容を見直し「**労働者の心の健康の保持増進のための指針**」が策定された（2015〔平成27〕年最終改訂）。この指針において，事業者がメンタルヘルス対策を積極的に推進することの重要性が明確にされ，安全衛生委員会などで十分な審議をしたうえで「心の健康づくり計画」を策定し，計画的・継続的にメンタルヘルスケアを行っていくこととされている。本指針ではメンタルヘルスケアの具体的な方法として4つのケア✚が重要としている。

厚生労働省では，働く人のメンタルヘルスポータルサイト「こころの耳」（URLはhttps://kokoro.mhlw.go.jp〔参照2024-09-19〕）を開設している。働く人やその家族，事業者，上司・同僚，支援する人に向けた情報が一元化され，わかりやすい内容となっている。

■心の健康問題により休業した労働者の職場復帰支援

2004（平成16）年に「**心の健康問題により休業した労働者の職場復帰支援の手引き**」が策定された（2012〔平成24〕年，最終改訂）。この手引きでは，復職支援の流れが，以下の5つのステップで示されている。

① 病気休業開始および休業中のケア
② 主治医による職場復帰可能の判断
③ 職場復帰の可否の判断および職場復帰支援プランの作成
④ 最終的な職場復帰の決定
⑤ 職場復帰後のフォローアップ

復職は，本人の状況に応じて少しずつ作業時間や負荷を増やしながら通常勤務につなげることが重要であり，そのために産業看護職は，定期的に面談をしたり，関係者とのコーディネートを行うなど，きめ細かな対応をする必要がある。

■ストレスチェック制度

メンタルヘルス不調の未然防止（一次予防）を目的に，2014（平成26）年6月に改正された**労働安全衛生法**に基づき，2015（平成27）年に「**心理的な負担の程度を把握するための検査及び面接指導の実施並びに面接指導結果に基づき事業者が講ずべき措置に関する指針**」が示され，労働者に対するストレスチェックの実施が事業者に義務づけられた。

この制度により，労働者数50人以上の事業者は1年に1回，常時使用する労働者に対して，医師・保健師などによるストレスチェックを実施し（労働者50人未満の事業場は，当分の間は努力義務），必要な場合は医師による面接指導を実施し，医師の意見を聴き就業上の措置を講じることとなった。また，ストレスチェックの結果を集団ごとに集計・分析し，

✚ プラス・ワン

4つのメンタルヘルスケアの推進

① セルフケア
労働者自身によるストレスへの気づきや対処をする。

② ラインによるケア
管理監督者が，職場環境の把握・改善や部下である労働者からの相談への対応を行う。

③ 事業場内産業保健スタッフ✚などによるケア
産業保健スタッフが，労働者および管理監督者への支援，メンタルヘルスケアの企画立案実施，個人情報の取り扱いや事業場外資源との連携を行う。

④ 事業場外資源によるケア
事業場外専門機関による，労働者への直接的な支援や事業場への支援サービスの提供を行う。

なお，事業場外専門機関には，メンタルヘルス支援センターやEAP（従業員支援プログラム）✚，臨床心理士や精神科医などがあり，必要に応じてその支援を受けることが有効である。

事業場内産業保健スタッフ

メンタルヘルスケアに携わる事業場内産業保健スタッフとは，産業医・衛生管理者・保健師・カウンセラーや心理職などの専門スタッフ，人事労務管理担当者らである。スタッフはそれぞれの専門の立場により，労働者や管理監督者からの相談対応，相談体制づくり，教育研修の企画実施，労働時間などの労働条件の改善や労働者の適正配置への配慮などを行う。

EAP

EAPはemployee assistance program（従業員支援プログラム）の略で，1960年代の米国において，アルコール依存や薬物依存の従業員に対する問題解決プログラムとして始まった。日本では，おもにメンタルヘルス対策の一環としてEAPを導入する事業場が増えている。企業が自社内部で設置する場合と，外部のEAP会社にアウトソースして社員の悩み相談に対応する場合とがある。

> **プラス・ワン**
>
> **ワーク-エンゲイジメント**
> オランダのユトレヒト大学のシャウフェリ(Shaufeli, W. B.)らが提唱した概念で,「仕事にやりがいを感じている(熱意)」「仕事に熱心に,熱中して取り組んでいる(没頭)」「仕事から活力を得ていきいきとしている(活力)」の3つがそろった状態を「ワーク-エンゲイジメントが高い」とし,これらを高めるためのプログラムも開発されている。

その結果をふまえた職場環境改善をすることが事業者の努力義務となっている。

■メンタルヘルスに関する職場風土の醸成

メンタルヘルス不調や精神疾患については,いまなお偏見があり,不調を感じる本人も相談を受けることに躊躇する場合が少なくない。精神疾患の理解を深めて相互にサポートし合える風土づくりをすることも,産業看護職の重要な役割である。

■ポジティブメンタルヘルス

職場におけるメンタルヘルス対策は,ストレス対処や不調の早期発見,不調者への支援が中心となっている。しかし,労働者すべての**QOWL**(労働生活の質)の向上をはかるためには,日ごろから心身の健康を保ち,よりいきいきと職業生活を送るための支援も必要である。仕事に誇りをもって熱心に取り組み,仕事から活力を得ている人は心身ともに健康度が高いとされており,ポジティブなメンタルヘルス対策として,仕事へのやりがいや満足度を高めるための個人への支援や組織づくりなどを企業が一体となって進めていくことも大切である。

■非定型うつ病への対応

非定型うつ病とは,「現代型うつ病」の1つの類型として考えられているが,専門家の間でも見解が一致していない。米国精神医学会の診断基準「DSM-5」では,①気分の反応性:楽しいできごとには気分が明るい,②食欲増加,体重増加,③過眠,④身体が鉛のように重い,⑤他人の言動にひどく敏感,などが特徴とされている。伝統的なうつ病(メランコリー親和型)とは症状や治療法,対応が異なるため,専門職は慎重で適切な対応をとる必要がある。また,ときに周囲から「なまけている」といった批判を受けることもあるため,非定型うつ病に関する適切な情報提供を行い,理解を得ることも必要である。

実践場面から学ぶ:メンタルヘルス

■事例紹介

D社は社員約600人の食品製造・販売会社である。Eさんは32歳,既婚の男性で,2人の子どもがいる。開発部門に所属し,仕事の能力が高く周囲から期待される存在で,明るい性格だった。ある日,健康相談室の保健師のもとに,Eさんが「仕事に集中できず,がんばろうとしても,がんばれない。仕事はたまる一方で毎日残業しているが,進まずにつらい。最近夜も満足に眠れていないし,食事ものどを通らない」と相談に来た。

Eさんの了承を得て上司に状況を確認したところ,会社の事業拡大に伴い業務量が大幅に増えたが人員の補充はなく,仕事ができてまじめなEさんに仕事が集中している状況だった。上司もEさんの元気がないことは気になっていたが,人を増やすように交渉中だからもう少しがん

ばってほしいと伝えていたとのことだった。
　Eさんは産業医との面談を経て心療内科を受診し、3か月の休職となった。保健師は、Eさんの妻に来社してもらい、休職に関する社内規定や休職中の給与や傷病手当などについて説明した。
　3か月後、主治医から復職可能の診断書が出たため、本人の了承を得たうえで、まずは保健師が主治医に本人の状況を聞きに行った。その結果をふまえ、産業医・上司・人事担当者・保健師がEさんの復職プランを話し合い、その後、Eさんも交えて相談し、同意を得た。Eさんは復職し、定期的に保健師が面談を行うことになった。
　D社では、今回の経験から、うつ症状の理解や部下の不調に早めに気づけるようになることを目的に、管理監督者研修を行うことになった。

● ポイント①：本人の了承を得てから調整・支援をする
　産業保健では、本人の健康が仕事と大きく関係することが多い。とくにメンタルヘルスの場合は、仕事による健康への影響、本人の健康状態による周囲の仕事への影響がともに大きくなるため、管理監督者や人事担当者とも相談し、調整する必要が出てくる。しかし、医療職としての守秘義務✚は厳守すべきである。事前に本人とよく話し合い、誰になにをどの範囲まで伝えるか、その必要性などを納得してもらったうえで進めることが重要である。

● ポイント②：コーディネーターとしての役割
　休職を伴うメンタルヘルスケアは、本人だけでなく、産業医、管理監督者、人事担当者、主治医、家族、場合によっては外部資源など、さまざまな立場の人が関係する。それぞれの人の役割や立場、必要な情報などを加味して、適切なタイミングで情報提供や話し合いのセッティングなどを行い、ケアがスムーズに進むようにコーディネートすることも保健師の重要な役割である。

● ポイント③：メンタルヘルス対策の体制づくり
　近年は業種や従業員規模にかかわらず、メンタルヘルス対策が必要となっている。休職の手続きや復職支援、相談窓口の設置、管理監督者研修やセルフケア教育の計画的な実施、各担当者の役割の明確化など、社内での体制をつくっておく必要がある。

✚ プラス・ワン

守秘義務
看護職の守秘義務は、保健師助産師看護師法第42条の2において定められている。
また、「産業保健専門職の倫理指針」においても、労働者の健康情報は守秘義務に従って管理することが定められている。

法に基づく母性保護規定
● 労働基準法に基づく措置
①坑内業務の就業制限
②妊産婦などにかかわる危険有害業務の就業制限
③産前産後休業
④妊婦の軽易業務転換
⑤妊産婦に対する変形労働時間制の適用制限と時間外労働・休日労働・深夜業の禁止
⑥育児時間

● 男女雇用機会均等法に基づく措置
①保健指導または健康診査を受けるための時間の確保
②保健指導または健康診査で受けた指導事項をまもるための措置
　・妊娠中の通勤負担緩和措置
　・妊娠中の休憩に関する措置
　・妊娠中または出産後の症状などに対応する措置
　・母性健康管理指導事項連絡カードの利用

● 育児・介護休業法に基づく措置
①育児休業制度
②育児休業の申し出ならびに育児休業取得による不利益取扱いの禁止
③時間外労働の制限
④深夜業の制限

3 多様化する労働者および雇用形態への対応

a 女性労働者への支援

　女性の社会進出が進むなか、働く女性が母性を尊重されつつ、その能力を十分に発揮できるように、公正な処遇や母性機能の保護✚、仕事と家庭の両立が可能な就業環境の整備がきわめて重要となっている。各種法においても妊娠中や出産後の支援、生殖機能に悪影響を及ぼす業務の

プラス・ワン

ハラスメント対策

ハラスメントとはいろいろな場面での「嫌がらせ・いじめ」をいい、**セクシャルハラスメント**（セクハラ）や**パワーハラスメント**（パワハラ）によって従業員が退職に追い込まれたり、うつ病などのメンタルヘルス不調や心身症を発症したりするなど、大きな問題となっている。職場におけるハラスメント対策は、2022（令和4）年度からすべての企業に義務づけられた。ハラスメント対策は会社の人事部などが担当するが、産業医や保健師に相談が寄せられるケースも多く、互いの連携が必要である。

障害者雇用率制度

障害者の雇用の促進等に関する法律において、常時50人以上の労働者を雇用する事業主は、定められた割合以上の障害者を雇用しなければならないとする障害者雇用率制度が設けられている。その割合は、2021（令和3）年3月より、民間企業が2.3%、国・地方公共団体と一定の特殊法人が2.6%、都道府県などの教育委員会が2.5%である。

非正規労働者

パートタイム労働者、契約社員、嘱託社員、派遣労働者などの非正規労働者の割合は、労働力調査（総務省統計局、2022年）によると、全雇用者の約36.9%に達している。

派遣労働者の健康管理

派遣労働者の定期健康診断の実施義務は派遣元に、特殊健康診断は派遣先に課せられ、健康管理に対する措置義務は派遣先・派遣元の双方に課せられている。これが、派遣労働者の健康管理上の基本である。労働契約を結ぶ派遣元事業者が派遣労働者の健康管理責任を負うことはもちろんであるが、実際の指揮命令は派遣先で行われるため、派遣先の事業者を派遣労働者の使用者とみなす特例（「労働者派遣事業の適正な運営の確保及び派遣労働者の保護等に関する法律」第44条「労働基準法の適用に関する特例」）や労働安全衛生法の規定によって、派遣先の事業者にも健康管理や安全配慮義務が課せられている。

制限、セクシャルハラスメント対策など女性労働者を保護・支援するさまざまな規定が設けられている。

b 高年齢労働者への支援

社会の少子高齢化に伴い、労働人口に占める高年齢労働者の割合も急速に増加している。高年齢労働者は、豊富な知識と経験、それらに基づく判断力や統率力をもつ存在である一方、災害発生率が若年労働者に比べて高い。2020（令和2）年に「高年齢労働者の安全と健康確保のためのガイドライン」（エイジフレンドリーガイドライン）が出され、高年齢労働者が安心して安全に働くことができる職場環境づくりや安全衛生教育の強化への取り組みが事業者に求められている。

c 障害者への支援

事業主は、一定の割合以上で障害者を雇用することが義務づけられている。職場においては、障害をもつ従業員の心身の状況や仕事への適応状況を的確に把握し、職場環境や作業条件の改善に努め、適応性の向上ならびに潜在能力が発揮できるよう支援することが大切である。

d 多様な雇用形態に対応した健康管理

長引く不況により経営の合理化を迫られてきた日本企業において、人件費の削減や景気変動に応じた雇用調節、専門的能力をもつ多様な人材確保のため、非正規労働者が多く雇用されるようになった。非正規労働者の安全衛生管理について、契約社員や嘱託社員などは原則的に正規社員とおおむね同様の実施責任を事業主がもち、派遣社員は派遣先・派遣元の双方に責任が課せられている。しかし、正規労働者に比べて健康診断や保健指導などの実施率が低いことが報告され、産業保健における課題となっている。

e 疾病をかかえる労働者への就業継続支援

近年、労働人口の高齢化や労働環境の変化により、がんや脳・心臓疾患、生活習慣病、精神疾患などをかかえる労働者が増加している。また医療技術の進歩により、これまで予後不良とされてきた疾患の生存率が向上し、治療と職業生活の両立を望む労働者も増えてきた。しかし、仕事上の理由で適切な治療を受けることができない場合や、疾病に対する労働者自身の不十分な理解、職場の理解や支援体制の不足により、離職にいたる場合もある。

このような状況を背景に，厚生労働省は「**事業場における治療と職業生活の両立支援のためのガイドライン**」を 2016（平成 28）年に公表した。同ガイドラインには，治療と職業生活の両立支援を行うための環境整備や休職中および復職支援も含めた両立支援の進め方などが明示されている。事業場にとって，人材の定着，生産性の向上，組織としての社会的責任，労働者のワークライフバランスの実現などのためにも両立支援は意義あるものであり，取り組みが進められている。

4 産業保健活動の展開

a 産業保健・看護を展開するうえでの基本事項

1 企業活動における産業保健・看護活動の位置づけ

産業保健活動が展開される場である企業は，営利を目的とした経済活動を行う組織であり，その活動を通して組織の維持・発展，社会貢献を行うことを使命としている。産業保健活動も，この企業活動の1つとして行われるものであり，単に「働く人の健康のため」という理由ではなく，企業の事業運営に貢献することが求められる。そのためには，保健医療の視点だけでアプローチするのではなく，企業の経営理念や事業計画をよく理解し，その達成を健康面から支援するようなスタンスで活動することが大切である。衛生委員会で同意を得たり，職制・ラインを活用して組織的に進めたりすることも必要である🞥。近年では，社員の安全や健康への配慮を企業の社会的責任🞥として位置づけている企業が増え，さらには経営戦略として積極的に社員の健康の保持・増進に取り組み企業の生産性向上を目ざす「健康経営」🞥が浸透しつつある。

2 労働者にとっての産業保健活動

労働者にとって職場とは，自己の労働力を提供し，対価として賃金を得るところであり，さらには自己成長や自己実現をはかるなど，さまざまな意味をもつ。仕事をするうえで健康は大切であるが，人々は健康になるために職場に来ているわけではない。そのため，保健活動を進めるうえでいくつかの課題に遭遇することになる。1つは，医療機関や保健施設と違い，「健康になる」という動機づけがむずかしいことである。

みずからの健康を犠牲にした働き方をするような労働者には，健康を保つことがよりよい労働や人生につながることだと納得してもらう必要がある。また，健康上の問題により特定の労働者に仕事の制限や配慮を行えば，上司や同僚など周囲の人に負担をかけることになる。本人にとっても，健康上の配慮を行うことが，やりがいのある仕事や昇進の機会を失うことにつながる可能性もある。これらのことを念頭におき，労

➕ プラス・ワン

衛生委員会，職制・ラインを活用した産業保健活動の推進

事業場において産業保健活動を展開するには，経営者および労働者双方に同意を得る必要がある。そのためにも，なんらかの活動が必要であると判断した場合，衛生委員会で提案し，議論したうえで決定することが重要である。また，たとえば健康診断結果の分析や健康管理に関する注意事項なども，衛生委員会で情報提供をすることで，委員が職場にもち帰り伝達されるため周知されやすい。

事業場では，物事の伝達や指示命令は管理職を通じてその部下に順に下ろされていく。たとえば社長→部長→課長→課員（逆の場合もある）というルートである。これを「職制を通じて」あるいは「職制ラインを通じて」という。産業保健活動においても，この職制・ラインを活用することで，情報が労働者に周知され，必要な人に行動してもらうことがスムーズになる。一方，健康管理室発信の広報誌などは，職制・ラインを通じない活動となる。

企業の社会的責任

CSR（corporate social responsibility）とあらわされる。企業がその事業活動において利益を追求するだけでなく，社会に与える影響を認識し，顧客（消費者）・株主・従業員・取引先・地域社会などさまざまな利害関係者に対して責任ある行動をとるとともに，説明責任を果たしていくことを求める考え方である。

プラス・ワン

健康経営

企業が従業員の健康に投資し，生産性や企業の発展に結びつけていくという経営手法。個人の健康の保持・増進が，個人レベルでは疾病による欠勤の減少や医療負担の減少，仕事の質の向上，職務満足度の向上につながり，そのことによって生産性の向上，業務の効率化，CSR の強化，優秀な人材の確保，企業・健康保険組合の財政や収支の改善など，企業の発展につながる。
国は「健康経営銘柄」や「健康経営優良法人」などの認定制度を設け，企業の取り組みを推進している。

参画・協力・提言
- 参画：産業保健専門職チームの一員として，その業務に直接かかわること。
- 協力：求められて，その業務にかかわること。
- 提言：その業務に対して，専門的な立場から意見を述べること。

働と健康の調和，労働者個人と周囲との調和などを考慮しながら産業保健活動を進める必要がある。

3 法令遵守と自主対応への支援

　産業保健活動を行うにあたっては，労働安全衛生法をはじめとした関連法令を遵守することは言うまでもない。しかし 1999（平成 11）年に「**労働安全衛生マネジメントシステムに関する指針**」が公表されて以降，単なる法令遵守だけの受動的な活動ではなく，事業者と労働者が協力して事業場における安全確保や健康の保持・増進，快適な職場づくりのための活動などに継続的に取り組む「**自主対応（セルフマネジメント）**」が重要視されるようになった。

4 産業保健における倫理

　産業保健専門職は，一般の医療職のように患者との関係だけで活動しているのではないため，医療職の倫理に従った行為が，産業保健の場では評価されなかったり，対象者の期待を裏切ってしまったりすることがある。たとえば，健康状態のわるい労働者がいたとして，医療職としては「交替勤務はやめたほうがいい」と判断するが，事業者は「現場からその人を外すと熟練者がいなくなり，損失をこうむる」と言い，労働者本人は「交替勤務から外れると収入が減り，生活が苦しくなる」と言う。また，個人のプライバシーをまもることと，事業者の安全配慮義務を遵守することのはざまで，健康情報をどこまで事業者に開示すべきかという問題にも直面する。

　こういった倫理にかかわることがらに対処するための指針として，日本産業衛生学会が「**産業保健専門職の倫理指針**」を示している。産業保健専門職としてつねに倫理的な行動がとれるよう，これらの指針を活用することは重要である。

b 産業保健活動の実際

1 産業看護職の職務

　事業場における産業保健活動の推進にあたっては，本章 A で述べたとおり，「総括管理」「作業環境管理」「作業管理」「健康管理」「労働衛生教育」の 5 つの枠組みから行われる。産業看護職は，産業保健活動を推進するチームの一員として 5 つの分野の活動を把握し，看護専門職として参画・協力・提言のいずれかのかたちでかかわらなければならない。

■総括管理

　総括管理は，作業環境管理・作業管理・健康管理・労働衛生教育が適切に実施されるように体制を整え，より効果的に進められるようにする

活動である。そのなかで産業看護職は，産業看護管理（産業看護職の役割の明確化，産業看護業務の計画や遂行のための連絡・調整，評価，産業看護職の人材育成など），コーディネート（産業看護活動の円滑な推進をはかるための他職種間・部門間での連絡・調整や連携など），衛生管理業務の企画立案や体制整備，各種規定の整備と運用，適正配置への協力，資料や情報の管理，予算管理，産業保健施策の広報，職場巡視などを行う。

■作業環境管理

作業環境管理は，作業環境中の有害因子を排除することによりこれらの因子による健康障害を防止し，さらに快適な職場環境をつくるために行われる。産業看護職は，有害因子（化学的・生物的・物理的）の管理，換気・採光・温湿度・照明・環境音などの一般環境改善，休憩施設・食堂・手洗い所などの衛生状態改善対策への参画，作業環境測定や事後措置への参画，作業環境の改善，施設や設備のメンテナンス，喫煙環境対策への参画などを行う。

■作業管理

作業管理は，作業方法の改善や労働時間・作業内容の適正化をはかるなど，作業のやり方を適切に保ち，労働環境の悪化と労働者への影響を少なくするものである。産業看護職は，作業方法改善，労働負荷対策，保護具の選定・メンテナンスなどの活動に適宜参画・協力し，提言する。

■健康管理

保健計画，健康診断，健康相談，保健指導，健康づくり，メンタルヘルスケア，疾病管理，救急処置，高年齢者への支援，年少者・妊産婦・女性労働者への支援，障害者への支援などを行う。これらの業務は，産業看護職の専門性がより求められるものであり，主体となって実施する必要がある。

■労働衛生教育

労働衛生教育は，作業環境管理・作業管理・健康管理が円滑かつ効果的に行われるように，労働者1人ひとりが労働が健康に及ぼす影響について正確な知識をもち，健康障害防止のための行動をとることができるように実施される。労働安全衛生法や行政指導により実施が定められている教育に加え，各事業場のニーズに応じた教育も必要であり，産業看護職は教育計画の策定や実施に参画する。

2 産業保健計画の立案と評価

産業保健活動を効果的かつ効率的に進めるためには，当該事業場のニーズに応じた適切な計画をたて，実施・評価を行い，次の活動につなげるというPDCAサイクルをつねに展開させることが重要である。産業保健計画の立案では，まずヘルスニーズを把握してアセスメントし，産業保健活動として取り組むべき事項を明らかにしたうえで，実行可能性や優先順位を検討し詳細な計画をたてていく。その際，取り組む期間

プラス・ワン

産業保健計画の立案

計画立案に際しては，活動に携わるメンバー全員が以下の点を勘案し，それぞれの立場から現象分析や意見を述べ討議する必要がある。
①事業者・管理監督者・従業員それぞれのニーズ
②健康診断結果や調査票，相談内容分析などの諸統計
③事業場の産業保健活動の実施状況
④事業場の経営状況
⑤資源（人・物・時間・予算）
⑥法規制・行政の動向
⑦他社（とくに同業他社）の産業保健活動状況

プラス・ワン

衛生管理者免許

衛生管理者免許には第一種と第二種がある。
- 第一種：すべての業種で有効である。
- 第二種：有害業務と関連の少ない一定の業種（情報通信業，金融・保険業，卸売・小売業など）の事業場においてのみ，衛生管理者となることができる。

総括安全衛生管理者の統括する業務

①労働者の危険または健康障害を防止するための措置に関すること
②労働者の安全または衛生のための教育の実施に関すること
③健康診断の実施その他健康の保持・増進のための措置に関すること
④労働災害の原因の調査および再発防止対策に関すること
⑤安全衛生に関する方針の表明に関すること
⑥危険性または有害性などの調査およびその結果に基づき講ずる措置に関すること
⑦安全衛生に関する計画の作成・実施・評価および改善に関すること

健康診断と保健指導

労働安全衛生法第66条の7では，健康診断の結果，必要と認められる労働者に対し医師または保健師による保健指導を行うことを努力義務として定めている。保健指導の本来の目的を考えれば，すべての労働者に対して保健指導を実施することが望ましい。

や目ざす結果を具体的に設定し，のちの評価・改善につなげられるよう考慮する必要がある。

③ 保健師・第一種衛生管理者の活動の実際

保健師免許を受けた者は，申請により第一種衛生管理者免許✚が得られる。したがって，保健師が衛生管理者を兼ねている事業場と，衛生管理者とは別に保健師が雇用されている事業場とがある。

衛生管理者の業務は，総括安全衛生管理者の統括管理する業務✚のうち，衛生にかかわる技術的事項を管理すること，少なくとも毎週1回の職場巡視をすることなどである。保健師が衛生管理者を兼ねている事業場においては，看護専門職としての視点も十分にもちながら活動を進めることが大切である。

保健師は，前述した産業保健活動の5分野に看護専門職として関与するが，ここでは，とくに保健師がその専門性を発揮し，主体となって行うおもな活動について取り上げる。

■健康診断

事業場では，各種法令や通達などによるさまざまな健康診断の実施義務があり，産業保健活動において大きなウエイトを占める。産業看護職は，事業場に必要な健康診断の把握，実施体制の整備，方法・日程などをふまえた企画の立案・実施，事後措置，結果の分析，事業者や安全衛生委員会への報告など一連の過程に主体的に取り組む必要がある。

産業看護職にとってふだん接する機会の少ない従業員とコミュニケーションをとることができて，身近な健康支援の専門家であることを伝える機会として健康診断の場面を有効に活用することは大切である。

■保健指導

職場における保健指導の目的は，労働者がみずからの健康状態を把握し，健康で働くために必要な保健行動，すなわち医療機関の受診や適切な療養，生活習慣の改善，健康づくりのための行動をとれるように支援することである。そのためには，対象者について健康診断結果を含めた健康状況，健康への認識，労働や生活の背景，生活習慣，価値観などを全人的にとらえ，その人の生活にそった具体的な支援をする必要がある✚。

■健康相談

健康相談は，相談者側から主体的にはたらきかけることが多く，健康相談に適切に対応することで相談者がかかえるヘルスニーズを解決に導き，安心して働くことへの大きな支援となる。相談を通じて産業看護職はさらなる信頼を得ることにもつながる。

健康相談の内容は，自身の健康問題に関することだけでなく，メンタルヘルス，家庭の問題，家族や職場の部下・同僚のこと，職場環境のこと，保健医療施設の利用についてなど，さまざまな分野に及ぶ。1つひ

とつの相談に，科学的根拠に基づき誠実な態度で応じ，必要であればほかの専門職を紹介するなど，臨機応変に対応することが大切である。

■**健康教育**

職場における健康教育の目的は，働く人々が健康的な生活習慣を身につけ，実践できるようにすることである。職場における健康教育は，主として以下に示すものがあげられる。

①**個別教育**：健康診断や健康相談の場での教育，職場巡視時の教育など
②**集団教育**：入社時の教育，管理監督者への教育，幹部社員への情報提供，ヘルスニーズに応じた教育など
③**ITや印刷物などによる啓発教育**：社内報やリーフレット，ポスターの掲示，イントラネットなどによる情報提供，食堂での栄養・カロリー表示など

■**健康づくり活動**

職場における健康づくり活動は，心の健康づくりも含めた心身両面にわたる健康の保持・増進を目的とする。

1988（昭和63）年に**労働安全衛生法**が改正され，労働者の健康の保持・増進をはかるために必要な措置を実施することが事業者の努力義務として定められ，労働者に対してもみずからの健康の保持・増進に努めるようにとの規定が設けられた。同時に，「**事業場における労働者の健康保持増進のための指針**」（THP指針）が公表され，すべての労働者を対象に心身両面にわたる健康の保持・増進対策として**トータルヘルス・プロモーション・プラン**（THP）が推進されるようになった。

当初は個人を対象とした画一的な方法がとられていたが，2020年以降のTHP指針の改正により，個人へのアプローチに加えて事業場全体の健康状態を向上させるための活動をそれぞれの事業場の特性に合った方法で柔軟に実施していくことが求められるようになった。事業場独自のニーズに応じた取り組みとしての禁煙事業や，ウォーキング推奨事業・健康情報発信などの啓発活動，職場環境づくりなどがその例で，これらの活動は医療保険者と連携して実施することが推奨されている。

■**職場巡視**

産業保健活動を行ううえで，職場を知ることは最も重要な事項である。各職場で行われる作業や取り扱い物質，作業環境，労働者の特性を知り，それぞれの状況に応じた安全で快適な職場づくりを行わなければならない。したがって，実際に職場に足を運ぶ重要な機会である職場巡視を，産業看護職は積極的に実施する必要がある✚。また，従業員1人ひとりの働く状況を知ることは効果的な健康支援を行ううえでも必須であるため，重要な意味をもつものである。

プラス・ワン

職場巡視と労働安全衛生法

労働安全衛生法では，産業医には月1回の，衛生管理者には週1回の実施義務を定めている。これらに同行することはもちろん，日常業務においてもできる限り職場に足を運び，情報収集をしたり，労働者とコミュニケーションをはかることが大切である。

4 産業保健・看護における課題

■小規模事業場における産業保健・看護活動

　日本の事業場の約9割，労働者人口の約6割は，労働者数50人未満の事業場に所属するといわれている。しかし，小規模事業場には産業医や衛生管理者の選任義務，健康診断結果の届け出義務などの労働安全衛生法上のしばりがないことに加え，安全衛生管理体制の未整備などにより，安全衛生に関する対策が不十分な現状にある。地域産業保健センターや労働災害防止協会などによる支援体制があるものの十分な活用が進んでおらず，これらサポーティングシステムの支援内容や方法の検討や広報などが課題となっている。労働衛生機関や地域産業保健センターに所属する産業看護職がこれら小規模事業場の産業保健活動を担うケースも多く，期待が寄せられている。

■地域保健と職域保健の連携

　成人期を対象にした保健活動は，労働者は産業保健により，専業主婦や高齢者は地域保健（保健所や保健センターによる保健活動）により，といったように分けて実施されている。しかし，労働者の健康問題は，労働だけでなく家庭や地域生活における要因もからんでおり，人々を全人的にケアするという視点にたてば，産業保健活動と地域保健活動の連携が重要である。

　また，労働安全衛生法の適用を受けない自営業者や農業・水産業者，小規模事業場の労働者については，産業保健からのサービス提供が不十分であるため，地域保健によるフォローを求めるしかない現状にある。これらのことから，産業保健・地域保健相互の情報交換や資源の活用，事例への協働対応など，連携を強化していく必要がある。

■健康保険組合との連携

　少子高齢化など社会構造の変化や医療費の増大などにより，健康寿命の延伸は日本の成長戦略におけるきわめて重要な課題となっている。2008（平成20）年より開始された特定健康診査・特定保健指導において，事業場の健康管理における健康保険組合の役割が大きくなった。さらに2013（平成25）年の「日本再興戦略（閣議決定）」で掲げられた「**データヘルス計画**」において，すべての健康保険組合は，健診やレセプト➕などのデータ分析，それに基づく加入者の健康の保持・増進のための事業計画（データヘルス計画）の作成・公表，事業実施，評価などを求められ，事業者との連携も重要となっている。事業主と健康保険組合とが協力・連携して双方の資源を利用することにより従業員の健康度を効果的に増進する取り組みであるコラボヘルスも進められており，労働者の健康保持・増進対策において，健康保険組合との連携の重要性が高まっている。

　前述のTHP改正においても，コラボヘルスの推進が求められている。

➕ **プラス・ワン**
レセプト（診療報酬請求明細書）
病院や診療所などの医療機関が，医療費の保険者負担分の支払いを請求する明細書のことである。行った検査や治療など，すべての医療行為が詳細に記載されている。

実践場面から学ぶ：生活習慣病対策

■ **事例紹介**

　A社B事業所は，某地方都市の自動車部品製造会社である。保健師は，今年の健康診断結果に基づき，肥満と脂質異常症を指摘されたCさん（48歳男性）に保健指導を実施した。Cさんは製造ラインの課長で，昨年から単身赴任となり，現在会社が社宅として借り上げたアパートでひとり暮らしをしている。食事は朝昼晩の3食とも購入した弁当や社員食堂，外食である。「自炊はむずかしい」というCさんに，保健師は食品購入や外食の際のメニューの選び方などについてアドバイスをした。

　A社では昨年，事業所の統廃合を行ったことに伴い，転勤が増え，Cさんのように単身赴任となった社員も多い。保健師が健康診断結果を分析したところ，転勤者の体重や血中脂質，肝機能値などが増加傾向にあった。保健師は産業医や衛生管理者と相談のうえ，転勤や単身赴任者の多い部署での食事メニューの選び方に関する健康教育を企画して安全衛生委員会で提案し，実施した。また，A社は今後も事業場の統廃合を進める方針であり，社員の心身の健康への影響を予防または早期発見するため，健康診断時に生活習慣調査およびメンタルヘルスチェックを加えること，転勤でとくに単身赴任となる社員への異動時の健康教育を実施することになった。

● **ポイント①：仕事の状況を考慮した具体策を助言する**

　働き盛りの労働者は，とくに生活が仕事中心になりがちであり，生活習慣も大きく影響される。仕事が忙しく，自炊も苦手な社員には食品やメニューの選び方を助言し，無理のない範囲でできることを助言する必要がある。交替勤務者の夜食や睡眠，接待が多い人の飲食など，仕事の特徴を考慮し，働きがいを尊重した保健指導を行う必要もある。

● **ポイント②：個人の健康問題から，集団の健康問題を発見して対応する**

　保健師は，単身赴任による食生活の乱れが肥満や脂質異常症を引きおこしていたCさんの事例をきっかけに，同じ状況にある人の健康診断結果を分析した。職域では，労働態様が同じ集団では共通する健康問題がおこりやすいため，つねに個別の事例から集団への支援につなげる視点をもつことが大切である。

　また，単身赴任者の多い部署で実施した健康教育では，同じ状況にある社員どうしの情報交換にもつながり，さらに単身赴任者に限らず部署内での食生活への意識も向上した。長い時間をともに過ごす同僚どうしは互いに影響し合うため，集団として健康を意識する風土を醸成するための支援も重要である。

● **ポイント③：職場の潜在的ニーズを予測し，予防対策を講じる**

　事業所の統廃合や企業間のM＆A（合併や買収）は，転勤や転籍，仕事内容の変化，企業風土の変化，業務量の変化など，社員とその家族も含めた生活に大きな影響を及ぼす。ストレスの増大や過重労働によるメンタルヘルス不調者も増えることが予測されるため，不調者の早期発見と

その対応方法，相談窓口の設置，管理監督者への教育など，あらかじめ対策を講じておくことが大切である。

●引用文献
1) 厚生労働省：労働者の心の健康の保持増進のための指針．2015．

●参考文献
- 厚生労働省：業務上疾病等発生状況等調査（令和5年）．(https://www.mhlw.go.jp/stf/newpage_42379.html)（参照 2024-09-12）
- 厚生労働省自殺対策推進室・警視庁生活安全局生活安全企画課：令和5年中における自殺の状況．(https://www.npa.go.jp/safetylife/seianki/jisatsu/R00/R5jisatsunojoukyou.pdf)（参照 2024-09-12）
- 厚生労働省：令和5年労働者安全衛生調査．(https://www.mhlw.go.jp/toukei/list/r05-46-50b.html)（参照 2024-09-12）
- 厚生労働省：労働災害発生状況．(https://www.mhlw.go.jp/bunya/roudoukijun/anzeneisei11/rousai-hassei/)（参照 2024-09-12）
- 河野啓子著：産業看護学．日本看護協会出版会，2022．
- 坂元薫：神経精神医学　非定型うつ病とは．医学のあゆみ 230(3)：233-235，2009．
- 財団法人産業医学振興財団編：メンタルヘルスケア実践ガイド――手法を理解して，事例で体験する．産業医学振興財団，2002．
- 島津明人：ワーク・エンゲイジメントに関する研究の現状と今後の展望．産業医学レビュー 25(2)：79-97，2012．
- 島津明人：ワーク・エンゲイジメントとポジティブメンタルヘルス．産業精神保健 19(4)：280-284，2011．
- 中央労働災害防止協会ホームページ(http://www.jisha.or.jp/)（参照 2023-09-05）
- 中田実：世界的な比較ができる労働災害統計システムの重要性――頸肩腕障害などを例に．日本学術会議・第81回日本産業衛生学会共催（市民公開）シンポジウム「わが国の労働安全衛生政府統計の現状と利活用の課題」．産業衛生学雑誌 50(3)：324-325，2008．
- 日本健康教育士養成機構編著：新しい健康教育――理論と事例から学ぶ健康増進への道．保健同人社，2011．
- 森晃爾：成果の上がる健康経営の進め方――企業・健保担当者必携!!．労働調査会，2016．
- 森晃爾編著：看護職のための産業保健入門．保健文化社，2010．
- 労働衛生のしおり，令和4年度版．2022．

11章 健康危機管理

健康危機管理

POINT
- 健康危機管理の概念とおもな要因について理解する。
- リスクアセスメント,リスクコミュニケーション,事業継続計画の概念を理解する。
- 体制整備や情報収集,被害者への対応など,保健師などの役割の基本を理解する。

1 健康危機管理の理念と目的

a 健康危機管理の定義・分類

　健康危機管理は,「国民の生命,健康の安全を脅かす事態に対して行われる健康被害の発生予防,拡大防止,治療等に関する業務」と定義されている[1]。

　WHO による**国際保健規則**(International Health Regulations:**IHR**)では,健康危機と類似の概念として「**国際的に懸念される公衆衛生上の緊急事態**」(Public Health Emergency of International Concern:**PHEIC**)として,「原因を問わず,国際的な公衆衛生上の脅威となりうるすべての事象」と定義している[2]。

b 健康危機管理の目的

　健康危機管理の目的は,人々の生命,健康,そして生活をまもることである。より具体的には,健康危機管理の4つの側面がある。すなわち,①健康危機の発生の未然防止(**未然防止**),②健康危機発生時に備えた準備(**平常時の備え**),③健康危機への対応(**緊急対応**),④健康危機による被害の回復(**被害の回復**)である[3]。未然防止は自然災害以外の健康危機が対象となるが,監視・規制・サーベイランスなどが該当し,平常時の備えとしては,マニュアル整備,体制整備,教育訓練,物資の確保,関係機関✚との連携などがある。緊急対応は,情報収集・判断・発信・初動活動などが該当し,被害の回復には健康相談,災害時要配慮者支援,心のケアなどが含まれる。

プラス・ワン
健康危機管理に対応する機関
保健所は,地域保健の専門的・技術的かつ広域的拠点であり,地域における健康危機管理において中核的役割を果たす[4]。近年の地震や水害などの大規模自然災害のときに市町村保健師が果たした役割も大きい。
産業保健師にとっても,自然災害のほかに,有害物曝露,工場での事故,感染症などの健康危機への対応は重要である。

2 さまざまな要因による健康上の危機的影響

プラス・ワン

健康危機以外の危機管理事象
一般的に健康危機には含めないこともあるが、保健施設内などにおける利用者や職員のけが、暴力やハラスメント、期限切れ予防接種液の使用や対象者の取り違えなどのミス、職員の交通事故、飲酒運転や情報漏洩などの不祥事なども危機管理事象として、健康危機に準じた対応が必要になる。

健康危機管理の対象として12分野が列挙されている[5]。これを大きく分類して、原因不明健康危機、自然災害（地震・水害・火山噴火など）、感染症（パンデミック、結核など）、人為災害・事故（原子力災害、化学物質、生物テロ、火災など）、食中毒など（食品、飲料水）、暴力・虐待、その他（医薬品医療機器事故など）に分けて理解しておくとよい。原因不明健康危機とは、あとになると原因が判明するが発生直後は原因が不明な状態で対応することが必要となるものである。また、戦争も重要な健康危機であり、**武力攻撃事態等における国民の保護のための措置に関する法律**（国民保護法）などによる対応が行われる。さらに、経済危機が発生した際にも健康支援が必要となる。近年の日本における健康危機管理の事例には**表11-1**に示すものがある。おもな要因についてみていきたい。

a 自然災害

自然災害は、地震、水害、火山噴火や、そのほかに雪害、竜巻、熱波などもある。災害そのものによる直接的影響と、その後の避難生活などによる間接的影響とがある。直接的影響としては、地震による建物の倒

表11-1　日本における健康危機の例

健康危機の分類[*]		発生年	健康危機事例
原因不明		1998年	和歌山市毒物混入カレー事件
		2004年	スギヒラタケ脳症
自然災害	地震	1995年	阪神・淡路大震災
		2011年	東日本大震災
	水害	1959年	伊勢湾台風
		2019年	令和元年東日本台風
	火山噴火	1991年	雲仙岳噴火
		2014年	御嶽山噴火
感染症		2002年	重症急性呼吸器症候群（SARS）
		2009年	新型インフルエンザ
		2020年	新型コロナウイルス感染症
人為災害・事故	原子力災害	1999年	東海村臨界事故
		2011年	福島第一原子力発電所事故
	テロ	1995年	地下鉄サリン事件
	事故	2005年	JR福知山線脱線事故
食中毒など		1996年	堺市病原大腸菌O157食中毒
		1996年	クリプトスポリジウム原虫水道水汚染
		2000年	雪印乳業製品食中毒
		2008年	冷凍餃子農薬混入事件

[*]複数の項目に関係するものもある。

壊，家具の転倒，ガラスの破損，火山の噴石などによるけが，津波や洪水などによる溺水や低体温，地震による火災や火山の火砕流による熱傷，火山灰・火山ガスによる呼吸器や全身の症状などがある。避難生活などによる間接的影響としては，治療の中断，疲労，心の不調，低体温症，熱中症，静脈血栓塞栓症(エコノミークラス症候群)，生活不活発病，感染症，粉塵(じん)による健康影響などがある。

b 感染症

　感染症においては，感染による急性期の症状，慢性期の後遺症，また感染症の流行による生活習慣などの変化による健康二次被害などの影響がある。感染症には，新型インフルエンザ，新型コロナウイルス感染症，インフルエンザ，結核，麻疹(ましん)(はしか)，風疹(三日はしか)，ノロウイルス感染症，デング熱・ジカウイルス感染症・マラリアなどの蚊媒介感染症，エボラ出血熱などのさまざまな種類がある。感染による影響には，発熱や倦怠感などの全身症状，さまざまな感染症による呼吸器・消化器・神経症状がある。健康二次被害には，食生活や身体活動の変化による生活習慣病，心の不調，虚弱や要介護のリスクなどがある。

c 人為災害・事故(原子力災害，化学物質，テロ，火災など)

　事故やテロとして，CBRNE災害(シーバーン災害：化学[chemical]，生物[biological]，放射性物質[radiological]，核[nuclear]，爆発物[explosive])は，とくに注意を要する特殊災害である。

　原子力災害では放射線による，白血球減少，脱毛などの早期障害と，白内障，胎児の障害，白血病やその他のがんなどの晩発障害がある。また，避難に伴うものや風評被害などによる健康影響がある。

　化学物質によるものとしては，地下鉄サリン事件などの故意によるもの，河川・海洋・地下水・大気の汚染，工場での事故によるものなどがあり，それぞれの化学物質に特有な健康影響がある。

　そのほかに，JR福知山線脱線事故などの大規模な鉄道などの事故では，傷害，とくに長時間はさまれたあとに解放されたときのクラッシュ症候群，心的外傷後ストレス障害(PTSD)などの心の障害などに注意する必要がある。大規模火災や山火事では，熱傷，呼吸器症状や避難生活による健康影響がある。

d 食中毒など(食品，飲料水など)

　食中毒は，細菌，ウイルスなどの病原体，キノコや高等植物に由来する植物性自然毒，フグなどに由来する動物性自然毒，化学物質など，さ

まざまな原因物質がある。発熱，消化器症状，神経症状など，それぞれの原因物質による症状がみられる。また，井戸水や水道水などの飲料水に，原虫の一種であるクリプトスポリジウムなどの病原体やヒ素などの化学物質が混入する健康危機もある。

e 暴力・虐待

暴力・虐待✛には，児童虐待，ドメスティックバイオレンス（DV），高齢者虐待，障害者虐待，またハラスメント，その他の暴行・傷害などがある。虐待の種類はそれぞれで若干異なるが，(1)身体的虐待，(2)心理的虐待，(3)育児・介護などの放棄（ネグレクト），(4)性的虐待，(5)経済的虐待がある。それらにより，身体的・精神的な健康影響がある。

3 リスクマネジメントの過程

a リスクアセスメント，リスク分析

リスクアセスメントは，リスク✛を管理するプロセスの一部であり，危険性・有害性を見つけだし（**リスク特定**），その程度を見積もり（**リスク分析**），それが許容範囲かどうかを判断すること（**リスク評価**）から構成される。そのあとに，**リスク対応**が行われる。

リスクアセスメントは，災害などに対する地域での安全確保，職場での安全衛生の確保，子どもをはじめとした日常生活での事故防止など，さまざまな場面で実施していく必要がある。リスクアセスメントの事例として，労働安全衛生法による化学物質管理の強化があげられる。これは，印刷事業場の労働者が化学物質の使用により胆管がんを発症した健康被害の事案などをふまえ，2014（平成 26）年に労働安全衛生法が改正されたものである。この改正により，一定のリスクがある定められた化学物質についてリスクアセスメントが義務化され，危険性・有害性などの調査を行うことが求められた[6]（**図 11-1**）。

b リスクへの対応とその評価

リスクへの対応方法として，①リスク回避，②リスク移転，③リスク低減，④リスク保有がある（**表 11-2**）。このようなリスクへの対応を行った際には，対応後の状況でのリスクの発生可能性と影響の大きさを分析し，それが許容範囲かどうかを評価する。また，必要に応じてさらなるリスク対応を検討していく。

プラス・ワン

暴力・虐待への対策の法律
暴力・虐待への対策は次の法律などでその防止がはかられている。
・児童虐待の防止等に関する法律
・配偶者からの暴力の防止及び被害者の保護等に関する法律
・高齢者虐待の防止，高齢者の養護者に対する支援等に関する法律
・障害者虐待の防止，障害者の養護者に対する支援等に関する法律
・労働施策の総合的な推進並びに労働者の雇用の安定及び職業生活の充実等に関する法律（労働施策総合推進法）
・刑法

リスクとハザード
「リスク」と，「ハザード」（危険性または有害性）は似ているが違う。津波や化学物質などはハザードであり，健康被害をもたらす危険性がある。しかし，仮に人との接触がまったくなければ，健康被害をもたらす可能性はなく，リスクとはならない。そこで，リスクがある場合には，ハザードを減少させる対応とともに，人との接触を減らすことによるリスク低減も重要である。

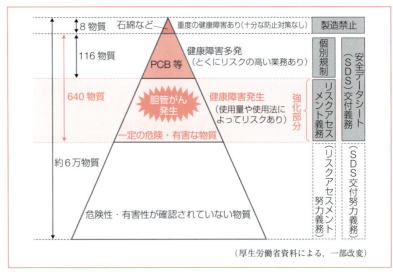

図11-1 労働安全衛生法の改正(2014年)による化学物質管理の強化

表11-2 リスクへの対応方法

対応方法	概要
リスク回避	リスクが発生する可能性を取り去ること。津波の危険がある地域の住民が全員、高台に引っ越すなどがある。
リスク移転	危険な化学物質を使用する工程を外部で担当してもらい、自社では扱わないようにすること、また、保険に加入しておくことで、万一事故がおきても金銭的な損失が生じないようにしたりすることなど。
リスク低減	リスクの発生可能性を低くしたり、リスクが発生した際の影響が小さくなるようにしたりすること。たとえば食中毒が発生しないように調理場での衛生管理を向上させたり、大地震がおきても建物が倒壊しないように耐震補強したりすることなどがある。
リスク保有	リスクが発生してもその影響が小さい場合や、リスクに対応する現実的な方法がない場合に、リスクをかかえたまま受容すること。

c リスクコミュニケーション

　物理学者である寺田寅彦は、浅間山の爆発に際し平気で登っていった登山者などに対して、「ものをこわがらな過ぎたり、こわがり過ぎたりするのはやさしいが、正当にこわがることはなかなかむつかしい」という言葉を「小爆発二件」(1935年)という随筆に残している。この言葉のとおり、適切にこわがることができるようにすることがリスクコミュニケーションの目的である。

　リスクコミュニケーションとは、リスクのより適切なマネジメントのために、社会の利害関与者が、対話・共考・協働を通じて、リスクの性質、程度、対応方法などの多様な情報および見方の共有をはかる活動である[7]。目的としては、教育・啓発、行動変容の喚起、信頼醸成、意思決定への参加や紛争解決がある。行政から情報を伝えるだけではなく、

プラス・ワン
業務継続計画(BCP)
BCPの日本語訳として、「業務継続計画」という場合もある。

プラス・ワン

サプライチェーンの例

たとえば，災害時に薬や食料の供給を確保するため，地元の企業や団体などと協定を結んでいれば大丈夫と思いがちである。しかし，その配送センターの耐震性が弱ければ地震発生時に供給が不可能となり，平常時から一緒に検証して耐震補強をしておく必要がある。また，企業などが被災地外から物資を配送する際に，一般道の渋滞で大幅な遅れが生じるおそれがある場合には，災害支援物資として高速道路の通行許可証をすみやかに使用できるように行政は手配しておくことも必要である。

ボトルネック（律速段階）

ものごとがスムーズに進行しない場合で，その原因が全体の中のある一部分であり，その他を向上させても改善につながらないときに，その原因となっている部分のことをいう。日本語に訳すと「ビンの首」で，太いビンでも首が細いと勢いよく注げないことからこのようにいう。

たとえば，災害時の保健対応について，すべてを統括保健師に聞いてから実施することにしたら，大量の案件がもち込まれて，統括保健師の業務がパンクしてしまう。案件の大きさに応じて，判断を別の人にゆだねるなどの体制整備が必要である。避難所におにぎりだけでなく，弁当を供給できるように，地元の会社に製造を依頼したい場合に，ある1つの装置が故障しているためにその会社が操業できないという状況もありうる。その場合には，装置の修理を支援することが，被災者の栄養確保のためのボトルネックの解消策となる。

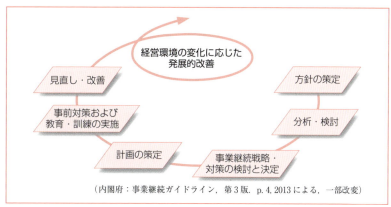

図 11-2 事業継続の進め方
（内閣府：事業継続ガイドライン，第 3 版，p.4, 2013 による，一部改変）

一般の住民の考えや感じ方を行政が把握して，意思決定に役だてることも重要である。

d 事業継続計画

　事業継続計画（Business Continuity Plan：BCP）とは，災害時に重要業務が中断しないために，また万一事業活動が中断した場合に早期に重要な機能を再開させるために，方針・体制・手順などを記載した計画である。単に計画だけではなく，マネジメント全般を含むことを強調するために，事業継続管理（Business Continuity Management：BCM）という場合も多い。一度策定すれば終わりではなく，運用しながら継続的に見直しを行う必要がある。

　事業継続は図11-2のように進めていく。行動計画の策定においては，人・モノ・情報のそれぞれの視点で考え，また復旧時間の設定を行う。また，サプライチェーン（供給連鎖）として必要な物資の調達についても検討する。サプライチェーンとは，原材料の調達から，製造，在庫管理，配送まで，鎖のようにつながっている全体の流れのことをいう。さらに，ボトルネック（律速段階）となる点を中心に事前対策を策定する[8]。

4 保健師などの役割

a 平常時の体制準備

1 健康危機発生時に備えた準備

　平常時における健康危機の発生に備えた準備としては，手引書の整備（マニュアルやガイドラインなど），健康危機発生時を想定した組織およ

び体制の確保，関係機関との連携の確保（役割分担の整理を含む），人材の確保，訓練などによる人材の資質の向上，施設・設備・物資の確保，知見の集積などが重要である。

人材の確保や資質向上については，阪神・淡路大震災や東日本大震災を受けて，保健師の健康危機管理能力の向上のための研修が行われているほか，さまざまな取り組みが行われている✚。健康危機対応能力を向上させるためには，単に座学による研修だけではなく，図上訓練や実地訓練などによる模擬的健康危機管理の体験や，また実際の健康危機への支援活動の経験が重要である。

2 健康危機発生の未然防止

食中毒・飲料水などによる健康危機は，未然防止が最も重要である。衛生や安全の確保のため，法令に基づき，要綱などを整備し，管理基準の設定，自主管理体制の育成，監視指導などを行う。

感染症のサーベイランスや，そのほかの健康危機に関する平常時からのモニターも重要である。たとえば感染症の発生数がふだんとは異なる動きを示した際には原因分析，注意喚起，拡大防止などを含めた対応が必要となる。また，関係機関や一般住民からの連絡などにより，健康危機情報を迅速に把握できる体制の確保も重要である。

すべての地域において一定の備えや体制が必要であるが，健康危機にはさまざまな種類があり，それぞれの地域において健康危機の種類ごとのリスクや影響の大きさが異なる。地域の状況を十分に把握し，その地域での重要性が大きい課題について，より重点的に対応する必要がある。

b 情報収集，初動調査

情報は，健康危機管理において最も重要な要素である。情報収集には，サーベイランスや報告・届け出の制度などの体制を整備することなどによって，自然に情報を集めることができる受動的情報収集と，情報をとりに行く積極的情報収集とがある。情報収集の方法としては，インターネット，電話，ファックス，テレビ，ラジオ，見る，会って聞くなどがあり，これらを組み合わせて収集する。情報というと数量的情報を思い浮かべがちであるが，言葉や画像などの質的情報も重要である。

健康危機発生時の初動においては，健康被害状況や医療機関の状況などの情報を収集する。大地震発生時は，それに先だち，職員の安否確認，自分の施設やライフラインの被害状況の確認などを行う。

被災者の健康課題などのニーズに関する情報を重視して収集しがちであるが，対応方法を検討するためには稼働している医療施設や利用可能な物資などのリソースの情報も重要である。通信手段が断絶して，関係者がそれぞれ手いっぱいの状況では，待っていても情報が入らず，問い

✚ プラス・ワン

健康危機のマネジメント業務を担う人材

健康危機のマネジメント業務を担う人材として，災害時健康危機管理支援チーム（Disaster Health Emergency Assistance Team：DHEAT）が2017（平成29）年度から制度化され，今後の活躍が期待されている。

● 災害などの保健医療活動を行う支援者

上記のほかにも，災害時に保健医療活動を行う支援者として次の組織が設けられている。

・災害派遣医療チーム（Disaster Medical Assistance Team：DMAT）
・日本医師会災害医療チーム（Japan Medical Association Team：JMAT）
・日本災害歯科支援チーム（Japan Dental Alliance Team：JDAT）
・日本看護協会による災害支援ナース
・災害派遣精神医療チーム（Disaster Psychiatric Assistance Team：DPAT）
・日本栄養士会災害支援チーム（The Japan Dietetic Association-Disaster Assistance Team：JDA-DAT）
・大規模災害リハビリテーション支援チーム（Japan Rehabilitation Assistance Team：JRAT）

上記のほかに，自衛隊も大きな役割を果たしている。また，感染症に対応する人材としては，実地疫学専門家養成コース（Field Epidemiology Training Program：FETP）が国立感染症研究所により設置されており，このコース修了者のチームが感染症発生時などにおいて活躍している。
さらに，新型コロナウイルス感染症等に対応する専門職の人材バンクである，IHEAT（Infectious disease Health Emergency Assistance Team）が創設されている。

> **プラス・ワン**
> **効果的・効率的な情報収集**
> ●発生時
> 効果的に対応を行うためには，さまざまな関係者の考え，法令，科学的知見，過去の事例などの情報を収集することも重要である。
> 被災者のニーズの把握などにおいては，全数調査が行われることもあるが，短期間に概略を把握するためにはサンプリング調査も有用である。
> ●平常時
> 健康危機時に円滑に対応するためには，平常時からの情報収集や情報整理が重要である。地域区分やそれぞれの地域の人口，医療機関や福祉施設の分布やそれぞれの状況などの情報を優先的に整理しておく必要がある。健康危機時には応援者が来ることも多い。資料は応援者に渡すことも想定して整理する。
> 健康危機時に必要な情報が収集できるように，他部門や他機関との連携体制を平常時からつくっておくことは重要である。いざというときに問い合わせができるように，地域の専門医や専門機関など，感染症をはじめとしてさまざまな分野の専門家とのパイプをつくっておく。平常時から専門的知識の習得や，調査・研究を推進することも重要である。
>
> **迅速評価**
> 災害などの発生時には，短期間に概略の評価を行う迅速評価（ラピッドアセスメント）も重要である。国際的には，災害の規模などの大まかな情報と，その地域の既存の情報を用いて，今後，どのような健康リスクがあり，どのようなことについての対策を重点的に実施すべきかなどについて1週間程度でまとめることが多い。

合わせても十分な回答が得られないことも多い。被災地域内をまわって情報を収集する✚ことや，早期に収集した情報により迅速評価✚を行うことが重要である。

c 原因分析

　原因分析は，原因不明健康危機の際にとくに重要である。まず健康被害の発生状況や症状などについて調査し，原因と考えられるものを列挙して可能性の高いものを検討していく。また，飲食した物や，曝露した気体・液体などの検体がある場合には，それらを分析する。1998（平成10）年の和歌山市毒物混入カレー事件では，当初は食中毒が，ついで青酸中毒が考えられたが，症状と科学警察研究所による分析から亜ヒ酸の混入が原因であることがわかった。2004（平成16）年のスギヒラタケ脳症では，当初，新潟県の医療機関から透析患者3人が続けて脳炎・脳症を発症したとの報告が保健所に寄せられた。その後，秋田県内での急性脳症の症例対照研究から「スギヒラタケの喫食」が関連要因として明らかになった。原因物質の究明に関する研究も行われてきたが，それについてはいまだに明らかになっていない。

　食中毒においても原因食品の究明が重要となる。症状の検討，発症日時の分布の分析，有症状者とそうでない者が食べたものを比較する症例対照研究，原因と考えられる食品の分析などが行われる。

　感染症の発生においては，サーベイランスで入ってくる情報に加えて，患者の状況を聞きとりに行き，また接触した人などを対象とした積極的疫学調査が必要となることが多い。特殊な感染症の調査においては，FETPチームの応援要請がなされることが多い。前述のスギヒラタケ脳症でもFETPチームが活躍した。

d 健康危機のレベルに応じた対策の検討・決定

1 地域の広がりによるレベル分け

　さまざまな健康危機に共通するレベル分けは確立していない。一般的に，地域の広がりによってレベル分けを考えるとよい。すなわち，①市町村内，②保健所管内，③都道府県内，④複数の都道府県，⑤国際的な事象などに分ける。市町村内や保健所管内のレベルの健康危機の場合は，市町村や保健所が中心となって対応し，必要に応じて都道府県や厚生労働省が支援を行う。都道府県内レベルの健康危機の場合は都道府県庁，複数の都道府県レベルの場合は厚生労働省，国際的な事象の場合はWHOなどの国際機関の役割が大きくなる。

> **プラス・ワン**
> **レベル分けの考え方の例**
> 感染症健康危機管理実施要領において，国内の影響はないと想定されるレベル0から，最近前例のない規模または種類の感染症が現に侵入したか侵入するおそれが高い場合のレベル4までのレベル分けが過去に使われていたが，現在は廃止となっている。レベルが低い場合には情報収集のみの対策であるのに対し，レベルが高い場合には関係省庁やWHOとの協議などが必要とする考え方は，現在でも参考になる。

❷ 健康危機の種類によるレベル分け

　健康危機の種類によって，それぞれよく使われるレベル分け✚がある。地震においては，震度0から震度7までの段階がある。震度5強以上の場合に全職員が参集して対応にあたることにしている自治体や病院が多い。また震度6以上では公衆衛生対応が必要な被害が生じることが多い。

　気象災害（暴風雨や洪水）などでは，**注意報**（災害のおこるおそれがある旨を注意して行う予報），**警報**（重大な災害のおこるおそれがある旨を警告して行う予報），**特別警報**（予想される現象がとくに異常であるため重大な災害のおこるおそれが著しく大きい旨を警告して行う警報）というレベル分けが使われる。防災部局職員は警報・特別警報の場合に対応することが多い。公衆衛生関係者は，実際に被害が発生したり，大勢の人が避難所に避難したときに対応することが多い。

　国際的に確立して広く使われているレベル分けに，**国際原子力事象評価尺度**（International Nuclear Event Scale：INES）がある。これはレベル0〜7に分けるもので，福島第一原子力発電所事故（2011年）やチェルノブイリ原子力発電所事故（1986年）は，レベル7（深刻な事故）に分類される。

ⓔ 被害者・家族・住民への対応

　生命と健康をまもることを最優先に対応するとともに，安全・安心・快適性の確保も進めていく。また，感染症の蔓延防止などの公益性を確保するとともに，プライバシーを保護し，個々人の人権を尊重して，バランスのとれた対応をする必要がある。

❶ 医療調整

　情報システムや職員派遣により医療提供の状況を確認し，現地およびその周辺の医療機関において患者の受け入れ態勢を確保するための調整を行う。保健医療従事者の応援派遣，医薬品の供給などの調整も必要となる。現地の医療機関に患者が集中し，周辺の医療機関に受け入れ余地があるような場合には，そのことを住民に広報することも重要である。

　救急搬送は基本的に消防が担当する。しかし，特殊な感染症の患者を感染症指定医療機関へ移送する場合などは保健所が担当することがある。また，大規模な災害の場合には広域搬送の調整が必要となる。

　地域の医療機関のみで対応することが困難な事象では，応援医療チームの調整が必要となる。避難所や救護所などの状況，避難者の状況などの情報を把握して，応援医療チームの配置などを調整する機能が必要であり，都道府県によっては保健所がそれを担うことが期待されている。長期間にわたって応援医療チームによる医療の提供が行われる場合には，現地の医療機関の機能の復旧状況に合わせて応援による活動を終結する。

2 健康相談など

　災害などにより避難が行われたり，住居などの生活環境が被害を受けた住民に対しては，生活環境の変化などから生じる不安や体調の変化を早期発見するために，保健師による巡回健康相談などが行われる。

　避難所での集団生活においては，感染症・食中毒などの発生に注意する必要がある。さらに，水分が不足し同じ姿勢を続けていると発生しやすく死亡にいたることもある**静脈血栓塞栓症**（いわゆる**エコノミークラス症候群**）や，外出や活動が減少することで心身機能の低下がおこる**生活不活発病**の予防も重要である。

3 災害時要配慮者対策

　難病患者，精神疾患などの慢性疾患患者，在宅人工呼吸器を装着した者や在宅透析などの在宅医療を受けている患者については，平常時の保健医療活動で把握している患者情報をもとに，避難や医療の継続状況を把握して，医療機関と連携しながら支援する必要がある。

　寝たきりの者，高齢者，障害者についても避難状況などを把握し，利用可能な施設やサービスについての情報の提供，車椅子・おむつなどの必要物資の供給，福祉避難所の開設などの支援を行う。

　妊婦や子ども，とくにハイリスク妊婦・低出生体重児の避難状況を把握し，特殊な医療が必要な場合には受けられるようにする。また，おむつ・粉ミルク・哺乳びんなど✚の必要物資の供給などの支援を行う。

　そのほかに，生活習慣病・アレルギー疾患などの患者には，必要な医薬品の確保をするとともに，適切な食事がとれるように支援する必要がある。外国人や，視覚・聴覚障害者などには，コミュニケーションの支援が重要で，必要な情報を対象者にわかるかたちで伝える一方で，支援が必要なことがあれば申し出てもらえるようにする必要がある。

f 健康被害の拡大防止および支援

　大規模災害や化学物質・放射線などによる環境汚染の場合，住民に対する健康被害のおそれを検討して避難が行われる。その際に避難途中や避難先で健康がそこなわれないようにする必要がある。

　被害の拡大防止のためには，法令に基づく原因対策を迅速に実施する。たとえば，食中毒であれば原因食品を特定して回収し，営業の禁止や停止を行う。感染症であれば患者の入院，現場の消毒などの防疫上の措置などを行う✚。臨時の予防接種などの予防対策を行う場合もある。

　健康被害の拡大防止のためには，一般住民への普及・啓発も重要である。被害状況，基本的な対処方法，注意事項などを広報し，住民1人ひとりによる適切な予防対策が行われるようにする。

✚ プラス・ワン

災害時の母乳育児支援
母乳には免疫が含まれているなどの種々の利点があるため，安心して授乳できる場所を避難所に用意するなど，被災時であっても母乳育児を継続できるように支援することが重要である。
一方で，災害時のストレスにより一時的に母乳が出なくなるなど，人工乳（粉ミルクや液体ミルク）が必要になる場合もある。哺乳びんの消毒がむずかしい場合には，紙コップで飲ませる方法もある。

感染症への対応
感染症が発生した際に，必ず入院や消毒が必要なわけではない点に注意が必要である。感染症の予防及び感染症の患者に対する医療に関する法律（感染症法）では，入院，就業制限，消毒を含む対物措置などについて，感染症の類型によって対応する方法が定められており，また状況に応じた公衆衛生学的判断が必要になる。自然災害発生時の避難所などにおいては，感染症の集団発生を予防するために，清掃・換気・消毒，マスクの着用などが推奨される。

プラス・ワン

サイコロジカル・ファーストエイド

サイコロジカル・ファーストエイド（psychological first aid：PFA）は，災害・大事故などの直後に提供できる心理的支援であり，アメリカ国立PTSDセンターなどにより開発されたものである[9]。

そのマニュアルには，①被災者に近づき，活動を始める，②安全と安心感，③安定化，④情報を集める（いま必要なこと，困っていること），⑤現実的な問題の解決をたすける，⑥周囲の人々とのかかわりを促進する，⑦対処に役だつ情報，⑧紹介と引き継ぎの8つの活動内容がまとめられている。被災者の心に配慮しながら，必要な支援を行うものである。

1 健康回復へ向けた支援

災害などの健康危機時には，身体的・精神的に負担がかかり健康状態が低下しがちで，心のケアをはじめとした健康回復に向けた支援が重要である。その基本は，安全・安心・安眠の確保である。安全の確保には前述のように避難や健康被害の拡大防止策が行われる。

安心の確保のためには，被害の状況や原因，健康危機に対する基本的な対処方法や注意事項，生活援助，今後の見通しなどについて早期に説明して，住民の不安の除去に努めることが重要である。説明会の開催や，電話・インターネット・チラシ（パンフレット）・広報車などの多様な経路を活用する。安全と安心の確保により，安眠ももたらされる。

災害時には住民どうしが語り合い，支え合うためのカフェを避難所の一角に設けるなどの取り組みも行われている。避難所生活などにおいては，被災者が「上げ膳据え膳」で受動的に生活するのではなく，個々人が役割をもって自立して生活できるようにすることが，心のケアのためにも，生活不活発病の予防などのためにも有用である。

住民の健康にかかわる悩みなどについては，保健師や一般の医師などによる健康相談や電話相談が行われる。もともと精神疾患をもっている人や，重篤な不調を示す場合には，精神科医などによる精神医学的・心理学的な支援が必要となる。また，精神保健福祉センターなどによる電話相談体制の整備なども重要である。

2 心的外傷後ストレス障害への対応

心的外傷後ストレス障害（post traumatic stress disorder：**PTSD**）への対応も重要である。これは，災害や犯罪などによる心の傷（トラウマ）がもととなり，あとになってストレス障害をおこすものである。災害などの直後の精神症状は一過性のことが多いため，PTSDは災害後1か月程度以降に診断が行われる。その予防のためには，心のケアを広く行うことが重要である。また，PTSDと診断された人には，中期・長期的に，薬物療法と精神療法などが行われる。

g 対策の評価

健康危機への対策は，時間の経過とともに進められていくため，対策の評価は基本的に経時的な分析や，前後比較デザインによって行われることが一般的である。たとえば，感染症の流行が発生した場合には，対応策をとりながら，新発生患者数などをモニターして評価する。震災などの場合には，地震発生以来の傷病者数を把握し，防ぎえた死がどの程度発生したかなどの検討も重要である。

健康危機が発生しなかった地域または健康危機の影響が小さかった地

域を対照群として情報収集し，発生した地域と比較する評価デザインもときに用いられる．たとえば放射線曝露が大きかった地域と，曝露が小さかった地域での，甲状腺がん発生率の比較などである．震災による災害関連死などの一例一例を検討すると，確かに震災による影響が考えられる一方で，被災地以外でも平常時から類似の死亡が発生している．被災地外と被災地内の死亡率や健康状態などを比較することにより，震災によって悪化した健康影響の大きさを正しく評価することができる．それらの健康影響を，過去の災害時などと比較して，どれだけ最小化できたかを検討することにより，対策の評価とすることができる．

　数量的な評価とともに，言葉などによる質的な評価も重要である．まず，対応した担当者がみずからの対応をふり返る．また，関係者や被災者などへの聞きとりも有用である．残された記録から対応の経過を検討し，よりよい対応があったかなどの検証も行う．外部の専門家などによる評価も重要である．評価した結果は，その時点ですべてを公表できない場合もあるが，のちに類似した健康危機が発生した際に役にたつことがあるため，記録にまとめておく．ややもすると評価結果が膨大な分量になり，通読したり活用したりすることが困難になることが多いため，その要点を比較的短い分量にまとめることも重要である．

h 再発防止

　健康危機が発生したあと，その原因や対応などを検証し再発を防止する．そのためには健康危機への対応記録をしっかりと残しておく必要がある．とくに，寄せられた情報の情報源，判断の根拠となった情報や，判断した理由なども含む対応の検討過程などは有用である．原因や対応の検証を行う際に，ある個人の責任を追求するのではなく，どのような体制を構築すれば再発が防止できるかという視点が重要である．

　たとえば，食品を取り扱う現場において，不衛生な作業手順が日常的に行われている場合には，それが行われなくなるようにするためにはどのようにすればよいか，その現場内での取り組みや，社会全体でのしくみづくりなどについて検討する．ある手順においてミスをおかしてしまったとしても，その次の手順などで対応が行われ，健康被害につながらないようにする「フェールセーフ」の体制の整備が必要である．実際に健康被害が生じるアクシデントの裏には，その何倍もの，健康被害までにはいたらないインシデント(ヒヤリハット)がおこっていることが多い．それらを日常的に収集し，対策をとっていくことが必要である．

　ある現場で問題があり健康危機が発生した場合，ほかの現場でも同様のリスクがあることが多い．そこで，健康危機が発生した現場だけではなく，それ以外の類似の現場でも同様のことがおこらないような予防策を講じる「横展開」を進めていく．そのためには，検証結果を広く広報す

るとともに，それぞれの現場において自分のところでも同様のことがおこりかねないと考えて，予防対策にいかしていく必要がある。

i 広報およびマスコミ対策

1 健康危機と広報

　健康危機への備えや対応は，住民1人ひとりや，飲食店をはじめとした事業者，関係機関の知識や意識の向上が重要であり，啓発などのための広報は重要である。

　広報の手段としては，市町村や保健所などの広報紙（または広報誌），ホームページ，ポスター掲示，チラシ（パンフレット）などの配付や回覧板の活用などで行われることが多い。また，ケーブルテレビ，ラジオ，フェイスブックやX（ツイッター）などのソーシャルメディア（SNS）を活用する場合もある。広報は，内容を欲ばらずシンプルにして，ときにはグラフやイラストなどを入れることで，親しみやすいものにまとめることが重要である。

2 マスコミによる報道

　新聞やテレビなどのマスコミにより報道されることを目的に，情報提供や記者会見などを行う場合もある✚。自治体は予算も限られているため，自分たちの力だけで大勢の住民などに情報を届けることはむずかしいが，情報がマスコミにのると飛躍的に大勢の人を啓発することができる。とくに，地方の新聞やテレビ局などは，地元の話題をさがしていることが多く，うまく情報提供すると報道される可能性が高い。ただし，マスコミは読者や視聴者が関心をもつような話題でないと報道しにくいという側面がある。新しい調査結果や取り組みなど，ニュース性のある話題だと取り上げられやすい。また，大きな災害のちょうど何周年などの時期は，将来おこりうる同様の災害への備えなどの話題が記事にされやすい。

　災害や感染症・食中毒などの健康危機事象が発生した場合には，マスコミの取材が多数押し寄せる。その場合も，健康確保のための重要な情報を住民に届け，感染症や食中毒などの被害を広げないようにするために，積極的にマスコミと協力関係を築くことが重要である。終日マスコミ対応をしていると，重要な業務が進まなくなるおそれがあり，時間を決めて，定期的に記者会見を行う。対応する人によって異なることを話すと混乱や不信感をまねきかねないため，マスコミ対応を担当する職員を決め，ほかの職員は，基本的にマスコミの取材を受けても回答しない。ただし，避難所で健康相談などの震災対応をしている保健師活動を報道したいなどの依頼には，個別に取材に応じることもある。

> ✚ **プラス・ワン**
> **マスコミへの対応の原則**
> マスコミに情報提供する際には，あまりたくさんのことを伝えようとせず，1～2個の重要なことを，簡潔な見出しをつけて，A4判1～2枚にまとめることが重要である。マスコミから質問があれば，より詳しい情報を追加で提供する。また，むずかしい言葉は極力使わずに，中学生でもわかる言葉づかいをするのが原則である。

3 ホームページの活用

災害や健康危機事象発生時には，ホームページの活用も重要である。定期的に更新される最新の情報などはホームページに掲載することで，マスコミ対応に割く時間を節約できる。行政はややもすると対応が不十分であると批判されがちであるが，がんばって対応している状況をこまめにホームページに掲載することで信頼感の醸成にもつながる。

4 安全宣言による住民の不安の解消

健康危機が沈静化したことを確認できた場合には，平常時体制への復帰を進め，必要に応じて安全宣言を行い，住民の不安の解消をはかる。

j 職員などの健康管理

健康危機の発生時には，対応する職員や支援者，避難所運営などに携わる住民組織や災害ボランティアなども，過労や心理的ストレス，活動中の事故などにより健康影響がおこりがちであり，その健康管理は重要である。活動中に倒れたり，活動に燃えつきて退職にいたったりすると，健康危機対応上も大きな損失となるため，予防対策をとる必要がある。

まず，勤務時間・活動時間が長くなり，睡眠時間が確保できないことが多いため，それらの時間を本人や上司・管理者などが把握し，交代で休むなどの予防策が重要である。職員自身が被災している場合も多く，そのようなケースでは平常時よりも増加した業務の負担に加えて，家族や自宅の被災などによる荷重も加わる✚。自覚症状がある職員が相談できるような体制はとくに必要である。本人が自覚していなくても，身体的な負担がたまると血圧も上昇することが多いため，定期的に血圧測定することも有用である。

悲惨な現場に遭遇することによる**惨事ストレス**や，自己の無力感などから **PTSD** を発症する職員も少なくないため，心のケアも重要である。睡眠時間を確保すること，相談体制を整えることのほか，同じ立場の職員どうしで安心して気持ちを吐きだし合うことができる機会を設けることなども重要である。

そのほかに，ふだんは行わないような，重い物を運んで腰を痛めたり，危険な場所での活動によりけがをしたり，余震による被害を受けたりなどのリスクもあるため，活動中の安全衛生に留意する必要がある。

✚ **プラス・ワン**
被災した職員の休養の確保
東日本大震災などでは自宅が被災して避難所で生活しながら勤務している保健師もいた。勤務日でない日も避難所での活動に携わってしまいがちであるため，きちんと休むことができるようにする必要がある。

● 引用・参考文献
1) 厚生労働省：健康危機管理基本指針. 2001.（http://www.mhlw.go.jp/general/seido/kousei/kenkou/sisin/）(参照 2023-09-22)

2) WHO：国際保健規則．2005.
3) 厚生労働省：地域における健康危機管理について──地域健康危機管理ガイドライン．2001.（http://www.mhlw.go.jp/general/seido/kousei/kenkou/guideline/）（参照 2023-09-22）
4) 厚生労働省：地域保健対策の推進に関する基本的な指針．2023.
5) 厚生労働省：地域保健対策検討会中間報告．2005.（http://www.mhlw.go.jp/shingi/2005/05/dl/s0523-4b.pdf）（参照 2023-09-22）
6) 厚生労働省：労働安全衛生法の改正について（ラベル・リスクアセスメント関係）．2014.（http://www.mhlw.go.jp/stf/seisakunitsuite/bunya/0000094015.html）（参照 2023-09-22）
7) 独立行政法人科学技術振興機構科学コミュニケーションセンター：リスクコミュニケーション事例調査報告書．2014.（https://www.jst.go.jp/sis/archive/items/riskfactresearch.pdf）（参照 2023-09-22）
8) 内閣府防災担当：事業継続ガイドライン，第 3 版．2013.（http://www.bousai.go.jp/kyoiku/kigyou/pdf/guideline03.pdf）（参照 2023-09-22）
9) アメリカ国立子どもトラウマティックストレス・ネットワーク，アメリカ国立 PTSD センター著，兵庫県こころのケアセンター訳：サイコロジカル・ファーストエイド──実施の手引き，第 2 版．2009.（https://www.j-hits.org/_files/00126977/pfa_complete.pdf）（参照 2023-09-22）

11章 健康危機管理

B 感染症集団発生時の保健活動

POINT
- 感染源や感染経路にいたる情報は患者や関係者がもっており，患者などとの信頼関係の構築が調査の基盤である。
- 集団発生事例への対策の過程で，患者や関係者への周囲からの差別や偏見が引きおこされないように，十分に配慮するとともに，周囲に正しい情報を伝える。
- 日常の地域活動での地域の情報の蓄積や関係機関とのネットワークが，集団発生時の探知や迅速な調査につながる。

1 感染症調査

a 集団発生の定義

ある特定の疾病が，特定の地域・集団・期間に集中して発生した場合に，「集団発生」という表現が使われる。厚生労働省は，感染症や結核の集団発生，医療機関での院内感染のアウトブレイクの基準を**表11-3**のとおり定義している。ただし，その地域・集団においていままでに報告されていない，あるいは発生してはいけないような感染症が発生した場合，1例や2例でもアウトブレイクという認識での対応が求められる。

b 初動調査と症例定義

1 初動調査

事例の探知後，すみやかに初動調査を行う。初動調査では，感染症の発生状況を正確に把握する。すなわち発症場所，症状，発症者数，発症時期，発症者の分布などを調べる。またその後の疫学調査や病原体検査を想定し，必要となる情報の収集，あるいは情報提供，病原体提供などの調整を行う。さらに初動調査で明らかになった情報をもとに，感染拡大の予防のための当面の対策を実施する。

2 症例定義

事例探知時の情報や初動調査によって得た情報から症例定義を定め，

表 11-3　集団発生の定義

区分	集団発生の定義	根拠通知
感染症	A　同一感染経路によることが明らかな場合（同一家族内に限られた場合は除外する） ・町村で1週間以内に2例以上の発生 ・市または特別区では、そのなかの町または区で1週間以内に2例以上の発生 ・同一施設内で1週間以内に2例以上の発生 B　同一感染経路によることが明らかでない場合 前記地区または施設では、1週間以内におおむね10名以上の発生	厚生省公衆衛生局防疫課長：伝染病発生特殊事例報告について．衛防第18号，1970．
結核	・同一の感染源が、2家族以上にまたがり、20人以上に結核を感染させた場合をいい、発病者1人を6人の感染者に相当するとして感染者数を計算するものとする。	厚生労働省結核感染症課長：結核に係る感染症の予防及び感染症の患者に対する医療に関する法律第17条に規定する健康診断の取扱いについて．健感第0329002号，2007．
	（参考）院内感染のアウトブレイクの基準	根拠通知
基準の内容	①あるいは②の場合を基本とする ①1例目の発見から4週間以内に、同一病棟において、新規に、同一菌種による感染症の発病症例（VRSA，MDRP，VRE，アシネトバクター-バウマニの4菌種は保菌者を含む）が計3例以上特定された場合 ②同一医療機関内で、同一菌株と思われる感染症の発病症例（抗菌薬感受性パターンが類似した症例など）が計3例以上特定された場合	厚生労働省医政局地域医療計画課：医療機関における院内感染対策について．医政地発1219第1号，2014．

それに基づいてその後の調査の対象や範囲を決定し、解析を行う。症例定義では、①症状（どのような症状を呈している患者か）、②時間（いつからいつまでに発症した患者か）、③場所（どこで、あるいはどこを利用した患者か）を定める。

c 集団発生時における調査（積極的疫学調査+）

感染源・感染経路の推定、感染拡大の防止を目的に、初動調査およびそれに引きつづいて調査を実施する。

1 疫学調査

疫学調査には、患者調査・接触者調査および環境調査がある。

■患者調査

発症場所、症状の経過、治療状況、感染推定時期から診断・治療までの行動などについて、患者・家族および医師などから聞きとり調査を行う。食品媒介感染症の場合は、喫食調査をていねいに行う。

■接触者調査

感染源・感染経路の探索と二次感染者の早期発見を目的に、接触者に症状や行動、患者との接触状況などの聞きとり調査を行う。感染源・感染経路の探索のためには、感染源の曝露が推定される時期の接触者や、同じ機会での曝露が疑われる者を調査の対象とする。二次感染者の調査

プラス・ワン

積極的疫学調査
①感染症の発生状況・発生原因の解明や、②患者や病原体保有者の同定を目的に、感染拡大予防・発生予防のために行う調査である。積極的疫学調査は、感染症法第15条において規定されている。

> **プラス・ワン**
>
> **感染症法第17条**
> 感染症法第17条では，都道府県知事は，1類感染症，2類感染症，3類感染症または新型インフルエンザ等感染症の患者の接触者に医師の健康診断を受けるよう勧告することができるとされている。また差し迫った理由がある場合以外は，勧告にあたって文書で実施理由などを通知するように規定されている。
>
> **後ろ向きコホート調査**
> 過去の曝露情報が明らかになっている集団で，曝露群と非曝露群の発症率を比較した相対危険によって，曝露と発症の関連を検討する。
>
> **症例対照調査**
> 症例群と対象群における曝露群と非曝露群の比によるオッズ比を比較し，曝露と発症の関連を検討する。

は，発症後の接触者を対象とする。ただし，病原体がわかっている場合は，発症者から病原体の排出される時期をふまえてその期間の接触者を対象とする。1類感染症～3類感染症については**感染症の予防及び感染症の患者に対する医療に関する法律**（感染症法）の第17条に基づき，感染が疑われる者に対して健康診断を勧告し検便などを実施する。4類感染症・5類感染症については必要に応じて協力を依頼する。

■**環境調査**
施設や地域の環境調査を行う。調査にあたっては必要に応じて環境衛生監視員，食品衛生監視員と協働し，食品や環境から検体の採取を行う。

2 病原体検査

感染経路や感染範囲の特定を目的に，必要に応じて，分離された患者の病原体を入手し遺伝子解析などを行う。

d 調査結果の整理・分析

1 記述疫学

症例定義にあてはまる症例群の情報から，集団発生のおこっている時間・場所および人の特性について整理・分析を行う。

■**時間（発症曲線）**
発症日時ごとの発症者数から，発症者数の経時変化をあらわした**発症曲線**（流行曲線）を描く。単一曝露，複数回の曝露，持続曝露と曝露状況により，発症曲線の特徴が異なる（図11-3）。このように発症曲線は，感染曝露の状況，感染の広がり方などを推定する有効な情報となる。

■**場所（空間分布）**
患者の分布を位置情報として，地図や見取り図などに示すことにより，患者の集積性や規則性の有無を検討する。

■**人（患者の属性，特性など）**
年齢や性別，予防接種歴，既往歴，所属集団，曝露状況などの患者の属性や特性に関する情報を収集する。発症者群と非発症者群を比較し，発症者群のみの共通項を検討することは，感染源や感染経路の推定の重要な情報となる。

2 仮説の設定

記述疫学や環境調査の結果や過去の事例などから，感染源・感染経路およびリスク要因について仮説を設定する。

3 解析疫学による仮説の検証

後ろ向きコホート調査や症例対照調査により曝露群と非曝露群を

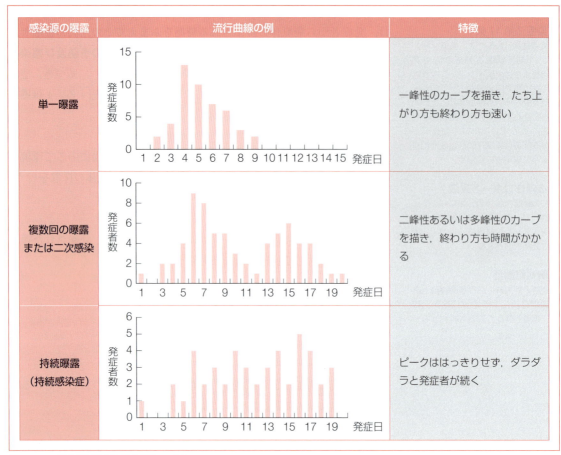

図11-3 流行曲線(発症曲線)のパターン

比較し,仮説の検証を行う。

2 集団発生時の保健活動

a 集団感染事例の探知

　感染症法に基づく届出や特定の症状の患者が集団でみとめられるといった情報の受理などが,集団発生の探知となる。社会福祉施設での集団感染や医療機関内での院内感染についての保健所への報告基準は**表11-4**のとおりである。情報受理の段階では,疾病が特定されない不明疾患の場合も少なくない。なんらかの健康被害が集団でおこっていることを探知した場合は,サーベイランスなどで市中での感染症の流行動向にも留意する。そのうえで集団感染事例を想定しつつ,感染症の散発事例や感染症以外の原因である可能性もふまえて,その後の調査を進める。

　探知から終息までの保健活動の流れについては,**図11-4**に示した。

b 対策会議による組織的対応

1 対策会議での検討内容

事例の探知後，すみやかに対策会議を開催して，調査の必要性を検討し，調査目的・調査方針および調査範囲などを決定する。そして初動調査の結果から今後の調査計画をたて，調査内容の分析，対策の検討，終息の判断にいたるまで，対策会議においてチームで情報を共有しながら進めていく。

表11-4 社会福祉施設および医療機関の保健所への報告の基準

施設の種類	報告の基準
社会福祉施設での感染の報告	※職員が発症した場合は，その数も含める。 ①同一の感染症（疑いを含む）による，死亡者または重篤患者が1週間に2名以上発生した場合 ②同一の感染症（疑いを含む）が10名以上または全利用者の半数以上発生した場合 ③前項（①と②）に該当しない場合であっても，通常の発生動向を上まわる感染症などが疑われ，とくに施設長が報告を必要とみとめた場合
医療機関での院内感染の報告	医療機関内での院内感染対策を講じたのち，以下の①または②の場合，保健所に報告する。ただし，報告基準にいたらない場合であっても，医療機関の判断のもと，必要に応じ，保健所に連絡・相談することが望ましい。 ①同一医療機関内で同一菌種による感染症の発病症例が多数（目安は10名以上）の場合 ②因果関係が否定できない死亡者が確認された場合

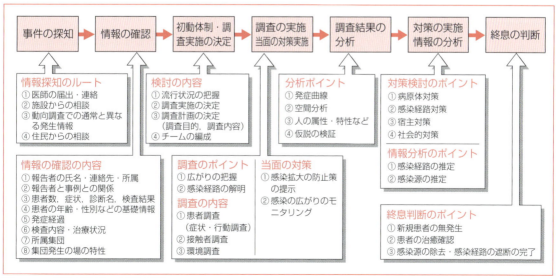

図11-4 感染症調査・対策の流れ

2 広報対策

地域に向けての注意喚起や地域からの情報収集のために、マスコミを通した情報発信が有効な場合もある。また集団感染事例では、報道機関から取材がくる場合も少なくない。いずれの場合も情報発信にあたっては、プライバシー保護の観点から内容の吟味が必要である。そのためにも一貫した広報対応が重要となる。したがって初動時から広報担当窓口を決め、組織的な対応を行う。

3 終息の判断

潜伏期間を考慮した一定期間、症例定義に合致する新たな事例がみられないことを確認し、集団発生の終息を判断する。事件終息後は、再発予防のために感染経路などの情報をまとめて、地域の関係機関に還元する。これは地域全体の感染症対策の力量を向上させる重要なはたらきである。

c 初動体制の立ち上げおよび調査の実施

1 初動チームの編成

感染症調査における初動チームは、医師や保健師、防疫担当者などの感染症対策の担当者が中心となる。それらの職員に加えて、発生情報に応じて食品衛生監視員・環境衛生監視員・獣医師などを含めてチームを編成する。

2 調査の留意点

前項に示した患者調査・接触者調査・環境調査などを行い、調査結果を分析する。調査にあたっては、一方的な聞きとりにならないように留意する。次項に示したように患者や家族の当惑や不安を受けとめた相談支援を行いながら、調査の協力を依頼する。感染経路にたどりつく情報は、患者や家族、関係者がもっている情報である。感染拡大の防止への理解を得ながら、疾病や感染経路の特性を伝え、食事内容や生活行動など当事者のもつ情報をともにさぐっていく姿勢が大切である。こうしたプロセスを、信頼関係を構築しながら進めていくには、生活を支援する相談や助言などの相談支援技術が不可欠である。これらはほかの保健分野での保健師の支援技術と共通するものである。

また施設内での集団発生の場合は、施設管理者や職員の混乱に配慮し、今後の調査や対策の見通しを伝えながら、協力して調査を実施する。施設での初動時には表11-5に示した情報を確認する。

表 11-5　集団施設での感染症集団発生時における初動調査

項目	調査内容	
基礎情報	・担当窓口 ・利用者の定数，職員の定数 ・職員の勤務体制 ・施設の見取り図 ・食事の提供状況	・1日のプログラム 　（利用者の接触の機会） ・最近の行事 ・現在とられている対策
患者調査	・発症者リスト ・症状および発症経過 ・ADLの状況 ・介護あるいはケアの状況	・基礎疾患 ・居室の位置などの情報 ・他の利用者との接触
環境調査	**調理部門** ・調理担当者の健康状況 ・手洗い設備の状況および 　手洗いの実施状況 ・残食の病原体調査 ・調理場のふき取り調査	**施設環境** ・手洗い設備の状況 ・入浴施設の種類，消毒の実施 ・水道の種類（井戸水の使用） ・水道水の塩素濃度 ・空調のしくみ ・トイレ・汚物処理設備の状況
接触者調査	**職員** ・患者と接触のあった職員の 　リスト ・担当部署と業務内容 ・健康調査 **利用者** ・患者と濃厚な接触のある 　利用者リスト ・健康調査	**外部の接触者** ・面会者・外来者の有無 ・ボランティアなどの有無

実践場面から学ぶ：地域における集団感染

■事例紹介

　8月14日，B保健所はX病院から，Aさん（22歳，女性）の腸管出血性大腸菌O26（以下，O26）の届出を受理した。B保健所では保健師と食品衛生監視員がチームとなって，AさんとAさんの母より聞きとり調査を行った。8月15日には，2か所の医療機関からそれぞれ1件ずつO26の届出があった。届出情報から，これら3事例は同時期の発症で，患者の住所地が隣接していることがわかり，ほかにも共通項がある可能性を想定して調査を行った。その結果，①発症日，②患者の住所地に加えて，③市内にあるYスーパーa店とb店の利用という共通項が明らかになり，3事例は地域での集団感染の一部である可能性が疑われた（**図**参照）。

　感染拡大予防の緊急対策として，管内医療機関への情報提供，患者家族以外にスーパー従業員の検便，店舗内のふき取り調査を実施した。その結果，患者の家族とスーパー従業員から新たに同一遺伝子型のO26の検出があり，合計8家族25名が症例定義に合致する患者となった。また，初動時から保健師は患者や家族の相談をていねいに受け，訪問相談による喫食についての聞きとりを繰り返した。さらに，家庭内のふき取りや残品の検査・購入品調査を行った。それらの調査のための，保健師の数回目の訪問の際に，Aさんの母は感染曝露の想定時期や共通喫食の

ポイントを理解して，一緒にふり返ることができ，「キムチの浅漬け」が原因食品として浮上した。その後「キムチの浅漬け」は患者全員の喫食が確認され（表参照），商品写真による商品特定を行った。さらにマスコミを通して注意を喚起したところ，報道をみた市民から提供された同一商品からも患者と同じ遺伝子タイプのO26が検出され，感染源の特定にいたった。以上から，本事例は，食中毒事例としても，食品衛生監視員が，スーパーや製造会社への対処を行った。

その後，次の3点から9月15日に事例の終息を判断した。
①感染源を特定し，8月28日以降，商品の製造・販売が自粛された。
②8月30日以降は，新たな患者発生がない。
③9月11日に患者・感染者全員の菌陰性が確認された。

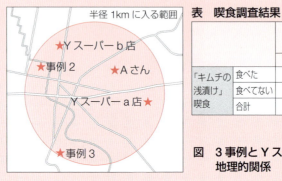

図　3事例とYスーパーの地理的関係

表　喫食調査結果

		腸管出血性大腸菌O26		
		あり	なし	合計
「キムチの浅漬け」喫食	食べた	25	7	32
	食べてない	0	10	10
	合計	25	17	42

●ポイント①：感染症対策の専門的視点と日ごろの地域情報の蓄積から集団感染を探知する

散発事例として届けられたが，発症日が近く，住所地も近いことから，単一曝露による集団感染の可能性も想定し，初動調査時にほかの共通項がないか注意深く調査を行った。その結果，同じ系列の店を利用していることが判明し，集団感染の可能性を探知するにいたった。このように，散発事例であっても共通要素がないかをつねに意識して注意深く聞きとる調査の視点が重要である。また，患者の住所地や患者宅と同系列スーパー店舗の位置関係，周辺の交通事情などの地域に密着した生活情報を，日常の活動で保健師が得ていたことから，早期に集団感染事例の可能性を想定できた点は，その後の迅速な対策への大きなポイントであった。

●ポイント②：他職種とのチーム体制による調査方法の工夫

原因食材の特定にいたる要因として，食品衛生監視員と保健師がチームを組んで，異なる職種が互いの専門性を補完し合うことができた点があげられる。食品衛生監視員が店舗の職員への検便協力依頼やふき取り調査を実施し，患者や家族への相談支援を保健師が行うことで，細かな情報の収集も行えた。また，購入品調査，商品写真による確認などの調査方法を工夫することで，あいまいな記憶を補完する裏づけ調査として有効であった。

> ● ポイント③：患者との信頼関係に基づくねばり強い調査
>
> 　感染症の聞きとり調査は，ともすれば必要な情報を迅速に収集したいという気持ちから，聞きとることだけに焦点があたりやすい。しかし本事例では，初動時以降も保健師が繰り返し訪問して患者や家族の当惑や不安について聞き，適切な情報提供と相談支援を行うことで，信頼関係の形成へとつながった。その結果，O26 の潜伏期間や感染経路から，どの時期の共通喫食を特定しようとしているのかという調査方針を患者・家族と共有でき，積極的な調査への協力を得られた。これらから，原因食につながる情報を得ることができたといえる。これは，初期の患者や家族の混乱に配慮した適切な情報提供や相談援助を通して築いた保健所との信頼関係の成果であると考えられる。

d 患者・関係者への相談支援

1 患者への相談支援

　感染症と診断され，保健所からの調査を受けることになった患者は突然のことに当惑し，不安や混乱をいだいていることが少なくない。集団発生の場合は，事例が話題になることで周囲からの特別視や差別がおこりやすい。先の見通しがたたないとまどいや，周囲からの差別や偏見への不安，みずからが周囲への感染を広げたのではという自責の気持ちなど患者や家族は，さまざまな混乱をかかえている。それらの気持ちを受けとめ，その後の PTSD にも配慮しながら，相談を進めることが求められる。

　また，発症者個人の責任を追及することでは感染予防につながらないことを説明することも大切である。必要な場合は，職場や学校などの集団の場を対象に説明会を行い，過剰な反応による差別や偏見を予防する。

2 接触者や関係者への相談支援

　接触者や関係者も，万が一の発症を考え不安をいだくことが少なくない。患者と同様に不安や困りごとへの相談を行い，不安の軽減に努める。

3 感染拡大予防，今後の再発予防のための健康教育

　患者や家族，接触者，関係者がこれからの見通しがたてられるよう，また感染拡大や再発予防のために，疾患の症状や治療経過，二次感染予防，集団事例全体の発生状況や今後の調査・対策などについて説明する。対象疾患の感染経路を説明し，とくに就業の制限，行動上の注意や制限，手洗いや消毒の励行の必要性や具体的方法を伝える。

プラス・ワン

ゾーンニング（ゾーン分け）

汚染防止対策として，調理室・デイルームなどの清潔区域と，トイレや手洗い場，汚物処理室などの汚染区域とを分けて管理する。汚染区域から清潔区域に汚染をもち込まないように，清潔区域においても，専用のはき物の利用，清潔区域にもち込む物品の洗浄や消毒を実施する。また，専用の清掃道具による定期的清掃，専用のはき物やマットの利用などを行う。施設では床やはき物などを通して，汚染が広がるので，汚染経路を正確に把握し，汚染の広がりを遮断することが重要である。空気の清浄度をもとに病院内の区域を分けたものを**清浄度ゾーニング**といい，易感染性患者や感染症患者が同時に生活している医療機関では，院内感染防止対策として重要である。

e 感染拡大防止対策の検討・実施

1 病原体対策

病原体対策は，消毒や滅菌処置などにより病原体の不活化や除去を行う。消毒や滅菌処置は，汚染リスクと感染リスクからその範囲や方法を決定する。

2 感染経路対策

感染経路対策は，「標準予防策」が基本となる。そのうえで推定される感染経路に対して，現在の対応の不備や強化すべき点を検討する。とくに，適切な手洗いの方法や咳症状がある時のマスク使用，施設内の汚染区域と清潔区域のゾーニング✚など原則的な対策については，あらためて確認する。

3 宿主対策

宿主対策の代表的なものは，予防接種である。対象疾患によっては予防接種歴を確認し，感受性の高い対象者を把握する。また，臨時接種の必要性について検討を行う。

f 集団施設や地域の対策の実施

1 集団施設での対策の実施

対策の実施にあたっては，施設の管理者および現場の担当者の両者が，現状の評価と今後の対策を共有できるよう進めることで，対策の実効性を高めることができる。そのために，必要に応じて施設と保健所が共同で対策会議を開き，組織的に対応を決定する。また，集団施設の利用者やその家族は，正しい情報が入手できないことで，不安に陥りやすい。利用者や家族の不安もふまえて，相談窓口や情報提供の方法について，あらかじめ決めておくことが重要である。

2 地域へのはたらきかけ

地域内での流行が考えられる場合は，患者数や流行の広がりを把握し，地域へ向けた感染拡大予防の取り組みが求められる。医師会や市の関係部署，関連する施設・機関に対して，迅速に情報を発信し，新たな患者の早期発見や感染拡大の防止策を講じる。さらに市民への適切な情報提供も重要である。

3 平常時における感染予防対策

感染症対策における平常時の対策は，日常の保健事業や地区活動と連続した活動とすることが重要である。そのことにより，集団発生などの予防と同時に，発生時の迅速な対策を行うことができる。

a 地域における感染症流行状況の把握

1 感染症発生動向調査

感染症法では，感染症の発生や蔓延の予防のために，感染症の発生情報の正確な把握と分析，さらにそれらの結果の迅速な情報発信を目的に，感染症発生動向調査（感染症サーベイランス）が位置づけられている。この調査は，①すべての医師が，すべての患者の発生について届出を行う全数把握と，②指定された医療機関が，患者の発生について届出を行う定点把握に分かれている。定点把握の疾病のうち性感染症や，基幹定点の疾患のうち定められた疾病については，月単位で報告を，それ以外は週単位の報告を受けて集計・公表されている（表11-6）。

2 地区活動をとおした地域の情報の把握と蓄積

施設内の集団感染は把握しやすいが，市中感染では散発事例と思われたものが，単一曝露や持続曝露による地域での集団発生である場合もある。地域の地理情報や生活情報は，そうした隠れた集団感染や感染経路をいち早く推定するために重要である。そのためには，地域に密着した地区活動をとおして，さまざまな情報ルートをもち，地域の情報を蓄積することが重要である。そうした地域とのつながりが，地域の情報を迅速に把握するためのアンテナとなる。また地域の情報を蓄積することに

表11-6 感染症法に基づく患者の届出

把握区分	該当感染症		届け出るべき医師	報告
全数把握	1類から4類		診断をしたすべての医師	週単位
	新型インフルエンザ等感染症			
	5類（全数把握疾患）			
定点把握	5類（定点把握疾患）	小児感染症等	小児科定点医療機関	週単位
		インフルエンザ，新型コロナウイルス感染症等	インフルエンザ定点医療機関	
		眼科疾患	眼科定点医療機関の医師	
		性感染症	性感染症定点医療機関	月単位
		ペニシリン耐性肺炎球菌感染症など	基幹定点医療機関	月単位
		感染症法第14条第1項に規定する厚生労働省令で定める疑似症	疑似症定点医療機関	（ただちに）

より，感染症の発生時に地域の特性をふまえた情報の分析を行うことが可能となる。

b 感染症に関する知識の啓発

　地域に向けた感染症に関する啓発は，予防対策の要である。タイムリーな感染症の流行状況や感染症の病原体，症状，治療方法，予防方法といった基本的な情報を発信する。しかし，感染症の情報を，健康な人は人ごととみなしやすく，身近な問題としてとらえにくい。そのため，広く市民に情報を伝えると同時に，ターゲットとなる集団の特性に応じた情報の発信ツールや方法を選択することが効果的な啓発につながる。

　また，感染症を人ごととする意識は，患者や感染者へのスティグマを引きおこしやすい。とりわけ，治療が困難な感染症や性感染症に対するスティグマや差別・偏見は，当事者やその家族の排除まで引きおこすことがある。啓発にあたっては，感染症に対する人々の誤った認識や恐怖心をふまえて情報を提供することを意識し，感染症対策は病原体に向けて行われるものであって，人を排除することで問題は解決しないことを伝えていく。

c 集団施設とのネットワークづくり

　集団施設は，その特徴から感染症の集団発生を引きおこしやすい状況にある（表11-7）。集団施設の感染症対策として，重点的な予防対策を平常時から講じておくとともに，集団発生を迅速に把握できる体制づくりが重要である。このような感染予防対策の準備強化や集団発生の迅速な把握は，日常の施設とのネットワークが大きく影響する。公衆衛生行政と集団施設との緊密なネットワークづくりのためには，次の2点が重要である。

　まず，公衆衛生行政が日ごろから地域の感染症情報を発信・提供することである。感染症発生動向調査の情報から，市中感染の流行状況や注目すべき感染症とその予防対策についてなどを，日ごろから集団施設へ向けて発信する。

　一方で各施設には，標準予防策に加えて施設の特性に応じた日常の対策の強化や，感染症発生時の対応マニュアルを整備しておくことが求められる。発生時の対応マニュアルの作成など，平常時から準備すべき施設ごとの予防対策の充実に向けた支援は，公衆衛生看護活動の重要な役割である。

　このような日常からのネットワークづくりを行っておくことで，感染症の集団発生が疑われるような場合に，施設からの情報提供や相談が入りやすくなり，発生時の対応をより適切に行うことが期待できる。

表 11-7 集団施設における感染症の特徴

施設種類	特徴	問題となりやすい感染症	集団発生の予防ポイント
学校	・学年が低いほど子どもどうしの接触機会が多く、集団感染のリスクが高い。	腸管出血性大腸菌感染症、感染性胃腸炎(ノロウイルス・ロタウイルスなどによる)、マイコプラズマ肺炎、インフルエンザ、RS ウイルス感染症、結核、麻疹、手足口病、伝染性紅斑、など	・児童・生徒、教職員の健康状態の把握、手洗いや咳があるときのマスク着用の徹底など日常の健康管理 ・学校保健安全法で規定されている学校感染症については、同法施行規則に定められている出席停止期間の基準にのっとり対処する。 ・より強力な感染予防対策が必要な場合は、臨時休業の措置をとる。
乳幼児施設	・常時子どもどうしが接触しており、集団感染の要因となる機会が多い。 ・おむつ交換や排泄のケアがあり、消化器系の感染症の場合は職員を介した感染リスクが高い。	感染性胃腸炎(ノロウイルス・ロタウイルス・アデノウイルスなど)、突発性発疹、マイコプラズマ肺炎、インフルエンザ、RS ウイルス感染症、麻疹、風疹、溶レン菌感染症、流行性耳下腺炎、咽頭結膜熱、手足口病、ヘルパンギーナ、アタマジラミ症、など	・子どもたちや職員の健康状態の把握、手洗いの励行などの日常の健康管理 ・職員の手洗いなど標準予防対策の徹底や清潔領域や汚染領域のゾーニングなどの対策の徹底 ・出席停止などは、学校保健安全法に準拠して対応する。
高齢者施設・障害者施設	・利用者は、免疫機能が低い状況にある一方で、地域からの来訪者も多く、市中感染症が広がりやすい。 ・おむつ交換などのケアが多くあり、職員を介した二次感染のリスクが高い。	感染性胃腸炎(ノロウイルスなどによる)、腸管出血性大腸菌感染症、インフルエンザ、新型コロナウイルス感染症、結核、ノルウェー疥癬、MRSA 感染症、緑膿菌感染症、など	・入所者や職員の健康状態の把握 ・職員をはじめとした外部からのもち込みを予防する。 ・手洗いなど標準予防策の徹底が重要である。
医療機関	・入院中の治療や処置に関連した感染や日和見感染、医療従事者の職業感染、市中感染症の院内へのもち込みなどを原因とした感染症の発生がある。	MRSA 感染症、VRE 感染症、腸管出血性大腸菌感染症、インフルエンザ、新型コロナウイルス感染症、風疹、結核、マイコプラズマ肺炎、水痘、麻疹、結核、など	・院内の組織体制の整備、院内サーベイランスの実施 ・標準予防策の徹底、感染経路別予防策(接触感染・飛沫感染・空気感染)の徹底 ・抗菌薬の適正使用

実践場面から学ぶ：高齢者施設内の集団感染

■事例紹介

　10月20日、保健所に、管内のA特別養護老人ホーム(以下、A施設)から「原因不明の発熱・咳・咽頭痛などを主症状とする呼吸器感染症を40名程度が発症した」と報告があった。保健所では保健師と環境衛生監視員がチームとなって施設に出向き、調査を行った。

　A施設は、入所者95名、職員65名である。また、通所サービスや短期入所サービスを実施しており、調査時の短期入所利用者は10名であった。患者調査の結果では、10月11日〜20日の間に、発熱・咳・鼻汁などの症状の入所者38名、職員9名が確認された。患者の多くは上気道炎であったが、3人は肺炎の診断で入院していた。施設建物は4階建て、居室フロアは2階〜4階である。患者38名のうち15名が2階フロア、23名が3階フロアで、居室分布は分散していた。最近の施設の行事は、10月6日に近隣のB保育園の園児と2階・3階の入所者との交流事業が開かれていた。職員の発症者9名は、2階フロア担当が3名、3

階フロア担当が6名であった。保健所では，病原体の特定のために，A施設の有症状者14名から鼻腔ぬぐい液を採取し，検査を実施した。

保健所はこれらの調査とともに，A施設に対しインフルエンザ感染対策に準じた感染防止対策の徹底強化を指導した。具体的には，有症者の居室分離やゾーニングの徹底，通所サービスの中止，短期入所利用者の制限，面会の制限，施設内行事・交流の自粛，手洗いの徹底，マスクの着用，施設内の消毒，職員・入所者の健康観察の強化などである。

さらに交流会を実施したB保育園に対しても健康調査を実施した。B保育園では，9月末をピークにして上・下気道炎症状を呈している園児がいつもより多く，10月10日にはRSウイルスによる肺炎で入院した園児もみられていた。また保健所管内の感染症発生動向調査においても，9月初旬からRSウイルスの報告数が増加しはじめていた。

A施設の有症者から採取した鼻腔ぬぐい液の検査は，RSウイルス，インフルエンザウイルス，パラインフルエンザウイルス，エンテロウイルス，アデノウイルス，マイコプラズマ-ニューモニエなどを実施した。その結果，12名からRSウイルスが検出され，そのほかの病原体は検出されなかった。さらにこれらの遺伝子型は100％一致した。発症曲線および行事参加による発症比は図，表のとおりである。これらの結果から，本事例はRSウイルスによる集団感染であり，B保育園との交流会によりA施設内にウイルスが入ってきたことが推測された。さらに施設の利用者どうしの接触や職員を介しての接触によってA施設内で感染が拡大したと考えられた。A施設からは毎日の患者発生数の報告を受けたが，11月10日以降，新たな患者の確認はなく，終息を判断した。

終息後，保健所では児童福祉課・教育委員会・医師会と開催している感染症対策会議に，高齢福祉課にも参加を依頼し，保育施設や高齢者施設における感染症発生時の対策や集団感染時の保健所への報告，手洗い，マスク着用などの予防対策について検討をした。

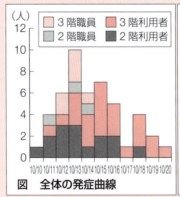

図　全体の発症曲線

表　交流会参加による発症者のリスク比

	RRの値	95％信頼区間	
相対危険(RR)	2.42	1.21	4.85

	発症	非発症	合計
交流会参加	32	12	44
交流会不参加	6	14	20
合計	38	26	64

● ポイント①：初動調査結果から仮説をたて，調査結果の解析から感染経路を推定する

集団感染への調査では，時間・場所・人の特性について検討をする。

本事例では，初動調査で発熱・咳・鼻汁などの呼吸器症状の発症状況，発症者の居室，施設内外の行事などの情報を収集した。それらから，発症曲線，居室分布，行事の参加などを分析した。発症曲線からは二峰性がみとめられ，ヒト-ヒト感染による感染拡大が予測されたが，場所の分析では，2階と3階に分散しており規則性がみられなかった。しかし，保育園との交流会の参加の有無で分析すると参加者に発症者が多くみられ，交流会の参加の有無でのリスク比（95％信頼区間）は，2.42（1.21-4.85）であった。このように調査によって得た情報を図や表にすることは仮説をたてるうえで重要である。さらに解析を行うことは，感染源や感染経路に関する仮説の検定に非常に重要である。

●ポイント②：施設内での集団発生と同時に，市内の感染症発生の動向を把握する

施設内の集団発生として探知したが，RSウイルス感染症は接触感染や飛沫感染であることから，市中感染のもち込みや施設から広がる可能性も考えられる。施設外での感染状況についても注意深く検討することが重要である。本事例では，感染症発生動向から把握できる市内の感染症流行状況をふまえ，交流会を実施したB保育園内にも発症者の調査を広げ，RSウイルスが感染源である可能性を考え，病原体調査を実施したことで，迅速な感染源の特定にいたったと考えられる。また，施設内での感染者の早期診断や受診時の医療機関での適切な対応のためにも，流行状況を関係機関に迅速に情報発信することは重要な役割である。

●ポイント③：経験事例をもとに関係機関とともに地域の課題とその解決策を検討する

事例の終息後，事例から地域の課題や改善策を検討することは，再発防止のために重要である。本事例では既存の会議を活用して，関係者と課題を共有し，再発防止に向けた取り組みの組織的検討を行っており，地域の感染症対策の充実につながる取り組みといえるだろう。

d リスクコミュニケーションとコミュニティエンゲージメントを基盤にした情報提供と対話

感染症対策において，個人や特定の集団の行動変容への支援の基盤となるものがリスクコミュニケーションである。リスクコミュニケーションは，対象者のリスク対応に関する主体的な選択を支援するもので，WHOの定義[1]では「専門家や行政機関とリスクに直面している人々との間の情報，アドバイス，意見交換」とされている（326ページ参照）。

このように，リスクコミュニケーションは，単なる情報発信ではなく，情報を発信する側と受ける側の双方向の対話が求められる。すなわち，リスクコミュニケーションは，情報発信の段階から情報発信者と受け手の相互理解を経て，受け手のリスク受容や行動変容にいたるまで，多様な情報提供と対話によるコミュニケーションを展開する。そのために

は，受け手がどのようにリスクをとらえているかという「リスク認知」の把握が重要であるとともに，情報発信にあたっての透明性と公正性が前提となる。

　また，人々の感染予防のためには，感染について共通のリスクをもつ集団や地域（コミュニティ）との協働も不可欠である。コミュニティエンゲージメントとは，そのようなコミュニティのメンバーとの協働をとおして，コミュニティとそのメンバーの健康を改善する環境や行動の変化をもたらすような積極的なはたらきかけのことである。

　2020（令和2）年から始まった新型コロナ感染症のパンデミックにあたって，WHOはこうしたリスクコミュニケーションとコミュニティエンゲージメントに基づく活動を，強く推奨した[2]。人々との対話やコミュニティとの協働は，公衆衛生看護が本来活動の基盤としている手法である。感染症対策においてもこれらの機能を十分に発揮することが期待される。

●引用文献

1）WHO：Risk communications and community engagement.（https://www.who.int/emergencies/risk-communications）（参照 2023-09-27）
2）WHO：Risk communication and community engagement readiness and response to coronavirus disease（COVID-19）；interim guidance, 19 March 2020.（https://www.who.int/publications/i/item/risk-communication-and-community-engagement-readiness-and-initial-response-for-novel-coronaviruses）（参照 2023-09-27）

●参考文献

・大木幸子：感染症の発生時の対応．日本看護協会保健師職能委員会監修：保健師業務要覧．新版第2版．看護協会出版会，2008.
・厚生労働省：インフルエンザ施設内感染予防の手引き，2013年11月改訂．2013.（http://www.mhlw.go.jp/bunya/kenkou/kekkaku-kansenshou01/dl/tebiki25.pdf）（参照 2023-09-29）
・厚生労働省：介護現場における感染対策の手引き（第3版）．2023.（https://www.mhlw.go.jp/content/12300000/001149870.pdf）（参照 2024-09-29）
・厚生労働省：高齢者介護施設における感染対策マニュアル，改訂版．2019.（https://www.mhlw.go.jp/content/000500646.pdf）（参照 2023-09-29）
・厚生労働省：保育所における感染症対策ガイドライン，2018年改訂版．（https://www.mhlw.go.jp/file/06-Seisakujouhou-11900000-Koyoukintoujidoukateikyoku/0000201596.pdf）（参照 2023-09-29）
・こども家庭庁：保育所における感染症対策ガイドライン（2018年改訂版）．2023.（https://www.cfa.go.jp/assets/contents/node/basic_page/field_ref_resources/e4b817c9-5282-4ccc-b0d5-ce15d7b5018c/cd6e454e/20231010_policies_hoiku_25.pdf）（参照 2024-9-29）
・東京都新たな感染症対策委員会監修：東京都感染症マニュアル＝Tokyo infectious diseases manual．東京都福祉保健局健康安全部感染症対策課．2018.
・報道されない健康危機管理 愛と執念のO157追跡．公衆衛生情報 32（1）：45-47，2002.

C 災害保健活動

> **POINT**
> - 災害は，自然災害と人為災害の2つに大別される。
> - 災害サイクルを理解し，求められる保健サービスを提供することが大切である。
> - 災害への総合的な対策は災害対策基本法に定められ，被災者に対する応急的内容は災害救助法に定められている。
> - 保健師は災害予防を地域の健康づくり活動に位置づけ，他機関・住民と連携した活動を平常時から実践する。
> - 災害発生時における要配慮者・避難行動要支援者や地域におこる問題を予測し，平常時から対策を準備する。
> - 災害急性期には，保健所機能を確保し，緊急事態対応組織を設置して，連絡・調整を行う。救護所や避難住民の支援など，幅広い活動も求められる。
> - 災害復旧・復興対策期は住民ができるだけ早く自立した生活を送り，みずからの健康を維持できるように支援する。専門家による住民・職員への精神的ケアも重要である。

1 災害および災害保健活動における基本

a 災害の基本概念

1 災害の定義

　災害とは，台風・洪水・地震・津波・火山噴火などの甚大な破壊力をもった自然現象や，火災や人為的な事故などが被災地域の対応能力をはるかにこえ，外部からの援助を必要とするほどの規模でおこることにより，人命や社会生活が被害を受けることである。つまり，誰も生活していない場所（たとえば無人島など）で，巨大な地震や津波がおきても，人的被害がなければそれは自然現象であり，災害とはいわない。

2 災害の分類

　災害は一般的には**自然災害**（natural disaster）と**人為災害**（man-made disaster）に大別される。自然災害は，広域災害（地震，津波，火山噴火，台風，洪水，火砕流，豪雪，鉄砲水，土石流，雪崩，干ばつ，熱波など）などがある。人為災害には局地的なものとして，大火災，化学爆発，大型交通災害，落盤事故などがある。複合型として人為災害と自然災害の

表 11-8 災害の分類

災害の分類		災害の種類
原因による分類	自然災害(天災)	地震，津波，火山噴火，台風，集中豪雨，洪水，旱ばつ，雷
	人為災害(人災)	大型交通災害：航空機，船舶，列車，自動車 大事故：化学，火災，爆発，放射線 環境変化：大気汚染，地盤沈下 紛争：戦争，内戦，難民，複合人道的緊急事態 CBRNE 災害：chemical(化学)，biological(生物)，radiological(放射性物質)，nuclear(核)，explosive(爆発物) 新型感染症の集団発生：SARS，新型インフルエンザ
	複合型災害	自然災害＋人為災害 自然災害×人為災害
期間による分類	短期型	台風，集中豪雨，交通事故など
	長期型	旱ばつ，洪水，原子力発電所事故など
被災範囲による分類	局地災害	人為災害に多い：事故，火災，竜巻など
	広域災害	自然災害に多い：地震，洪水，原子力発電所事故など
被災地による分類	都市型	人口密度が高い，複雑な建物，交通網発達，医療施設が多い
	地方型	人口密度が低い，建物は分散，交通過疎，医療施設が少ない

(井清司：災害の種類と健康障害．竹下喜久子編：災害看護学・国際看護学〔系統看護学講座〕，第4版．p.23，医学書院，2019による，一部改変)

プラス・ワン

災害フェーズ

全国保健師長会では，災害発生時の活動を「Ⅰ 地震編」と「Ⅱ 風水害・噴火災害編」に分け，前者はフェーズ0〜フェーズ5に，後者は避難勧告等発令時〜フェーズ5に分類した[1]。地震編のフェーズは次のとおり。

- フェーズ0：災害発生直後から救助が来るまでの初動体制を確立する時期で，おおむね災害発生後24時間以内の期間。
- フェーズ1：緊急対策期で，おおむね災害発生後72時間以内の期間。
- フェーズ2：応急対策期で，生活の安定を目ざし，避難所対策が中心となる期間。
- フェーズ3：応急対策期で，生活の安定を目ざし，避難所から仮設住宅入居までの期間。
- フェーズ4：復旧・復興対策期で，人生の再建・地域の再建を目ざし，仮設住宅対策や新しいコミュニティづくりが中心となる期間。
- フェーズ5-1：復興支援期・前期で，コミュニティの再構築と地域との融合を目ざし，復興住宅に移行するまでの期間。
- フェーズ5-2：復興支援期・後期で，新たなまちづくりを目ざす期間。

混合などがある(表 11-8)。

2011(平成23)年3月11日に発災し，甚大な被害を引きおこした東日本大震災は，震度7の地震と津波という自然災害と，地震と津波により東京電力福島第一原子力発電所事故がおこり大量の放射能物質が環境中に放出された原子力災害が同時に発生した複合型災害と考えられる。

❸ 災害サイクルと災害フェーズ

大規模な災害は，災害発生直後の直接的な被害だけでなく，その復興までの期間も長期にわたって広域に影響を及ぼす。そのため，伝染性疾患の蔓延，食糧不足や被災地域からの人の流出・移動などさまざまな事態や課題に，被災から復旧・復興までの間に直面する。災害における問題点の発生などの特徴を時間的経過からとらえて，その発生を予想し対策をたてておくことは重要である。

■災害サイクル

災害の発生以降の経過を時間軸でみると，災害の種類が異なっても共通する経過をとる特徴がみられる。これが災害サイクルである。災害サイクルにはいくつかの分類があるが，災害発生→超急性期→急性期→亜急性期→慢性期→静穏期・準備期→前兆期となり，前兆期ののちに再び災害が発生するというものが一般的である。

災害サイクルは，災害の種類(地震・火山噴火・台風・水害など)によって各期の長さがまちまちである。また，地域特性(たとえば水害の多い地域，地震の多い地域など)によっても異なる。災害サイクルの特徴から，サイクルの各期で求められる医療・看護ニーズが異なり，どのような対

C. 災害保健活動

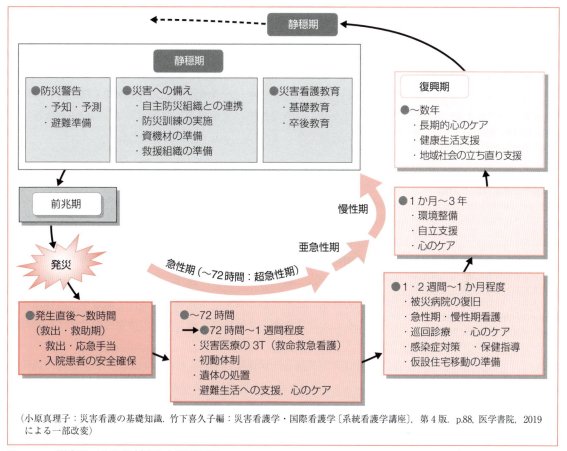

図11-5 災害サイクルに対応した看護活動

(小原真理子:災害看護の基礎知識.竹下喜久子編:災害看護学・国際看護学〔系統看護学講座〕,第4版,p.88,医学書院,2019 による一部改変)

策や準備が必要か理解できる。とくに防災・減災の観点で,静穏期・準備期における対策は重要である。自然災害に備えるためには,災害サイクルを理解して,それに応じた対策と準備が必要である(図11-5)。

■災害フェーズ

災害フェーズとは,災害が発生して以降の時間経過をいくつかのフェーズ(時相 phase)に分類し,各フェーズにおける傷病者や医療資源の状況と災害医療✚および災害救護活動を整理したものである。

b 災害保健活動の基本

災害時は,発災から刻々と状況が変化する被災実態に応じて,被災者に対しいかに適切な保健活動が展開できるかが重要である。災害サイクルに看護のニーズを取り入れたサイクルを図11-5に示した。保健師などの支援者は,災害サイクルにより想定される事態を予測しながら活動することが大切である。

プラス・ワン

災害医療

災害によって人々の健康と生活が受ける被害を可能な限り少なくするための医療である。また最終的な目標は「多数の負傷者に対して,最大多数に最良の医療を提供する」ことであるが,発災直後の救命・外傷医療のみでなく,平常時の備えから衛生環境整備などに対する保健医療も含む。被災者がコミュニティでの新しい生活を再開できるまで,災害医療が受けもつのは広範囲の支援である。

1 災害発生前の平常期における活動

地域の情報収集と分析を行い、災害時における健康課題の把握・集約に努める。こうして把握した情報をもとに災害マニュアルや個別支援計画を策定する。また策定された計画に即し、関係職種・機関との連携・協働をはかり、災害発生時に要配慮者・避難行動要支援者➕を含む住民が安全に避難できるように、防災・減災教育を行う。

2 災害発生時における活動

地域の状況把握のため情報収集を行う。災害対策本部に集約される情報と、住民の生活環境・生活状態を公衆衛生の視点から把握し、社会資源についても現状を分析し、今後発生する可能性の高い健康課題➕についても明確にする。把握した状況や予測される課題の分析をもとに活動計画を立案する。被災者への支援に向け、従事可能な職員の確保と職場の体制の構築、必要に応じ公衆衛生従事者の応援・派遣や、関係団体への協力などを要請する。支援活動を通じて得た情報を随時加え活動計画を修正する。

マスコミが殺到し、保健師の業務を妨げないよう、被災状況の説明方法を工夫し、取材マナーを事前に伝えるなどマスコミ対策も求められる。

3 復旧復興対策期以降の活動

訪問などによる要支援者への個別支援だけではなく、住民を対象にその生活全般を視野に入れた活動として、①避難所・災害復興住宅の環境整備、②避難生活による心身の健康課題の予防および対応、③被災生活支援のネットワークづくりなどを実施する。住民自身が心身の健康を維持し復旧復興への意欲を高められるようにはたらきかける。

2 災害支援の法・制度およびシステム

a 災害対策に関する法律(表11-9)

日本の災害への総合的な対策は**災害対策基本法**➕に、被災者に対する応急的な内容は**災害救助法**に定められている。

地震防災のために必要な措置は**大規模地震対策特別措置法**に定められ、被災者の生活再建のための資金支援などは**被災者生活再建支援法**に定められている。

プラス・ワン

要配慮者・避難行動要支援者

高齢者・障害者・乳幼児・妊婦など災害時においてとくに配慮が必要な人を「要配慮者」とよぶ。そのうち災害などが発生または発生するおそれのある場合に、みずから避難することが困難であるため円滑かつ迅速な避難の確保などの支援が必要な人を「避難行動要支援者」(要支援者)とよぶ。

災害時の健康課題と対応

災害時の健康課題としてはエコノミークラス症候群、感染症、ストレス関連障害、便秘、アルコール依存症、生活不活発病などがある。心身の健康状態と生活環境の実態を把握し、被災者の健康保持と生活環境の改善をあわせて考え対応することが必要である。災害時には、高齢者・障害者などの要援護者への支援や被災者の複雑な健康課題に対応するため、保健医療福祉などの関係者との連携、チームでの活動が求められる。さらに被災者は避難所生活など、集団生活を余儀なくされることもあり、とくにプライバシーへの配慮、人権尊重を重視した活動を展開することも大切である。

災害対策基本法の改正

2021(令和3)年に同法は次のように改正された。
・「避難勧告」を「避難指示」に一本化し、従来の「避難勧告」の時点で「避難指示」を行うこととなった。
・市町村に対し個別避難計画の作成を努力義務とした。個別避難計画とは、各避難行動要支援者について、避難支援を行う者や避難先の情報などを記載するものである。

表 11-9　おもな災害対策の法律

法律	おもな内容
災害対策基本法 (1961〔昭和 36〕年制定)	日本の国土ならびに国民の生命・身体および財産を災害から保護するため，国・都道府県・市町村の各行政単位ごとの対応策を定めている。具体的には，防災責任を明確にする，総合的な防災行政を推進する，計画的に防災行政体制を準備する，財政援助指針をつくっておくなどの災害時の緊急事態に対する措置を定めておくことである。
災害救助法 (1947〔昭和 22〕年制定)	災害が発生したときに，国が地方公共団体・日本赤十字社その他の団体および国民の協力のもとに応急的に必要な援助を行い，被災者の保護と社会の秩序の保全をはかることを定めている。救助は都道府県・救助実施市が行う。
大規模地震対策特別措置法 (1978〔昭和 53〕年制定)	大規模地震の災害から国民の生命・身体・財産を保護するため，地震防災対策地域の指定，地震観測体制の整備など，地震防災のための必要な措置を定めることにより，地震防災対策の強化をはかり，社会の秩序と公共の福祉に資することを目的とする。具体的な内容は，①強化地域の指定，②地震防災計画，③警戒宣言である。
被災者生活再建支援法 (1998〔平成 10〕年制定)	自然災害により生活基盤に著しい被害を受けた者に対し，都道府県が相互扶助の観点から拠出した基金を活用して被災者生活再建支援金を支給することにより，その生活の再建を支援し，もって住民の生活の安定と被災地のすみやかな復興に資することを目的とする。住宅の被害程度に応じて支給する支援金（基礎支援金）と，住宅の再建方法に応じて支給する支援金（加算支援金）がある。支給額は上記 2 つの支援金の合計額である。 申請窓口は市町村であり，申請時の添付書面類は，基礎支援金は罹災証明・住民票などであり，加算支援金の場合は，住宅の購入・賃借などの契約書である。

プラス・ワン
災害拠点病院

災害時における医療の確保と搬送体制の整備目的で，各都道府県に 1 か所の基幹災害医療センター，二次医療圏に 1 か所の地域災害医療センターを整備することとし，2023（令和 5）年 4 月 1 日時点で 770 か所の災害拠点病院が指定されている。

b 災害支援の制度とシステム

1 防災支援

阪神・淡路大震災の教訓から，1996（平成 8）年，厚生省（当時）は通知「災害時における初期救急医療体制の充実強化について」を各都道府県知事に示した。これは，災害時において地域の医療機関を支援するための**災害拠点病院**の整備，災害時に迅速かつ的確に救援・救助を行うための広域災害・救急医療情報システムの整備，保健所機能の強化などの事業などを積極的に推進することを求めるものである。また**防災基本計画**は，日本の災害対策の根幹をなすものであり，この計画に基づき，指定行政機関および指定公共機関は防災業務計画を，地方公共団体は地域防災計画を作成している（図 11-6）。

2011（平成 23）年 12 月，多くの被害を出した東日本大震災の経験をふまえ，「東北地方太平洋沖地震を教訓とした地震・津波対策に関する専門調査会」（同年 4 月設置）の提言をもとに，地方防災計画などの基本となる防災基本計画を中央防災会議で修正した。その後も日本でおこった災害からの教訓をふまえ，防災基本計画は修正されている。

2 災害発生時の支援

被害規模の早期把握のため，各省庁はそれぞれの立場において現地の関係者からの情報を集約するほか，防衛省・警察庁・消防庁・海上保安庁においては，一定規模以上の地震の場合における航空機・船舶などを

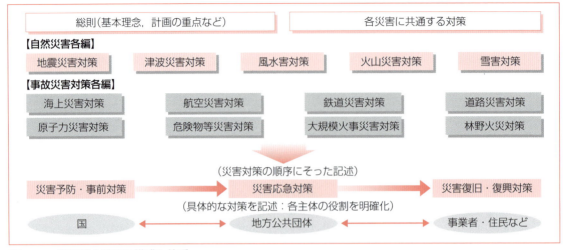

図 11-6 防災基本計画の構成と体系

活用した情報収集体制の整備を行っている。地方公共団体の対応能力をこえるような大規模災害の場合，自衛隊・警察・消防・海上保安庁の実働部隊を広域的に派遣し，災害応急対策活動を行う。なお，東日本大震災の際は，被災者の生活支援，行方不明者の捜索，東京電力福島第一原子力発電所事故への対応など，のべ1066万人の自衛隊員が災害派遣活動に従事した。災害時に被災地に派遣される支援者として，DMATやDHEAT，DPAT（125ページ参照）などが整備されている。

■災害派遣医療チーム（DMAT）

DMATはDisaster Medical Assistance Teamの略である。災害現場で救命措置などに対応できる機動性を備え，専門的なトレーニングを受けた医療チームのことである。その活動期間は発災から48時間以内とし，急性期に特化している。1チームはおもに災害拠点病院に所属する医師，看護師，業務調整員（事務）の5名によって構成されている。

■災害時健康危機管理支援チーム（DHEAT）

災害時健康危機管理支援チーム（Disaster Health Emergency Assistance Team：DHEAT）は，災害発生時に，被災都道府県などに派遣され，被災自治体の本庁・保健所に設けられる健康危機管理組織の長による指揮調整機能を支援するチームである。

DHEATの構成員は，健康危機管理に必要な情報収集・分析や全体調整などの専門的研修・訓練を受けた都道府県・指定都市などの医師・保健師・業務調整員など5名程度のメンバーである。DHEATの具体的な任務は，災害時保健医療対策の3本柱（①医療提供体制の再構築，②避難所などにおける保健予防活動，および③生活環境の確保）のための情報収集・分析評価・連絡調整などのマネジメントを支援し，「防ぎえた死と二次的な健康被害」を最小化することである。

> **プラス・ワン**
>
> **DHEAT の支援を受けた活動展開**
>
> DHEATの支援を受けて，被災自治体の職員は，災害対策などについての法令に基づく権限の行使，地域情報を熟知し地元関係者と信頼関係があるからこそできる業務を担う。一方で，DHEATは第三者性をいかした業務を担う。このように両者が，それぞれの特性をいかし，被災地における保健医療活動全体のマネジメントを進める。
>
> ●DHEATの具体的な活動例
>
> ・収集された被災情報の整理・分析評価を行い，課題を見える化し，支援計画の企画立案を被災自治体職員と一緒に行う。
>
> ・第三者的な立場で全体を俯瞰し，次のフェーズを見通したロードマップの作成や通常業務を再開するための助言を被災自治体に対して行う。
>
> ・被災自治体職員の健康管理・労務管理について，客観的な立場でアドバイスを行う。

プラス・ワン

広域医療搬送
重傷者のうち，被災地内での治療が困難であって，被災地外の医療施設において緊急に手術や処置などを行うことにより，生命・機能予後の改善が十分期待され，かつ搬送中に生命の危険の少ない病態の患者を，被災地外の医療施設まで迅速に搬送し治療することを目的としている。東日本大震災では，自衛隊機5機で，19名の患者を被災地外へ搬送した。

法定受託事務
国が本来果たすべきこと関する事務であり，その適正な処理をとくに確保する必要があるものとして，国が法律・政令で定め，その事務処理を義務づけるもののこと。災害救助のほかに，国政選挙，旅券の交付，国の指定統計，国道の管理，戸籍事務，生活保護などがある。

救助実施市
防災体制・財政状況などの事情を勘案し，災害に際し円滑かつ迅速に救助を行うことができるものとして，内閣総理大臣が指定する市をいう。

3 広域医療搬送

広域医療搬送は次の流れで実施される。

①地震発生後すみやかに広域医療搬送活動に従事する災害派遣医療チーム（DMAT）などが被災地外の拠点に参集し，航空機などにより被災地内の広域搬送拠点へ移動する。

②派遣されたDMATなどは，広域搬送拠点内に患者を一時収容する**広域搬送拠点臨時医療施設**（SCU）の設置を補助する。

③DMATの一部は被災地の都道府県が調整したヘリコプターなどで被災地内の災害拠点病院などへ移動し，広域医療搬送対象患者を選出し，被災地内広域搬送拠点まで搬送する。

④搬送した患者をSCUへ収容し，広域搬送の順位を決定するための再トリアージおよび必要な追加医療処置を実施する。

⑤搬送順位にしたがって，広域搬送用自衛隊機で被災地外の広域搬送拠点へ搬送し，そこからは救急車などにより被災地外の医療施設へ搬送して治療する。

C 災害支援に関する社会資源

1 災害救助法の概要

災害対策の法制度は，**災害対策基本法**が災害の予防から，発災後の応急期，そして復旧・復興までの各ステージへの対策を網羅している。一方，**災害救助法**はおもに発災後の応急期における応急救助に対応する制度を規定している。

■**災害救助法の目的**

災害に際し，地方公共団体・日本赤十字社などの団体および国民との協力のもとに，国が応急的に必要な救助を行い，被災者の保護と社会秩序の保全をはかることである。

■**救助の実施体制**

災害救助法に基づく救助は，都道府県知事が法定受託事務として，現に救助を必要とする者に対して行う。都道府県知事は救助を迅速に行うため必要があると認めるときは，救助の実施に関する事務の一部を市町村長へ委任できる。救助に要した費用の一部は国が負担する。

2019（令和元）年度から本法の改正により，内閣総理大臣の指定する救助実施市の長による救助の実施が可能となった。

■**救助の種類**

①避難所の設置，②応急仮設住宅の供与，③炊き出しなどによる食品の給与，④飲料水の供給，⑤被服・寝具など生活必需品の給与・貸与，⑥医療・助産，⑦被災者の救出，⑧住宅の応急修理，⑨学用品の給与，

⑩埋葬，⑪死体の捜索・処理，⑫障害物の除去など。2021（令和 3）年に災害救助法は改正され，国の災害対策本部が設置されたときには，災害が発生する前段階においても，都道府県などが避難所の供与を実施できるようになった。

2 災害復旧・復興のための財政金融措置

■災害弔慰金

災害により死亡した住民の遺族に対して，生計維持者の場合は 500 万円以下，そのほかの場合は 250 万円以下を支給する。

■災害障害見舞金

災害により負傷し，または疾病にかかり治ったとき（症状の固定も含む）に精神または身体に定める障害✚がある住民に対して，生計維持者の場合は 250 万円以下，その他は 125 万円以下を支給する。財源負担については災害弔慰金と同様である。

■災害援護資金

災害により，負傷，住居・家財の損害を受けた世帯に対して 350 万円を限度に貸し付ける。貸付条件がある。

3 国際防災協力体制

大規模災害時には，専門性をもつ国際機関や GO・NGO，日本赤十字社などが協力・調整し救助・救援活動を行う。

たとえば東日本大震災において，日本は国際社会から多大な支援を受けた。163 の国・地域や 43 の国際機関からの支援申し出を受け，24 の国・地域から緊急援助隊・医療支援チーム・復旧支援チームを受け入れた。国際機関も日本において活動を実施した。また，126 の国・地域ならびに国際機関から総額 127 億円以上の寄付金や物資を受領した。

一方で日本は，多くの災害の経験や教訓によりつちかった防災に関する知識や技術を活用し，世界の災害被害の軽減に向けた国際防災協力を積極的に進めている✚。

■国連人道問題調整事務所

国際的な人道的緊急事態に対する調整を行うのが**国連人道問題調整事務所**（UN Office for the Coordination of Humanitarian Affairs：**OCHA**）である。すなわち OCHA は，自然災害や紛争などの人道危機に際して効果的な支援が実現するよう，各国政府や国連諸機関，赤十字組織や NGO などとの連携・調整を担う。具体的には，人道危機が発生している国におかれた国連人道調整官を補佐し，現地の人道カントリーチームのまとめ役となる。また，組織間連携の枠組みや資金手当のしくみを整え，支援を必要とする国ごとの人道ニーズや優先順位を把握し，包括的かつ戦略的な支援計画を取りまとめる。突発的な災害などの際には，すみやかに専門スタッフを派遣する体制も備えており，機関間常設委員会（IASC）

✚ プラス・ワン

災害障害見舞金の支給にかかる障害の程度
①両眼失明，②咀嚼および言語の機能を廃したもの，③神経系統の機能または精神に著しい障害を残し，つねに介護を要する，④胸腹部臓器の機能の著しい障害を残し，つねに介護を要する，⑤両上肢を肘関節以上で失う，⑥両上肢の用を全廃したなど。

日本が推進する防災協力・二国間等防災協力
内閣府や外務省は，国連などの国際機関を通じた防災協力，二国間等防災協力として次の活動を推進している。

● **国連防災機関（UNDRR）を通じた防災協力**
2015（平成 27）年に採択された「仙台防災枠組」を推進し，UNDRR の活動を支援するために，同枠組の実施にかかるモニタリング，調整，各地域や国への支援などを行う

● **国際復興支援プラットフォーム（IRP）の活動支援**
IRP は 2005（平成 17）年に神戸に設立された「兵庫行動枠組」を受けて設立された国際復興支援プラットフォームである。IRP は，「仙台防災枠組」において「よりよい復興（Build Back Better）」を推進するための国際的なメカニズムの 1 つに位置づけられ，その強化がはかられており，内閣府では運営委員会共同議長として IRP の発展の基盤づくりを推進するなど支援をしている。

● **アジア防災センター（ADRC）との共同活動を通じた防災協力**
ADRC は，災害の教訓をアジア地域と共有するため，1998（平成 10）年に神戸市に設立された。ADRC を通じて，①災害情報の共有，②加盟国の人材育成，③コミュニティの防災力向上，④メンバー国・国際機関・地域機関・NGO との連携，の 4 つの柱を軸にした活動が行われている。ADRC には，2022 年 3 月時点で，アジアの 31 か国が加盟している。

や，国際災害評価調整チーム(UNDAC)，国際捜索救助諮問グループ(INSARAG)など国際的な調整メカニズムの事務局も務める。一方で，各国政府や援助機関などとともに将来の災害などに十分対応できるような備えを強化している。

③ 各災害サイクルにおける災害対策と保健師活動

プラス・ワン

「災害時の保健活動推進マニュアル」の活用

平常時から災害への対応を考える際に参考になるのが，全国保健師長会が2017(平成29)年に発行した「災害時の保健活動推進マニュアル」[1]である。これは「大規模災害における保健師マニュアル」を大幅に改訂し，大規模な地震災害だけでなく，中規模な豪雨災害を含む災害に対応した。被災自治体で使用されることに重点をおき，保健師をはじめとする保健衛生職員が使用することを想定して作成された。

a 平常時(災害静穏期・準備期)の保健活動

災害発生時に予測される事態の被害を最小限にできるよう，平常時から保健師自身が危機管理意識をもち確実に対応しておく。そのためには，市町村防災計画や都道府県などが作成している災害対応マニュアルなどの内容を年1回は職場内チームで確認し，初動活動が迅速に行える体制をつねに整備しておく✚。有事の際は行政の関連課のほかに，保健医療福祉関係機関や住民と連携することを平常時から意識し，地域における災害時の対応ネットワークを整備しておくことも重要である。

1 要配慮者・避難行動要支援者を中心とした地域の実態把握

近年の災害では高齢者の被害が大きな割合を占めている。高齢者・障害者などの**要配慮者・避難行動要支援者**(以下，「要配慮者・要支援者」)対策を準備しておくことは大切である。要配慮者・要支援者の情報は，地域包括支援センター・福祉担当課・介護保険課の担当者，自主防災組織，町内会長，民生委員・児童委員などが日ごろから把握している。平常時から，これらの関係機関・関係者と連携し，情報を収集しておく。また災害に関する地域の問題点を，地域の特性・環境などから総合的に判断し，明らかにしておく。

2 災害マニュアルの作成・整理，災害訓練の実施

平常時において各関係機関や保健師個人には，災害発生の各期における適切な保健指導が行えるように，災害マニュアルを作成しておき，有事には活用することが求められる。とくに要配慮者・要支援者は被災時に避難や避難所への移動すら困難な状況が予測されるため，難病患者支援の視点などを盛り込んだ災害時個別支援計画をたて，支援の有無や必要物品などについてもマニュアルとして整理しておく。

立案した個別支援計画に基づき，実際の災害を想定した訓練(リハーサル)を実施し，要配慮者・要支援者を含む住民が災害時に安全に避難できるようにする。日ごろの準備や各職種とのかかわりが重要であるが，各機関や地域組織が個々に災害訓練を実施し，複数の組織が連携したかたちでは行われていないところが多い。また防災訓練に参加できない要配慮者・要支援者が多いため，保健師は地区の防災組織などと合同で災

害訓練を行い，訓練を通じて災害時における要配慮者・要支援者支援の必要性を伝え，関係者が共通認識をもち災害に備えるようにはかる。

3 住民主体の防災対策のための教育・普及・啓発

日常の家庭訪問や保健指導などの機会や研修会・シンポジウムなどの企画を活用して，災害に対する住民の意識の啓発をはかる。また町内会・警察・消防署などと連携して，災害時の避難所についての情報や，負傷時の対応方法などを住民に伝え，住民みずからが防災行動や被災対策を継続できるような支援も必要である。たとえば，災害時の難病患者支援について啓発するために，住民に対して「難病患者の理解と災害時の支援」をテーマにシンポジウムを開く。難病患者に対しては「緊急医療手帳」を配布し，患者本人の病状や必要な医療品・医療措置などを記入するよう指導する。

4 防災基盤の整備と救援・支援のネットワークの構築

■防災基盤の整備

災害時の対策として，病院では耐震工事や自家発電など施設装備の充実が進められている。また各保健所には防災行政無線による無線通信システムが整備され，都道府県庁主管課と保健所が双方向で通話可能である。今後は，災害時における医療機器取り扱い業者との連絡網の整備や，医療品・衛生材料の入手経路の確認なども求められる。

要配慮者・要支援者は介助を必要とし，一般の住民と同じ避難所ではさまざまな困難が予想されるため，福祉避難所の整備が必要である。

■救援・支援のネットワークの構築

関係機関との連携を深めるには，災害時支援の必要性を関係者，とくに在宅療養の中心を担うケアマネジャー・訪問看護師・ホームヘルパーが理解していることが必要である。そのためには各保健福祉センターや県単位の研修会において，要配慮者・要支援者の災害時支援に関する情報提供を行い，関係者への啓発に努める。たとえば，要配慮者・要支援者の災害時支援についての講演会を開催する。訪問看護師・ケアマネジャーは難病患者の訪問時に患者・家族が「緊急医療手帳」に記入した内容を確認し，患者・家族が記入困難な場合には記入を補助する。こうした取り組みにより，要配慮者・要支援者の支援について意識が高まり，ネットワーク構築につながっていく。救援・支援のネットワークは，最終的には保健・福祉分野にとどまらない関係職種・機関と連携した，さらに総合的なものとなるよう調整していく。

プラス・ワン

関係機関との連携

●医療機関

災害発生時に救命・医療チームを早期に立ち上げて活動できるよう，日常業務を通じて地域の医療機関などとの関係をつくっていく。医療職には災害が発生した場合の協力を事前に呼びかけ，専門分野のスペシャリストと日ごろから連携することも重要である。

●福祉機関

中・長期的にみて，さまざまな健康問題は生活環境と密接にからんでくるため，保健師のみでの解決が困難なケースも多い。そのため日常から福祉機関との情報交換を行うとともに福祉サービスの内容，福祉施設の概要などについて把握しておく。

b 災害応急対策期(超急性期〜亜急性期)の保健活動

1 初動体制の具体例

(1) 阪神・淡路大震災

　阪神・淡路大震災の場合，震災当日(1995〔平成7〕年1月17日)は，交通遮断，住居の被災などで出勤できない職員が大半を占めた。出勤できた職員だけで施設の安全点検，および被災状況の把握と職員の安否確認を行った。管内全域が被災で混乱し，本来の保健所業務も停止した状況であった。兵庫県の災害対策本部は，西宮市の災害対策本部と保健所業務に関する窓口の確認を行い，遺体の搬送，ドライアイスの確保，救援物資の受け入れ・搬出を行うとともに県・市・関係団体などとの連絡・調整を行った。大規模災害では，支援者であるはずの行政職員も被災者となるため，日ごろから初動体制を整えておくことが大切である。

(2) 東日本大震災

　2011(平成23)年3月11日(金)午後2時46分に，東北地方太平洋沖地震が発生した。三陸沖を震源地とするマグニチュード9.0，宮城県北部で震度7と，日本における近代観測史上最大の地震であった。この地震に伴って発生した津波などの災害も総称して東日本大震災とよぶ。

　東日本大震災は，死者1万9533人，行方不明者2,585人(2017年3月1日現在)という，過去に類をみない甚大な広域自然災害であった✚。2011(平成23)年8月ごろには，避難所の多くが閉鎖され，仮設住宅そして復興公営住宅へ移るよう徐々に復興計画が進められたが，現在もなお多くの被災者が不自由な生活を送っている✚。

■ 保健師の派遣による支援

　東日本大震災においても，災害対策基本法第30条に基づく，厚生労働省からの指定行政機関，指定地方行政機関などの職員派遣照会に対応して，各県から被災県への保健師派遣が行われた✚。

　津波の被害で人口の1割以上の住民が死亡・行方不明となった岩手県大槌町では，町長はじめ町職員が多数死亡し，行政機関が麻痺したため，ボランティアが保健師を募集し，それに応じて各地から集まった保健師による全戸訪問が行われた。他県から派遣された保健師による被災直後の活動は，地震による外傷者の医療チームへのコンタクトや健康相談，震災により治療が中断した通院患者の相談業務が中心であった。同町の保健師は自身も被災したにもかかわらず，町内の安否確認や，他県からの派遣保健師の調整も行わねばならなかった。被災後早期から派遣保健師やボランティア看護師の受け入れ準備態勢を整備することは重要である✚。

プラス・ワン

東日本大震災による被害状況
全国の人的被害と建物被害(2024年3月1日時点)
死者数:1万9775人
行方不明者数:2,550人
全壊数:12万2050棟
半壊数:28万3988棟
一部破損数:75万64棟
消防庁:東北地方太平洋地震(東日本大震災)について第164報.
(https://www.fdma.go.jp/disaster/higashinihon/items/164.pdf)(参照2024-09-14)

東日本大震災における全国の避難状況(2024年2月1日時点)
全国の避難者数:約2.9万人
住宅など(応急仮設，民間賃貸など):1万856人
親族・知人宅など:1万8361人
病院など:111人
参考:福島県・宮城県・岩手県の県外避難者数(福島県:2万279人，宮城県:889人，岩手県:545人)
(復興庁ホームページ)
(http://www.reconstruction.go.jp/topics/main-cat2/sub-cat2-6/2024.0301_hinan.pdf)(参照2024-09-13)

被災地支援の動き(A県の例)
A県の場合，保健師派遣については，発災後ただちにDMATチームを派遣する一方で，厚生労働省の調整による保健師派遣に参画し，救援物資などの送付も自衛隊と連携して対応した。さらに被災地からの支援要請や全国知事会の調整に対応すべく準備をし，知事会からA県への物資支援を要請されたことを受け，ただちにA県B市に現地調整本部を設置し，支援活動を開始した。
交通手段が限定されていたため，航空会社の協力を得て臨時チャーター便を活用して，被災地に入り，「住民・自治体が真に必要としている支援を提供する」「現地の対策本部の手足として一体となって活動する」という考えに基づいて支援を行った。

プラス・ワン

受援体制・支援体制のマネジメント

被災地の保健師の心身の安定は，被災者支援を進めるうえで重要な要素である。そのため，災害発生直後には，被災自治体の保健師の被災状況および健康状況の把握を迅速に行う。その後も被災自治体の保健師が被災者でもあることを前提にして保健師の心身の健康状況をつねに把握し，必要に応じて早期に休養させるなどの対応が必要である。

派遣保健師の受け入れにあたっては，応援の日数・時間，派遣保健師の経験年数などを把握し，適切な応援配置ができるよう考慮する。さらに，被災状況が刻々と変化するなか，派遣保健師の人数や応援の内容も変化する。状況に応じて必要な支援内容を伝えるとともに，必要に応じて派遣体制の変更を随時行うことも必要である。

避難所における健康支援

避難所で生活する住民の健康維持のため，保健師が実施する必要な健康支援には次のものがある。
① 避難所における避難住民の人数や，健康障害をおこしている者について障害の程度を把握し，安全を確保する。
② 被災により治療が中断した慢性疾患患者（とくに透析患者）・通院患者などへ相談業務を行い，治療継続のための調整を実施する。
③ 介護保険対象者のケアを調整する。
④ 避難所の衛生管理や，感染症対策として水やトイレの状況のチェック，手洗いの指導などを実施する。
⑤ 医薬品・衛生用品を確保する。
⑥ 心のケアを実施する。

トリアージ

フランス語のtrier（選り分ける，分別する）の名詞形。ナポレオン時代，軍隊の戦力維持のため戦闘による傷病兵を早く復帰させる目的で負傷の度合いにより効果的に選別するために「トリアージ」という言葉がつかわれるようになったといわれている。
災害現場でのトリアージは，①現場トリアージ，②医療トリアージ，③搬送トリアージの3種がある。

2 救護班・避難所での活動

■救護班での活動

救護班は，救援救助活動を実施する。そのためにも発災現場近くに迅速に設備などを設置し活動する。その役割は次のとおりである。
① 被災に伴い負傷した住民の救急医療支援，避難場所，緊急入院などの確保にかかわる支援を実施する。
② 外傷者の医療チームへのコンタクトや相談を実施する。
③ 食糧・飲料水・医薬品などの物資の不足を補う。

■避難所における健康支援

避難所は被災地域の住民が一時的に避難生活を送る場となる。災害が発生した地域・季節・時間経過などに応じ，さまざまな健康上のニーズや健康問題がおこる。保健師は避難所を巡回するときを保健指導の機会として，タイムリーに保健・医療・福祉および生活情報を提供し，健康問題の解決をはかる。対応が必要と思われる課題（避難所などのトイレの衛生管理，犬猫などペットの対処など）には，ほかの担当課と調整し解決に結びつける。

東日本大震災のときに他都道府県からの派遣保健師は，劣悪な避難所での避難生活の長期化に伴い発生しやすい感染症や静脈血栓塞栓症（エコノミークラス症候群）の予防，避難所における衛生管理や栄養調査，感染症発生時の消毒などの被災者の生活環境を整える支援を実施した。家庭訪問では在宅療養者や妊婦・乳幼児，寝たきり高齢者や障害者を個別訪問し，治療中断者を早期発見して必要な支援につなげた。

3 トリアージ（triage）

トリアージとは，災害などで多数の負傷者が発生した場合に，限られた人的物的資源の状況下で，最大多数の傷病者に最善の医療を施すため，傷病者の緊急度と重傷度により治療優先度を決めることである。triage＝トリアージ，treatment＝治療，transport＝搬送，の頭文字をとった「3Ts」が重要であり，的確なトリアージが救命につながる。トリアージに際しては，全国共通のトリアージタッグを使用し，傷病者の識別を行うことが望ましい。

■原則

・トリアージは1人で行うべきであり，ほかの者はトリアージオフィサーの決定に従う。
・救命不可能な傷病者に時間をとりすぎない。また治療不要の軽傷傷病者を除外する。
・治療の優先順位は，①生命，②四肢，③機能，④美容の順である。

プラス・ワン

トリアージタッグ

原則として右手首に装着する。もしこの部分が負傷・切断されている場合は左手首，右足首，左足首，首の順で装着部位を変更する（首の装着は最後の手段。衣類や靴などへの装着はしないこと）。

トリアージオフィサー

災害現場でトリアージを実施する医師・救急救命士・看護師などの専門家をすべてトリアージオフィサーというが，できれば経験豊富な救急医・麻酔医・外科医などが望ましい。トリアージオフィサーは治療に参加しないのが原則である。

表11-10 災害復旧・復興対策期における避難所・仮設住宅で生活する被災者への健康支援の内容

(1) 要援護者への援助
(2) かぜなどの感染症の蔓延防止のため，マスクやうがい薬の配布
(3) 気分転換や血行をよくする健康体操などの紹介
(4) 清潔の保持（床・トイレの清掃，換気，ふとん干し，衣服の着がえ）
(5) 巡回訪問による健康生活相談
(6) 栄養士・歯科衛生士による栄養や口腔の健康についての教育
(7) 不眠，食欲不振，イライラなどのストレス症状への対応（精神保健相談の実施）
(8) 日課指導（ラジオ体操，早寝・早起きなどで生活不活発病の予防）
(9) 保健情報の提供

C 災害復旧・復興対策期の保健活動

1 被災者への健康支援

　災害復旧・復興対策期において保健師は，避難生活者などができるだけ早く自立した生活を送り，みずからの健康を維持できるように支援する。とくに避難所や仮設住宅などでの長期の避難生活を送る場合，さまざまな健康課題が生じやすい。保健師は，疾病予防の観点から，避難生活を送る住民の健康を積極的にサポートしていく必要がある（**表11-10**）。

　具体的な内容としては，①避難生活者への定期健康相談・健康教育および巡回訪問・健診の実施，②要援護者への継続的な支援，③電話相談の開設などがある。通常の保健活動と同様に，対象者が生命・健康・生活全般について訴えることに傾聴し，被災者の健康ニーズを把握したうえで，その解決のために実施すべき活動の計画を策定・実施し，さらにその活動を評価し，見直しを加えていく。

2 被災者のメンタルヘルス

　被災体験はPTSDのような急性の反応を引きおこすだけでなく，避難所・仮設住宅などの被災前とは異なる生活環境によるストレスが長期にわたると，やり場のない怒りを感じたり，トラブルや飲酒問題もおこりやすく，精神障害の状態に陥るケースが発生する。

　また避難生活の長期化に伴い，将来への不安や生きがいの喪失，生活への不適応による孤独死の発生が懸念される。このような事態を防止するために，メンタルヘルスケアや巡回相談，心的外傷体験を共有できる身近なコミュニティにおける支え合いのシステムや，必要に応じて専門家などによる精神的ケアなど中期・長期の援助が必要である。

3 新しいコミュニティや近隣関係づくり

　大規模災害では，従来のコミュニティが災害により消滅し，避難生活者は避難所や仮設住宅・災害復興住宅など新たに設けられたコミュニ

> **プラス・ワン**
>
> **被災地職員が直面した健康問題**
>
> 東日本大震災の被災地の保健師は、次のような健康問題に直面した。
> ・R市では、保健師9人中6名が犠牲になり、1名も負傷入院したため、2名の保健師だけでの活動をしいられた。
> ・O町では、遺体捜査班の職員はショッキングな場面を目にする過酷な業務であったため、強制的に精神科医に相談する場を設けた。
> ・福島第一原子力発電所事故による放射能汚染の危険にさらされたK市では、子どもを遠方に避難させる母親が増えていた。小さい子どもをもつ同市保健師が「避難させない自分はわるい母親」だと悩んだ末に遠くの親戚に子どもを預けたが、毎日子どもとの電話で「いつになったらママと会える?」と聞かれるうちに、仕事をしている自分を責めるようになった。同僚の保健師は共感しながら話を聴くことしかできないと悩んだ。他県から派遣された心のケアチーム(精神科医を中心とした精神医療チーム)が実施したケアにより、保健師たちはためこんでいた思いを表出し、救われた気持ちになれたと報告している。

ティで生活することを余儀なくされることが多い。このようななかば人工的に再編されたコミュニティの環境になじめない避難生活者は、さまざまな心理的問題に直面する。とくに高齢者は被災前のような近隣関係がなくなると、閉じこもりや生活不活発病の状態に陥ることもある。仮設住宅や災害復興住宅など、新しく再編された地域においては、近隣関係などコミュニティを再構築し、住民どうしの交流を促進することは、閉じこもりや心理的な問題の予防にもつながる重要な活動である。

4 職員の心身の健康管理

被災地では、支援にあたる側の行政職員も、一個人の被災者として災害による不安・恐怖感を実体験あるいは追体験している場合が多い。にもかかわらず、阪神・淡路大災では震災後の1か月間、保健活動が土・日も休まずに実施されていた。東日本大震災においては、家を流失したり家族を失ったりしながら働く職員も多く、なかには自分が生きのびたことに対する罪悪感(サバイバーズ-ギルト)に苦しむ職員もいた。被災後に不眠不休で業務にあたっている職員のなかには、医師にかかることに抵抗感のある人もいる。このような職員には、感情を表出する場が必要であることを保健師が問題意識をもって伝えていく。

被災地では、被災者のケアなどにあたる職員も、身体的・精神的負担により体調をくずしたり、ストレス反応を生じたりしやすい。職員の健康管理は重要であり、職員個人にまかせるのではなく、組織全体で対策を講じる必要がある。たとえば他地域からの派遣保健師が、被災地の保健師に対して実施したメンタルヘルスケアは効果的だったと報告されている。派遣保健師が任期を終えて新たな派遣保健師と交代する際のオリエンテーションなどにかかる負担を下げ、引き継ぎなどを効果的に行うようなしくみづくりが必要である。

5 ボランティアへの活動支援

阪神・淡路大震災では発災から5か月の間に、のべ122万人以上がボランティアとして活躍した。東日本大震災でも多くのボランティアが被災地にかけつけ支援を行った。大規模災害の場合、こうした地域および全国からのボランティアの力が復興への道のりには欠かせない。

ボランティアには、個人と団体、日帰り参加と宿泊しての参加、地元からの参加ボランティアと被災地外からの参加など、さまざまなかたちがあり、ボランティアの受け入れには個々の意思や参加の仕方を尊重した対応が求められる。発災後は時間経過とともに被災者のニーズが変化していくため、ボランティアを円滑に受け入れ、支援が必要な場面に応じてボランティアが力を発揮できるような体制づくりが求められる。

実践場面から学ぶ：災害フェーズ3における避難所生活者への支援

■**事例紹介**

3月に発生した震度7の大規模地震災害に被災したS市では，発災直後に被災住民のために避難所を開設した。災害フェーズ3（3週間後〜2か月後）の時期になる4月中旬の段階で，被災直後は1,500人いた避難所生活者は，仮設住宅への入居などで700人程度に減っていた。その一方で，避難所では依然として次のような健康課題があった。

- **心身の健康面**：避難所生活の長期化に伴い，乳幼児の泣き声や，咳き込み・足音がうるさいと訴えるトラブルなど，避難生活者の間に不眠・不安・イライラなどのストレス症状がみられる。発熱や手足の痛み，下痢・腹痛などの体調不良を訴える人も多数いる。日中の避難所には高齢者，乳幼児とその親，障害がある人がいる。高齢者はやることがなく，寒いため布団にくるまって過ごす人が多い。家をなくして自暴自棄になり，アルコール類を避難所にもち込む60代男性もいる。
- **栄養面**：避難所では，朝食は各自で調達するが，昼食は自衛隊の炊き出し，夕食は外食産業の差し入れや自衛隊の炊き出しと，1日2回の配給がある。しかし，昼と夜が同じメニューのことが多く，炭水化物や肉類が多量で野菜が少ないため栄養バランスのかたよりもある。
- **環境・清潔面**：避難所では風呂はなく，シャワーのみである。水洗トイレが使えないため，使用した紙は流さずに大きな袋に入れておき，排泄物のみをバケツの水で流す。避難所は，居住場所の掃除が行き届かないうえ，管理上の理由でドアは締め切られていて換気が不十分で，ほこりがたちやすく，さまざまなにおいが入りまじっていた。

S市保健師は，上記した避難所生活者の直面する健康課題をとらえ，次のような支援を実施した。

●**ポイント①：山積する健康課題の1つひとつに対応する**

大規模災害後の被災地域は，通常は容易に手に入る資源や物資がない状況下にあり，避難所ではさまざまな健康課題に直面する。被災者の健康をまもるために保健師は，日常の公衆衛生看護活動の経験をいかし，状況に合わせて，1つひとつの健康課題に対応することが求められる。

事例では，避難所生活者への健康相談を随時行い，必要に応じて受診をすすめ，慢性疾患の人の服薬管理を行った。避難所での食事は栄養面でかたよりがちなため，巡回時に糖尿病の有無を確認し，有病者には症状，食事内容，受診状況，内服状況などを聞き，栄養指導を行った。

心理的な支援としては，家をなくしたり，身近な家族を失ったりした被災体験に耐えている被災者の気持ちに寄り添って話を聞き，見まもることを実践した。心理的な問題がみられる被災者については毎日様子を見ながら声かけや見まもりを続けた。

感染症の蔓延防止を目的に，手指消毒液を避難所内に多数設置した。咳き込む人がいるため，パーテーションで囲った感染症エリアを設け，

マスクや手洗いの徹底を促した。ノロウイルスや肺炎の予防マニュアルを作成し，患者や疑いの人が出れば，居住区の消毒，食事の配慮などを行うようにした。窓を開けると寒くていやがる人もいたが，1日に数回換気を行うようにした。

介護予防のためにラジオ体操を1日に2回実施し，参加しない人へは声かけをして参加を促した。介護ボランティアが対象者へ過剰に介助する場面がみられ，ADLの低下が心配されたため，対象者の自立を促すような適度な支援のあり方について意見交換をした。

栄養面・環境面の整備としては，外食業者と自衛隊から提供される炊き出しのメニューが重ならないように情報交換を促し，改善につながった。トイレ清掃については業者だけでは足りないため，トイレ掃除ボランティアの高校生を募り，清潔の保持をはかった。

●**ポイント②：派遣された支援者との協力体制を整備する**

大規模災害の場合，ほかの都道府県から派遣された支援者の協力を得て被災者への支援活動を行う。派遣された保健師・看護師と役割分担を行い，朝夕のミーティングなどで情報交換することによって，互いの役割が明確になり，被災者に対して統一した対応ができる。

本事例においても，ほかの地域から派遣された保健師・看護師が深夜と日中の2交代制で避難所に入って支援を行った。S市保健師は，朝夕の看護ミーティングで気になるケースを確認しては，次の支援者へ申し送るなど，支援者間の情報共有と連絡調整をはかった。

●**引用文献**

1) 日本公衆衛生協会・全国保健師長会：令和元年度地域保健総合推進事業「災害時の保健活動推進マニュアルの周知」報告書「災害時の保健活動推進マニュアル」．2020．

●**参考文献**

・及川艶子：被災地の保健師から——復興に向けた市民の健康を守る活動のあり方とは．保健師ジャーナル68(3)：177-182，2012．
・勝見敦・小原真理子編：災害救護——災害サイクルから考える看護実践．ヌーヴェルヒロカワ，2012．
・高橋章子・臼井千津：災害看護の考え方と実際．救急医学26(2)：133-137，2002．
・土屋厚子・川田敦子：静岡県の初動体制と仙台市および岩手県での保健師活動．保健師ジャーナル67(9)：760-764，2011．
・内閣府：被災者支援に関する各種制度の概要（令和5年6月1日現在）．2023．
（http://www.bousai.go.jp/taisaku/hisaisyagyousei/pdf/kakusyuseido_tsuujou.pdf）（参照：2023-10-02）
・兵庫県西宮保健所：阪神・淡路大震災における西宮保健所の活動．西宮保健所，1995．
・藤山明美ほか：座談会　地元保健師の立場から語る——被災から現在そして今後に向けて．保健師ジャーナル68(3)：164-171，2012．
・山本保博編：災害初動期における活動マニュアル．へるす出版，2000．
・吉川弘之ほか：防災東京大学公開講座63．東京大学出版会，1996．

INDEX

数字・欧文・略語

1歳6か月児健康診断　23
1人平均齲歯数　240
3〜4か月児健康診査　23
3歳児健康診査　25
3つの密　217
4S　303
4つのメンタルヘルスケアの推進　309
5S　303
21世紀における国民健康づくり対策〔健康日本21〕　63
2025年問題　92
2040年問題　92
8020運動　234
8050問題　133
ACP　110
ADL　101
ASD　262
A類疾病　29, 213
BCM　327
BCP　326, 327
BPSD　104
B型肝炎　229
B型肝炎母子感染防止事業　5
B型肝炎ワクチンの定期接種化　29
B類疾病　29, 213
CBRNE災害　324
COVID-19　217
COチェッカー　80
CSR　313
C型肝炎　229, 230
dft指数　240
DHEAT　328, 358
DMAT　328, 358
DMFT指数　240
DOTS　220
DOTS戦略の要素　223
DPAT　125, 328
DV　325
DV防止法　56
EAP　309
HIV感染症　226
IADL　101
ICF　153
ICIDH　154

IHR　216, 322
ILO　282
JMAT　328
KDB　68
MCI　104, 143
METs　81
NDB　68
NTDs　205
NTDの世界的影響克服の推進─実施に向けたロードマップ　205
OARS　76
OCHA　360
OSHMS　298
PDCAサイクル　68
PEM　103
PHEIC　322
PTSD　142, 262, 332
QFT検査　207
ReMHRAD　134
SIDS　32
SMON　174
STD　261
THP　285, 317
── 指針　317
VDT作業のための労働衛生上の指針　287

あ

愛育班　3
アウトブレイク　209
アクティブ80ヘルスプラン　63
アドバンスケアプランニング　110
アドヒアランス　110
アルコール　80
アルコール依存症　138
アルコール健康障害対策基本計画　80
アルコール健康障害対策基本法　80, 139
アルコール健康障害対策推進基本計画　139
アルツハイマー型認知症　144
安全衛生推進者　297
安全管理　252
安全管理者　297
安全教育　252
安全配慮義務　294

い

医学モデル　153
育児・介護休業法　48, 311
育児休業，介護休業等育児又は家族介護を行う労働者の福祉に関する法律　48, 311
育児サークル　59

育児支援のチェックリスト　52
育児時間　48, 292
育成医療　45, 159
── の申請先　45
維持期　75
いじめ　265
依存　138
一時預かり事業　54
一般介護予防事業　116
一般健康診断　294
イネイブラー　138
イネイブリング　138
医療制度改革大綱　95
医療的ケア　261
医療的ケア看護職員　254
医療的ケア児　46
医療的ケア児及びその家族に対する支援に関する法律　47, 184, 250
医療保護入院　130
インクルーシブ教育　154, 250
インクルージョン　152, 154
飲酒　261
インテグレーション教育　154
院内DOTS　222
飲料水　324

う

齲歯, 1歳6か月児健康診査　24
齲歯, 3歳児健康診査　25
齲蝕　243
── の予防　243
── 罹患の指標　240
── スコア　240
後ろ向きコホート調査　339
うつ状態　139
宇都宮事件　123
運動　81, 82
運動器検診　273
運動器症候群　118

え

エイズ　226
エイズ問題総合対策大綱　227
エイズ予防指針　227
── の改正　227
エイズ予防法　227
衛生委員会　298
衛生管理者　287, 297
── としての保健婦の活用　287
── 免許　316
衛生推進者　297
栄養教諭　254
疫学調査　338
エピデミック　209

INDEX

遠城寺式乳幼児分析的発達検査法 19
エンデミック 209
エンドオブラライフ 108

お

応益負担 158
応急入院 130
応能負担 158
大島の分類 169
オーラルフレイル 119, 234, 244
おやこ広場　もくれんハウス 43
親子保健 2
親育て 16
オレンジプラン 104

か

海外派遣労働者 290
介護が必要になった原因 97
介護給付 131, 159
外国人労働者 290
介護者の状況 97
介護保険サービス 97
　——の利用の流れ 97, 98
介護保険制度 96
介護保険法 94, 177, 184
介護予防 115
　——サービス 94
介護予防・日常生活支援事業 116
カウプ指数 18
化学物質 324
学習指導要領 251
喀痰吸引等制度，介護職員による 178
学童期 260
学齢期の死因 255
火災 324
過重労働対策 307
学校 59
　——管理下の事故防止 277
　——でのがん教育 37
　——における予防対象の感染症 275, 276
　——の管理下 255
学校安全計画 253
学校医 254
学校環境衛生 258, 270
学校環境衛生基準 258
学校給食衛生管理基準 259
学校給食栄養管理者 254
学校給食法 253, 258
学校教育法 161, 253
学校三師 248
学校歯科医 254
学校長 254

学校保健 248
　——の目的 248
学校保健安全法 253
学校保健委員会 278
　——のメンバー 278
学校保健技師 254
学校保健計画 253
学校保健組織活動 278
学校保健統計調査 263
学校薬剤師 254
合併症の予防 167
家庭内暴力 137
通いの場 116
がん 83, 84, 85
　——対策 64, 83, 306
　——の発症予防 85
　——の予防 85
　——の罹患数 83
　——の療養支援 85
簡易更年期指数 44
簡易更年期指数採点表 44
肝炎 229
肝炎研究10か年戦略 231
肝炎研究推進戦略 232
肝炎対策基本法 231
肝炎対策の経緯 231
がん教育 37
　——の内容 266
　——の目標 266
環境調査 339
関係専門機関介入支援ネットワーク 114
がん検診 83
　——受診率 84
がん克服新10か年戦略 64
肝疾患診療連携拠点病院 231
患者調査 338
感受性宿主への対策 209
感情障害 147
関心期 75
間接感染 208
間接接触感染 208
感染危険度指数 224
感染経路 208
　——対策 209, 346
感染源対策 209
感染源調査 210
感染症 324
　——成立の3大要因 208
　——対策の変遷 200
　——の届出基準 210
　——の予防 270
感染症サーベイランスの機関 210
感染症調査 337
　——・対策の流れ 341

感染症の予防及び感染症の患者に対する医療に関する法律 200
　——に基づく患者の届出 347
　——に基づく感染症の分類 204
感染症発生動向調査 202, 210, 347
感染症保健活動の理念 200
感染予防の3原則 209
がん対策基本法 64
がん対策推進基本計画 64, 84

き

企業外労働衛生機関 296
企業の社会的責任 313
帰国日本人 58
器質性精神障害 143
記述疫学 339
喫煙 261
吃音 149
気分障害 147
虐待 325
　——予防 152, 156
虐待対応状況調査 156
虐待防止法 156
キャラバンメイト 105
ギャンブル依存症 140
ギャンブル等依存症対策基本法 139
救急処置・救急体制 270
救護班 364
救助 359
　——の種類 359
救助実施市 359
急性ストレス障害 262
休養 81
教育課程 251
教育基本法 253
供給連鎖 327
教職員の健康診断 273
共生社会 152
　——の形成 155
共通リスク要因アプローチ 235
京都癲狂院 123
業務継続計画 326
業務上疾病 303
協力難病指定医 181
禁煙 79
　——治療 80
　——治療用アプリ 80
緊急措置入院 130
筋ジストロフィーの子どもたちの親の会 184

く

空間分布 339
空気感染 209

クオンティフェロン検査　206
クライシスプラン　133
訓練等給付　131，159

け

頸定　23
軽度認知障害　104，143
けい肺および外傷性脊髄障害の治療に関する特別措置法　285
警報　330
ゲートキーパー　126
結核　219
　── 罹患率の推移　219
結核緊急事態宣言　220
結核児童の療育給付　46
結核に関する特定感染症予防指針　221
血管性認知症　144
月経異常　37
原因分析　329
健康管理　299，315
健康危機　322
　── 以外の危機管理事象　323
　── と広報　334
　── 発生時に備えた準備　327
　── 発生の未然防止　328
健康危機管理の定義　322
健康危機管理の目的　322
健康経営　314
健康寿命　63，100
健康状態調査　263
健康診査　64
健康診断　270
健康診断機関　296
健康増進法　234，291
健康づくりのための運動　81
健康づくりのための身体活動基準2013　81
健康日本21　63
健康日本21（第三次）　66
　── における歯科口腔保健の目標　235
健康日本21（第二次）　65，95，235
　── の最終評価　65
言語理解　24
兼職発令　251，271
原子力災害　324
検診　64

こ

広域医療搬送　359
広域搬送拠点臨時医療施設　359
後期高齢者医療制度　95
口腔機能低下症　244
合計特殊出生率　4

高血圧　82
高次脳機能障害　170
公衆衛生活動　284
工場法　284
更生医療　159
後天性免疫不全症候群に関する特定感染症予防指針　202，227
後天性免疫不全症候群の予防に関する法律　227
行動・心理症状　104
行動変容ステージモデル　75
高度外国人材　290
坑内業務の就業制限　292
更年期障害の自己チェック法　44
更年期の健康課題　43
合理的配慮　155
高齢化社会　100
高齢化の状況　100
高齢者　100
　── の就労支援　96
　── の保健医療福祉施策　93
高齢社会　100
高齢社会対策基本法　95
高齢社会対策大綱　95
高齢者虐待の分類　111
高齢者虐待防止ネットワーク　114
高齢者の医療の確保に関する法律　64，95，291
高齢者の虐待防止，高齢者の養護者に対する支援等に関する法律　111
高齢者保健医療福祉　92
　── の基本理念　92
　── 制度の経緯　93
高齢者保健福祉推進十か年戦略　94
向老期　72
ゴールドプラン　94
ゴールドプラン21　94
国際原子力事象評価尺度　330
国際障害者年　154
国際障害分類　153
国際生活機能分類　153，154
国際的に懸念される公衆衛生上の緊急事態　322
国際保健規則　216，322
国際労働機関　282
国保データベース　68
国民皆保険　93
国民健康づくり対策　63
国民の健康の増進の総合的な推進を図るための基本的な方針　65
国連人道問題調整事務所　360
心の健康問題により休業した労働者の職場復帰支援の手引き　309
こころのバリアフリー宣言　126

子育て　16
子育て世代包括支援センター　16，58
子ども・子育て支援給付　12
子ども・子育て支援新制度　12
子ども・子育て支援法　12
こども家庭センター　16，58
子ども家庭総合支援拠点　16
こども家庭庁　16
子どもの虐待　49
　── の定義　50
子どもの心の診療ネットワーク事業　7
子どもの貧困率　57
コミュニティエンゲージメント　351
コモンリスクファクターアプローチ　235，237
今後5年間の高齢者保健福祉施策の方向　94
こんにちは赤ちゃん事業　54

さ

サービス等利用計画　168
災害　353
　── の定義　353
　── の分類　353，354
災害医療　355
災害援護資金　360
災害救助法　356，357，359
災害拠点病院　357
災害サイクル　354
災害支援ナース　328
災害時健康危機管理支援チーム　328，358
災害時地域精神保健医療活動ガイドライン　125
災害時の保健活動推進マニュアル　361
災害障害見舞金　360
災害静穏期・準備期の保健活動　361
災害対策基本法　356，357，359
　── の改正　356
災害弔慰金　360
在外日本人　58
災害派遣医療チーム　328，358
災害派遣精神医療チーム　125，328
災害フェーズ　354，355
災害保健活動　353
サイコロジカル・ファーストエイド　332
在宅療養者の口腔疾患の予防　245
再犯の防止等の推進に関する法律　139

再犯防止推進計画　139
作業環境管理　299, 315
作業環境測定機関　296
作業環境測定法　285, 291
作業管理　299, 315
作業関連疾患　306
里親　59
里帰り出産の準備　42
サプライチェーン　327
サルコペニア　118
産業医　297
産業看護　283
産業保健　282
　──の定義　283
　──の目的　282
産業保健看護の定義　283
産業保健計画の立案　315
産業保健専門職の倫理指針　314
産業保健総合支援センター　296, 297
産後ケア事業　16
酸蝕症　242
産前・産後サポート事業　16
産前産後の休業　48, 292

し

ジェンダー　3
支援費制度　158
歯科口腔保健　234
歯科口腔保健の推進に関する基本的事項(第2次)の目標　236
歯科口腔保健の推進に関する法律　234, 235
　──の目的　235
歯科疾患実態調査　237
事業継続管理　327
事業継続計画　327
事業場内産業保健スタッフ　309
事業場における治療と職業生活の両立支援のためのガイドライン　313
事業場における労働者の健康保持増進のための指針　285
事故　324
　──のリスクアセスメント　31
　──防止の指標　31
自己保健義務　294
自殺　140, 262
自殺企図者への支援　141
自殺総合対策大綱　140
自殺対策基本法　140
自死遺族への支援　141
歯周疾患予防　244
歯周ポケット　238
自主対応型産業保健活動　286

思春期　36
　──における親離れ　37
　──の健康課題　36
思春期やせ症　262
次世代育成支援行動計画　5
次世代育成支援対策推進法　12
自然災害　323, 353
自然毒　324
私宅監置　123
市町村保健センター　58, 59
実行期　75
実地疫学専門家養成コース　328
指定難病　180
児童委員　59
児童家庭支援センター　59
児童虐待の防止等に関する法律　51
児童生徒保健委員会　278
児童相談所　52
児童福祉法　5, 52, 156, 159, 161
自閉症スペクトラム障害　147
社会的孤立　115
社会的排除　126
社会的フレイル　118
社会福祉士及び介護福祉士法　178
社会福祉事業法　157, 158
社会福祉法　155
社会モデル　126, 153
若年性認知症　103
若年妊娠　261
就学児健康診断　273
周産期死亡率　4
重症心身障害　169
重症難病患者入院施設確保事業　177
重層的支援体制整備事業　95, 155, 169
終息の判断　342
集団感染事例の探知　340
集団発生　209
　──時の保健活動　340
　──の定義　337, 338
宿主対策　346
宿主の感受性　208
手段的日常生活動作　101
出生数　4
出席停止　275
受動喫煙防止　286
受動免疫　208
主任児童委員　59
守秘義務　311
受療率　101
循環器疾患　85
　──の一次予防　85
　──の療養支援　87
準備期　75

障害高齢者の日常生活自立度(寝たきり度)判定基準　101
障害児施設サービス　161
障害児通所支援　161
障害児入所支援　161
障害児への支援　161
障害者基本法　123, 153, 157, 159, 177
　──の基本理念　153
障害者雇用率制度　312
障害者(児)保健　152
障害者(児)保健医療福祉　152
　──の経緯　157
障害者自立支援法　158
障害者制度改革の推進のための基本的な方向について　124
障害者手帳　162
障害者の日常生活及び社会生活を総合的に支援するための法律　124, 158, 159, 178
　──におけるサービス　160
障害を理由とする差別の解消の推進に関する法律　126, 156
少子化社会対策基本法　12
少子化社会対策大綱　12
小児慢性特定疾病　46, 184
小児慢性特定疾病医療費　46
情報機器作業における労働衛生管理のためのガイドラインについて　307
情報収集　328
症例行動調査　211
症例対照調査　339
症例調査　210
症例定義　337
食育基本法　259
食育推進　259
食育推進基本計画　259
職業性疾病　306
食事　80, 82
食中毒　324
職場巡視　317
食品　324
植物性自然毒　324
食物感染　209
女性就業者　289
女性への暴力　49
女性労働者　289
初動調査　328, 337
自立支援医療　45, 130, 159
　──の対象　159
自立支援給付　159
自立生活運動　153
自立度　101

INDEX

シルバーハウジングプロジェクト　172
人為災害　324, 353
新オレンジプラン　104
新型インフルエンザ　216
神経症性障害　148
神経性過食症　147, 262
神経性食欲不振症　262
神経性無食欲症　147
人権モデル　153
人権擁護　152, 156
新興・再興感染症　201, 216
新高齢者保健福祉推進10か年戦略　94
新ゴールドプラン　94
心身障害者対策基本法　157
心神喪失者等医療観察法　125
心神喪失等の状態で重大な他害行為を行った者の医療及び観察等に関する法律　125
人生会議　110
新生児訪問　42
迅速評価　329
身体障害者福祉法　157, 159
身体的虐待　50
身体的フレイル　118
身体表現性障害　148
心的外傷後ストレス障害　142, 262, 332
じん肺健康診断　294
じん肺法　285, 291, 295
新版K式発達検査法　20
心理的虐待　51
心理的な負担の程度を把握するための検査及び面接指導の実施並びに面接指導結果に基づき事業者が講ずべき措置に関する指針　309
診療報酬請求明細書　318

す

水系感染　209
垂直感染　208
垂直伝播　208
スクールカウンセラー　254
　── の職務　255
スクールソーシャルワーカー　254
健やか親子21　10
健やか親子21（第2次）　37
　── の中間評価　10
スティグマ　139
ストレス関連障害　148
ストレスチェック制度　286, 309
ストレングスモデル　122, 132
スモン　174

せ

生活困窮者自立支援制度　89
生活習慣病の予防　79
生活モデル　153
性感染症　261
性感染症に関する特定感染症予防指針　202
精神衛生法　123
成人期　62
精神障害者保健福祉手帳　131
精神・心理的フレイル　118
精神遅滞　148
精神通院医療　130, 159
成人保健　62
　── の理念　62
精神保健医療福祉　122
　── 施策　124
成人保健医療福祉施策　65
精神保健医療福祉の改革ビジョン　124
精神保健及び精神障害者福祉に関する法律　123, 159
精神保健の理念　122
精神保健福祉士　124
精神保健法　123
生存権　291
性的虐待　51
青年期　62, 70, 261
成年後見制度　131
性の問題行動　261
世界結核非常事態宣言　220
セクシュアルハラスメント　312
積極的疫学調査　210
積極的支援　78
接触感染　208
接触者健康診断　220, 224
接触者調査　211, 338
接触者の分類　225
摂食障害　147, 262
窃盗癖　140
セルフネグレクト　114
全人的回復　122
先天性股関節脱臼　23
先天性代謝異常検査　5
せん妄　144

そ

総括安全衛生管理者　297, 316
総括管理　299, 314
早期発見・見まもりネットワーク　114
双極性障害　147
総人口の推計　100
相談支援事業者　168

相談支援専門員　168
壮年期　62, 71
早発思春期　36
躁病　147
相馬事件　123
ソーシャルスキルトレーニング　134
ゾーンニング　346
ゾーン分け　346
組織活動　253
育てにくさ　33
措置制度　158
措置入院　130

た

第2次性徴　36
第3次対がん10か年戦略　64
第4次食育推進基本計画　259
第14次労働災害防止計画の重点対策　294
第一次国民健康づくり対策　63
第一次産業　303
対がん10か年総合戦略　64
大規模災害リハビリテーション支援チーム　328
大規模地震対策特別措置法　356, 357
第三次国民健康づくり対策　63
第三次産業　303
第二次国民健康づくり対策　63
第二次産業　303
脱水症　102
男女雇用機会均等法　48, 311
男女の均等な機会及び待遇の確保に関する法律　48, 311
タンパク質・エネルギー低栄養状態　103

ち

地域DOTS　222
地域肝炎治療コーディネーター　232
地域共生社会　95
　── の理念　155
地域ケアシステム　88, 133
地域子育て支援拠点事業　54, 59
地域子育て支援センター　60
地域子ども・子育て支援事業等　12
地域産業保健推進センター事業の運営について　288
地域産業保健センター　297
地域支援事業　94, 116
地域障害者職業センター　297
地域生活支援事業　159
地域生活支援センター　133

373

INDEX

地域精神保健医療福祉社会資源分析
　　データベース　134
地域包括ケアシステムの強化のため
　　の介護保険法等の一部を改正する
　　法律　95
地域包括支援センター　94
地域保健対策の推進に関する基本的
　　な指針　185
地域保健法　184, 234
地域窓口　297
チームとしての学校　253
チック障害　149
知的障害者福祉法　159
地方公共団体による精神障害者の退
　　院後支援に関するガイドライン
　　133
チャイルド-デス-レビュー　32
注意報　330
中核症状　104
中小企業　296
中年期　63
腸管出血性大腸菌感染症　228
直接感染　208
直接接触感染　208
直接服薬指導確認療法　220
治療就労両立支援センター　296

つ

通院者率　101
通級における指導　268
つどいの広場事業　59
津守式乳幼児精神発達検査　20

て

低栄養　102
定期健康診断　273, 304
　　――後の事後措置　273
　　――の有所見率　304
定期接種　29
定期予防接種　212
デイケア　134
低出生体重児の届出　9
定年延長　68
デインジャーグループ　221
データヘルス計画　66, 318
適応障害　148
テロ　324
伝染病予防法　201
転倒　103

と

動機づけ支援　78
東京進行性筋萎縮症協会　184
東京府癲狂院　123
統合失調型障害　143, 146

統合失調症　143
同心円法　206, 207
糖尿病　87
　　――の発症予防　87
　　――の療養支援　87
動物性自然毒　324
糖類　243
トータルヘルスプロモーションプラ
　　ン　285
特殊健康診断　294, 304
特定感染症予防指針　202
特定健康診査　64, 77, 291
特定疾病　97, 178
特定妊婦　40, 52
特定保健指導　77, 291
特別警報　330
特別支援学級　267
特別支援学校　267
特別支援教育　267
　　――の特長　267
特別支援教育コーディネーター
　　267
特別な支援を要する子ども　268
独立行政法人日本スポーツ振興セン
　　ター　255
賭博　139
ドメスティックバイオレンス　325
トリアージ　364
トリアージオフィサー　365
トリアージタッグ　365

な

難病　180
　　――の医療費助成　181
難病医療費申請の流れ　181
難病患者就職サポーター　183
難病患者地域支援対策推進事業
　　177, 183
難病患者等居宅生活支援事業　176
難病患者のコミュニケーション手段
　　193
難病指定医　181
難病情報センター　176
難病相談支援センター　176, 182
難病相談支援センター事業　183
難病対策地域協議会　182, 183,
　　185, 196
難病対策の歴史的変遷　174
難病対策要綱　175
難病特別対策推進事業　176, 183
難病の患者に対する医療等に関する
　　法律　175, 179, 180
難病の治療・看護に関する研究班
　　184

に

二次障害　165
　　――の予防　165
日常生活自立支援事業　131
日常生活動作　101
日本医師会災害医療チーム　328
日本栄養士会災害支援チーム　328
日本国憲法　291
日本産業衛生協会　287
日本スポーツ振興センター　255
日本版21世紀型DOTS戦略　221
　　――推進体系図　222
日本版DOTS戦略推進体系図　221
日本版デンバー式発達スクリーニン
　　グ検査　19
乳児家庭全戸訪問事業　54
乳児死亡率　4
乳児の1日体重増加量　18
乳幼児期の事故　30
乳幼児期の成長・発達　18
乳幼児健康診査　8, 22
乳幼児突然死症候群　32
乳幼児の身体発育の評価　18
任意後見制度　132
任意接種　29
任意入院　130
任意予防接種　212
　　――における被害救済　213
妊産婦健康診査　8
妊産婦死亡率　4
妊産婦の訪問指導など　8
妊娠高血圧症候群等の療養援護　45
妊娠・出産包括支援事業　16, 39
妊娠の届出　7
認知機能障害　104
認知症　103
　　――の症状　104
　　――の分類　103
認知症カフェ　105
認知症患者の統計　104
認知症高齢者　103
認知症高齢者の日常生活自立度判定
　　基準　104
認知症サポーター　105
認知症施策推進5か年計画　104
認知症施策推進大綱　104
　　――の5つの柱　104
認知症施策総合戦略　104
認知症初期集中支援チーム　107
認定特定行為業務　178
妊婦健康診査　41
妊婦の体型と胎児の健康　40

ね

ネウボラ　39
ネグレクト　51

の

濃厚接触者　206, 225
能動免疫　208
ノーマライゼーション　122, 152
　——の原理　152

は

パーセンタイル法　18
パーソナリティ障害　148
ハームリダクション　139
配偶者からの暴力の防止及び被害者
　の保護等に関する法律　56
ハイリスクアプローチ　72
ハイリスクグループ　220
ハイリスク接触者　207, 225
ハイリスク妊婦　41
ハヴィガースト　62
派遣労働者の健康管理　312
歯・口腔の健康づくりプラン　236
ハザード　325
発育状態調査　263
発語　24
発症曲線　339
　——のパターン　340
発達障害　47, 269
発達障害者　125
発達障害者支援センター　125
発達障害者支援地域協議会　125
発達障害者支援法　26, 159
発達段階　62
抜毛症　149
パニック障害　262
パニック発作　262
歯の衛生週間　234
母親学級　40
ハラスメント対策　312
パワーハラスメント　312
阪神・淡路大震災　363

ひ

ピアエデュケーション　38
ピアエデュケーター　38
ピアカウンセリング　38
東日本大震災　363
引きこもり　137
微細運動　23
被災者生活再建支援法　356, 357
非正規労働者　312
非接触者　225
非糖質系甘味料　243

ヒトパピローマウイルスワクチンの
　定期接種　29
避難行動要支援者　169, 185, 356,
　361
避難所における健康支援　364
非濃厚接触者　206, 225
飛沫感染　208
肥満　82
肥満度　19
病原体　208
病原体検査　339
病原体対策　346
標準予防策　210
病的窃盗　140
病的賭博　140
病的放火　140
広場恐怖　262

ふ

ファミリーサポートセンター　60
不安が強い妊婦　41
不安障害　262
複雑性PTSD　142
福祉サービス利用援助事業　131
フッ化物洗口法　240
フッ化物の利用法　240
不登校　136, 263
　——の定義　263
　——の要因　263
武力攻撃事態等における国民の保護
　のための措置に関する法律　323
不慮の事故　31
フレイル予防　118
粉じん障害防止規則　285

へ

ペアレントトレーニング　166
平均寿命　100
平常時の体制準備　327
平常時の保健活動　361
ヘルス・プロモーティング・スクー
　ル　278
ヘルスリテラシー　71

ほ

保育所　59
放火癖　140
防災基本計画　357
　——の構成と体系　358
法定後見制度　132
法定受託事務　359
訪問教育　268
訪問指導，新生児・乳児・幼児の　8
訪問指導，未熟児の　9
暴力　325

ホームスタート　42
保健医療福祉サービス介入ネット
　ワーク　114
保健看護婦　287
保健管理　270
保健教育　251, 270
保健室経営　271
保健室の機能　272
保健師の難病保健活動　196
保健主事　254
保健所　58
保健所法　287
保健組織活動　271
保健婦　287
保健婦助産婦看護婦法　287
母子衛生対策要綱　5
母子及び寡婦自立促進計画　57
母子及び父子並びに寡婦福祉法　57
母子家庭の母および父子家庭の父の
　就業の支援に関する特別措置法
　57
母子健康センター　58, 59
母子健康手帳　39
　——の交付　7
　——の様式改正　8
母子健康包括支援センター　16
母子保健　2
　——活動の理念　2
母子保健推進員　3, 59
　——制度　3
母子保健法　5, 52, 161, 235
母性健康管理指導事項連絡カード
　48
母性・父性をはぐくむ　40
母性保護規定　311
ボトルネック　327
母乳育児のための支援　42
ポピュレーションアプローチ　72

ま

マスコミへの対応の原則　334
マッピング　195
慢性腎臓病　87
　——の発症予防　87
　——の療養支援　88

み

未熟児養育医療　45
　——の給付　9
民生委員　59

む

無関心期　75
虫歯予防デー　234

め

メッツ　81
面接技術　76
メンタルヘルス　81
メンタルヘルス指針　126

も

妄想性障害　143, 146

や

薬剤耐性（AMR）対策アクションプラン　205
薬剤耐性（AMR）に関するグローバル・アクション・プラン　205
薬剤耐性対策　205
薬物依存　139
薬物乱用　261
ヤングケアラー　47, 136

ゆ

有訴者率　101

よ

養育支援訪問事業　54
養護教諭　248, 251, 254
　──の職務・役割　270
　──の配置　251, 270
要支援児童　52
要支援・要介護者の状況　97
幼児期　260
幼稚園　59
要配慮者　185, 356, 361
要保護児童　52
要保護児童対策地域協議会　55
予期不安　262
予防接種健康被害救済制度　213
予防接種による健康被害の救済　213
予防接種の意義　212
予防接種法　212, 213

ら

ライシャワー事件　123

り

リカバリー　122, 132
リスク　325
リスクアセスメント　299, 325
リスクコミュニケーション　326, 351
リスク対応　325
リスク特定　325
リスク評価　325
リスク分析　325
リスクへの対応方法　326
リスクマネジメントの過程　325
律速段階　327
リハビリテーション　122, 152, 153, 154
リプロダクティブ・ヘルス／ライツ　3
流行曲線　339
　──のパターン　340
療育　22
療育給付　46
療育指導事業　46
良質かつ適切な精神障害者に対する医療の提供を確保するための指針　130
両親学級　40
療養生活環境整備事業　182
リワーク支援　297
臨時休業　275
臨時健康診断　273

れ

レセプト　318
レセプト情報・特定健診等情報データベース　68
レビー小体型認知症　144

ろ

老人クラブ　96
老人福祉法　93
老人保健法　94, 184
　──の事業　94
労働5法　291
労働安全衛生法　285, 291, 292, 309
労働安全衛生法の重要項目　294
労働安全衛生マネジメントシステム　298
労働安全衛生マネジメントシステムに関する指針　299, 314
労働衛生　282
　──の3管理　299
労働衛生管理　299
労働衛生教育　299, 315
労働基準監督官　296
労働基準監督署　296
労働基準法　48, 285, 287, 291, 292, 311
労働基本権　291
労働局　296
労働災害　295, 301
　──による死傷災害発生状況　302
　──による死亡災害発生状況　302
労働災害防止計画　292
労働施策基本方針　286
労働施策総合推進法　286
労働施策の総合的な推進並びに労働者の雇用の安定及び職業生活の充実等に関する法律　286
労働者健康安全機構　296
労働者健康保持増進サービス機関　296
労働者健康保持増進指導機関　296
労働者災害補償保険法　291, 295
労働者の心の健康の保持増進のための指針　126, 288, 309
ローレル指数　18
ロコモティブシンドローム　118

わ

ワーク-エンゲイジメント　310
ワークライフバランス　72, 307